COMPRENDRE ET GÉRER LES RISQUES SOCIOTECHNOLOGIQUES MAJEURS

Hélène Denis

ÉDITIONS DE L'ÉCOLE POLYTECHNIQUE DE MONTRÉAL

DIFFUSION

Diffusion exclusive, Amérique du Nord:

Coopoly
École Polytechnique de Montréal
Campus de l'Université de Montréal
C.P. 6079, succursale Centre-ville
Montréal (Québec)
CANADA H3C 3A7
Tél.: (514) 340-4067 / 1-888-266-7659
Télécopieur: (514) 340-4543
E-mail: Coopoly@mail.polymtl.ca
Serveur Web: http://www.polymtl.ca

Diffusion exclusive, Europe, Afrique et Asie:

Technique et Documentation - Lavoisier, S.A.
11, rue Lavoisier
F 75384 Paris Cedex 08
FRANCE
Tél.: (33) (0) 1.42.65.39.95
Télécopieur: (33) (0) 1.47.40.67.02
Télex: TDL 632 020 F
Minitel: 36.14 LAVOISIER
E-mail: edition@Lavoisier.fr
Serveur Web: http://www.Lavoisier.fr

Comprendre et gérer les risques sociotechnologiques majeurs, Hélène Denis

Gestion éditoriale et production: Éditions de l'École Polytechnique
Page de couverture: Benoit Ladouceur

Serveur Web des Éditions de l'École Polytechnique de Montréal: http://www.polymtl.ca/pub
Courrier électronique des Éditions de l'École Polytechnique de Montréal:
editions@courrier.polymtl.ca

Dépôt légal: 1er trimestre 1998
Bibliothèque nationale du Québec
Bibliothèque nationale du Canada

ISBN 2-553-00670-5
Imprimé au Canada
1 2 3 4 5 02 01 00 99 98

Je dédie ce livre à chaque personne qui, dans l'invisibilité du quotidien, travaille à faire en sorte que la catastrophe ne survienne pas.

Et aussi à la mémoire de Barry Turner, ce pionnier de l'analyse des risques.

Table des matières

Préface XVII

Avant-propos XXI

Remerciements XXIII

Introduction XXV

Partie I
COMPRENDRE LE RISQUE

Chapitre 1
Définitions et caractéristiques du risque sociotechnologique majeur
et bref historique des analyses de risque 3

1.1   Définitions 3
     1.1.1   Risque, danger, probabilités et conséquences 3
     1.1.2   Sécurité et peur 5
     1.1.3   Risque sociotechnologique majeur 5
1.2   Quelques caractéristiques du risque 6
     1.2.1   Différents domaines 7
     1.2.2   Différents éléments déclencheurs 7
     1.2.3   Différents acteurs 8
     1.2.4   Différents dilemmes 8
     1.2.5   Complexité et incertitude 10
1.3   Analyse de risques : bref rappel historique 12
     1.3.1   Analyses centrées sur le risque lui-même 12
     1.3.2   Analyses intermédiaires entre le risque et le contexte 13
         1.3.2.1   Analyses économiques 13
         1.3.2.2   Évaluation sociale des technologies 14
     1.3.3   Analyses centrées sur le contexte 14
         1.3.3.1   Analyses centrées sur l'humain (psychologues) 14
         1.3.3.2   Analyses centrées sur la culture et la société
                  (anthropologues, politologues, sociologues) 15
     1.3.4   Cloisonnement ou collaboration entre les disciplines? 16
Synthèse 18

Chapitre 2
Analyses classiques de risques 19

2.1   Évaluation de la probabilité d'un événement 21
    2.1.1   Calcul de probabilité de l'événement 21
    2.1.2   Quelques méthodes 24
        2.1.2.1   Arbres de causes ou arbres de défaillances 24
        2.1.2.2   HAZOP 28
2.2   Évaluation des conséquences potentielles 29
    2.2.1   Probabilités des conséquences 29
    2.2.2   Quelques méthodes 30
        2.2.2.1   Échelle de gravité des accidents industriels 30
        2.2.2.2   Arbres d'événements 31
        2.2.2.3   Arbres d'utilité 31
2.3   Comparaisons entre conséquences potentielles 34
    2.3.1   Comparaisons entre différents critères 34
    2.3.2   Évaluation des coûts 36
        2.3.2.1   Évaluation coûts-bénéfices 36
        2.3.2.2   Coûts de mitigation et coûts des conséquences ... 37
        2.3.2.3   Probabilité de supporter les coûts des conséquences ... 38
2.4   Utilisation relative des différentes méthodes dans un projet : un exemple 39
    2.4.1   Méthode «Qu'arriverait-il si?» 41
    2.4.2   Évaluation semi-quantitative du risque 42
    2.4.3   HAZOP 44
    2.4.4   Analyse des modes de défaillances et de leurs conséquences
        ou AMDEC 44
    2.4.5   Arbres de défaillances 44
2.5   Limites des analyses classiques de risque 45
    2.5.1   Quantitatif synonyme d'objectivité 46
    2.5.2   Facteur d'échelle dans les calculs : les modèles mathématiques
        ne sont pas la réalité 47
    2.5.3   Absence de prise en compte du contexte 47
    2.5.4   Dangers d'une hyperconfiance dans les estimations :
        la sanctification des méthodes 48

Synthèse 50

Chapitre 3
Analyses de perception du risque 51

3.1 Analyses psychométriques 52
    3.1.1 Perceptions des profanes et des experts : profils de risque 53
    3.1.2 Perceptions des bénéfices et régulation du risque 58
    3.1.3 Résultats des analyses psychométriques 60
    3.1.4 D'autres recherches sur la perception des risques 61
3.2 Éléments psychologiques influençant la perception 63
    3.2.1 Facilité de se souvenir ou d'imaginer 64
    3.2.2 Émotivité 65
    3.2.3 Principe de similarité/simplification 65
    3.2.4 Limites de la charge mentale 66
    3.2.5 Force des croyances 66
    3.2.6 Fermeture à l'improbable 66
    3.2.7 Syndrome du Titanic 67
    3.2.8 *Groupthink* 67
    3.2.9 Accoutumance au danger 67
3.3 Éléments sociologiques influençant la perception 68
    3.3.1 Caractéristiques socioéconomiques 68
    3.3.2 Fonction ou spécialité 69
        3.3.2.1 Ingénieurs 69
        3.3.2.2 Ingénieurs de sûreté et ingénieurs d'exploitation ou
                 de conception 70
        3.3.2.3 Ingénieurs et planificateurs d'urgence 71
        3.3.2.4 Ingénieurs et scientifiques 71
        3.3.2.5 Professions liées à l'énergie nucléaire 73
        3.3.2.6 Gouvernement, entreprises, public et groupes de pression 75
        3.3.2.7 Experts et profanes 75
    3.3.3 Controverses 76
        3.3.3.1 Effet des controverses sur la perception des fonctionnaires 77
        3.3.3.2 Effet des controverses sur la perception du public 77
    3.3.4 Crédibilité des spécialistes et confiance du public 78
        3.3.4.1 Crédibilité des spécialistes 79
        3.3.4.2 Confiance du public 79
    3.3.5 Médias 82
    3.3.6 Culture 83

3.4 Lien perception-comportement 85
    3.4.1 Influence des perceptions sur les comportements 85
    3.4.2 Influence des comportements de communication
           sur la perception 86
    3.4.3 Amplification sociale du risque 87
           3.4.3.1 Caractéristiques 87
           3.4.3.2 Recherches 90
3.5 Limites des études sur la perception 91
    3.5.1 Limites des analyses psychométriques 91
    3.5.2 Limites des analyses liées à l'amplification sociale du risque 95
Synthèse 96

Chapitre 4
Le risque «acceptable» 97

4.1 Définition du risque acceptable 98
    4.1.1 Acceptabilité ou tolérabilité? 100
    4.1.2 Acceptabilité diachronique 100
    4.1.3 Acceptabilité synchronique 101
4.2 Éléments influençant l'acceptabilité d'un risque 104
    4.2.1 Perceptions individuelles 104
    4.2.2 Facteurs sociaux 105
    4.2.3 Éthique et équité 107
           4.2.3.1 Éthique 107
           4.2.3.2 Équité 108
4.3 Acceptabilité comme produit d'une décision 110
    4.3.1 Jugement professionnel, comparaison et analyse formelle 110
    4.3.2 Élimination à coûts raisonnables 110
    4.3.3 Modèles élitiste ou démocratique 112
           4.3.3.1 Modèle élitiste 112
           4.3.3.2 Modèle démocratique 112
    4.3.4 Consentement éclairé, droit à l'information, consensus informé ... 114
    4.3.5 Analyse stratégico-systémique 115
    4.3.6 Processus de méta-décision 116
4.4 Régulation du risque 118
    4.4.1 Autorégulation 118
           4.4.1.1 Marché 118
           4.4.1.2 Associations professionnelles et regroupements
                     de partenaires industriels 120

4.4.2 Régulation par l'assurance 121
4.4.3 Régulation gouvernementale 122
    4.4.3.1 Établissement de la régulation 122
    4.4.3.2 Application de la régulation 124
    4.4.3.3 Centralisation ou décentralisation de la régulation gouvernementale 126
4.4.4 Régulation et définition d'un seuil d'acceptabilité 128
    4.4.4.1 Réglementation 128
    4.4.4.2 Analyses de risque, seuils d'acceptabilité et justifications 129
    4.4.4.3 Définition stratégique des seuils d'acceptabilité 129
    4.4.4.4 Application des législations et réglementations 130

Synthèse 131

Partie II
GÉRER LE RISQUE

Chapitre 5
Sources de risques dans l'entreprise :
l'humain, la technologie, la structure et la culture 135

5.1 Environnement : source de risques 135
5.2 Humain : source de risques 137
5.3 Technologie : source de risques 140
    5.3.1 Localisation et concentration des technologies 140
    5.3.2 Conception des technologies 141
    5.3.3 Construction et assemblage 142
    5.3.4 Exploitation et entretien 143
    5.3.5 Entreposage et mise au rancart 143
    5.3.6 Introduction de nouvelles technologies 144
    5.3.7 Modifications mineures de la technologie 144
    5.3.8 Interdépendances dans la technologie 144
5.4 Organisation du travail : source de risques 145
    5.4.1 Partage des responsabilités 145
    5.4.2 Sous-traitance 147
    5.4.3 Charge de travail et résistance au stress 148
    5.4.4 Horaires de travail 149
    5.4.5 Climat de travail et roulement du personnel 149
    5.4.6 Formation et critères de promotion 150
    5.4.7 Changements organisationnels 151
    5.4.8 Interdépendances dans l'organisation du travail 151

5.5   Culture : source de risques 151
    5.5.1   Culture de sécurité 151
    5.5.2   Valeurs 152
    5.5.3   Culture formelle contre comportements réels 153
    5.5.4   Valorisation des ressources humaines 153
    5.5.5   Valorisation des sonneurs d'alarme 154
    5.5.6   Systèmes de récompenses 155
    5.5.7   Attention au quasi-accident (*near-miss*) et
           apprentissage organisationnel 156
    5.5.8   Interdépendances dans la culture 157
5.6   Défaillance : résultat d'éléments interdépendants 157
Synthèse 161

Chapitre 6
Interdépendances des risques 163

6.1   Analyses précatastrophes et postcatastrophes 163
    6.1.1   Analyses précatastrophes 163
    6.1.2   Analyses postcatastrophes 165
           6.1.2.1   Analyses techniques 165
           6.1.2.2   Analyses des commissions d'enquête 167
6.2   Éléments en interdépendance : quelques cas 168
    6.2.1   Coup de grisou dans une mine 168
           6.2.1.1   Croyances erronées 169
           6.2.1.2   Constructions temporaires et retards 169
           6.2.1.3   Tests faussement sécurisants 169
           6.2.1.4   Urgences dont il faut s'occuper 169
           6.2.1.5   Pressions pour reprendre la production et autre défaillance –
                      électrique cette fois 170
           6.2.1.6   Erreur humaine 170
           6.2.1.7   Accumulation insoupçonnée de grisou 170
           6.2.1.8   Éléments en interdépendance 170
    6.2.2   Incendie dans une station de métro 174
           6.2.2.1   Aménagement physique des lieux et achalandage 175
           6.2.2.2   Lourd passé de quasi-accidents 175
           6.2.2.3   Recommandations laissées en suspens sous prétexte d'une
                      modernisation à venir du système 175

6.2.2.4 Peu de valorisation de la sécurité 175

6.2.2.5 Responsabilités mal définies et manque de coordination 176

6.2.2.6 Erreur humaine 176

6.2.2.7 Éléments en interdépendance 176

6.2.3 Naufrage d'un traversier 177

6.2.3.1 Défaillance humaine 177

6.2.3.2 Design technique à risque 177

6.2.3.3 Mesures de mitigation refusées 177

6.2.3.4 Responsabilités mal définies 177

6.2.3.5 Historique de quasi-accidents 178

6.2.3.6 Recommandations sujettes à interprétation 178

6.2.3.7 Comportements fondés sur la confiance 178

6.2.3.8 Automatisation, diminution de personnel, surcharge de travail et fatigue 178

6.2.3.9 Fatigue, maladies et climat de travail 179

6.2.3.10 Rotation du personnel et climat de travail 179

6.2.3.11 Inattention aux sonneurs d'alarme 179

6.2.3.12 Éléments en interdépendance 180

6.3 Interdépendances dans le temps 183

6.3.1 Exxon-Valdez 183

6.3.2 Écrasement d'une toiture d'usine 184

Synthèse 185

Chapitre 7
Culture de sécurité et culture d'entreprise 187

7.1 Culture, culture d'entreprise, culture de sécurité 187

7.1.1 Culture et culture d'entreprise 187

7.1.2 Culture de sécurité 188

7.2 Culture : un construit 190

7.2.1 Socialisation 190

7.2.2 Culture-stratégie 191

7.2.3 Changer une culture de sécurité 192

7.2.4 Changer une culture professionnelle : le paradoxe de la culture d'ingénieur 194

7.3 Éléments de la culture de sécurité 196

7.3.1 Mythes 196

7.3.2 Sens du «nous» 197

7.3.3 Grilles de référence 199

7.3.4   Attribution des responsabilités 201

7.3.5   Valeurs 203

7.3.6   Croyances 204

7.3.7   Normes 205

7.3.8   Styles culturels 206

7.3.9   Éléments en interaction 208

Synthèse 210

Chapitre 8
Organisations à haute fiabilité 211

8.1   Définition des organisations à haute fiabilité 211

8.2   Caractéristiques des OHF 215

    8.2.1   Complexité et couplage serré 215

        8.2.1.1   Caractéristiques de la complexité 215

        8.2.1.2   Caractéristiques des couplages serrés 216

    8.2.2   Relation connaissances-comportement 218

    8.2.3   Facteurs de risque majeur 219

    8.2.4   Caractéristiques des OHF 219

        8.2.4.1   Hypercomplexité 219

        8.2.4.2   Couplage serré 220

        8.2.4.3   Différenciation hiérarchique extrême 220

        8.2.4.4   Grand nombre de décideurs dans des réseaux complexes de communication 220

        8.2.4.5   Forte responsabilisation 221

        8.2.4.6   Nombreuses rétroactions immédiates sur les décisions 221

        8.2.4.7   Facteurs de temps comprimés 221

        8.2.4.8   Plus d'un résultat critique à obtenir simultanément 221

8.3   Centre de contrôle régional du trafic aérien de l'aviation fédérale américaine 222

8.4   Centrale nucléaire 222

    8.4.1   Technologie 223

    8.4.2   Structuration organisationnelle 223

    8.4.3   Culture 224

8.5   Porte-avions à propulsion nucléaire 225

    8.5.1   Analyse des chercheurs de Californie 226

        8.5.1.1   Structuration organisationnelle 226

        8.5.1.2   Interdépendances 227

        8.5.1.3   Un exemple de fonctionnement : l'alerte de niveau 5 228

        8.5.1.4   Paradoxes organisationnels 229

        8.5.1.5   Stratégies de réponse aux paradoxes 230

8.5.2   Analyse des stratégies selon la grille technologie, structure et culture 232
    8.5.2.1   Technologie 232
    8.5.2.2   Structuration organisationnelle 233
    8.5.2.3   Culture organisationnelle 237
Synthèse 245

Chapitre 9
Communication du risque 247

9.1   Définition et caractéristiques 248
    9.1.1   Définition 248
    9.1.2   Caractéristiques 249
        9.1.2.1   De nombreux intéressés 249
        9.1.2.2   Comportements, échanges et pouvoir 250
        9.1.2.3   Personnes, groupes, organisations 251
9.2   Historique 251
9.3   Moment de la communication du risque 253
    9.3.1   CR avant une catastrophe 253
    9.3.2   CR pendant la catastrophe 254
    9.3.3   CR après la catastrophe 254
9.4   Communication du risque en tant que processus 255
    9.4.1   Émetteur 256
        9.4.1.1   Prestige et connaissances de l'émetteur 256
        9.4.1.2   Grilles de référence 257
        9.4.1.3   Valeurs 257
        9.4.1.4   Stéréotypes 258
        9.4.1.5   Climat de la communication 260
        9.4.1.6   Crédibilité de l'émetteur 260
    9.4.2   Encodage 267
        9.4.2.1   Comportements non verbaux 268
        9.4.2.2   Mots et statistiques 268
        9.4.2.3   Problèmes de langue 269
    9.4.3   Message 269
        9.4.3.1   Contenu quantitatif du message 270
        9.4.3.2   Contenu qualitatif du message 270
        9.4.3.3   Analogies 272
        9.4.3.4   Incertitude liée au contexte du message 273
        9.4.3.5   Incertitude liée au contenu 274

9.4.4   Canal de communication 275
        9.4.4.1   Formalisation du canal 275
        9.4.4.2   Accessibilité au canal et redondances 276
9.4.5   Récepteur et décodage 277
        9.4.5.1   Éléments influençant la perception du récepteur 277
        9.4.5.2   Médias en tant que récepteurs 279
        9.4.5.3   Rétroaction du récepteur 280
9.5   Deux exemples de communication du risque 282
      9.5.1   Retombées de Tchernobyl en Europe 283
              9.5.1.1   Incertitude organisationnelle 283
              9.5.1.2   Incertitude scientifique 283
              9.5.1.3   Incertitude terminologique 284
              9.5.1.4   Incertitude scientifico-géographique 284
              9.5.1.5   Incertitude et communication du risque 285
      9.5.2   Une PME du New Jersey 285
              9.5.2.1   Mise en place de la politique de CR 285
              9.5.2.2   Communication du risque et gestion du risque 287
              9.5.2.3   Communication du risque et modifications à l'organisation
                        du travail 287
              9.5.2.4   Modification de la communication du risque 288
Synthèse 288

Chapitre 10
Gestion de catastrophes 291

10.1   Définition 291
       10.1.1   Origine de l'événement 292
       10.1.2   Déroulement de l'événement 293
       10.1.3   Crise et catastrophe 293
10.2   Caractéristiques 294
       10.2.1   Conséquences 294
       10.2.2   Stress 295
       10.2.3   Contingences situationnelles 296
10.3   Problèmes et incertitudes liés à la catastrophe : une typologie 297
       10.3.1   Problèmes techniques et incertitudes 298
       10.3.2   Problèmes sociopolitiques et incertitudes 299
       10.3.3   Problèmes scientifiques et incertitudes 300

10.3.4   Interrelations entre les problèmes 301

        10.3.4.1 Interrelations au sein des catégories 302

        10.3.4.2 Interrelations entre les catégories 302

10.3.5   Déroulement des problèmes dans le temps 303

10.4   Structuration, technologie et culture 304

   10.4.1   Structuration 304

        10.4.1.1 Multiplicité des intervenants 304

        10.4.1.2 Coordination 305

   10.4.2   Technologie 307

   10.4.3   Culture 308

10.5   Communication 309

   10.5.1   Communication entre intervenants 309

        10.5.1.1 Communication et action de secours 309

        10.5.1.2 Réseaux de communication 310

   10.5.2   Communication avec les sinistrés et avec le public 312

        10.5.2.1 Information et problèmes techniques 312

        10.5.2.2 Information et problèmes sociopolitiques 312

        10.5.2.3 Information et problèmes scientifiques 313

   10.5.3   Rôle des médias 313

        10.5.3.1 Définition de l'événement 313

        10.5.3.2 Médias et scientifiques 314

        10.5.3.3 Besoins des médias et désir d'oubli des victimes 315

Synthèse 316

Conclusion 319

Références 321

Préface

Voici l'ouvrage qu'attendaient ceux qui sont conduits (ou, en un certain sens, condamnés) à comprendre et à gérer les risques.

COMPRENDRE LES RISQUES

Comprendre, c'est en quatre chapitres le premier objectif d'Hélène Denis. Successivement, elle nous présente un panorama qui frappe par sa clarté et son extension des :
– définitions
– analyses
– perceptions
– normes
qui peuplent déjà l'univers encyclopédique des sciences du danger.

Le mérite de cette présentation est de ne faire aucune concession à la complexité et à la richesse de l'univers du danger. Il ne s'agit pas de reculer devant la richesse de la matière ou de capituler devant sa complexité.

Ainsi se voit confirmée l'idée émise par l'Institut Européen de Cindyniques du caractère encyclopédique du domaine du danger et de la nécessité de s'atteler à la réalisation progressive de cette encyclopédie. Derrière chacun des mots utilisés quotidiennement pour décrire les risques, les accidents, les catastrophes, les apocalypses, s'accumulent au fil des ans définitions, débuts de théorisation ou de conceptualisation, études de cas, observations diverses, banques de données produites par les systèmes dits de retour d'expérience. On verra au chapitre dix consacré au mot catastrophe une illustration remarquable de cette situation.

On imagine alors facilement, après les centaines de pages de cet ouvrage, des dizaines de milliers de pages venant à l'appui de ce qui est dit ici : l'essor de l'informatique nous permet maintenant d'espérer tenir cela dans le creux d'une main, dans un petit disque!

Oui, cet ouvrage est de ceux qui ouvrent au XXIᵉ siècle la perspective encyclopédique que les pionniers des sciences du danger ont ouverte depuis 1987. Nous fêtons cette année, par un colloque Cindynics 97, le dixième anniversaire des cindyniques, nom de baptême, tiré de la racine grecque signifiant danger, des sciences du danger. Montréal et Nantes, de l'autre côté de l'océan, ont annoncé à cette occasion le projet de création de l'Institut Atlantique de Cindyniques, qui sera un des premiers contributeurs à cette encyclopédie des cindyniques.

Le chapitre 2, qui porte sur la perception du risque, éclaire le thème du colloque de Cindynics 97, soit «La violence est-elle un accident?» Cette question est née d'une extension fulgurante des sciences du danger dans le domaine des travailleurs sociaux et des psychiatres, comme le montre l'ouvrage *Le risque psychologique majeur*, premier traité de psychosociologie cindynique.

Le chapitre 4, qui concerne le risque acceptable, nous met au cœur de l'intersection entre sciences politiques et cindyniques. Les analyses pénétrantes d'Hélène Denis (notez, par exemple, la distinction tolérabilité/acceptabilité) nous introduisent à cette pragmatique de l'action administrative face aux dangers.

Les axes de recherche d'Hélène Denis confirment les constatations faites par Gilles Hérard Dubreuil, vice-président du Comité scientifique de l'Institut Européen de Cindyniques, à qui nous devons les précieux *Cahiers d'Épistémologie Cindynique*. Les analyses de la crédibilité (paragr. 9.4.1.6) d'Hélène Denis illustrent l'intérêt de ces approches. Les fascicules du Séminaire de Claude Gilbert (C.N.R.S., CERAT/I.E.P. Grenoble) confirment également sur bien des points la pertinence des pistes de réflexion proposées par le présent ouvrage.

Cette exploration vers le comprendre nous permet-elle d'espérer accéder à la maîtrise des dangers, donc à gérer?

GÉRER LES RISQUES

Des espoirs existent depuis le développement de la fonction de gestionnaire de risques dans les entreprises. Cette profession est maintenant organisée et soutenue par de dynamiques associations professionnelles comme le RIMS en Amérique du Nord, l'AMRAE en France, l'AIRMIC en Angleterre. C'est maintenant aux collectivités territoriales d'instituer cette fonction.

De grands progrès ont été faits dans ce domaine par la jonction opérée entre le Québec et la France au sein du Réseau Francophone de Prévention des Traumatismes et des Accidents. Les spécialistes de la santé publique au Québec ont d'ailleurs joué un rôle déterminant dans l'animation de ce réseau.

La mise en réseau électronique des régions et des cités, en créant les conditions efficaces d'une conscience et d'une vigilance collective, va permettre des progrès prodigieux et inespérés dans la prévention, la réduction de la sinistralité et la gestion des crises. De puissants systèmes d'aide à la décision sont actuellement mis au point. On se penchera avec profit sur le système DEDICS, mis au point par le pôle Cindyniques de l'École Nationale Supérieure des Mines de Paris, à Sophia Antipolis, grâce au travail de chercheurs québécois comme Marie-Christine Therrien-Eyquem et à la coopération des autorités canadiennes, notamment celles des responsables des forêts.

Tout ceci donne aux six chapitres d'Hélène Denis sur :
— les sources de risques dans les organisations,
— l'interdépendance des risques,
— les entreprises à hauts risques,
— les relations risques-culture,
— la communication du risque,
— et la gestion des catastrophes
un intérêt majeur. Beaucoup de chercheurs attendaient cet ouvrage pour situer leur approfondissement dans une perspective plus vaste. Je ne me doutais pas, personnellement, lorsque j'ai rédigé mon livre *La Culture Réseau* (Éditions ESKA, 1993), qui était issu de mon expérience de la culture des entreprises, que le concept de réseau allait devenir central dans les matières dont nous devons traiter aujourd'hui. La complexité du tissu social, sa vulnérabilité à la violence, sa propension aux déchirures, fractures, paniques, catastrophes relèvent comme le montre Hélène Denis d'une approche globale systémique, holistique des complexes de réseaux enchevêtrés où se débattent les acteurs des drames qui font les rubriques quotidiennes de l'actualité (voir, par exemple, les paragraphes 8.2.4.4, 9.1.2.1 et 10.4.1.1).

Dans le chapitre 7 sur la culture, Hélène Denis pose très clairement les problèmes très aigus qui résultent des différences d'approche entre sciences mathématiques ou physiques et sciences humaines. Ces différences font l'objet de réflexions à l'Institut Homme et Technologie de Nantes.

Plus loin dans le chapitre 7, la théorie des grilles montre bien comment chacun des réseaux enchevêtrés dans une situation cindynique «connaît midi à sa porte» : c'est cette grille, ce regard cindynique avec ses cinq composantes bien dégagées par les cindyniques :
— «ma» banque de données;
— «ma» banque de modèles;
— «mes» objectifs stratégiques, plus ou moins explicites;
— «mes» codes, «mes» règles et règlements, «mes» normes (art. 7.3.7);
— «mon» système de valeurs et de croyances (art. 7.3.5 et 7.3.6, paragr. 9.4.1.3).

Hélène Denis montre bien comment les dissonances cindyniques, c'est-à-dire les écarts entre ces cinq éléments appartenant à des réseaux différents, engendrent les accidents, catastrophes, crises.

On peut aussi, en s'en prenant à ces dissonances, en essayant de les réduire, prendre la voie difficile qui est proposée par l'auteur : gérer les risques par une maîtrise progressive de ces dissonances cindyniques malgré l'hypercomplexité des réseaux, bien repérée au paragraphe 8.5.2.2c, et les conflits de valeurs (paragr. 8.5.2.2c).

Pour Hélène Denis, il s'agissait de démontrer que comprendre et gérer les risques était une ambition justiciable d'une approche organisée, conceptuelle et scientifique.

Cette démonstration est faite. Nul doute que l'électricité sociale dont parlait Chateaubriand et qui prend la forme révolutionnaire des réseaux urbains et régionaux convergents du téléphone, de l'informatique et de la télévision va maintenant rendre cette gestion performante et «en ligne», c'est-à-dire permanente.

Ainsi seront épargnés les vies et les traumatismes qui affligent nos cités encore aujourd'hui. Repoussons donc l'idée que ces accidents et catastrophes ont un caractère inéluctable! Lisons ce livre! Réunissons les experts francophones des deux côtés de l'Atlantique dans cet Institut Atlantique de Cindyniques qui vient à point nommé pour continuer à travailler!

G. Y. Kervern
Membre fondateur du Comité Scientifique de l'Institut Européen de Cindyniques

Avant-propos

L'histoire de ce livre remonte à 1980, au moment où la question du risque technologique majeur était abordée dans le cours *Technologie et société* (Denis, 1987). Par la suite, certaines circonstances ont fait en sorte que nous nous sommes particulièrement intéressée à la réponse aux catastrophes (Denis, 1990a, 1993a).

Dans ces recherches, un volet – accessoire à ce moment – portait sur l'avant-catastrophe, c'est-à-dire sur le risque. Il a toutefois été très difficile de trouver des données sur ce point précis, à l'exception des catastrophes ayant fait l'objet de commissions d'enquête formelles. Dans ce dernier cas, les rapports de ces commissions montraient la face généralement invisible d'une organisation, celle de la gestion du risque au quotidien. À titre de spécialiste de la dynamique des organisations (Denis, 1990b), nous nous sommes vivement intéressée à cet aspect.

Nous avons donc voulu approfondir le sujet. Pour cela, une invitation du professeur Turner à l'Université Middlesex de Londres, lors d'un congé sabbatique, a constitué un premier moyen. Après quoi, un cours intitulé *Analyse et gestion des risques technologiques majeurs*, que nous donnons à l'École Polytechnique de Montréal dans le cadre de la maîtrise en management de la technologie, nous a permis de systématiser notre réflexion.

Très vite sont apparus quatre thèmes principaux. Tout d'abord, pour gérer un risque, il faut le comprendre. Toutefois, si les concepts de compréhension et de gestion sont étroitement liés, ils peuvent aussi correspondre à des acteurs différents. Par exemple, le public doit lui aussi comprendre le risque pour être en mesure d'en saisir les enjeux, bien qu'il ne soit pas nécessairement gestionnaire du risque.

Le deuxième thème est que le risque est avant tout un construit social. Le risque, fût-il technologique, est aussi social en ce sens qu'il est toujours porté par des humains : il n'est donc pas qu'affaire de technologues. D'ailleurs, même lorsque ces derniers jouent un rôle crucial dans la définition du risque, ils restent néanmoins des humains, avec leurs perceptions, leurs valeurs et leurs intérêts, conscients ou non. D'où la transformation du titre initial de ce livre.

L'importance du rôle des experts ainsi que le fossé qui les sépare des profanes, dans la presse spécialisée et dans la réalité, lorsqu'il est question de risques, constitue le troisième thème de réflexion. La communication du risque a pour but, dans un tel contexte, de réunir ces deux solitudes, dans la mesure toutefois où elle est considérée non pas comme une manipulation du public ou comme «descendant» des experts aux profanes, mais bien comme un outil de partenariat.

Si le public s'intéresse au risque, c'est qu'il peut être touché par ses conséquences, sous la forme de la catastrophe. Bien entendu, et heureusement, cette dernière ne clôt pas toujours le processus de gestion du risque, comme le démontrent, entre autres, les entreprises à haut risque et à haute fiabilité dont il sera question plus loin. Ce qui permet d'affirmer, et c'est le quatrième thème, que la gestion du risque, contrairement à celle des catastrophes, est invisible. En fait, on n'entend parler de gestion du risque que lorsque celle-ci a présenté de graves lacunes qui ont conduit à un désastre.

Parce que le risque est sociotechnologique, il nous a semblé que ce qui constituait au départ un manuel pour un cours (et qui explique les nombreuses références aux travaux de recherche) pouvait aussi aider toute personne, professionnelle ou profane, qui s'intéresse au risque, la rendant plus apte à comprendre les multiples facettes de ce sujet complexe. Les références ont néanmoins été conservées, de façon à permettre l'approfondissement de certaines notions, au besoin.

On comprendra que, précisément à cause de la complexité du sujet traité, tous les aspects du risque ne peuvent être considérés ici: il a fallu faire des choix. Il aurait été intéressant, par exemple, de regarder de plus près les impacts des risques sur la santé. Que le lecteur n'y voie pas un manque d'intérêt de notre part (nous avons d'ailleurs été confrontée à ces impacts lors, entre autres, de l'incendie de BPC de Saint-Basile-le-Grand en 1988). Un autre choix a été de nous limiter à l'Occident, sauf lorsque des rapports de commissions d'enquête post-catastrophes, dans d'autres régions du monde, étaient disponibles concernant la gestion du risque dans sa phase prodromique.

Nous avons donc voulu réfléchir au risque sociotechnologique majeur dans son ensemble et faire partager ces réflexions. En ce sens, ce livre est une courtepointe fabriquée à partir d'éléments divers. Certains domaines sont nouveaux pour nous, par exemple ceux des analyses classiques de risque ou du risque acceptable : nous avons tenté alors de faire une synthèse des recherches sur le sujet. D'autres domaines sont plus familiers, telle les études sur la perception et la communication en général, bien que leur application au risque soit aussi pour nous un sujet relativement nouveau. À ce moment, nous nous sommes fondée sur nos connaissances de base sur ces thèmes pour faire une synthèse, toujours à partir de la documentation spécialisée.

Enfin, les chapitres portant sur le risque en entreprise, sur les interdépendances du risque, sur la culture d'entreprise et sur la gestion de catastrophe constituent notre champ propre d'expertise. C'est sans doute la raison pour laquelle, comme le lecteur sera à même de le constater, les références y sont moins nombreuses. La synthèse, à ce moment, reflète davantage nos propres recherches que les publications du domaine dans lesquelles, bien évidemment, nous avons quand même puisé.

Nous espérons que le tout saura intéresser celui ou celle qui nous lira.

Remerciements

Ce livre constitue, en partie, une synthèse des travaux de recherche effectués dans le domaine. À ce titre, les premières personnes que je voudrais remercier sont les différents auteurs qui ont contribué, chacun dans leur secteur, à alimenter la réflexion sur la compréhension et la gestion des risques sociotechnologiques majeurs.

Certains d'entre eux doivent toutefois être particulièrement mentionnés. Tout d'abord, Barry A. Turner qui, dans *Man-Made Disasters*, s'intéressait dès 1978 à la phase qui précède les catastrophes, dite phase prodromique. Lors d'une période sabbatique, j'ai pu encore davantage comprendre, auprès de ce chercheur, combien le risque technologique est rarement uniquement technologique mais plutôt, selon ses propres termes, sociotechnique. Il y a ensuite Patrick Lagadec qui, en 1979, introduira le concept de risque technologique majeur. Par la suite, cet auteur se concentrera sur la notion de crise, plus précisément sur la réponse aux catastrophes, mais il y aura toujours chez lui cette préoccupation pour la phase qui mène à l'événement malheureux.

Plus récemment, Georges-Yves Kervern, par l'accent mis sur le risque psychologique majeur, m'a amenée à reconsidérer le titre de ce livre qui portait, dans sa première version, sur le risque technologique majeur, en précisant l'aspect de société inhérent à la technologie. Enfin, il y a lieu de mentionner le rôle, en filigrane, de celui qui a profondément marqué mon cheminement intellectuel dans le monde de l'étude des organisations et qui influence encore la façon dont je conçois et analyse le risque en entreprise, Michel Crozier.

De nombreuses personnes ont aidé à transformer le manuscrit en livre. Je désire ici les remercier par ordre de leur entrée en scène. Merci tout d'abord aux évaluateurs du manuscrit, qui ont donné de leur temps pour faire des suggestions fort pertinentes, suggestions dont j'ai tenté de tenir compte dans la mesure du possible. Merci ensuite aux bibliothécaires de l'École Polytechnique, qui m'ont aidée avec une infinie patience à retrouver, parfois, des ouvrages dont une donnée d'édition m'avait échappé. Un immense merci à mon éditeur, qui m'a fait confiance et a grandement contribué à la présentation finale du manuscrit. Sa représentante, madame Diane Ratel, a toujours été une aide précieuse, ainsi que la commis à la production, madame Martine Aubry, et les réviseurs linguistiques, monsieur Michel Ouimet et madame Sophie Cazanave. Face à toutes ces contributions, j'assume cependant toute limite ou erreur qui pourrait rester dans le livre, lesquelles demeurent mon entière responsabilité.

Enfin, mais non les moindres, je dois dire merci à mes lecteurs, obligatoires ou volontaires. Dans le premier cas, on comprendra qu'il s'agit de mes étudiants. Je les remercie de l'intérêt qu'ils ont démontré pour le sujet, intérêt qui m'a motivée à aller toujours plus loin dans la réflexion. Quant à mes lecteurs volontaires, j'espère les remercier en les intéressant. Et en les convainquant que le risque technologique, en définitive, est aussi, et peut-être même surtout, sociotechnologique.

Introduction

La notion de risque est inhérente à l'existence humaine. À partir de ce postulat de base, les réflexions contenues dans cet ouvrage répondent à un double objectif: comprendre un type de risque particulier, soit le risque sociotechnologique majeur, et réfléchir aux façons de le gérer. Bien entendu, l'un et l'autre objectif ne sont pas incompatibles. Ils correspondent toutefois à deux clientèles distinctes, selon le vocabulaire du marketing. Il s'agit d'une part des gestionnaires du risque, publics ou privés, et d'autre part de toute personne intéressée à comprendre le risque.

Qu'est-ce qu'un risque sociotechnologique majeur? Précisons d'abord qu'il se distingue des risques de la vie courante, tels que traverser une rue ou conduire sa voiture. Le risque sociotechnologique majeur est lié à la technologie, de sa création à sa mise au rancart, mais avec cette particularité qu'il peut dégénérer en catastrophe et qu'il est toujours porté par des humains. Le risque sociotechnologique majeur est la probabilité qu'une défaillance dans un système technique se transforme en conséquences catastrophiques en raison, par exemple, d'un design mal conçu, de problèmes posés par les conditions d'entreposage ou de toute autre cause. Il est donc question ici du risque dont la conséquence est un événement susceptible d'avoir un impact grave sur une collectivité.

Un risque, selon la définition généralement admise, est le résultat de probabilités et de conséquences. Dans le cas qui nous occupe, les probabilités sont faibles, certes, mais les conséquences possibles sont si importantes qu'il convient de maîtriser ce risque. Ce qui signifie, en définitive, comprendre le risque, pour ensuite le gérer. La compréhension peut cependant être aussi le fait de personnes qui n'ont pas à gérer le risque mais à le subir, tels les passagers d'un avion. En ce sens, le client joue aussi un rôle actif dans le risque, celui par exemple de faire confiance à une société aérienne. Il n'y a donc pas que cette dernière, dans notre perspective, qui doit comprendre le risque.

Car la sécurité est silencieuse. Dans le même exemple, si le décollage de l'avion est retardé par des travaux de dégivrage, le passager peut avoir tendance à s'impatienter. Mais il arrive sain et sauf et le vol s'accomplit sans faire la une des journaux, contrairement à ce qui se serait produit si l'avion s'était écrasé au décollage. Cependant, pour en arriver à ce résultat de fiabilité et de sécurité, des décisions doivent être prises, qui tiennent autant à la technologie qu'à l'organisation du travail et à la culture d'entreprise, tout cela dans l'invisibilité du quotidien.

Le risque n'est toutefois pas limité à la gestion interne d'une entreprise en particulier. Il concerne également les clients. Il intéresse au surplus la collectivité qui le porte et qui devra, s'il se transforme en catastrophe, en payer le prix : un prix non seulement financier et économique, mais aussi un prix en souffrances et en pertes de toutes sortes. Le risque engage enfin différents acteurs sociaux, à l'extérieur de l'entreprise, qui influencent eux aussi, en bout de ligne, la sécurité. Si l'on reprend l'exemple des services aériens, le risque implique les concepteurs des appareils, les constructeurs, en fait tous les différents acteurs du système technique. Et il touche, bien que de manière moins visible, les banquiers ou les assureurs, par les pressions que ces derniers sont susceptibles d'exercer sur les choix stratégiques de la société aérienne.

Tout cela tend à montrer que la sécurité ne relève pas, comme on le croit généralement, notamment lorsqu'il s'agit d'expliquer une catastrophe, de la responsabilité d'un opérateur, auteur d'une «erreur humaine», mais plutôt d'une multiplicité d'acteurs sociaux. Le risque est constitué de nombreux éléments en interaction dont il faut saisir la dynamique pour ensuite intervenir efficacement. Ce qui a fait dire à B.A. Turner (1978) que le risque n'est jamais uniquement technique, mais qu'il s'inscrit toujours dans un système sociotechnique[1].

Donnons un autre exemple, celui de la catastrophe de Bhopâl en Inde, où une fuite de produits toxiques est survenue en 1984 dans une usine de la société Union Carbide. Les enquêtes postcatastrophes ont indiqué que plusieurs éléments étaient à l'œuvre (Morone et Woodhouse, 1986: 171-172), notamment :

- Personne ne percevait l'usine comme présentant un risque.

- Une mauvaise formation a fait en sorte qu'un opérateur a introduit une petite quantité d'eau dans un réservoir de produit chimique pendant le nettoyage.

- Un contremaître n'a pas réagi immédiatement après avoir été averti, parce qu'il ne croyait pas que l'incident était grave et qu'il voulait terminer sa pause.

- L'unité de refroidissement était arrêtée, apparemment comme mesure d'économie, ce qui a accéléré la réaction chimique.

- Des indicateurs montraient un mauvais fonctionnement mais, parce qu'ils étaient fréquemment défectueux, ils ont été ignorés.

- Lorsque le réservoir a explosé, un aérosol d'eau conçu pour neutraliser le produit chimique s'est avéré inefficace parce que les pompes ne pouvaient suffire à la tâche.

---

1. Nous utiliserons, par convention, le terme «sociotechnique» lorsqu'il correspond aux publications d'un auteur (incluant les nôtres, dans le passé). Le mot «sociotechnologique», pour sa part, correspond surtout à des systèmes techniques complexes (Denis, 1987).

- L'équipement de sécurité qui aurait dû brûler les gaz dangereux était hors service pour réparation; il aurait de toute façon été insuffisant, puisqu'il était conçu pour des fuites mineures.

- Le réservoir de sécurité dans lequel l'isocyanate de méthyle devait être pompé en cas d'accident était rempli à 75 % de sa capacité, contrairement aux règlements officiels de l'entreprise qui stipulaient 50 %.

- Les travailleurs ont fui les lieux en état en panique plutôt que de transporter les résidants dans les autobus destinés à l'évacuation.

- Les réservoirs étaient plus gros que ne le spécifiaient les règlements d'Union Carbide.

Ce n'est donc pas un événement en particulier qui a provoqué la catastrophe, mais bien un ensemble d'éléments liés entre eux dans une relation que l'on ne comprendra, malheureusement, qu'*a posteriori*. Et qui met en cause, comme en prendra conscience, mais un peu tard, la direction d'Union Carbide, non seulement l'entreprise mais aussi la société qui l'entoure.

Le contenu de cet ouvrage se divise en deux parties. La première porte sur la compréhension du risque. Après avoir défini le concept et fait un bref historique des études de risque (chapitre 1), nous abordons les méthodes «classiques»[2] d'analyses de risque (chapitre 2). Ensuite, nous analysons la perception du risque et les jugements de valeur qui président à son évaluation (chapitre 3), ainsi que les aspects politiques et sociaux de ce que l'on appelle généralement le risque «acceptable» (chapitre 4). Bien entendu, ce découpage est arbitraire, car des facteurs sociaux et politiques sont aussi présents dans les autres aspects du risque traités dans les différents chapitres.

Nous consacrons la deuxième partie du livre à la gestion systémique du risque dans ses aspects appliqués à l'entreprise, mais qui ont également un écho dans la société plus large. Dans le chapitre 5, nous présentons les sources de risques pour l'entreprise, tenant principalement à la technologie elle-même, à la structuration organisationnelle et à la culture d'entreprise. Dans le chapitre 6, nous démontrons les interdépendances entre les risques et nous les illustrons par les analyses postcatastrophes.

---

2. Nous n'emploierons pas le terme, parfois utilisé, d'analyses «quantitatives» dans la mesure où les analyses de perception ont elles aussi fait appel à des méthodes quantitatives.

Le cas des entreprises à haute fiabilité, soit les entreprises qui ne peuvent se permettre aucune défaillance, fait l'objet du chapitre 7. La gestion du risque dans l'entreprise est aussi influencée par la culture de sécurité, un élément si important que nous y revenons dans un chapitre distinct (chapitre 8). Enfin, dans le chapitre 9, nous traitons de la question de la communication du risque, parce qu'elle est essentielle à la gestion sociale du risque. Cette dernière partie se termine par quelques éléments touchant la réponse à la catastrophe, lorsque survient celle-ci (chapitre 10).

Il y a lieu de rappeler que les thèmes qui constituent les chapitres ont été découpés de façon relativement arbitraire, ce qui signifie que des liens étroits existent entre ces thèmes, par exemple entre la perception et la communication. Par ailleurs, cet ouvrage contient une bibliographie extensive afin que le lecteur puisse enrichir ses connaissances au moyen des lectures appropriées.

Somme toute, *Comprendre et gérer les risques sociotechnologiques majeurs* s'adresse avant tout aux spécialistes de la technologie, dans la mesure où il démontre que le risque technologique n'est pas uniquement technologique. Toutefois, cet ouvrage veut également atteindre toute autre personne qui s'intéresse aux risques, et cela inclut les experts de différentes disciplines, telles la sociologie, la psychologie ou la médecine, ou encore le public profane, qui peut être touché par ce type de risque.

Car, en définitive, chacun de nous est concerné, en tant qu'être humain. S'il est vrai que toute activité comporte un certain risque, pour soi ou pour les autres, le risque sociotechnologique majeur, pour sa part, implique des enjeux, précisément, majeurs. À ce titre, il mérite toute notre attention et doit être analysé sous toutes ses facettes, y compris les aspects parfois oubliés par les spécialistes techniques que sont les considérations de société. Celles-ci ne doivent pas venir se juxtaposer, à la toute fin des analyses, à la compréhension du risque, mais en être une partie intégrante.

C'est ce que les réflexions qui suivent veulent démontrer.

Partie I

COMPRENDRE LE RISQUE

1

DÉFINITIONS ET CARACTÉRISTIQUES DU RISQUE SOCIOTECHNOLOGIQUE MAJEUR ET BREF HISTORIQUE DES ANALYSES DU RISQUE

1.1 DÉFINITIONS

1.1.1 Risque, danger, probabilités et conséquences

Qu'est-ce que le risque? Il serait intéressant de noter combien de fois, dans une journée, on fait appel à la notion de risque. Combien de fois utilise-t-on le mot? Spontanément, l'image qui vient à l'esprit est celle des risques de la vie courante que nos parents nous ont signalés : «Fais attention en traversant la rue! Ne t'approche pas de la cuisinière...» Toutes ces directives signifiaient, au fond : «Ne prends pas de risque.» On sent donc immédiatement que le concept de danger est présent dans la vie de tous les jours, et fortement associé au risque.

Qu'est-ce alors que le danger? Selon le dictionnaire, le danger est ce qui menace ou compromet la sécurité, l'existence d'une personne ou d'une chose; il a le sens de péril, de risque (*Le Petit Robert*), d'inconvénient à redouter (*Le Petit Larousse*), ou tout simplement de pertes. Mais dans tous les cas, le danger implique une forme de vulnérabilité de la réponse (ce que l'immunologie définit comme le terrain) et qui amène des réactions différentes selon que l'on est — ou que l'on se sent — invulnérable ou au contraire fragile.

La définition du danger est relative. Kervern et Rubise (1991) ont ainsi montré comment le sens du mot varie selon les langues et les civilisations : en hébreu, «danger» a les sens de «piège», d'«embuscade», alors qu'en russe, par exemple, il est lié à la crainte. Les auteurs (1991 : 22) définiront ce danger, appliqué à la technologie, comme «la tendance d'un système à engendrer un ou plusieurs accidents». Le danger a aussi été défini, dans le sens anglais de *hazard*, comme une situation qui, dans des circonstances particulières, pourrait mener à des dommages (Royal Society, 1983), ou encore comme un événement naturel qui menace à la fois la vie et la propriété. La catastrophe, quant à elle, est la concrétisation de ce *hazard.*

Le danger est là. Mais il n'est encore que potentialité. Va-t-il effectivement se concrétiser? C'est ici qu'entre en jeu ce qui a été traditionnellement appelé le *risque*, défini comme «la probabilité qu'un événement se produise et que des conséquences particulières découlent de cet événement» (Ellison, 1994). Le risque, en ce sens, est un potentiel de danger et de conséquences désagréables. Selon *Le Petit Larousse*, il est un inconvénient possible, un sinistre éventuel, plus ou moins prévisible.

Cette notion de probabilité introduit le concept de hasard, défini en français cette fois comme l'imprévisibilité des événements soumis à la seule loi des probabilités (*Le Petit Larousse*) ou encore comme un concours de circonstances inattendu et inexplicable (*Le Petit Robert*). L'éventualité d'un événement est liée au fait que le risque ne dépend pas exclusivement de la volonté des parties.

Le risque peut aussi causer des dommages, des pertes, d'où la notion d'assurance contre l'événement éventuel aux conséquences négatives. La perte possible peut être de deux types (MacCrimmon et Wehrung, 1986) : il peut s'agir d'une comparaison entre une situation concrète et celle qui la précédait (p. ex. perdre sa maison par le feu[3]) ou d'une comparaison entre deux situations éventuelles (p. ex. mourir en prenant l'automobile ou l'avion dans l'éventualité d'un voyage).

Enfin, à l'ampleur de la perte et à sa probabilité s'ajoute l'exposition, perçue et réelle, qui y est reliée, ce qui ramène au concept de danger. Il a ainsi été démontré que certains groupes sont davantage exposés que d'autres, dans une société, ce qui n'empêche pas les perceptions relatives au degré d'exposition de présenter parfois des variations par rapport aux données statistiques.

Somme toute, le sens du mot *risque* est donc le plus souvent négatif. On parle rarement de risques heureux, bien qu'au sens strict ils soient également possibles (on pense ici aux jeux de hasard), sans compter les défis intéressants que présentent certaines activités, précisément parce qu'elles sont à risque. Cet accent sur le sens négatif du risque nous amène à préciser que le terme «danger» a quelquefois été employé pour qualifier un type particulier de risque, plus grave. Nous n'utiliserons toutefois «danger» que pour définir la source de risque.

Autre mise au point importante : le risque est une estimation, une évaluation, une perception, une «quantité assignée» (Lind, 1989) provenant d'informations colligées dans le passé. Il n'est donc jamais un objet concret, en dépit de la tendance à le percevoir et à le traiter comme tel.

---

3. Les comparaisons sont de nous.

1.1.2 Sécurité et peur

Pour mieux comprendre le concept de risque, il est intéressant de se pencher sur son contraire, la sécurité. En termes de sécurité, le risque pourrait fort bien être défini positivement : par exemple, plutôt que de dire que le risque de se blesser en auto est de 1 sur 100 000, on pourrait dire que le risque de ne pas subir de blessures en auto est de 99 999 sur 100 000 (Hood *et al.*, 1992).

Au sens absolu, la sécurité est toutefois rare, car elle est toujours relative. Contrairement au risque, la sécurité est rarement quantifiée, ce qui implique que l'on fasse davantage appel à la subjectivité pour la définir (sans oublier que le quantitatif n'exclut pas nécessairement la subjectivité). Enfin, la sécurité, comme le risque, a une dimension diachronique : une situation doit être réévaluée périodiquement pour être jugée sécuritaire, dans la mesure où la configuration d'un risque peut changer (Council for Science and Society, 1977) :

> Une chose est catégorisée temporairement comme sécuritaire si l'évaluation de son risque est jugée connue et, à la lumière de cette connaissance, jugée acceptable.

Le dictionnaire, pour sa part, fait de la sécurité non seulement une situation où il n'y a pas de danger, mais aussi, plus profondément, un état d'esprit auquel sont associés assurance, calme, confiance, tranquillité. Ce sont donc tous ces éléments que le risque remet en cause.

Car, en définitive, le risque est associé à la peur. C'est la raison pour laquelle il peut amener dans son sillage la colère et la recherche de boucs émissaires. A. Beauchamp (1996a : 37) a magistralement analysé toutes les facettes individuelles et sociales de la peur dans l'histoire de l'humanité, notamment ses interprétations (punitions divines, harcèlement du démon, etc.) et les moyens pour la pallier. Selon cet auteur :

> [...] la peur joue toujours sur la frange de l'incertitude, là où le savoir admet son impuissance à tout dire ou prédire ou, plus encore, là où le savoir constitué doit admettre ses erreurs.

Ce qui peut amener la question, très importante : «[...] sommes-nous effrayés parce qu'il y a plus de risques, ou y a-t-il plus de risques parce que nous avons davantage peur?» (Beauchamp, 1996a : 26).

1.1.3 Risque sociotechnologique majeur

Le sujet qui nous intéresse est le risque sociotechnologique majeur. Nous avons d'abord utilisé le terme «risque technologique majeur»[4] emprunté à P. Lagadec (1979). Il s'agit bien de risque, c'est-à-dire d'une probabilité, d'une éventualité qu'un événement survienne et

---

4. Par exemple dans le cours donné sur le sujet.

entraîne certaines conséquences. Cette probabilité est faible mais, dans le cas d'un risque majeur, les conséquences sont catastrophiques car elles supposent des pertes humaines, matérielles, financières ou autres pour une collectivité donnée, plus large qu'une seule organisation.

Jusqu'ici, il pourrait s'agir de risques financiers ou de risques pour la santé. Mais le risque qui nous intéresse est aussi technologique, c'est-à-dire qu'il est lié à la technologie. Son objet est le système technique[5] au sens large, de la conception à la mise au rancart. Le plus souvent, le risque est dû à une défaillance dans ce système, dont la cause, l'élément déclencheur, peut être aussi bien technique au sens strict qu'organisationnel, humain ou même «naturel» (au sens d'*act of God*).

Mais le risque dont il est ici question est aussi sociotechnologique. Il est porté par des humains, dans le système technique; il est géré par des humains, qui travaillent dans des organisations, avec des cultures d'entreprise qui encadrent les actions prises pour contrer le risque strictement technologique. Après mûre réflexion, il nous a semblé qu'il n'existait pas de risque technologique au sens strict. Même l'usure d'une pièce provoquant un accident majeur est due à une action humaine soit positive (l'avoir vérifiée et laissée en place), soit négative (ne pas avoir fait l'inspection).

Ces éléments de société, qu'ils soient politiques, sociologiques, psychologiques ou autres, ont le plus souvent été considérés négativement lorsqu'il s'agissait d'expliquer les catastrophes et, conséquemment, le risque. On a parlé par exemple d'erreur «humaine» qui, comme nous le verrons plus loin, est aussi largement organisationnelle. Et parce que cet humain, qui peut être à l'origine des erreurs, joue aussi néanmoins, le plus souvent, un rôle positif dans la gestion du risque – puisque les catastrophes ne sont pas monnaie courante – nous avons opté pour le terme de risque «sociotechnologique» majeur.

1.2 QUELQUES CARACTÉRISTIQUES DU RISQUE

Le risque n'est pas une notion homogène. Il se situe dans une dimension à la fois diachronique et synchronique. Diachroniquement, l'évaluation du risque change dans le temps, car les perceptions se modifient au fur et à mesure, notamment, que davantage d'information est reçue. C'est peut-être ce qui explique qu'il semble y avoir plus de risque dans notre société que par le passé, ce qui ne minimise en rien l'accroissement des risques, bien réel, dû à la complexification des activités humaines. Également, toujours en termes diachroniques, le risque fait partie de ce que B.A. Turner (1978) a appelé la période d'incubation, avant que survienne la catastrophe.

---

5. D'où l'utilisation du mot «technologie».

De façon synchronique, le risque est un champ extrêmement vaste qui recoupe à la fois différents domaines, différents éléments déclencheurs et différents acteurs. En outre, le risque amène avec lui un certain nombre de paradoxes ainsi qu'une caractéristique majeure, l'incertitude.

1.2.1 Différents domaines

Le risque sociotechnologique majeur peut toucher une grande variété de domaines, dont notamment les suivants :

- transports (aériens, maritimes, ferroviaires, souterrains, automobiles, etc.);
- énergie (production, transformation, consommation, etc.);
- matériaux;
- informatique;
- différentes phases de production d'un bien ou d'un service;
- communications;
- spécialités (chimie, nucléaire, etc.);
- armement;
- environnement;
- biotechnologies;
- effets secondaires des systèmes de prévention.

Ces domaines ne sont pas mutuellement exclusifs. Ils constituent cependant des champs de spécialités comportant chacun leurs propres méthodes d'analyse et leurs propres questions. Sans compter qu'ils peuvent être, dans certains cas, interreliés.

1.2.2 Différents éléments déclencheurs

Le risque sociotechnologique majeur peut aussi avoir un élément déclencheur, lequel est lui-même un risque. On parle par exemple des types de risques suivants :

- Risques naturels (tremblements de terre, tornades, ouragans, tsunamis, etc.). Ces risques, à moins de survenir dans un endroit totalement isolé, peuvent avoir des liens avec la technologie (p. ex. des pluies diluviennes mettant à l'épreuve des barrages).
- Risques humains (sabotages, tueries, massacres, etc.). Ces risques sont le fait de personnes isolées. Comme les risques naturels, ils peuvent mettre en cause la technologie.
- Risques sociaux (terrorisme, émeutes, pillage, etc.). Ces risques sont le fait de groupes ou d'organisations. Eux aussi peuvent avoir un impact sur la technologie.

Si l'accent est mis ici sur des éléments déclencheurs liés à la technologie, il n'en demeure pas moins que celle-ci peut aussi intervenir dans d'autres types de risques. Ainsi, certaines injections massives de liquides dans le sol, ou au contraire des forages, pourraient possiblement être des éléments déclencheurs de tremblements de terre (bien que les scientifiques ne soient pas d'accord sur ce point). Le jeu de l'action n'est donc pas à sens unique.

1.2.3 Différents acteurs

Deux grandes catégories d'acteurs caractérisent d'abord le risque : les émetteurs de risques et ceux qui doivent en subir les conséquences. À côté de ces principaux protagonistes, d'autres sont aussi très importants, tels les assureurs. Chacun de ces acteurs a des intérêts propres au regard du risque, qui peuvent s'harmoniser ou au contraire s'affronter. Les principales catégories de ces acteurs sont les suivantes :

- financiers;
- industriels;
- cadres intermédiaires;
- employés;
- syndicats;
- groupes de pression;
- communautés scientifiques;
- médias;
- élus et partis politiques;
- agents des administrations;
- experts;
- assureurs, réassureurs, courtiers;
- citoyens concernés par un risque;
- spécialistes des mesures d'urgence.

1.2.4 Différents dilemmes

Le risque, synchroniquement, peut entraîner des dilemmes. Un certain nombre d'entre eux ont été répertoriés (Hood *et al.*, 1992) :

- **Proactivité, réactivité ou laisser-faire**

Les auteurs parlent de l'«anticipationnisme» contre le «résiliénisme», que nous traduisons en l'adaptant par proactivité contre réactivité ou laisser-faire, par allusion à des stratégies d'entreprise (Denis, 1990b). La question est ici de savoir s'il faut attendre des preuves scientifiques, par exemple de l'effet de serre, pour entreprendre des actions ou au contraire aller de l'avant[6].

---

6. Ce qui est la problématique, comme nous le verrons plus loin dans le chapitre sur le risque acceptable, de l'«élimination à coûts raisonnables».

• Responsable ou innocent

D'un côté, on a les tenants d'une approche qui met l'accent sur la responsabilité, par exemple celle du pollueur, en posant des mécanismes juridiques et financiers tels que des primes d'assurances. Selon Hood *et al.*, cette tendance à la criminalisation peut amener les entreprises à ne rien faire ou à exporter leurs activités à risque dans les pays où les contrôles sont moins rigoureux. À l'autre pôle du dilemme, on trouve les tenants de l'absolution totale : personne n'est responsable.

• Évaluations quantitatives ou qualitatives

Deux types d'approches caractérisent les analyses de risques. D'une part, il y a celle que nous avons appelée «classique», traditionnelle, qui veut que l'on quantifie les probabilités et les conséquences des dangers. D'autre part, une approche plus qualitative consiste à reconnaître qu'il existe dans les analyses des éléments inquantifiables, que l'on a parfois tendance à passer sous silence précisément parce qu'on ne peut les quantifier[7].

• Applicabilité ou non des connaissances du domaine du design organisationnel au risque

Certains croient – d'autres non – que l'on peut utiliser les connaissances accumulées dans le domaine de l'impact du design des organisations pour en faire une base de données sur les risques. On pense aux programmes de qualité totale, d'audit de sécurité et autres qui sont appliqués au risque.

• Spécificité professionnelle ou complémentarité de la sécurité

D'un côté, on affirme que les objectifs de sécurité sont complémentaires aux autres objectifs de l'organisation, telle la compétitivité internationale; de l'autre, on estime que la sécurité doit être négociée de façon distincte par rapport à ces autres objectifs.

• Participation étroite ou large des acteurs liés au risque

Tandis que certains jugent que l'élargissement de la participation aux différents acteurs liés au risque peut rendre la décision plus appropriée, d'autres craignent que cette participation n'augmente les peurs du public et que les analyses scientifiques ne deviennent subordonnées à la politique.

• La sécurité comme résultat ou processus

La sécurité est-elle un résultat précis ou un processus? Tel est le dernier dilemme soulevé par Hood *et al.* L'attention portée à la spécification des résultats ou des produits, plus traditionnelle, contraste avec l'importance accordée à l'incertitude des processus.

---

7. La discussion de ces deux tendances sera reprise aux chapitres 2 et 3.

Tous ces dilemmes montrent que le risque n'est pas un concept qui fait l'unanimité. Si par exemple on désire éliminer les risques d'échouement de pétroliers, il faut davantage conserver le pétrole. Pour cela, il faudrait augmenter le prix de l'essence à la pompe, ce qui susciterait des protestations aussi bien des gagne-petit que des sociétés de transport de toutes tailles.

L. Clarke (1992a) a bien montré ces dilemmes en analysant comment le naufrage de l'Exxon-Valdez est en fait le résultat de choix posés par les pétrolières et par les gouvernements. Dans ce cas, le gouvernement américain a eu le choix entre un pipeline canadien arrivant près de Chicago et un autre avec un terminal à Valdez (Alaska). Mais à la fois les besoins de sécurité nationale (ne pas dépendre d'un autre pays, en l'occurrence le Canada) et le désir d'exporter le pétrole au Japon l'ont fait opter pour l'oléoduc de Valdez, cela en dépit du fait que l'emplacement retenu est situé dans une zone sismiquement fragile. Une autre conséquence de ce choix a été le transport par pétroliers géants, avec les risques d'échouement provenant de l'ensemble sociotechnique (Denis, 1987) du transport du pétrole.

Le problème, avec la notion de risque, est qu'il s'agit toujours de probabilités, ce qui implique que personne ne peut prédire avec certitude. Dans un tel contexte, il devient donc impossible de faire l'unanimité. Si l'on pouvait hors de tout doute prédire une crise majeure des approvisionnements en énergie, il serait sans doute plus facile de faire accepter une hausse du prix de l'essence. Ici, il faut au surplus distinguer la prévision (raisonnement) de la prédiction (divination, intuition), sans oublier que la première peut parfois être une forme déguisée de la seconde. Ce qui illustre une caractéristique importante, sinon la plus importante, du risque, soit l'incertitude. Mais pour comprendre celle-ci, il faut d'abord se familiariser avec le concept de complexité.

1.2.5 Complexité et incertitude

Le risque se situe dans un système sociotechnique (Turner, 1978) et ce système suppose toujours une certaine complexité. Mais qu'est-ce que la complexité? La Porte (1987) a défini trois dimensions à la complexité organisationnelle (que l'on peut généraliser en remplaçant «unités» ou «tâches» par «éléments») :

- le nombre d'unités que l'on peut distinguer;
- la différenciation des tâches;
- les interdépendances entre ces tâches.

Ces interdépendances peuvent être plus ou moins serrées. Perrow (1984), pour sa part, parle de complexité et de couplage, ce dernier étant une dimension caractérisant la dernière composante de La Porte. Les couplages serrés viennent fréquemment d'un manque de ressources, en particulier de ce qui a été appelé les «ressources tampons» (Galbraith, 1977) permettant une plus grande marge de manœuvre.

Perrow parle aussi, lorsqu'il est question de complexité, de séquences d'interactions non familières, non attendues ou non planifiées. Il introduit formellement, à ce moment, l'incertitude dans le temps, l'impossibilité de prévoir. Par ailleurs, ces interactions peuvent aussi être invisibles ou encore non immédiatement compréhensibles, ce qui constitue également une autre forme d'incertitude. La complexité renvoie donc à un ordre que l'observateur soupçonne mais qu'il n'est pas en mesure de décoder (Atlan, 1979 : 77-78) :

> Un dés-ordre n'apparaît complexe que par rapport à un ordre dont on a des raisons de croire qu'il existe, et qu'on cherche à déchiffrer. Autrement dit, *la complexité est un désordre apparent où l'on a des raisons de supposer un ordre caché; ou encore, la complexité est un ordre dont on ne connaît pas le code*[8].

L'incertitude, quant à elle, peut avoir différentes facettes. Crozier (1963) l'a découverte dans des zones de négociations que percevaient et utilisaient des acteurs pour obtenir un jeu favorable, c'est-à-dire des échanges bénéfiques, dans leurs relations interpersonnelles. Cyert et March (1963), pour leur part, ont mis l'accent sur l'incertitude de l'environnement qui peut influer sur une organisation, alors que Burns et Stalker (1961) ont perçu l'incertitude comme l'instabilité de cet environnement organisationnel, appelée «turbulence».

Dans un ouvrage précédent (Denis, 1990b), nous avons repris ces concepts en montrant comment l'incertitude dans l'environnement de l'organisation est une occasion pour celle-ci d'élaborer des stratégies particulières. Par la suite, après avoir appliqué cette notion aux catastrophes, nous avons distingué deux niveaux d'incertitude (Denis, 1995a). Le premier niveau est celui où un acteur (individu, groupe ou même organisation) perçoit qu'il ne peut résoudre un problème donné qui se pose à lui. Il se peut que cette incapacité perçue tienne à un manque d'information : cette dernière ou bien n'est pas disponible, ou n'est pas communiquée, à moins que, simplement, elle soit inexistante (étant donné, par exemple, l'état des connaissances scientifiques du moment). Il se peut aussi que la situation soit trop complexe pour l'esprit humain, d'où incertitude.

Au second niveau, il peut y avoir incertitude lorsque deux ou plusieurs acteurs (individus, groupes ou organisations) perçoivent différemment une même situation et proposent des solutions diverses à partir de leurs certitudes respectives. En fait, dans une telle situation, tant qu'une décision n'est pas prise ou qu'un consensus n'est pas atteint, il y a incertitude. Nous avons appelé celle-ci une incertitude de second niveau parce que, dans ce cas, il y a certitude à un premier niveau chez les éléments d'un ensemble alors que l'ensemble, lui, est en état d'incertitude.

---

8. Italiques de l'auteur.

Blockley (1980), pour sa part, a défini une incertitude paramétrique et une incertitude systémique, qui rejoignent ce que nous avons défini comme l'incertitude de premier niveau. Les deux concepts ont été explicités plus tard par Green *et al.* (1991) comme «ce que vous savez que vous ne savez pas» (incertitude paramétrique) et comme «ce que vous ne savez pas que vous ne savez pas» (incertitude systémique). Un exemple de cette dernière sera donné dans l'analyse de l'écrasement d'une toiture d'usine sous le poids de la neige (Pidgeon *et al.*, 1986). L'incertitude la plus courante, dans le risque, est sans doute celle où l'on sait que l'on ne sait pas – incertitude paramétrique –, ce qui montre l'importance, à ce moment, de la recherche d'information.

Le risque présente donc toujours de l'incertitude, ne serait-ce que parce qu'il est probabilité. Ce point constitue un élément important à garder en mémoire, en particulier lorsque l'on considère le risque sous son aspect synchronique.

1.3 ANALYSE DE RISQUES : BREF RAPPEL HISTORIQUE

Pour revenir à l'aspect diachronique du risque, il peut être intéressant de voir comment se sont développées les analyses de risques[9]. Celles-ci correspondent à une activité conceptuelle de saisie de ce qu'est le risque, quelle que soit par ailleurs la méthodologie adoptée. Cette dernière peut être quantitative ou qualitative, elle peut être centrée sur le risque lui-même (comme le font notamment les ingénieurs) ou sur son contexte, celui-ci à son tour pouvant être individuel (rôle des psychologues) ou social (rôle des sociologues, anthropologues et politologues).

1.3.1 Analyses centrées sur le risque lui-même

Les premières analyses de risques datent, selon Signoret et Leroy (1986), de la fin de la Première Guerre mondiale. On eut alors l'idée de calculer le taux de défaillance de systèmes ayant la même fonction, par exemple le taux de défaillance d'un avion : le ratio, dans ce cas, était le nombre de pannes par rapport au nombre d'heures de vol. Dans les années 1930 naît la théorie de la fiabilité dans laquelle on se sert des données recueillies sur les événements passés pour faire des prévisions et établir des degrés de risque.

Cette théorie de la fiabilité ne prendra cependant son essor véritable qu'au moment de la Deuxième Guerre mondiale. Elle est alors appliquée en Allemagne au développement des

---

9. La gestion du risque se faisant au quotidien, dans les entreprises, il n'a pas été possible d'en faire ici l'historique. Voir cependant Kervern et Rubise (1991). Les auteurs parlent de «cindyniques» pour faire référence aux multiples sciences qui analysent ce qu'ils appellent l'«archipel du danger». Ces cindyniques sont cependant plus larges que notre objet d'étude.

missiles V-1; à ce moment, la plupart des premiers tirs de missiles ayant échoué, on fait appel au mathématicien Lusser pour résoudre le problème. Il expliquera que la résistance d'une chaîne ne peut être supérieure à celle de son maillon le plus faible : l'accent est donc mis sur l'enchaînement des causes au moyen de la technique des arbres de défaillances.

Des analyses – formelles – du risque ont aussi été appliquées, dans les années 1950, à l'industrie civile nucléaire et au domaine de la pétrochimie, de la chimie et de l'aéronautique. Ces analyses étaient faites selon l'approche ingénierie, approche dite «classique» et orientée vers la quantification, à partir surtout de considérations technologiques. Le risque y est généralement défini selon l'équation : [probabilité] × [conséquences]. Cette approche a recours à l'analyse statistique, de façon à éviter les jugements personnels et autres facteurs qualitatifs.

L'application sans doute la plus célèbre de ce type d'analyse de risque a été le rapport Rasmussen (U.S. Nuclear Regulatory Commission, 1975) sur l'industrie nucléaire. Ce rapport, qui comparait les risques liés à ce secteur avec des risques quotidiens, a été toutefois largement critiqué[10]. Il montrait, en effet, le fossé entre les perceptions des experts et celles des profanes, en valorisant implicitement les premières au détriment des secondes. Une telle approche illustre bien ce que D. Duclos (1991a : 10) a catégorisé comme :

> [...] les disciplines opérationnelles de la sûreté des installations – qui deviennent parfois fausses à force de calculs simplificateurs [...].

1.3.2 Analyses intermédiaires entre le risque et le contexte

1.3.2.1 Analyses économiques

Dans la lignée du rapport Rasmussen, des économistes, notamment Starr (1969), vont comparer les dépenses pour des comportements à risque (p. ex. fumer la cigarette) avec celles pour la sécurité des centrales nucléaires. Ces dépenses révèlent en fait les préférences au sujet du risque, d'où la méthode dite des «préférences révélées». Globalement, les analyses économiques posent la relation coûts-conséquences et mettent l'accent sur la prise de décision. Selon cette perspective, comme l'a montré Starr, une société en arrive, par essais et erreurs et par les lois du marché, à un équilibre entre les risques et les bénéfices associés à une activité.

Ces chercheurs vont aussi s'intéresser au contexte – celui de la décision –, se rapprochant par le fait même des objets étudiés par les sciences humaines et sociales. Leurs études font par exemple appel à la notion d'incertitude et aux jugements de valeur inhérents aux choix de

---

10. Nous y reviendrons plus loin.

critères de décision[11]. Starr montre ainsi que, à bénéfices égaux, le risque pris volontairement est plus acceptable (1000 fois plus) que celui qui est imposé (p. ex. la pratique du ski comparée à l'ajout d'agents de conservation dans la nourriture). Les économistes élargissent donc l'approche de l'ingénierie en identifiant, entre autres, les facteurs pertinents susceptibles d'influencer les preneurs de décision et en assignant des priorités et des probabilités à ces facteurs.

1.3.2.2   Évaluation sociale des technologies

Le mouvement appelé «évaluation sociale des technologies» date des années 1960. Il est né d'un :

> [...] besoin du législateur américain d'obtenir une expertise indépendante sur des sujets technologiquement complexes, dont les retombées pour la société étaient potentiellement dangereuses : effet des avions supersoniques sur l'environnement, effet des médicaments sur la santé (la thalidomide et les malformations du fœtus que ce produit avait provoquées étaient des phénomènes récents), entreposage de missiles, génie génétique, etc. (Denis, 1987 : 163.)

En fait, l'évaluation sociale d'une technologie, comme son nom l'indique, pose clairement les dilemmes entre les choix sociaux, politiques, économiques et technologiques. Toutefois, la séparation entre les analyses dites scientifiques, «pures», et le politique, «impur», est encore très grande, les études se faisant selon un ordre séquentiel : le technique d'abord, puis l'adaptation du social au technique.

1.3.3   Analyses centrées sur le contexte

1.3.3.1   Analyses centrées sur l'humain (psychologues)

L'approche, ici, se concentre nettement sur les facteurs qui influencent la perception du risque chez une personne. On y retrouve entre autres Otway et Cohen (1975) en Autriche, Fischhoff *et al.* (1978) aux États-Unis et Green (1980) en Angleterre. Ce courant reprochera aux analyses classiques, aux économistes et à Starr en particulier :

- d'avoir pris pour synonymes risque accepté et risque acceptable;
- d'ignorer les questions d'équité;
- de supposer que chaque décision est prise avec toute l'information nécessaire, par un acteur rationnel.

---

11. Je remercie ici mon collègue, le professeur Daniel Leblanc, qui m'a expliqué le travail des économistes dans le domaine. Je prends cependant l'entière responsabilité de l'interprétation que j'ai faite de ses explications, au cas où certains économistes considéreraient que je ne rends pas justice à leurs analyses.

Les psychologues mettent l'accent sur les préférences «exprimées» (plutôt que «révélées») dans les analyses coûts-bénéfices et caractérisent les différents dangers (risque pris volontairement, risque au potentiel catastrophique, etc.). L'analyse du risque n'est donc plus uniquement centrée sur le risque ni même sur le marché du risque. Ces études sur les perceptions emploieront aussi des analyses quantitatives, d'où notre choix de distinguer les études selon leur objet – le risque ou les personnes – plutôt que de souscrire à la dichotomie entre analyses quantitatives et analyses qualitatives. En ce sens, le débat entre risque objectif et subjectif, ou encore entre risque actuel et perçu, devient dépassé (Pidgeon *et al.*, 1992).

1.3.3.2 Analyses centrées sur la culture et la société (anthropologues, politologues, sociologues)

Graduellement, on perçoit de plus en plus que l'expertise technique n'offre pas la certitude qu'elle semble présenter par rapport au social. On constate, par exemple, qu'il faut distinguer entre ce qui peut être reproduit expérimentalement avec un certain degré d'incertitude et ce qui est soit inconnu, soit capricieux (Griffith, 1981). Pour sa part, Duclos (1991a : 30) aura même l'audace de se demander si le technique est fiable :

> À la question de la fiabilité technique du facteur humain, on pourrait donc opposer celle de la fiabilité sociale du facteur technique : en quoi le facteur technique ne détruit-il pas la possibilité de ménagement, d'aménagement et de négociation? En quoi ne rigidifie-t-il pas des rapports sociaux, et n'entraîne-t-il pas, de par son inertie propre, plus de dureté, plus d'incompréhension, plus de solitude? En quoi ne présente-t-il pas un risque sociétal majeur, du fait même de son efficacité? [...] Souvenons-nous que, pour les Aztèques, le plus grand risque était que le soleil s'arrête de tourner par manque de carburant (le sang des milliers de sacrifiés). Dans notre culture, nous faisons tout pour que la machine technique ne s'arrête jamais, quitte à en éliminer le plus possible l'humain. La différence est-elle si grande? Cela demande réflexion.

Il faudra donc l'entrée en scène des anthropologues, des sociologues et des politologues pour comprendre que le risque est aussi social. Ces disciplines, en effet, sont centrées sur le risque «acceptable», donc sur la décision, le choix du risque. Ce choix n'est plus individuel, mais se fait par négociations, formelles ou non, entre différents groupes.

Avec l'anthropologie et, en particulier, les travaux de Douglas et Wildavsky (1982) et ceux de Douglas (1985)[12], on saisit que la perception du risque est aussi un phénomène culturel et que chaque société ou chaque groupe social définit à sa façon ce qui est risque (Kunreuther

---

12. Comme pour les points précédents, la liste des auteurs mentionnés dans ce qui suit n'est pas exhaustive.

et al., 1990). La science politique pour sa part montre que le risque peut être, et est souvent, l'objet de négociations entre groupes aux intérêts parfois divergents. Elle met l'accent sur le processus même de prise de décision plutôt que sur la décision finale. Selon Renn (1985 : 123), les analyses politiques du risque prennent en compte :

> [...] les processus sociaux et politiques dans la prise de décision, les valeurs personnelles et de groupes, les contraintes institutionnelles, les communications, les jugements des autruis significatifs, les jeux de pouvoir et la distribution du pouvoir entre les acteurs.

La sociologie, quant à elle, étudie les inégalités sociales dans les risques (Kasperson et Kasperson, 1983), les controverses scientifiques (Mazur, 1973; Nelkin, 1992) ainsi que les facteurs sociaux qui font en sorte qu'un risque est amplifié ou au contraire atténué (Kasperson *et al.*, 1988). Enfin, les nombreuses recherches sur les catastrophes peuvent aussi s'inscrire dans cette catégorie des études sur les risques[13], ou encore les travaux de Perrow (1984) en sociologie des organisations et ceux de Roberts (1989a) concernant les entreprises à haute fiabilité.

1.3.4 Cloisonnement ou collaboration entre les disciplines?

Ce bref historique montre que l'on est actuellement à un point de convergence entre les analyses centrées sur le risque et celles qui sont centrées sur les personnes, les groupes et les organisations autour de ce risque, c'est-à-dire le contexte. Ce qui a comme corollaire important de rendre désuet l'ancien cloisonnement entre l'analyse du risque, généralement associée aux calculs de risques, et la gestion du risque, apparentée à la décision.

Les études des sciences sociales vont montrer en effet que le processus n'est pas aussi simple. Tout d'abord la gestion du risque, comme l'analyse d'ailleurs, n'est pas limitée aux experts et aux décideurs publics. C'est en effet chacune des parties concernées par un danger — et ceci inclut les profanes — qui, plus ou moins consciemment :

- définit *ses* objectifs;
- définit *ses* options possibles;
- définit les probabilités et les conséquences;
- précise la désirabilité de ces conséquences;
- analyse les différentes options;
- choisit la meilleure option.

Ensuite, le processus d'analyse et de choix n'est pas linéaire, mais progresse plutôt par aller-retour continus. De nouvelles informations vont changer les objectifs, pour un acteur ou un groupe d'acteurs, ou encore modifier l'évaluation des conséquences ou leur désirabilité, ce

---

13. Voir entre autres travaux ceux du Disaster Research Center de la University of Delaware.

qui ramène l'analyse à la case départ. Dans une telle optique, les distinctions entre analyse et gestion du risque sont en fait extrêmement ténues. L'analyse a souvent en vue la décision d'implantation d'une technologie ou d'un système technique, quand elle ne sert pas à les justifier, et la décision n'est pas indépendante de l'analyse.

À partir de ce bref historique, il nous a semblé que l'on peut situer les analyses de risques selon qu'elles appartiennent à l'une ou l'autre des quatre phases qui suivent. Ces phases sont mutuellement exclusives. Elles ne sont présentées qu'à titre d'hypothèses de travail qu'il resterait à approfondir à l'aide de données concrètes. Bien qu'il puisse y avoir, dans le temps, passage d'une phase à l'autre, il se peut que certaines analyses, encore aujourd'hui, relèvent uniquement de la première phase[14].

- Phase 1 : Les résultats des analyses d'ingénierie sont complétés et ensuite acceptés sans aucune analyse de contexte. À la limite, on parle alors de programme de communication, pour faire accepter un risque déjà choisi et calculé. Cette phase peut aussi comprendre l'élargissement des analyses d'ingénierie aux analyses économiques, ce qui est appelé le «technoéconomique».

- Phase 2 : Une fois les analyses technoéconomiques terminées, les résultats sont examinés sous les aspects psychologiques ou sociaux. Ces derniers demeurent toutefois subordonnés aux aspects technoéconomiques et constituent en quelque sorte le parent pauvre de l'analyse. On est face à deux solitudes, dans la mesure où le technoéconomique est rarement modifié.

- Phase 3 : Après avoir terminé les analyses technoéconomiques, on passe à l'analyse des aspects humains ou sociaux. Les analyses de départ peuvent, s'il y a lieu, être modifiées en conséquence. Les processus d'analyse demeurent toutefois séparés et séquentiels, bien qu'il y ait itération. Des degrés divers de modification des éléments techniques sont possibles.

- Phase 4 : Les études sont faites en parallèle mais en collaboration, et ce, dès les premiers moments d'un projet. Ici, le processus itératif a lieu à chacune des principales étapes du projet et non à sa toute fin. La technologie peut être modifiée, s'il y a lieu, au fur et à mesure du développement du projet.

Une dernière précision s'impose à la fin de ce chapitre. Si cette typologie par phases met l'accent sur la modification possible du technique, elle n'exclut pas, bien entendu, les modifications des autres catégories d'éléments touchées par l'analyse, par exemple les perceptions. Même si ces derniers types de changements sont généralement plus lents à implanter, ce n'est

---

14. On pourra reprocher à cette typologie d'être normative. Nous acceptons volontiers cette critique puisqu'elle reflète nos jugements de valeur quant au travail pluridisciplinaire.

pas une raison pour qu'on les considère comme invariants. En fait, il ne faudrait surtout pas remplacer un déterminisme, celui du technique, par un autre, de quelque nature qu'il soit. Cette remarque déborde donc des cadres de la typologie précédente pour s'étendre à l'ensemble de la réflexion sur les relations entre le social et le technologique, lorsqu'il est question de risques.

SYNTHÈSE

Ce chapitre traite de la définition du risque. Celui-ci est d'abord posé au regard d'autres concepts, tels ceux de danger, de sécurité ou encore de peur. Par ailleurs, puisqu'il est qualifié de sociotechnologique et de majeur, le risque possède une composante sociologique importante et il a pour aboutissement possible la catastrophe. D'où la nécessité de considérer également les concepts de probabilités et de conséquences, qui sont à la base des définitions classiques dans le domaine.

Le risque revêt un certain nombre de caractéristiques. Il a d'abord un aspect synchronique : il touche différents secteurs et correspond à différents acteurs. Il comporte aussi un aspect diachronique, dans lequel le concept d'élément déclencheur d'une catastrophe aide à mieux saisir que le risque est constitué, en fait, d'un ensemble d'éléments en interdépendance. Par ailleurs, le risque pose différents dilemmes et présente des degrés variés d'incertitude.

L'histoire des analyses du risque est ensuite passée en revue. Au début, ces analyses étaient centrées sur le risque lui-même, sur ses aspects proprement techniques portés, d'une part, par les besoins de la Deuxième Guerre mondiale et, d'autre part, par ceux de l'industrie nucléaire civile naissante. Les analyses se sont graduellement élargies, allant de l'économie à ce qui a été appelé, dans les années 1960, l'évaluation sociale des technologies. Cette approche mettait en lumière les aspects sociaux, politiques, économiques et technologiques des choix liés au risque. Toutefois, à ce moment, la séparation entre les analyses dites scientifiques et le domaine politique était encore très grande, les études se faisant selon un ordre séquentiel.

Plus récemment, on en est venu aux analyses faisant appel aux sciences humaines et sociales (autres que l'économie). Un point de convergence a ainsi été atteint entre les analyses centrées sur le risque – aussi appelées analyses du risque ou encore calculs du risque – et celles qui sont centrées sur les personnes et les groupes autour de ce risque – traditionnellement du domaine de la gestion du risque. On se rend compte en effet que cette ancienne dichotomie entre le scientifique et le politique est en train de disparaître. Voilà pourquoi le chapitre se termine sur des hypothèses de phases appliquées aux analyses du risque. Elles servent à expliquer la perspective adoptée dans l'ensemble de l'ouvrage, qui souligne le caractère sociotechnologique – et non seulement technologique – du risque majeur.

CHAPITRE
2

ANALYSES CLASSIQUES DE RISQUES

Pour comprendre comment on définit s'il y a – ou non – risque, on doit en premier lieu se pencher sur la façon «classique» d'analyser le risque, de l'évaluer. Celle-ci tient principalement au domaine de l'ingénieur, surtout s'il s'agit du risque technologique majeur. Dans cette perspective, l'analyse est généralement séparée de la gestion du risque, cette dernière étant entendue au sens de la décision qui fait suite à l'analyse. Selon cette approche (Thorne, 1995), le processus d'évaluation serait composé des étapes suivantes :

- initiation :
  - définir le problème (*issue*);
  - identifier les parties en jeu;
  - définir leurs besoins, leurs objectifs, etc.;
  - définir l'ampleur de la décision;
  - désigner l'équipe de gestion du risque;
  - assigner les responsabilités, l'autorité, les ressources, etc.;

- analyse :
  - constituer une banque de données;
  - élaborer des scénarios de risques;
  - évaluer les fréquences des événements;
  - délimiter les conséquences;
  - préciser les présupposés des estimations;
  - déterminer les incertitudes des estimations;

- évaluation :
  - faire les analyses coûts-bénéfices ou autres;
  - définir les présupposés et les incertitudes;
  - évaluer les coûts-bénéfices en fonction des parties en jeu;

- contrôle et financement :
    - déterminer les options réalistes de contrôle;
    - évaluer ces options (coûts-bénéfices);
    - évaluer le risque résiduel;
    - évaluer le financement (coûts-bénéfices);
    - évaluer l'acceptabilité du risque;

- action :
    - implanter les stratégies de contrôle, de financement et de communication;
    - évaluer l'efficacité du processus;
    - adopter les modifications nécessaires;

- *monitoring* régulier.

On voit bien que, pour cet auteur, la gestion du risque proprement dite ne commence qu'à l'étape «action». Comme autre illustration de cette approche classique, Cohen (1981) distingue lui aussi analyse et gestion selon trois grandes étapes, la première étant l'analyse et les deux autres se rapportant à la gestion :

- évaluation quantitative : exercice de détermination des dangers potentiels, de leur probabilité et de leurs conséquences;

- décision : ou d'aller de l'avant avec le risque, ou d'apporter des mesures de mitigation ou de régulation;

- légitimation de la décision : définition de son acceptabilité par la société.

En ce qui concerne la phase «analyse», A. Beauchamp (1996a) l'a explicitée du point de vue du risque environnemental, et ce à partir des travaux du ministère de l'Environnement du Québec :

- détermination des dangers;

- analyse d'exposition (contact entre les personnes et le contaminant);

- caractérisation de la relation dose-réponse, c'est-à-dire estimation du risque basée sur les données mais aussi sur le jugement professionnel;

- caractérisation du risque, c'est-à-dire évaluation de sa toxicité à partir des interrelations possibles avec d'autres éléments;

- évaluation du risque, déterminant son acceptabilité relativement aux probabilités et aux bénéfices (perçus ou réels).

Dans ce chapitre, nous mettrons l'accent uniquement sur cette phase de l'analyse, l'aspect «gestion» de l'approche classique étant traité avec le risque acceptable. En fait, l'évaluation du risque, dans ces analyses classiques, tient pour acquis qu'il y a eu au préalable détermination de seuils d'acceptabilité du risque. Si ces derniers n'existent pas, alors la démarche a pour objectif de les définir dans ce qu'on appelle le risque «acceptable».

Un exemple de ceci a été donné par le cas de l'incendie survenu dans un entrepôt de BPC à Saint-Basile-le-Grand, au Québec, en 1988. À ce moment, on ne savait pas quel risque représentait pour la santé un incendie de ce type. Il a donc fallu mettre sur pied un comité d'experts provenant de différents pays pour définir ce risque, c'est-à-dire pour statuer sur l'acceptabilité, sur le seuil au-delà duquel la dose de BPC sera jugée dangereuse pour la santé. Ce qui signifie que les analyses de risques se terminent par la confrontation des résultats obtenus avec ce seuil d'acceptabilité.

Dans ce qui suit, nous n'allons offrir qu'un échantillon des principales techniques utilisées par l'analyse classique d'évaluation de risques. Il est en effet impossible de prétendre à l'exhaustivité dans ce domaine, puisque de nombreuses méthodes se développent et se raffinent continuellement. Même si l'aspect social, qui permet de parler de risque sociotechnologique, est encore fort peu présent dans ces analyses classiques, celles-ci ont été suffisamment importantes, traditionnellement, dans les études de risques, pour que l'on s'y attarde. D'ailleurs, dans plusieurs de ces analyses, on commence à considérer de plus nombreux éléments de société, en particulier en ce qui concerne les conséquences.

Nous avons donc abordé le traitement de cette approche selon sa base même, à savoir que le risque est défini comme la probabilité d'un événement et ses conséquences[15].

2.1 ÉVALUATION DE LA PROBABILITÉ D'UN ÉVÉNEMENT

2.1.1 Calcul de probabilité de l'événement

L'approche classique de l'ingénierie est fondée sur le calcul du risque, sur sa quantification. Tout design, toute construction ou toute mise en place de systèmes techniques complexes exigent en effet de l'ingénieur qu'il examine ce qui peut aller mal et qu'il établisse la probabilité d'une telle défaillance. La fiabilité est donc importante. On la définit sommairement comme (Bell, 1987 : 25) :

> [...] la probabilité qu'un système, sous-système ou composante performe selon sa fonction attendue pour une période de temps définie et sous des conditions normales.[16]

---

15. Pour le moment, nous conservons cette formule simplifiée, bien que des discussions, en particulier avec mon collègue économiste Daniel Leblanc, qui a bien voulu commenter ce chapitre, aient montré que la réalité est beaucoup moins simple.

16. Notre traduction.

En ce sens, fiabilité et calcul du risque sont étroitement liés. Les ingénieurs appellent «calcul du risque» l'identification et l'évaluation de la probabilité que la défaillance survienne, en prenant en considération un certain nombre de facteurs. Si cette évaluation est en général formalisée par l'expertise professionnelle, il n'en demeure pas moins qu'elle peut être aussi le propre des citoyens ordinaires : en effet, toute personne qui traverse une grande artère fait aussi un calcul du risque, celui de la probabilité d'un accident. C'est que le calcul du risque fait partie de la vie courante. Le jeu, la conduite automobile, en fait toute activité comporte un certain risque et suppose le calcul de celui-ci.

Pour rendre les probabilités plus concrètes, on parle, dans certains cas du moins, de périodes de temps pendant lesquelles une catastrophe – rappelons qu'il s'agit de risque majeur – peut survenir. Ainsi, les inondations peuvent se produire une fois tous les 10, 25, 100, 1 000 ou même 10 000 ans. L'événement en question peut donc arriver n'importe quand à l'intérieur de la période considérée, soit demain, soit dans 950 ans (dans le cas d'une récurrence millennale).

Toute probabilité est en fait une estimation – donc un regard sur l'avenir – à partir de la banque de données que constitue le passé. On a parfois tendance à oublier qu'elle n'est jamais une réalité concrète. Le calcul de probabilités est en effet basé sur la compilation d'événements qui, en règle générale, sont déjà survenus, par exemple selon les registres des sociétés d'assurances. Ce calcul n'est toutefois pas simple. Pidgeon *et al.* (1992) donnent l'exemple des probabilités d'accidents associés à la bicyclette. Qu'est-ce qui compose la catégorie «accidents de bicyclette»? La réponse varie selon :

- l'ensemble retenu : tous les accidents rapportés à la police ou seulement ceux pour lesquels il y a réclamation à l'assureur?

- la plage de temps considérée : par heure d'activité ou par cycliste par année?

Le calcul de probabilités repose aussi sur le présupposé que l'avenir se déroulera comme le passé. Ou, à l'inverse, qu'il sera tellement différent que la sécurité sera assurée. Ainsi, lorsque les experts se sont rendu compte qu'une probabilité élevée d'une fusion du cœur du réacteur dans une centrale nucléaire était inacceptable pour le public, à cause de ses conséquences, ils ont expliqué que les générations de réacteurs à venir seraient «sécuritaires de façon inhérente». Cela reste à démontrer et fait dire à Herkert (1994 : 5) :

> Ces projections hautement optimistes des améliorations futures à la sécurité ne sont guère autre chose que du *wishful thinking*, même si elles s'enrobent dans la «respectabilité» des estimations numériques et s'accompagnent de prétentions à une sécurité inhérente.[17]

---

17. Notre traduction.

Un autre point à considérer est que l'on fait l'analyse des probabilités en décomposant le tout en parties, dont on évalue les probabilités de défaillances. On considère alors chacun des événements qui composent les parties comme indépendants. Mais il se peut qu'une procédure erronée soit répétée pour chacun de ces éléments, ou encore que ceux-ci soient en relation d'interdépendance. C'est ce qui se serait produit pour la navette spatiale Challenger et ce qui explique probablement pourquoi la commission d'enquête sur l'explosion n'a pas retrouvé d'analyse des interrelations entre le joint d'étanchéité et la température (Lighthall, 1988, 1991).

Se pose au surplus le problème de l'agrégation des données, le tout ne se comportant pas nécessairement comme chacune des parties – ce qu'avait déjà montré la théorie des systèmes. Ce tout devient parfois «une sorte de *patchwork* dont on peut se demander ce qu'il représente» (Duclos, 1991a). Par ailleurs, comment savoir si toutes les données sont présentes dans la courtepointe en question? Ce point est difficile à vérifier : pourtant, selon Douglas et Wildavsky (1982), les calculs de probabilités ne sont utiles que dans ce cas.

Selon Hrudey et Light (1996), les difficultés des analyses de probabilités, dans le risque, tiennent à un certain nombre de facteurs dont, entre autres :

- les modèles d'analyse conceptuels;
- les données disponibles;
- la méthodologie de collecte de ces données;
- la distinction entre le bruit de fond et ce qui est significatif;
- l'incertitude.

Une telle multiplicité de facteurs suppose en fait, selon Paulos (1995), que les probabilités seront plus fiables si :

- les prévisions sont à court terme plutôt qu'à long terme;
- elles font référence à des phénomènes simples plutôt que complexes;
- elles touchent des paires de variables étroitement associées plutôt que plusieurs interactions subtiles;
- elles sont générales plutôt que précises;
- elles ne sont pas teintées par les intentions de la personne qui les établit. En effet, les calculs de probabilités sont non seulement une donnée externe à l'individu, mais aussi une forme de pensée, de vision du monde (Douglas et Wildavsky, 1982).

2.1.2 Quelques méthodes

2.1.2.1   Arbres de causes ou arbres de défaillances

Le calcul des probabilités peut s'insérer dans la méthode des arbres de causes (*fault tree analysis*). Cette méthode, mise au point pour évaluer la sécurité des systèmes de tir des missiles, consiste à remonter aux causes primaires de chaque défaillance possible, à l'instar d'un détective recherchant les coupables d'un crime. On parle d'«arbre», c'est-à-dire d'un réseau de relations en interdépendance selon un raisonnement logique.

Un arbre de causes part donc d'une défaillance et remonte à sa source. Il permet de voir les possibilités de défaillances tant des équipements que des opérateurs et de les juger qualitativement par ordre d'importance. Il rattache aussi des probabilités à ces défaillances, et ce quantitativement. L'arbre de défaillances peut être uniquement technique (fig. 2.1) ou il peut faire place à l'humain, à l'opérateur (fig. 2.2). Il peut même intégrer des facteurs d'organisation et de gestion (fig. 2.3).

Toutefois, pour intéressante qu'elle soit, cette démarche a des limites (Royal Society, 1983) :

- Il est difficile d'isoler la relation directe de cause à effet : une même cause peut donner lieu à plusieurs conséquences et un effet peut tenir à un certain nombre de causes.
- Les délais dans le temps compliquent la causalité. Par exemple, en regardant les causes menant à un événement, on constate qu'à une cause immédiate s'ajoute une série de causes indirectes, vers l'infini. Où arrêter?
- On suppose souvent que demain suivra le modèle d'hier.
- Il est difficile de prévoir l'ensemble des causes, les données historiques n'épuisant pas toutes les possibilités. Ainsi, par exemple, la séquence des événements qui a causé l'accident à la centrale nucléaire de Three Mile Island n'était pas au nombre de la liste – censée être exhaustive – des chaînes de causes premières d'accidents de réacteurs contenues dans le rapport Rasmussen.

Et aussi, selon Slovic (1980) :

- Un élément important du début ou certains cheminements vers l'erreur peuvent être omis, causant une sous-estimation des risques.
- Il est difficile de tenir compte des défaillances qui surviennent dans les modes de marche nominaux (*common-mode failures*) des systèmes lorsque la supposition d'indépendance entre les éléments ne tient plus. En effet, puisqu'on bâtit les systèmes en tenant compte de la sécurité, la probabilité que tous les éléments d'un système manquent en même temps devient, dans cette perspective, faible. Ceci n'empêche pas qu'on pourrait, par exemple, découvrir que des tuyaux dans plusieurs centrales nucléaires sont faits d'acier de mauvaise qualité : on pourrait obtenir à ce moment des défaillances simultanées dans un certain nombre de systèmes.

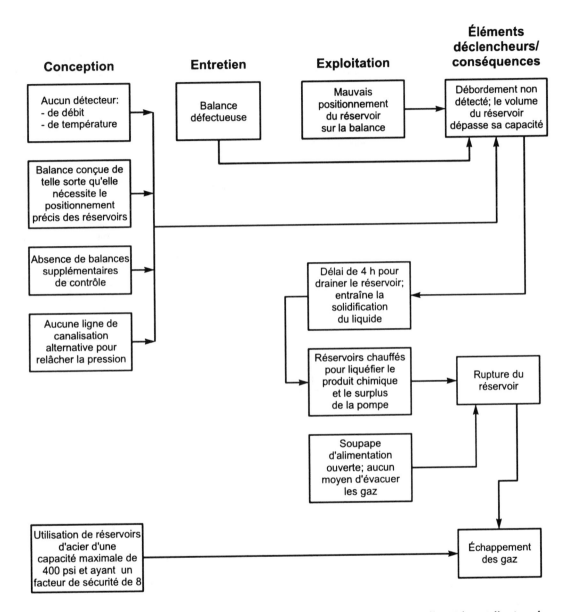

Figure 2.1 Arbre de défaillance technique : événements ayant mené à l'accident à l'usine de traitement de combustible nucléaire Kerr-McGee, en Oklahoma, le 4 janvier 1986.

Source : Zimmerman, R. 1988. Understanding industrial accidents associated with new technologies. *Industrial Crisis Quarterly*, 2, 3-4 : 238.

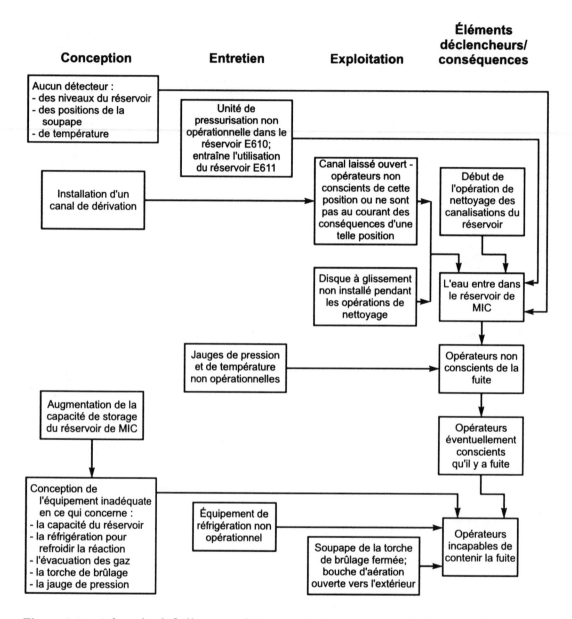

Figure 2.2   Arbre de défaillance technique qui tient compte de facteurs humains : événements ayant mené à l'accident de Union Carbide à Bhopâl, en Inde, le 3 décembre 1984.

Source : Zimmerman, R. 1988. Understanding industrial accidents associated with new technologies. *Industrial Crisis Quarterly*, 2, 3-4 : 239.

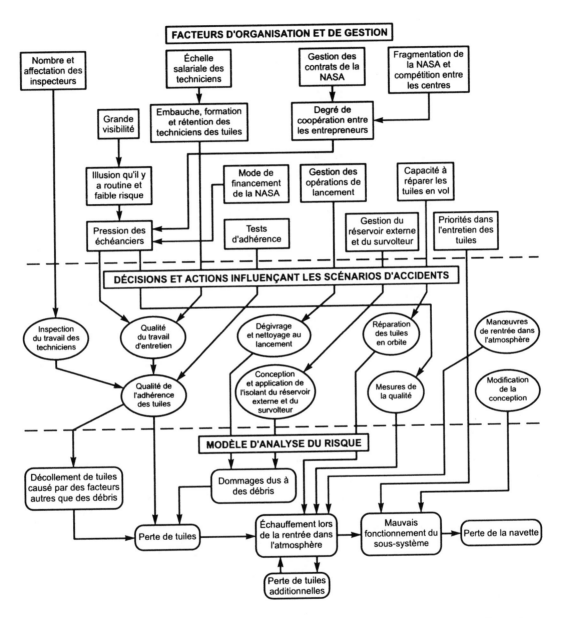

Figure 2.3 Arbre de défaillance qui tient compte des facteurs humains, organisationnels et de gestion.

Source : Paté-Cornell, E. et P.S. Fischbeck. 1993. PRA as a management tool : Organizational factors and risk-based priorities for the maintenance of the tiles of the space shuttle orbiter. *Reliability Engineering and System Safety*, 40, 3 : 250.

2.1.2.2 HAZOP

Une autre méthode de calcul de risques, plus qualitative que la précédente, est la méthode HAZOP, dont l'acronyme signifie *A Guide to Hazard and Operability Studies*. Publié en Angleterre par l'Association des industries chimiques, ce guide est très utilisé en Europe et au Canada, en particulier dans l'industrie chimique, pétrochimique et pharmaceutique (tabl. 2.1).

Tableau 2.1   Méthode HAZOP : système de chauffage au propane

Mots clés	Fonction	Écart	Causes	Conséquences	Protection/actions
Non	Débit	Pas de débit de propane.	Glace dans la canalisation. Blocage physique.	Défaillance du système de chauffage. Chute de la température de l'édifice.	Nettoyer les canalisations. Installer du ruban de chauffage électrique sur les éléments critiques.
Moins	Débit	Débit réduit de propane.	Blocage partiel.	Système incapable de chauffer l'édifice.	Comme ci-dessus.
Plus	Débit	Débit excessif de propane.	Défaillance locale d'un appareil. Défaillance dans les tuyaux de l'édifice.	Fuite majeure de combustible. Incendie ou explosion.	Installer un régulateur de pression sur le mur extérieur. Alarme pour les températures élevées.
Moins	Pression	Pression réduite.	Faible inventaire. Basse température. Panne du régulateur. Fuite externe.	Chauffage inadéquat.	Installer du ruban de chauffage électrique sur les éléments critiques. Vérifier le bon état de la tuyauterie.
Plus	Pression	Pression plus forte.	Mauvais fonctionnement du régulateur.	Fuites à l'intérieur de l'édifice, risques d'incendie.	Évacuer le régulateur à l'extérieur. Détecteur de gaz.
Plus	Température	Température plus élevée.	Radiateur électrique constamment allumé.	Potentiel accru de fuites. Surchauffe, incendie, explosion.	Utiliser du ruban de chauffage sur les sections à découvert de la canalisation.
Fait partie de	Débit	Débit partiel de propane.	Fuite externe occasionnant une déviation du flux.	Perte de combustible, risque d'incendie ou d'explosion.	Inspecter le système conformément aux codes et aux standards.
Inverse	Débit	Débit inversé de propane.	Impossible (à moins de ruptures hors système).		---
Tout comme	Débit	Contamination par l'humidité.	Eau dans le combustible.	Faible efficacité du chauffage. Extinction de la veilleuse.	Adopter une procédure pour vider le réservoir de combustible. Installer du ruban de chauffage sur la canalisation.

Source : Kelly, B.D. et W.J. Weckman. 1995. Practical risk assessment in the process industries, dans C. Robinson et L. Wilson (eds). *Process Safety and Loss Management in Canada*, Proceedings of the First Biannual Conference 1993. Waterloo, Ont. : Institute for Risk Research : 195.

Par un travail d'équipe, la méthode consiste à détecter des problèmes potentiels qui peuvent causer un écart par rapport à la conception d'origine et à voir les causes et conséquences de ces écarts. HAZOP a comme avantage de permettre d'améliorer le processus lui-même, indépendamment des risques (que la méthode vise cependant à contrer), dans la mesure où une description complète du procédé est nécessaire. Tous les éléments de la conception sont ainsi scrutés à partir de mots guides (p. ex. «ne pas faire», «plus», «moins», «en plus», etc.). Ceux-ci (Knowlton, s.d.) :

> [...] servent à assurer que les questions, qui ont pour but de tester tous les éléments de la conception, permettent l'exploration de toutes les possibilités d'écart par rapport à l'intention de conception [...] et les risques pouvant en découler.[18]

Le succès ou l'échec de cette méthode dépend, selon le même auteur :

- de la qualité de l'information;
- des compétences techniques et de la perspicacité de l'équipe ainsi que de son imagination et de son sens des proportions pour évaluer la gravité d'un risque.

En fait, la méthode HAZOP s'attache aussi aux conséquences des risques, ce qui introduit le point suivant.

2.2 ÉVALUATION DES CONSÉQUENCES POTENTIELLES

2.2.1 Probabilités des conséquences

On a vu que les méthodes de calcul du risque, en ingénierie, s'attachent à la probabilité d'un événement ou d'une chaîne d'événements. Mais il faut aussi considérer les conséquences de cet événement, puisque le risque est défini, selon l'approche classique, comme «probabilités et conséquences». Il s'agit maintenant de se tourner vers ces dernières.

Tout d'abord, un mot sur la relation entre probabilités et conséquences. Les conséquences, comme l'événement, ont aussi des probabilités de survenir. En fait, le calcul des probabilités, dans le risque, touche trois éléments principaux : la probabilité de l'événement-danger, la probabilité de la conséquence et la probabilité de la relation entre l'événement et la conséquence.

Bien entendu, la réalité n'est jamais aussi simple, et ici encore il est question d'agrégation de multiples conséquences pour un événement donné. Par ailleurs, puisque la détermination des probabilités exige de connaître l'ensemble auquel celles-ci sont liées, on se doit de

---

18. Notre traduction.

connaître l'ensemble des conséquences d'un événement. La tâche, on s'en doute, est quasi impossible, à moins que le sujet d'étude ne soit suffisamment connu – c'est-à-dire répété – depuis une période de temps relativement longue. C'est rarement le cas des catastrophes et des risques majeurs qui leur sont associés.

Cela explique peut-être que, dans l'approche classique concernant ces risques majeurs, les probabilités des conséquences semblent moins importantes que la considération de la gravité de ces conséquences, définie surtout en termes financiers. Les ingénieurs rétorqueront sûrement qu'ils considèrent ces probabilités, mais en fait il est bien difficile de les évaluer, dans le cas de risques majeurs, puisque la banque de données n'est guère remplie. Les catastrophes ont d'ailleurs été définies comme ces événements à faible probabilité mais aux conséquences importantes (*low-probability, high-consequences events*).

Enfin, lorsqu'il est question de conséquences et de probabilités, il est important de considérer les mesures de mitigation (tels des détecteurs de fumée ou des gicleurs, en matière d'incendies). De telles mesures servent à diminuer non seulement la gravité des conséquences, mais encore les probabilités que l'événement survienne[19].

2.2.2 Quelques méthodes

2.2.2.1 Échelle de gravité des accidents industriels

Les pays de la Communauté économique européenne (CEE) ont mis au point, en 1989, une méthode d'analyse des conséquences des accidents industriels. Il s'agit d'une échelle de gravité, adoptée également par le groupe d'experts de l'Organisation de coopération et de développement économiques (OCDE) sur les substances dangereuses (Ministère délégué, s.d.). Certains pays ont utilisé la méthode à titre expérimental. L'échelle contient trois paramètres :

- nature et quantité de produits dangereux (D), définies par rapport à un seuil;
- conséquences pour les personnes, les biens et l'environnement (C), définies en termes quantitatifs : nombre de morts et de blessés (humains et fauniques), degré de contamination, coût total (économique et social) de réparation des dommages causés aux biens et à l'environnement, nombre d'habitations détruites;
- moyens d'intervention (M), tels le nombre potentiel de sauveteurs, le nombre de sauveteurs mobilisés et le nombre de personnes confinées ou évacuées.

---

19. Voir à ce sujet Kervern et Rubise, 1991, chap. 1.

L'indice de gravité (IG) est égal aux valeurs (D, C, M). L'échelle va de 0 à 6 :

0 = anomalie

1 = incident

2 = accident notable

3 = accident important

4 = accident grave

5 = accident très grave

6 = catastrophe

Selon cette échelle, Bhopâl ou Tchernobyl auraient obtenu un IG de (6, 6, 6).

2.2.2.2 Arbres d'événements

Contrairement à la méthode des arbres de défaillances, la méthode des arbres d'événements (*event tree analysis*) descend des causes vers les effets. Elle part d'un événement (p. ex. une fuite de gaz) et illustre graphiquement les défaillances possibles dans ce qui s'ensuit, tant pour les équipements que pour les opérateurs : détection de la défaillance, comportement du gaz, etc. Elle octroie aussi des probabilités à ces conséquences d'un même événement.

Cette technique a toutefois ses limites, dont celle de ne pas pouvoir tout prévoir. Elle convient cependant pour les événements aux conséquences multiples. Mais les analyses post-catastrophes, qui parfois donnent lieu à ces arbres d'événements, montrent que les estimations de conséquences, avant l'événement, ne font généralement pas preuve de beaucoup d'imagination (Perrow, 1984). Ici, l'esprit humain constitue une limite à l'application de la méthode.

2.2.2.3 Arbres d'utilité

Cette méthode de calcul du risque permet de définir les valeurs-utilités attachées aux différentes conséquences (Edwards et Von Winterfeldt, 1987). Chaque partie en cause, en collaboration avec un analyste, structure ses valeurs dans un arbre de relations. La méthode octroie des poids aux différentes valeurs. L'analyste construit ensuite un arbre commun, qu'il soumet à l'approbation de chacune des parties.

À titre d'exemple, des arbres d'utilité ont été réalisés en Allemagne pour les choix d'énergie selon les valeurs-utilités de l'Église catholique, de l'Association des industries allemandes et de l'Institut de recherche écologique, fusionnées ensuite en un seul arbre (fig. 2.4). Par ailleurs, dans le sud de la Californie, la méthode a été appliquée aux conflits suscités par un forage pétrolier en mer à la frontière du Mexique. Elle montre les arbres d'utilité des opposants (environnementalistes, municipalités, pêcheurs, plaisanciers et riverains, etc.), de ceux qui favorisent le projet (pétrolières, chambres de commerce et autres) et des régulateurs, fédéraux et des États.

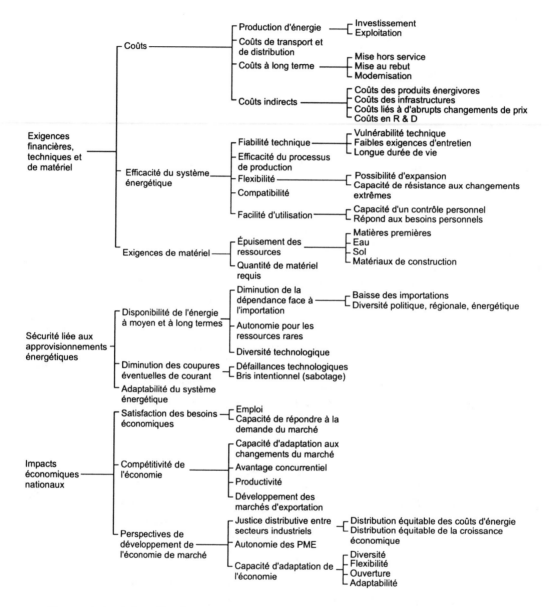

Figure 2.4 Arbre d'utilité au sujet du débat sur l'énergie nucléaire en Allemagne.

Source : Edwards, W. et D. Von Winterfeldt. 1987. Public values in risk debates. *Risk Analysis*, 7, 2 : 149.

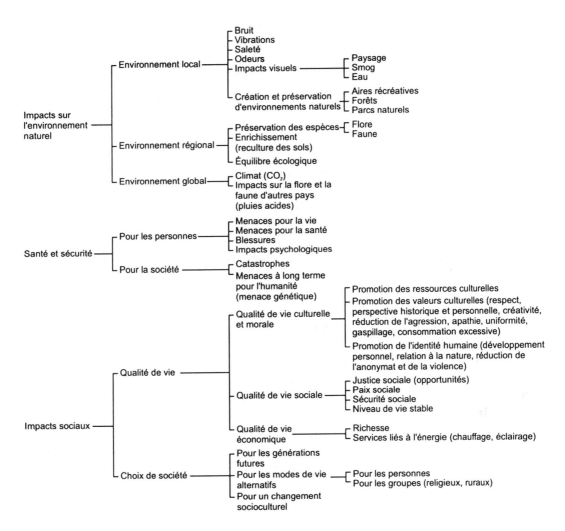

Figure 2.4 (suite)

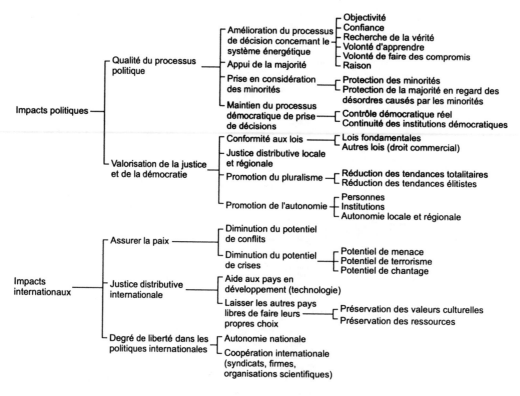

Figure 2.4 (suite)

Cette méthode est intéressante dans la mesure où elle introduit des acteurs sociaux dans les choix et établit des arbitrages. Elle engendre cependant des exclus, puisqu'il faut toujours fixer des frontières au système. Ici, il est intéressant de se demander qui sont ces exclus. Par exemple, dans le cas de la Californie, les Mexicains n'ont pas été considérés : les Californiens auraient-ils voulu par hasard rejeter les risques dans la cour de leurs voisins? Par contre, si tous les principaux intéressés participent, une limite de cette méthode devient le nombre important d'acteurs. Apparaît alors le danger de noyer les résultats dans un arbre d'utilité qui, parce que trop touffu, ne peut plus être utile à la prise de décision.

2.3 COMPARAISONS ENTRE CONSÉQUENCES POTENTIELLES
2.3.1 Comparaisons entre différents critères

La définition que l'on a donnée du risque suppose des conséquences négatives, c'est-à-dire des pertes. En fait, selon Moghissi (1985), l'évaluation des conséquences tend généralement à mettre l'accent sur des risques à faible probabilité mais aux conséquences graves, comme dans le cas du nucléaire, plutôt que sur les risques diffus ou quotidiens, tels les accidents de la route : cependant, de façon globale, les conséquences peuvent être plus graves dans le second cas que dans le premier, par exemple pour ce qui est des pertes totales en vies humaines.

Ce genre de raisonnement a amené certains experts à déplorer le peu de rationalité dont semblent faire preuve les profanes, qui craignent davantage le nucléaire que la voiture. C'est cependant oublier que l'évaluation ne tient pas seulement compte des fréquences, comme on le verra dans le prochain chapitre, mais aussi du nombre de morts simultanées ou des conséquences à long terme.

Une étude de Lindell et Earle (1983) met en lumière ces jugements relatifs aux conséquences des risques. La recherche a comparé la perception des pertes quant au fait de vivre dans un rayon de 10 milles des sites suivants :

- centrale au gaz naturel;
- centrale au mazout;
- centrale au charbon;
- raffinerie;
- dépôt de gaz naturel liquéfié;
- centrale nucléaire;
- dépôt de résidus de produits chimiques toxiques;
- dépôt de résidus de produits nucléaires.

Les sites ont ensuite été répartis en catégories, selon leurs conséquences perçues, à savoir :

- affectent les travailleurs;
- affectent la population avoisinante;
- affectent les générations à naître;
- m'affectent moi;
- inconnues de ceux qui y sont exposés;
- inconnues des opérateurs;
- inconnues des scientifiques;
- imprévisibles;
- catastrophiques : nombre élevé de morts simultanées;
- causent plusieurs morts pendant la vie de l'organisation;
- effroyables, terribles.

Globalement, une première catégorie comprend les sites à haut risque : ceux qui impliquent des résidus nucléaires et chimiques et les centrales nucléaires. Leurs activités sont perçues comme ayant des conséquences dangereuses pour les travailleurs, la population et les générations futures. Dans ce groupe, les accidents catastrophiques sont moins connus, moins faciles à prévoir, peuvent causer plusieurs morts et sont effroyables.

À l'autre extrémité, on trouve la centrale au gaz naturel, la centrale au charbon, la raffinerie et la centrale au mazout. Les conséquences de ces risques ont été jugées faibles pour les travailleurs, la population et les générations à venir, bien qu'elles aient été jugées plus élevées pour les travailleurs que pour le public, à l'exception des centrales au charbon. Les risques, dans ces cas, sont connus et peuvent être prévus, et la probabilité de morts est faible.

Dans les comparaisons entre conséquences d'un risque, l'unité de mesure retenue a été le plus souvent les pertes occasionnées par les catastrophes naturelles. Ainsi :

> Est acceptable ce que la nature fait ou veut [...]. Nulle part ce critère n'est discuté sur un plan philosophique. On le présente comme un droit ou comme un critère de bons sens. (Beauchamp, 1996a : 49.)

Toutefois, les comparaisons sont toujours relatives. Morone et Woodhouse (1986) donnent l'exemple de la comparaison entre l'énergie nucléaire et la conduite automobile. De quelle conduite s'agit-il au juste : prudente ou risquée, en état d'ébriété ou à jeun, avec ou sans ceinture de sécurité? À l'opposé, le citoyen n'a pas de prise sur le mode d'exploitation des centrales nucléaires. Les effets des deux dangers sont aussi différents, parce qu'ils sont regroupés, dans le cas du nucléaire, et disséminés, dans le cas des accidents automobiles.

Les auteurs montrent que même la comparaison entre les producteurs d'énergie est délicate. Si les dangers du charbon sont connus (pollution, pluies acides, etc.), les probabilités en revanche sont incertaines. Par ailleurs, la comparaison doit aussi tenir compte du système technique : ainsi, dans le même cas du charbon, les risques du transport ou les dangers liés à la mine sont-ils inclus dans les comparaisons?

En fait, lorsqu'il est question de comparaisons, c'est surtout de risque «acceptable» qu'il s'agit. Mais comment comparer? Comment connaître à l'avance toutes les conséquences? Comment savoir si une conséquence négative aujourd'hui ne se révélera pas bénéfique demain – ou vice-versa? Autant de questions auxquelles l'approche classique, même si elle raffine de plus en plus ses critères d'analyse, ne parvient pas à répondre.

2.3.2 Évaluation des coûts

2.3.2.1 Évaluation coûts-bénéfices

Une façon de comparer les conséquences d'un risque est d'en établir les coûts. Lorsqu'il s'agit d'analyser les conséquences, les analyses classiques mettent donc l'accent sur ce calcul des coûts. Mais, dans les faits, on s'arrête rarement à cette évaluation simple. Le plus souvent, la comparaison porte non seulement sur les coûts des différentes conséquences, mais aussi sur le rapport entre les coûts et les gains espérés, comptabilisés eux aussi.

Au moyen de l'évaluation coûts-bénéfices, un individu ou un groupe compare en fait deux ou plusieurs possibilités, sur une période de temps donnée. La méthode peut donc faire intervenir différents acteurs, personnes ou groupes, et différentes conséquences. Elle peut, par exemple, utiliser des arbres d'utilité, qui reflètent ainsi les préoccupations des différents acteurs engagés dans une décision ou bien touchés par elle[20].

Une étude a été faite de l'implantation d'un site d'enfouissement de déchets nucléaires à Yucca Mountain (Nevada), à partir de l'analyse coûts-bénéfices et de l'analyse des perceptions (Kunreuther *et al.*, 1990). C'est sur la première méthode que nous nous attardons maintenant. La décision suppose en fait l'alternative suivante :

- le *statu quo* : pas de site d'enfouissement;
- la mise en place d'un site d'enfouissement.

L'utilité de ne pas avoir le site d'enfouissement à Yucca Mountain, pour un acteur touché par la décision, est mesurée par la somme, pour une période de temps allant de maintenant à un point donné dans l'avenir, des bénéfices dont jouit cet acteur à l'heure actuelle, multipliés par un facteur d'actualisation (ajustement au taux du marché).

Évidemment, les conséquences du changement sont moins certaines que celles du *statu quo*. Donc, le calcul exige que des probabilités soient attachées aux états probables futurs, selon des scénarios décrivant une séquence d'événements potentiels : accident, contamination de la nappe phréatique, changements dans le tissu économique de l'endroit, etc. Pour chaque scénario, on calcule les bénéfices escomptés (conséquences sur l'emploi, diminution des taxes, nouvelles infrastructures, etc.) et les pertes (effets des accidents sur l'économie et la santé, diminution de la valeur immobilière, etc.). Selon ce modèle, les risques augmentent si les probabilités augmentent ou si la valeur des pertes augmente.

Cette méthode nous laisse un peu avec l'impression d'un acteur qui, avec une grande balance, pèse d'un côté les coûts de tous ordres et, de l'autre, les avantages escomptés. Cette image est cependant loin de la réalité. Car il se peut que coûts et bénéfices soient inégalement répartis, dans une communauté, et que certains doivent accepter de vivre avec un risque pour que la communauté plus large en bénéficie. Cet accent sur les bénéfices a d'ailleurs amené les analystes, depuis quelques années, à poser la question du risque «acceptable» et de l'équité.

2.3.2.2 Coûts de mitigation et coûts des conséquences

Au bout du compte, l'évaluation des conséquences du risque revient souvent à comparer les coûts des mesures de mitigation par rapport aux coûts des conséquences. Ces derniers peuvent être strictement financiers, mais il arrive que des considérations plus larges s'y

---

20. Nous faisons ici volontairement référence au fait que certains acteurs, qui ne sont pas officiellement engagés *dans* le processus décisionnel, sont néanmoins touchés *par* la décision en question.

ajoutent, tels les coûts psychologiques (séquelles dans la vie affective des gens), les coûts sociaux (dissensions au sein d'une communauté) ou les coûts politiques (répercussions sur la prochaine élection, impact sur une carrière).

C'est en considérant ces différents types de coûts des conséquences qu'on évalue le coût des mesures de mitigation, celui-ci permettant d'éviter ou d'atténuer l'impact des conséquences. L'éruption du volcan Nevado del Ruiz, en Colombie, a offert un malheureux exemple d'une telle évaluation. Dans ce cas, les coûts de mitigation – en l'occurrence le coût économique et politique d'une évacuation préventive faite par les autorités gouvernementales – ont été jugés trop élevés au regard de la probabilité de l'événement et donc de ses conséquences éventuelles. C'est ainsi que des villages entiers ont été engloutis (Voight, 1990).

2.3.2.3 Probabilité de supporter les coûts des conséquences

Dans l'analyse coûts-bénéfices, un aspect souvent occulté, mais bien réel, est le passage de l'évaluation des coûts à celui de l'évaluation de la probabilité de supporter effectivement ces coûts, en totalité ou en partie. En effet, les deux ne se suivent pas nécessairement. Ici, l'aspect juridique devient un élément important (Seilan, 1991).

L'exemple du dilemme auquel peut faire face un ingénieur lors de l'inspection – visuelle – des vieux barrages aux États-Unis montre l'importance de cette dimension juridique (Denis, 1987). En effet, si l'ingénieur déclare un barrage sécuritaire mais qu'un accident survient, il est menacé de poursuites judiciaires, tout comme s'il déclare un barrage dangereux et qu'aucune catastrophe ne se produit. Dans les deux situations, son évaluation présente une responsabilité personnelle – et donc la probabilité de supporter des coûts, comme conséquence. Bien entendu, ce spécialiste n'assumera pas tous les coûts liés à une éventuelle catastrophe, comme ce pourrait être le cas d'une entreprise exploitant un barrage. Mais même dans ce dernier cas, la décision finale relève du juridique – à moins que l'entreprise ne déclare faillite.

Le problème qui se pose fréquemment dans l'évaluation de la probabilité de supporter les coûts est en effet celui de la responsabilité finale de ces coûts. Si l'on présuppose que la catastrophe résulte d'un ensemble d'éléments, lequel d'entre eux est l'ultime responsable (Roqueplo, 1991)? S'il s'agit d'une plate-forme d'exploration pétrolière, la cause de l'accident tient-elle à la hauteur des vagues, à la résistance des hublots, à l'emplacement du système informatique de contrôle du ballast ou au manque de préparation à l'urgence? Qui est responsable d'un déversement pétrolier à la suite d'un naufrage : l'entreprise locataire du navire, son propriétaire, le constructeur, le service d'inspection de la marine marchande ou Dieu?

Se pose aussi la question de la responsabilité des coûts sociaux, qui sont également financiers en dernier ressort. Qui, dans le cas du naufrage de l'Amoco-Cadix, a payé pour les conséquences de la marée noire en Bretagne? Les responsables n'ont assumé, après de lourds procès, qu'une partie des coûts totaux, celle qui consistait en l'indemnisation des professions maritimes. On a ainsi laissé de côté la réparation de l'environnement faunique par exemple. Et lorsqu'une entreprise fautive fait faillite, qui se charge des coûts de gestion du désastre qu'elle a provoqué?

Au fond, cette étape de la réparation, qui semble le dernier maillon dans la chaîne de gestion de la catastrophe, en est aussi le premier. En effet, savoir que la réparation sera rendue obligatoire par la loi – et que celle-ci sera appliquée – peut amener les intervenants à percevoir qu'il y a un risque de supporter les coûts. À l'inverse, la non-application de la loi est un facteur susceptible de favoriser une attitude de laisser-faire, liée à la croyance que l'on échappera sinon à la catastrophe, du moins à ses conséquences financières. Les difficultés qui freinent l'application du principe du pollueur-payeur illustrent bien cette dynamique d'ensemble.

2.4 UTILISATION RELATIVE DES DIFFÉRENTES MÉTHODES DANS UN PROJET : UN EXEMPLE

Dans un article très intéressant, Kelly et Weckman (1995) montrent les relations entre quelques-unes des méthodes mentionnées précédemment et d'autres, présentées dans ce qui suit. L'analyse du risque est appliquée ici à un système de chauffage au gaz propane (fig. 2.5). Les auteurs rappellent tout d'abord qu'il faut faire les analyses en début de processus, à la phase de la conception. Ils indiquent aussi les principales caractéristiques des méthodes (tabl. 2.2).

Tableau 2.2 Comparaison des techniques d'analyse du risque

Principales caractéristiques	Qu'arriverait-il si?	Semi-quantitative	HAZOP	AMDEC
Facile à utiliser	•	•		
Approfondie			•	•
Systématique	•		•	•
Reliée aux aptitudes			•	•
Quantifiable		•		•
Adaptable à la plupart des systèmes	•	•		

Source : Kelly, B.D. et W.J. Weckman. 1995. Practical risk assessment in the process industries, dans C. Robinson et L. Wilson (eds). *Process Safety and Loss Management in Canada*, Proceedings of the First Biannual Conference 1993. Waterloo, Ont. : Institute for Risk Research : 190.

Après avoir défini au mieux le système technique, on dispose de deux méthodes : celle du «Qu'arriverait-il si?» et celle de l'évaluation semi-quantitative. Les auteurs précisent que ces méthodes ne peuvent s'appliquer que si l'on a complété de 20 % à 30 % du design du produit.

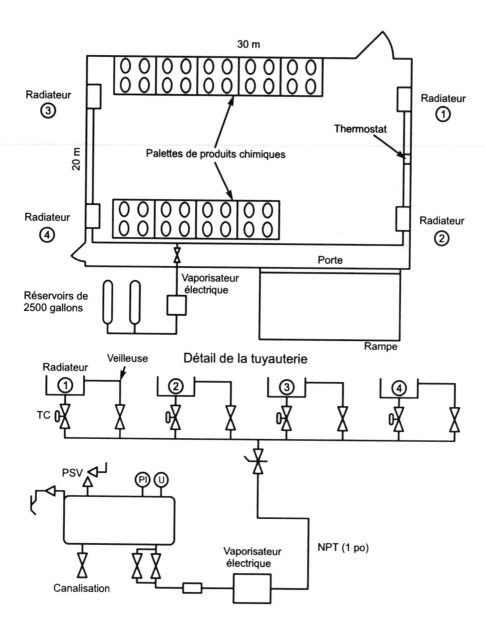

Figure 2.5   Conception et configuration d'un système de chauffage au propane.

Source : Kelly, B.D. et W.J. Weckman. 1995. Practical risk assessment in the process industries, dans C. Robinson et L. Wilson (eds). *Process Safety and Loss Management in Canada*, Proceedings of the First Biannual Conference 1993. Waterloo, Ont. : Institute for Risk Research : 189.

2.4.1 Méthode «Qu'arriverait-il si?»

Cette méthode (tabl. 2.3) permet d'analyser les dangers potentiels de façon que l'on puisse introduire dans le design les mesures de sécurité nécessaires. Elle ne quantifie pas, mais se contente d'énumérer les conséquences éventuelles.

Tableau 2.3 Analyse d'un système de chauffage au propane par la méthode «Qu'arriverait-il si?»

Qu'arriverait-il si?	Risques/Conséquences (touchant tout le système)	Actions/Réponses
Processus		
Le produit oxyde les réservoirs?	Fuite du produit, effets toxiques, risque d'incendie.	Contrôle de routine. Équipement de contrôle du gaz.
Le système d'alimentation en combustible gèle?	Arrêt des radiateurs. Gel du produit.	Alarme de détection des températures basses et élevées. Mesures du système d'approvisionnement.
Personnes		
Le fournisseur de propane remplit trop le système?	Échappement de propane dans l'atmosphère; risque d'incendie.	Suivi strict des procédures.
Le fournisseur de propane ne livre pas le combustible?	Arrêt du radiateur. Gel possible des produits.	Contrôle de routine. Horaire pour les livraisons.
Le fournisseur de propane endommage l'équipement?	Risque de fuite ou de rupture, d'incendie ou d'explosion.	Barrières de protection. Pratiques de travail sécuritaires.
Des vandales endommagent l'équipement?	Panne d'équipement. Émanations toxiques. Blessures personnelles.	Accès contrôlés.
Pratiques d'entretien inadéquates?	Panne d'équipement.	Responsabilités et horaires établis et suivis.
Équipement : externe		
Surpression du réservoir de propane?	Fortes émanations. Incendie et risque d'explosion. Risque de perte de l'entrepôt.	Inspection et entretien continus. Suivi de routine des sytèmes de contrôle. Réduction du matériel (un seul réservoir). Installation du réservoir loin du mur de l'entrepôt.
Perforation du réservoir de propane?	Propagation des émanations. Risque de propagation de l'incendie à l'entrepôt.	Accès restreint au lieu du réservoir et aux installations de commande.

Tableau 2.3 (suite)

Qu'arriverait-il si?	Risques/Conséquences (touchant tout le système)	Actions/Réponses
Équipement : externe (suite)		
Bris dans la tuyauterie?	Fortes émanations, risque d'incendie et d'explosion.	Pratiques de travail sécuritaires.
Déversement de produits chimiques?	Risque d'incendie et de propagation à l'entrepôt et/ou au réservoir.	Formation du personnel à l'utilisation du chariot élévateur et à des pratiques de chargement sécuritaires.
Équipement : interne		
Fuite dans la tuyauterie?	Accumulation de gaz et risque d'incendie et d'explosion.	Installation d'un équipement de contrôle du gaz. Système d'extinction d'incendies.
Bris dans la tuyauterie?	Accumulation de gaz et risque d'incendie et d'explosion.	Contrôle de routine.
Bris du thermostat?	<u>Par excès.</u> Entrepôt surchauffé et risque de perforation des barils du produit. Risque d'incendie et/ou d'explosion. <u>Par défaut.</u> Température plus basse dans l'entrepôt. Gel possible du produit.	Installation d'alarmes de détection des températures basses et élevées. Choix d'un emplacement approprié pour le thermostat. Installation du thermostat à l'écart de la porte d'entrée. Définition de températures appropriées.
Panne du ventilateur du radiateur?	Radiateur bloqué. Température plus basse.	Entretien de routine.
Déversement de produits chimiques?	Ignition possible dans les radiateurs au niveau du plancher. Incendie et explosion.	Formation du personnel à l'utilisation du chariot élévateur. Manipulation soigneuse de l'équipement. Adoption de méthodes de manutention sécuritaires.

Adapté de : Kelly, B.D. et W.J. Weckman. 1995. Practical risk assessment in the process industries, dans C. Robinson et L. Wilson (eds). *Process Safety and Loss Management in Canada*, Proceedings of the First Biannual Conference 1993. Waterloo, Ont. : Institute for Risk Research : 192-193.

2.4.2 Évaluation semi-quantitative du risque

L'évaluation semi-quantitative du risque (tabl. 2.4) a pour but de quantifier et d'ordonnancer les risques de pertes en fonction des probabilités et des conséquences. Elle est menée en groupe. On ne se demande plus seulement, comme dans la méthode précédente, «Qu'arriverait-il si une fuite de propane était suivie d'un incendie ou d'une explosion?», mais plutôt «Quelle serait l'ampleur de la perte?» Après quoi on classe les risques par ordre d'importance, en fonction de l'estimation de leurs probabilités d'occurrence et des pertes qui y sont liées.

Tableau 2.4 Évaluation semi-quantitative du risque : système de chauffage au propane

Écart	Scénario de perte	Impact	Probabilité	Risque	Recommandations
Fuite dans la tuyauterie.	Perte de combustible.	F	F	F	Utiliser des modèles standard de fabrication.
	Petit incendie.	M	F	F	Vérifier les fuites une fois par semaine.
Défaillance de la tuyauterie.	Incendie ou explosion.	É	F	M	Installer des dispositifs de protection, des barrières et des dispositifs de sécurité appropriés.
Défaillance du réservoir.	Incendie ou explosion.	É	TF	F	Tester avant la mise en marche et installer des dispositifs de sécurité.
Défaillance du régulateur.	Gel des produits aqueux. Pression excessive dans le système.	M	F	F	Inspecter quotidiennement, utiliser des alarmes. Concevoir la tuyauterie de sorte qu'elle résiste aux pressions élevées.
Défaillance du système de chauffage.	Entrepôt surchauffé. Bris des barils de produit.	M	F	F	Inspecter quotidiennement, utiliser des alarmes.
Défaillance de la veilleuse.	Fuite de propane avec incendie ou explosion.	É	F	M	Installer un interrupteur pour la veilleuse du radiateur.
Contenu des barils renversé dans l'entrepôt.	Ignition des vapeurs causant un incendie.	É	M	É	Isoler les produits. S'assurer que les vapeurs inflammables ne puissent atteindre des sources d'ignition. Adopter des pratiques de travail sécuritaires et un plan de ventilation.
Feu dans l'entrepôt pouvant atteindre le dépôt de propane.	Incendie ou explosion.	É	F	M	Respecter les normes en matière d'espace. Utiliser un réservoir simple et une cloison pare-feu à l'extérieur.

F = faible, TF = très faible, M = moyen, É = élevé.

Source : Kelly, B.D. et W.J. Weckman. 1995. Practical risk assessment in the process industries, dans C. Robinson et L. Wilson (eds). *Process Safety and Loss Management in Canada*, Proceedings of the First Biannual Conference 1993. Waterloo, Ont. : Institute for Risk Research : 194.

Cette méthode, selon les auteurs, exige toutefois un consensus. Elle s'applique en général aux situations où une réponse rapide est nécessaire et où un certain nombre d'intrants doivent être pris en considération.

2.4.3 HAZOP

Quand de 50 % à 70 % du design est terminé, on peut faire appel à la méthode HAZOP (tabl. 2.1). Celle-ci, vue précédemment, est utile pour imaginer les défaillances possibles et leurs causes. En effet, elle permet de se demander ce qui arriverait si l'on n'obtenait pas le comportement attendu selon le design.

La méthode ne s'applique toutefois qu'aux systèmes physiquement interreliés tels des pipelines ou des systèmes électriques. De plus, elle exige un facilitateur et des participants qui connaissent très bien un système. Elle est peu quantitative – ce qui, pour les auteurs, semble une limite – et, enfin, elle laisse peu de place aux éléments externes au système, présupposant qu'ils ne flancheront pas. On peut également utiliser la méthode HAZOP vers la fin du processus de design ou en cours d'exploitation.

2.4.4 Analyse des modes de défaillances et de leurs conséquences ou AMDEC

À la dernière étape, lorsqu'on a bien défini le système, on peut effectuer une analyse des modes de défaillances et de leurs conséquences (*Failure Modes and Effects Analysis*) [tabl. 2.5]. Ici, les risques sont quantifiés et ordonnancés. Par exemple, on détermine le pire scénario (faibles probabilités, conséquences importantes), ce qui amène les analystes à considérer des mesures de mitigation pour réduire davantage les probabilités d'un tel risque (p. ex. des inspections régulières). La même chose vaut pour les risques à forte probabilité – tels ceux dans la manutention –, qui bénéficieront aussi de mesures de mitigation.

Contrairement à HAZOP, cette méthode est centrée sur les conséquences des défaillances plutôt que sur leurs causes. Les deux méthodes sont donc complémentaires. Cependant, AMDEC est plus large que HAZOP : elle peut s'appliquer à n'importe quel système puisque l'analyse peut décomposer les éléments. La méthode étudie aussi les conséquences multiples d'une seule défaillance. Elle est très formalisée et peut servir d'outil de formation pour familiariser le personnel avec un système. Selon Kervern et Rubise (1991), cette méthode est réglementaire pour l'étude de la sécurité des avions en France et aux États-Unis.

2.4.5 Arbres de défaillances

Pour les systèmes extrêmement complexes où des défaillances couplées sont possibles, on peut utiliser les arbres de défaillances. Cette méthode exige toutefois une base de données sur les défaillances passées. Pour cette raison, on ne l'emploie pas aussi souvent que la méthode précédente.

Globalement, on peut dire que la méthode choisie dépend non seulement de l'étape de développement du produit ou projet, mais aussi de l'information et des ressources dont on dispose. Voilà pourquoi on utilise parfois de simples remue-méninges pour passer en revue les causes et les conséquences des défaillances possibles dans un système.

Tableau 2.5 Méthode AMDEC : système de chauffage au propane

Composante	Nature du problème	Effets sur le système	Indice de gravité	Indice de probabilité	Indice de risque	Contrôles
Réservoir de propane	Fuite	Perte de carburant.	0	-1	-1	Moniteur.
	Feu de brousse	Surpression et défaillance. Risque de propagation de l'incendie à l'entrepôt.	4	-3	1	Normes/cloisons pare-feu.
	Vandalisme	Dommages à l'équipement, risques de blessures.	2	-2	0	Clôture à grillage, affiches, suivi quotidien.
	Collision avec un camion	Dommages à l'équipement, risques de rupture et d'incendie.	3	-2	1	Barrières protectrices.
Unités de chauffage	Bris mécanique	Extinction de la flamme de la veilleuse. Faible répartition de la chaleur.	1	-2	-1	Inspection et entretien.
Réservoir de propane	Rupture	Échappement de propane, risque d'incendie ou d'explosion.	3	-3	0	Inspection des réservoirs. Prévention de la surpression.
Tuyauterie externe	Fuite	Perte de propane.	0	-1	-1	Moniteur.
	Rupture avec impact mécanique	Perte de propane, risque d'incendie ou d'explosion.	2	-2	0	
Régulateur	Défaillance : position ouverte	Surpression du système de chauffage, risque de fuite.	1	-1	0	Soupape de décharge vers l'extérieur.
	Défaillance : position fermée	Défaillance du système de chauffage. Dommages aux stocks.	2	-1	1	Inspection quotidienne.
Système de contrôle	Défaillance : position ouverte	Immeuble surchauffé, explosion des barils.	3	-4	-1	Alarmes. Inspection quotidienne.
	Défaillance : position fermée	Immeuble trop froid.	2	-4	-2	Inspection quotidienne.

Adapté de : Kelly, B.D. et W.J. Weckman. 1995. Practical risk assessment in the process industries, dans C. Robinson et L. Wilson (eds). *Process Safety and Loss Management in Canada*, Proceedings of the First Biannual Conference 1993. Waterloo, Ont. : Institute for Risk Research : 196.

2.5 LIMITES DES ANALYSES CLASSIQUES DU RISQUE

Les analyses classiques sont en général valorisées dans la communauté scientifique et parmi les décideurs, qu'ils soient industriels ou politiques. Nous verrons plus loin qu'elles ont, en fait, une fonction rassurante, sinon pour les premiers, les scientifiques, du moins pour les seconds, qui agissent parfois à titre de promoteurs de projets. En ce sens, les analystes peuvent devenir, quelquefois à leur insu, les gourous du risque, ses grands sorciers (Clark, 1980).

Quelles sont les limites de ces analyses? Nous retiendrons les principales d'entre elles, non pour dénigrer ces analyses classiques, qui sont utiles, mais pour montrer qu'elles ne sont pas infaillibles.

2.5.1 Quantitatif synonyme d'objectivité

Une des principales limites des analyses classiques est de considérer comme synonymes les mots *quantitatif* et *objectivité*, et de retenir l'objectivité comme critère ultime de décision. Simon (1957) avait déjà souligné les limites d'une telle croyance à l'aide du concept de «rationalité limitée», la rationalité étant limitée par des contraintes issues du problème lui-même et des limites psychologiques des personnes. Douglas et Wildavsky (1983 : 72) diront :

> Quelque chose va vraiment mal dans l'idée d'objectivité. Celle-ci est tirée hors de son contexte et est transformée en une valeur absolue [...] «objectif» en vient à signifier une vérité finale au sujet de la nature physique.[21]

Il est vrai que l'objectivité peut se présenter comme neutre par rapport à l'arbitraire d'une décision. Cependant, dans le cas des décisions relatives au risque, l'objectivité ne peut être atteinte parce que, selon nous, les intérêts des parties en jeu sont trop nombreux et trop divergents. Le choix des objets d'analyse, par exemple, n'est jamais neutre.

Allègre (1990) donne, pour illustrer cette affirmation, le cas de l'intérêt pour la diminution de la couche d'ozone (Beauchamp, 1996a). Dans ce domaine, ce n'est pas seulement la gravité de la question qui suscite les recherches, mais aussi le fait qu'une entreprise, Dupont de Nemours, a trouvé des substituts aux chlorofluorocarbones (CFC) dans les systèmes de réfrigération. Cette entreprise, selon l'auteur, a pu en conséquence mettre son poids dans la balance et faire pencher celle-ci en faveur des études que prônaient déjà certains scientifiques.

Cette limite, qui pose l'équation quantitatif = objectivité, contribue à creuser le fossé qui sépare les sciences pures des sciences sociales dans les analyses classiques du risque. Le quantitatif semble mesurer la réalité et le qualitatif, les perceptions, avec la connotation – le plus souvent négative – d'intuition, d'émotions, etc.

---

21. Notre traduction.

2.5.2 Facteur d'échelle dans les calculs : les modèles mathématiques ne sont pas la réalité

Pour S. Jasanoff (1993), une des limites des analyses classiques tient au facteur d'échelle : l'analyste laisse toujours certains éléments de côté, volontairement ou non, selon que l'échelle d'analyse est trop petite ou trop grande. Par exemple, la croissance des organismes développés en génie génétique est testée sur des terrains limités, pendant quelques saisons. Le présupposé sous-jacent est que les effets observables à une micro-échelle se reproduiront dans un monde plus large, à la condition de suivre certaines règles statistiques de base dans le choix de la taille et de la composition des populations étudiées.

Mais les modèles mathématiques ne sont pas la réalité. Par exemple, les incendies dans les puits de pétrole au Koweit n'ont pas amené l'hiver nucléaire qui avait été prédit par ces modèles. Et des éléments importants du risque peuvent être laissés de côté ou demeurer cachés si les échelles de temps ne couvrent pas plusieurs générations. À l'autre extrême, des échelles trop larges vont laisser de côté les particularités locales, parfois importantes. Wynne (1989) cite l'exemple des experts anglais qui avaient sous-évalué les retombées de Tchernobyl au Lancashire pour ce qui est de la durée, parce qu'ils s'étaient basés sur des modèles adaptés au nord du pays, là où les sols sont moins acides.

2.5.3 Absence de prise en compte du contexte

Le risque est influencé par un certain nombre de facteurs de contingence. Il est un construit[22], ce que les analyses classiques ne voient généralement pas. Par exemple, les définitions du risque proposées aux États-Unis et en Angleterre présentent des différences marquées, en dépit des similitudes culturelles caractérisant les deux pays. Les Anglais préfèrent les données épidémiologiques pour établir les risques relatifs à la santé, et ils valorisent peu les modèles mathématiques américains extrapolés à partir de la santé animale (Jasanoff, 1986, 1991). Le phénomène tient au contexte, représenté dans ce cas-ci par la responsabilité légale des législateurs et la confiance qui leur est accordée :

> Si nos législateurs [américains] étaient moins ouvertement responsables [légalement] ou faisaient l'objet de plus de confiance de la part du public, nous ne tenterions pas de mettre au point des méthodologies complexes pour quantifier la subjectivité des jugements d'experts ou pour découvrir des techniques encore plus raffinées pour représenter l'incertitude. (Jasanoff, 1993 : 127)[23]

Gherardi et Turner (1987 : 1) attribuent pour leur part à un contexte de culture «macho» cet accent mis uniquement sur le quantitatif :

---

22. Nous reviendrons sur cette affirmation dans les chapitres qui suivent.
23. Notre traduction.

Un usage commun dans les discussions en sciences sociales relie les styles quantitatifs d'enquête et de collecte de données avec une vision «dure» du monde, et les approches qualitatives avec une vision «douce» [...] avec la connotation implicite, dans ce langage, que le «dur» est masculin – et donc à respecter – et que le «doux» est féminin – et donc d'un ordre inférieur d'activité. Le message tacite est que le quantitatif est courageux, difficile à réaliser [...] et «macho», alors que par contraste le qualitatif est faible, mou [...] et ne peut être pris au sérieux [...][24]

Ida Hoos (1980), quant à elle, affirme que le parrainage d'une recherche (partie du contexte) influence ses résultats : «On ne mord pas la main qui nourrit.» Elle constate qu'il y a beaucoup de choses que l'on ne sait pas, telles que notamment, dans le cas du nucléaire, l'emplacement des lieux d'enfouissement des déchets radioactifs ou les quantités perdues dans le transport.

En un mot, selon le même auteur, les «faits» sont fragiles. Ils découlent d'hypothèses retenues parmi d'autres, de calculs partant de présuppositions, de mesures qui ne reflètent pas la réalité, l'objet étant trop complexe pour être mesurable. Les techniques se cherchent un objet. Hoos cite, à cet égard, A. Maslow (1966) : «Si votre seul outil est un marteau, vous avez tendance à considérer tout ce qui vous entoure comme un clou.»

2.5.4 Dangers d'une hyperconfiance dans les estimations : la sanctification des méthodes

Certains analystes tendent à avoir trop confiance dans leurs propres méthodes d'analyse du risque, ce qui en définitive augmente encore ce dernier. Slovic *et al.* (1980) ont énuméré un certain nombre d'exemples de cette hyperconfiance dans les évaluations :

- Les opérateurs et les spécialistes ont mal jugé l'état du réacteur de Three Mile Island.
- Les concepteurs du DC-10 ignoraient que la décompression dans la section cargo détruirait des parties vitales du système de contrôle présentes dans cette partie de l'avion.
- La protection offerte par des digues peut avoir tendance à donner un sentiment erroné de sécurité aux riverains et faire en sorte que l'on construise dans des zones inondables; si une crue exceptionnelle survient, les dommages seront beaucoup plus grands qu'en l'absence de mesures de protection à cause de la trop grande confiance que celles-ci suscitent.

Hoos (1980) donne comme exemple l'évangile qu'était le rapport Rasmussen du Massachusetts Institute of Technology (MIT), un point de référence obligatoire de la législation et de l'octroi de permis concernant l'énergie nucléaire. Toute critique de ce document (et de l'énergie nucléaire) était considérée comme antiaméricaine, comme une quasi-désobéissance civile.

---

24. Notre traduction.

Les études subséquentes, par exemple sur les sites d'enfouissement de déchets radioactifs, se sont appuyées sur ce rapport pour authentifier leurs propres estimations – faibles – des risques. Les calculs de ce rapport ayant prouvé que le risque d'une fonte de réacteur était minime, tous les risques devaient, en conséquence, être minimes. Les méthodes devenaient sanctifiées du même coup. On fit des comparaisons, par exemple avec la probabilité d'être touché par un météorite, un certain mardi, en portant un parasol rose.

Il y aurait lieu de s'interroger sur la signification de cette trop grande confiance dans les estimations des analyses quantitatives : «A-t-on remplacé les superstitions anciennes par une dangereuse confiance dans les chiffres?» demande un chercheur (Bernstein, 1996), qui voit que, de tout temps, l'humanité s'est prémunie contre le danger par des moyens divers : étude des étoiles, danses, sacrifices, etc. Ces moyens seraient aujourd'hui remplacés par les analyses coûts-bénéfices, qu'il appelle le «mantra de l'investisseur moderne».

Par ailleurs, la confiance dans les analyses du risque peut conduire l'intéressé à prendre plus de risques, devenant ainsi elle-même dangereuse. Le même auteur termine en disant :

> [...] les ordinateurs sont devenus les remplaçants des danses de serpents, des sacrifices sanglants, des génuflexions et des visites aux oracles et aux sorcières qui caractérisaient la gestion du risque et la prise de décision dans les jours anciens. (Bernstein, 1996 : 51)[25]

Ce qui fait penser aux propos de D. Duclos, selon lesquels :

> [...] le pseudo-calcul fait aujourd'hui les délices d'une gestion managériale abstraite du risque. *Or cette gestion aggrave le risque*, non seulement parce qu'elle s'appuie sur des erreurs conceptuelles et mathématiques, mais aussi parce qu'elle prétend les imposer en modèles de référence à la définition des situations concrètes des opérateurs [...] (1991a : 209)[26]

En conclusion, en dépit des limites des analyses classiques que nous avons soulignées, il faut néanmoins reconnaître que ces analyses contraignent à plus de rigueur et peuvent servir à diminuer l'arbitraire des décisions, en matière de risque. Nous ne proposons donc pas de les remplacer par des analyses uniquement fondées sur les sciences humaines et sociales, et encore moins par des évaluations sommaires et impressionnistes. Nos réflexions invitent plutôt le lecteur à reconnaître les limites que ces analyses classiques présentent et à se prémunir contre le danger qui consiste à leur conférer la capacité d'être parfaitement objectives, ce qu'elles ne sont pas.

---

25. Notre traduction.
26. Italiques de l'auteur.

SYNTHÈSE

Ce chapitre porte sur les analyses de risques dites «classiques», qui relèvent principalement du domaine des ingénieurs. En fait, l'évaluation du risque, dans ces analyses, s'arrête le plus souvent à la décision quant au risque acceptable. Cette évaluation est surtout quantitative, le qualitatif ne servant généralement que de premier débroussaillage. C'est donc un échantillon des principales techniques de ces analyses qui est présenté.

La première partie considère les évaluations qui mettent l'accent sur la probabilité d'un événement, plus précisément la méthode des arbres de causes ou arbres de défaillances ainsi que la méthode HAZOP. Sont ensuite abordées les méthodes d'évaluation des conséquences potentielles, avec l'échelle de gravité des accidents industriels, la méthode des arbres d'événements et celle des arbres d'utilité. Les problèmes relatifs aux comparaisons entre conséquences sont aussi soulevés. Enfin, la question des coûts ne peut être passée sous silence : évaluation de coûts, mais aussi évaluation de coûts-bénéfices, de coûts de mitigation et de probabilité de payer réellement ces coûts. Un exemple permet d'illustrer plus concrètement l'utilisation de plusieurs de ces méthodes.

En dernier lieu, les limites des analyses classiques de risques sont traitées. On peut ainsi constater que ces analyses, si elles ont été développées pour contrer l'incertitude et tenter, dans certains cas, de pallier l'arbitraire des décisions en matière de risques, en sont néanmoins venues, à la longue, à être réifiées. Cette tendance, il faut le préciser, ne tient pas tant aux experts, qui bien souvent connaissent les limites de leurs analyses, qu'aux utilisateurs des résultats, qui voient parfois dans ces méthodes la panacée susceptible, par exemple, de faire accepter un projet technologique.

En ce sens, l'objectif de ce chapitre était uniquement de situer ces analyses classiques dans un contexte plus large, de façon à mieux comprendre les aspects sociotechnologiques du risque.

CHAPITRE
3

ANALYSES DE PERCEPTION DU RISQUE

Le risque est un construit de l'esprit humain. Cette affirmation, les analyses de perception du risque vont abondamment l'illustrer. En effet :

> Le risque n'existe pas «là dehors», indépendant de nos esprits et de nos cultures, attendant d'être mesuré. Les humains ont inventé le concept de «risque» pour les aider à comprendre les dangers et incertitudes de la vie et à y faire face. Il n'existe pas une telle chose que le «risque objectif» ou le «risque réel». L'estimation probabiliste de l'ingénieur nucléaire quant à un accident de réacteur ou l'estimation quantitative d'un toxicologue quant au risque de cancer lié à un produit chimique sont toutes deux fondées sur des modèles théoriques. Ces modèles ont une structure subjective et remplie de présupposés sous-jacents, leurs intrants sont dépendants de jugements. (Slovic, 1992 : 119.)[27]

Dire que le risque est un construit ne signifie pas qu'il n'ait aucune réalité, en tant que perception (Shrader-Frechette, 1991), ni que le danger ne soit pas réel. Mais l'évaluation du risque, de ses probabilités et de ses conséquences, n'est jamais neutre. Voilà pourquoi il faut faire attention à la symbolique des termes et des dichotomies, comme celle qui oppose «évaluer» (ce qui fait sérieux, scientifique) et «percevoir» (qui semble faire référence à des émotions, à du flou). Les perceptions sont, tout autant que le risque lui-même, matière à analyse. Et elles ne sont pas que l'apanage des profanes : chaque humain – y compris les experts des analyses du risque – perçoit à travers une grille, sa grille.

En fait, lorsqu'il est question de perception, il y a lieu de se demander en premier lieu pourquoi notre société accorde tant d'importance aux analyses du risque, pourquoi elle les perçoit comme absolument nécessaires. A. Beauchamp a répondu à cette question en disant que ce serait parce que les élites ont perdu leur crédibilité. À ce moment, pour sortir de l'impasse, les études de risques servent à démontrer non pas le risque zéro, mais plutôt l'«importance

---

27. Notre traduction.

dérisoire du risque encouru à l'aune des autres risques» (1996a : 58). Tel était l'un des objectifs des analyses classiques du risque, et tel sera l'objet des premières analyses de perception du risque.

On a souvent voulu faire porter aux analyses de perception du risque, en particulier à leurs débuts, une étiquette de «fourre-tout», par opposition à l'«objectivité» des analyses classiques. Mais un tel qualificatif n'est pas juste, car :

> Dans certains cas, on est même parvenu à plus de certitudes sociologiques que techniques. Je donne comme exemple la constance des réactions des gens à la présence d'un site contaminé par des toxiques. Ces comportements sont plus certains que la destinée des toxiques dans le sol, dans l'eau et dans les écosystèmes, que l'on présente comme des faits scientifiques indéniables. (Delisle, 1994 : 68.)

Cependant, les analyses de perception, tout comme les analyses classiques, ne sont pas homogènes. Elles constituent en fait un ensemble de différentes techniques centrées soit sur le risque, soit sur les mécanismes psychologiques, soit sur les influences sociales.

3.1 ANALYSES PSYCHOMÉTRIQUES

Les premières analyses de perception du risque ont été effectuées en réponse aux analyses classiques, en particulier à la méthode des préférences révélées où les experts dégageaient les préférences à partir des comportements de dépenses des individus. Dans leurs recherches, les psychologues vont demander directement aux gens quelles sont leurs préférences : ce sera la méthode des préférences «exprimées», élaborée par Slovic *et al.* (1980) pour évaluer la perception des conséquences des risques.

On a parlé d'eux comme du groupe de l'Oregon. Leurs recherches sont qualifiées d'analyses psychométriques parce qu'elles mesurent les phénomènes psychologiques au moyen des outils de la psychométrie. D'où notre refus de réserver l'appellation «analyses quantitatives» aux seules analyses classiques, les analyses psychométriques ayant cherché elles aussi à quantifier. Dans ce dernier cas, l'objet n'est plus le risque lui-même, mais les perceptions des caractéristiques des risques et de la gravité des conséquences.

Fischhoff (1985 : 85) raconte, au sujet des débuts des analyses de perception, que les gestionnaires du risque, vers 1975, se plaignaient à peu près ainsi :

> Nous avons conçu cette charmante (*lovely*) technologie ou réglementation, cependant le public n'aime pas ça. Qui plus est, il ne *nous* aime pas pour les lui avoir imposées. Vous, les psychologues, savez comment traiter les gens irrationnels. Aidez-nous à les remettre dans la bonne voie![28]

---

28. Italiques de l'auteur.

Aussi ces analyses de perception se sont-elles d'abord attardées sur la problématique des différences de perception entre experts et profanes (sans toutefois avoir pour objectif de «redresser» les seconds à l'avantage des premiers...).

3.1.1 Perceptions des profanes et des experts : profils du risque

Une première étude a porté sur trois groupes originaires de l'Oregon et sur un petit groupe d'experts. D'autres études, par la suite, utiliseront un échantillon plus large. Si nous présentons maintenant cette première étude, c'est qu'elle est considérée comme un classique dans le domaine et qu'elle permet de mieux comprendre le développement ultérieur des analyses de risques.

Les premiers résultats du groupe de l'Oregon, présentés au tableau 3.1, montrent les préférences des experts et celles des profanes. On demande aux sujets faisant partie des échantillons de classer des activités, des substances ou des technologies selon les risques de mortalité qu'elles présentent (Slovic *et al.*, 1980). Les experts en analyse du risque (au nombre de 15) proviennent de l'ensemble des États-Unis. Les profanes, quant à eux, habitent Eugene, en Oregon. Il s'agit dans ce cas de :

- 40 personnes de la *League of Women Voters*;
- 30 étudiants du niveau collégial;
- 25 professionnels et gens d'affaires membres d'un club appelé *Active*.

L'analyse des perceptions montre des similitudes, parmi les profanes, entre les activités jugées les plus risquées (motocyclettes, automobiles, armes à feu) et les moins à risque (vaccination, appareils électroménagers, tondeuses, football). Les experts, par contre, perçoivent l'électricité, la chirurgie, la natation et les rayons X comme plus à risque que les autres groupes, tandis qu'ils voient l'alpinisme, l'énergie nucléaire ou le travail de policier comme moins risqués.

Les chercheurs vont ensuite rassembler les données statistiques sur les mortalités effectives causées par certains dangers (aviation commerciale et armes à feu) pour les comparer aux estimations des groupes de l'échantillon. Les perceptions des experts coïncident avec ces données statistiques, alors que les perceptions des profanes sont différentes à la fois des experts et des statistiques.

L'étape suivante consiste donc à savoir sur quoi les profanes fondent leur jugement quant au risque. Une première explication tient au fait que, même si le taux de mortalité par année est faible, comme dans le cas de l'énergie nucléaire, le potentiel catastrophique demeure présent. Les chercheurs élaborent donc des profils du risque, sur une échelle de 1 à 7, correspondant

Tableau 3.1 Classification du risque perçu pour 30 activités et technologies*

	Groupe 1 «League of Women Voters»	Groupe 2 Étudiants (collégial)	Groupe 3 Professionnels et gens d'affaires membres du club «Active»	Groupe 4 Experts
Énergie nucléaire	1	1	8	20
Véhicules motorisés	2	5	3	1
Armes à feu	3	2	1	4
Fumer	4	3	4	2
Motocyclettes	5	6	2	6
Boisons alcoolisées	6	7	5	3
Aviation privée	7	15	11	12
Travail de policier	8	8	7	17
Pesticides	9	4	15	8
Chirurgie	10	11	9	5
Lutte contre les incendies	11	10	6	18
Construction imposante	12	14	13	13
Chasse	13	18	10	23
Aérosols	14	13	23	26
Alpinisme	15	22	12	29
Bicyclettes	16	24	14	15
Aviation commerciale	17	16	18	16
Énergie électrique	18	19	19	9
Natation	19	30	17	10
Contraceptifs	20	9	22	11
Ski	21	25	16	30
Rayons X	22	17	24	7
Football étudiant	23	26	21	27
Chemins de fer	24	23	20	19
Agents de conservation alimentaires	25	12	28	14
Colorants alimentaires	26	20	30	21
Tondeuses à gazon motorisées	27	28	25	28
Prescription d'antibiotiques	28	21	26	24
Appareils ménagers	29	27	27	22
Vaccins	30	29	29	25

* La liste est basée sur la moyenne géométrique du risque à l'intérieur de chaque groupe. Le rang 1 correspond à l'activité ou à la technologie la plus à risque.

Source : Slovic, P., B. Fischhoff et S. Lichtenstein. 1980. Facts and fears : Understanding perceived risks, dans R.C. Schwing et W.A. Albers Jr. (eds). *Societal Risk Assessment : How Safe Is Safe Enough?* New York, Plenum Press : 191.

à certaines caractéristiques retenues à partir des hypothèses de Lowrance (1976). Selon cette catégorisation, les risques peuvent ainsi être :

- volontaires – involontaires;
- à effet immédiat – à long terme;
- connus – inconnus (des personnes les plus vulnérables, des experts);
- contrôlables – incontrôlables;
- nouveaux – familiers;
- chroniques (1 mort à la fois) – catastrophiques (un grand nombre de morts simultanées);
- communs (les gens ont appris à vivre avec ces risques et peuvent y penser calmement) – effroyables;
- certainement non fatals – certainement fatals.

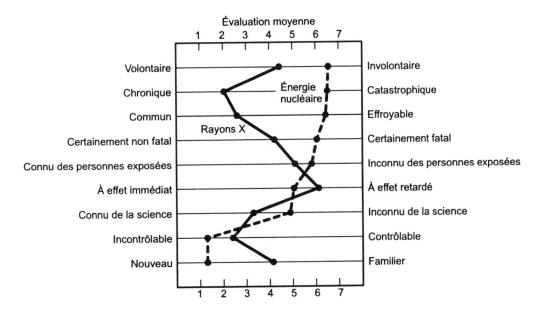

Figure 3.1　Profil de danger : rayons X et énergie nucléaire.

Source : Slovic, P., B. Fischhoff et S. Lichtenstein. 1980. Facts and fears : Understanding perceived risks, dans R.C. Schwing et W.A. Albers Jr. (eds). *Societal Risk Assessment : How Safe Is Safe Enough?* New York, Plenum Press : 196.

Les classements faits par les personnes à partir de ces caractéristiques de base des risques sont ensuite regroupés pour constituer des profils de danger (fig. 3.1). Par la suite, les chercheurs constatent que ces perceptions des risques peuvent aussi être regroupées en deux grandes catégories de facteurs (fig. 3.2), à savoir l'effroyabilité et la non-familiarité (une troisième catégorie, non mentionnée sur la figure, étant le nombre de personnes exposées). Les deux catégories comprennent les éléments énumérés plus loin.

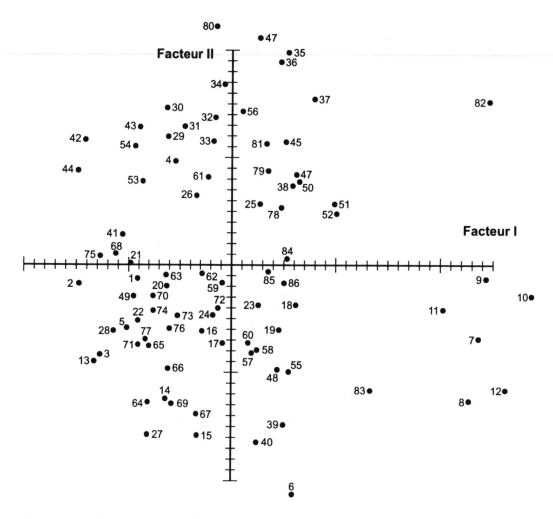

Figure 3.2   Facteurs 1 et 2 de la structure tridimensionnelle dérivée des interrelations entre 18 caractéristiques du risque dans l'étude globale.

Source : Slovic, P., B. Fischhoff et S. Lichtenstein. 1980. Facts and fears : Understanding perceived risks, dans R.C. Schwing et W.A. Albers Jr. (eds). *Societal Risk Assessment : How Safe Is Safe Enough?* New York, Plenum Press : 201.

1- Chaudières au gaz (résidentielles)
2- Appareils ménagers
3- Outils de maison à moteurs
4- Fours à micro-ondes
5- Tondeuses à gazon motorisées
6- Armes à feu
7- Terrorisme
8- Crime
9- Gaz neurotoxiques
10- Armes nucléaires
11- Défense nationale
12- Guerre
13- Bicyclettes
14- Motocyclettes
15- Véhicules-moteurs
16- Chemins de fer
17- Aviation générale
18- Avions gros porteurs
19- Aviation commerciale
20- Anesthésiants
21- Vaccins
22- Grossesse, accouchement

23- Chirurgie à cœur ouvert
24- Chirurgie
25- Radiothérapie
26- Diagnostics par rayons X
27- Boissons alcoolisées
28- Caféine
29- Fluorisation de l'eau
30- Colorants alimentaires
31- Saccharine
32- Nitrite de sodium
33- Agents de conservation alimentaires
34- Irradiation des aliments
35- Satellite en orbite terrestre
36- Exploration de l'espace
37- Laser
38- Amiante
39- Travail de policier
40- Lutte contre les incendies
41- Lumières d'arbres de Noël

42- Cosmétiques
43- Fluorescents
44- Teintures capillaires
45- Désinfectants chimiques
46- Recherche sur l'ADN
47- Gaz naturel liquide
48- Fumer
49- Tracteurs
50- Engrais chimiques
51- Herbicides
52- Pesticides
53- Aspirine
54- Marijuana
55- Héroïne
56- Laetril
57- Amphétamines
58- Barbituriques
59- Darvon
60- Morphine
61- Contraceptifs oraux
62- Valium
63- Antibiotiques
64- Ski alpin
65- Feux d'artifice
66- Football

67- Chasse
68- Jogging
69- Alpinisme
70- Cueillette de champignons
71- Navigation récréative
72- Montagnes russes
73- Plongée sous-marine
74- Planches à roulettes
75- Bains de soleil
76- Surf
77- Piscines
78- Énergie électrique fossile
79- Énergie hydroélectrique
80- Énergie électrique solaire
81- Énergie électrique non nucléaire
82- Énergie nucléaire
83- Dynamite
84- Gratte-ciel
85- Ponts
86- Barrages

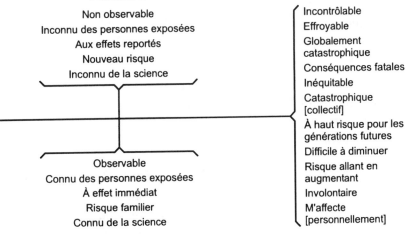

Facteur II

Facteur I

Contrôlable
Non effroyable
Non globalement catastrophique
Conséquences non fatales
Équitable
Individuel
Peu risqué pour les générations futures
Facile à diminuer
Risque allant en diminuant
Volontaire
Ne m'affecte pas [personnellement]

Non observable
Inconnu des personnes exposées
Aux effets reportés
Nouveau risque
Inconnu de la science

Observable
Connu des personnes exposées
À effet immédiat
Risque familier
Connu de la science

Incontrôlable
Effroyable
Globalement catastrophique
Conséquences fatales
Inéquitable
Catastrophique [collectif]
À haut risque pour les générations futures
Difficile à diminuer
Risque allant en augmentant
Involontaire
M'affecte [personnellement]

Figure 3.2 (suite)

FACTEUR 1 Risques effroyables :
- aux conséquences effroyables;
- non contrôlables;
- aux conséquences catastrophiques;
- à l'exposition involontaire;
- aux conséquences certainement fatales;
- inéquitables;
- aux conséquences pour les générations à venir;
- difficiles à diminuer;
- qui vont en augmentant;
- qui m'affectent moi.

Les sources de risques les plus graves sont les armes nucléaires, les gaz innervants et les crimes; les plus bénignes sont les risques liés aux appareils électroménagers ou à la bicyclette.

FACTEUR 2 Risques non familiers :
- non familiers, nouveaux;
- non observables;
- inconnus des personnes exposées;
- inconnus des scientifiques;
- aux effets reportés.

Les risques les moins familiers sont liés à l'énergie solaire, aux recherches sur l'ADN et aux satellites, alors que les plus connus sont associés à l'automobile, à la lutte contre l'incendie et à l'alpinisme.

Ces regroupements vont permettre de comprendre que les profanes perçoivent les risques à partir d'une multiplicité de caractéristiques, contrairement aux experts qui, généralement, fondent leurs jugements sur le nombre de morts ou le nombre d'accidents, sur une période de temps donnée.

3.1.2 Perceptions des bénéfices et régulation du risque

Si les chercheurs se sont d'abord appliqués à comprendre les jugements des profanes relatifs aux conséquences d'un risque, ils ont ensuite étendu leurs recherches à la perception des bénéfices (fig. 3.3). La question devient alors celle des conditions qui font en sorte qu'un risque peut être – ou non – acceptable. À partir de quel moment, ou de quels bénéfices, des conséquences jugées négatives peuvent-elles être surmontées et le risque accepté? Ici encore, il s'agit de phénomènes liés à la perception.

Dans cette perspective, les recherches vont par la suite porter sur les actions susceptibles de rendre le risque acceptable. Ces interventions couvrent, par exemple, une échelle de 0 (ne rien faire) à 5 (bannir le produit ou l'activité). Selon cette gradation de régulation du risque, un seul élément est jugé trop réglementé : les boissons alcoolisées (parmi la liste de

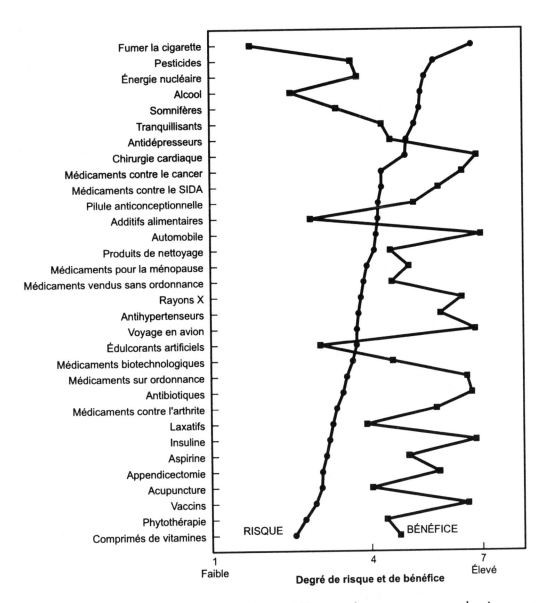

Figure 3.3 Résultats d'un sondage canadien qui illustrent la moyenne perçue des risques et bénéfices par rapport à 33 activités, substances et technologies.

Source : Slovic, P. 1992. Perceptions of risk : Reflections on the psychometric paradigm, dans S. Krimsley et D. Golding (eds). 1992. *Social Theories of Risk*. Westport, Conn., Praeger : 128. Adapté par Slovic de l'article de P. Slovic, N. Kraus, H. Lappe et M. Major. 1991. *Canadian Journal of Public Health*, 82 : 515-520.

la figure 3.2). Le danger soumis à la plus grande régulation, et où il semble nécessaire d'en avoir encore davantage, est l'énergie nucléaire. Les autres dangers qui méritent plus de régulation sont :

- les colorants alimentaires;
- les préservatifs alimentaires;
- les armes à feu;
- les pesticides;
- le fait de fumer;
- les aérosols.

3.1.3 Résultats des analyses psychométriques

Ce courant de recherche démontre que l'évaluation du risque, si l'on considère les résultats du jugement global de chaque personne sondée, est fortement influencée par le facteur qui regroupe des éléments autour de l'effroyabilité. Celui-ci constitue le meilleur prédicteur du risque perçu; autrement dit, on perçoit une activité ou une technique comme présentant davantage de risques que les autres lorsqu'elle est liée à ce facteur.

Par ailleurs, le risque perçu tend à être inversement proportionnel aux bénéfices perçus. Cela signifie que la perception des bénéfices viendrait en quelque sorte tempérer le jugement des conséquences négatives d'un danger. Et plus il y a perception que l'activité ou la technique est à haut risque, plus il y a perception que des mesures de régulation sont nécessaires.

Dans ce dernier cas, contrairement aux affirmations de Starr (1969)[29], le marché n'est pas vu comme un bon régulateur du risque. En effet, les répondants des analyses psychométriques ne croient pas que les lois de l'offre et de la demande puissent limiter le risque des activités offrant moins de bénéfices. Toutefois, en accord cette fois avec Starr, les analyses psychométriques montrent que la tolérance de hauts niveaux de risques peut être présente si les bénéfices sont jugés élevés. Enfin, toujours en accord avec les résultats de Starr, il existe un double standard de jugement selon que le risque est pris volontairement ou non.

Le facteur d'effroyabilité est donc le plus important, car plus il est élevé, plus on cherche à réduire le risque, notamment par des réglementations strictes. Toutefois, ce facteur est ambigu dans la mesure où il ne révèle pas ce qui est redoutable et redouté. Le nombre de morts ne dit certes pas tout. Le type de mort (subite ou par suite d'une longue maladie) doit-elle être prise en considération? Ou encore le fait que la défaillance aurait pu être évitée (Gregory, 1989)?

---

29. Rappelons que les travaux de ce chercheur ont en quelque sorte servi de point de départ aux analyses du groupe de l'Oregon.

Globalement, on peut donc dire que les analyses psychométriques démontrent :

- l'importance du potentiel de catastrophe dans la perception d'un risque[30];
- des corrélations étroites entre plusieurs dimensions entre elles pour de nombreux dangers : par exemple entre les risques volontaires-connus-contrôlables ou entre l'impact à long terme et le potentiel catastrophique;
- la tendance des profanes à percevoir un niveau de risque comme inacceptablement élevé pour la plupart des activités.

3.1.4 D'autres recherches sur la perception des risques

Dans le prolongement des analyses psychométriques, une recherche (Gregory et Mendelsohn, 1993) reprend les 90 produits, technologies et activités jugés dangereux par le groupe de l'Oregon. Les chercheurs vont demander aux profanes de juger le nombre de morts attendues par année et présenter six mesures des bénéfices perçus.

Les résultats montrent que ni la nouveauté ni le contrôle sur le risque n'influencent la perception du risque. Par ailleurs, la mortalité attendue ne modifie pas l'effroyabilité (considérée en tant que facteur), mais elle influe en revanche sur l'évaluation du risque (en accord avec le groupe de l'Oregon). Ainsi, par exemple, les produits qui présentent des dangers pour la vie sont perçus comme étant plus à risque que les autres.

L'évaluation du risque est aussi influencée par la perception des bénéfices, individuels et économiques, ce qui signifie qu'elle serait une mesure nette plutôt que brute. Si l'on en tire des avantages, le danger est jugé moins effroyable et est moins perçu comme présentant un risque. La communication du risque, selon les auteurs, devrait donc mettre l'accent sur les bénéfices éventuels plutôt que tenter de convaincre les intéressés que la probabilité du risque est minime.

L'importance accordée aux bénéfices a aussi été démontrée par une recherche sur la possibilité d'aménagement d'un site d'enfouissement de déchets nucléaires au Nevada, à Yucca Mountain (Kunreuther *et al.*, 1990), dont il a été question au chapitre précédent. Dans la première partie de leur recherche, les auteurs faisaient appel à l'analyse coûts-bénéfices, mais dans la seconde partie ils vont analyser aussi les perceptions relatives aux définitions de probabilités et de conséquences, en s'intéressant aux comparaisons.

---

30. Il s'agit ici uniquement de l'une des caractéristiques du risque et non pas du facteur appelé «effroyabilité», lequel regroupe un certain nombre de caractéristiques.

Ces comparaisons sont les suivantes :

- Comparaisons entre probabilités :
  - d'un accident au site d'enfouissement;
  - de radiations dans le transport vers le site;
  - de fuites vers la nappe phréatique;
  - de sabotage terroriste.

- Comparaisons entre conséquences :
  - nombre de morts à la suite d'un accident;
  - possibilité de morts simultanées et nombreuses;
  - stimulation de l'activité économique dans la région.

Enfin, on considère l'éloignement du site d'enfouissement de même que :

- le risque personnel;
- le risque pour les générations à venir;
- le contrôle du risque par les résidants établis dans les environs du site d'enfouissement;
- le caractère effroyable perçu par ces résidants;
- la confiance dans la capacité du gouvernement fédéral de rendre l'endroit le plus sûr possible.

Les résultats de la recherche montrent ce qui suit :

- Les personnes en faveur du projet sont celles qui croient que le risque est contrôlable et celles qui font confiance au gouvernement.
- Les personnes les plus hostiles au projet sont celles qui perçoivent un haut degré de risque pour elles-mêmes et pour les générations à venir, et qui attribuent un caractère effroyable à ce risque (il s'agit ici d'une dimension et non du facteur, tels qu'ils sont définis par le groupe de l'Oregon).

Un point particulièrement intéressant de cette recherche est que l'on a analysé l'impact :

- des mesures de mitigation (normes strictes de sécurité du gouvernement fédéral, présence d'un inspecteur sur les lieux, pouvoir donné à un comité local de fermer le site et d'imposer des consignes de sécurité au management);
- des compensations financières (protection de la valeur des propriétés, subventions importantes pour des équipements communautaires, etc.);
- des récompenses pour service à la nation (projets de haute technologie et nouveaux emplois à proximité du site d'enfouissement).

Pour les opposants au projet, les mesures de mitigation sont nettement plus importantes que les compensations financières. Cependant, pour l'ensemble des personnes interrogées, qu'elles soient pour ou contre le projet, la mesure la plus importante parmi les compensations-récompenses demeure la protection de la valeur immobilière. Mais tous veulent s'assurer que le site d'enfouissement sera sécuritaire avant de penser aux compensations financières.

Fait inattendu, les personnes qui étaient en faveur du projet avant que l'on parle de mitigation ou de compensation y deviennent moins favorables si l'on accorde une compensation financière. Deux explications de cette attitude sont possibles. Selon la première, les nouveaux opposants soupçonnent qu'il y a anguille sous roche et que ce qu'ils percevaient comme un non-risque est probablement plus risqué qu'ils ne le pensaient : les auteurs notent que c'est sans doute la raison pour laquelle un promoteur n'a pas offert de compensations pour un terminal de gaz naturel en Californie (Ahearne, 1980).

Mais un deuxième type d'explication serait qu'il y a à ces compensations une connotation de monnayage qui donne à penser que l'on ne cherche pas le meilleur emplacement mais la communauté la plus «achetable» (Morell et Magorian, 1982). Ce dernier point pourrait peut-être expliquer la raison pour laquelle, dans le cas du Nevada, les subventions semblent plus acceptables que les dons aux personnes. Les subventions sont moins perçues comme des pots-de-vin et peuvent servir à atténuer les conséquences des risques si elles sont consacrées, par exemple, aux services de santé.

Il est intéressant de noter que les mêmes questions ont été posées à un échantillon plus large, national, avec des résultats similaires. En ce sens, on constate que la perception des bénéfices, liée à la perception du niveau de risque, constitue un processus sociologique. Ce processus tient à une communauté donnée et à un moment précis, dans le temps. La perception des bénéfices est donc susceptible de varier selon la composition de la communauté concernée par un risque ou selon le moment de l'évaluation de ce dernier.

3.2 ÉLÉMENTS PSYCHOLOGIQUES INFLUENÇANT LA PERCEPTION

Les analyses psychométriques, à la suite des analyses classiques, se sont penchées sur les jugements qui présentent un risque comme élevé ou, au contraire, comme négligeable. C'est au fond la question du risque «acceptable» qui est soulevée[31]. Mais puisqu'il s'agit ici de perception du risque, il y a lieu de se demander quels processus psychologiques viennent teinter le jugement individuel.

---

31. On verra au chapitre suivant que les mêmes chercheurs ont abordé les facteurs d'acceptabilité d'un risque, chez l'individu, qui relèvent de la perception.

En fait, la plupart de ces processus tiennent au mécanisme de fermeture perceptuelle. Ce mécanisme traduit le fonctionnement – limité – de l'esprit humain qui, face à la complexité de l'information reçue concernant le risque, applique des règles de jugement implicites pour s'y retrouver. Cette sursimplification biaise les perceptions. Parmi ces éléments qui influencent la perception, nous n'avons retenu que ceux qui nous semblent les plus importants.

3.2.1 Facilité de se souvenir ou d'imaginer

La perception est influencée par des règles de jugement dont l'une d'elles, l'heuristique de disponibilité (Tversky et Kahneman, 1974), amène à percevoir un événement comme d'autant plus probable qu'il est facile de l'imaginer ou de s'en souvenir (Slovic *et al.*, 1979). En ce sens, les événements fréquents sont plus faciles à percevoir que les événements rares, et les événements récents le sont plus que les anciens.

Les études du groupe de l'Oregon montrent que les perceptions quant aux événements offrant le plus ou le moins de probabilités de survenir correspondent, aux extrémités des échelles de choix, aux données factuelles, statistiques, sur le sujet. Cependant, dans la plage du milieu, c'est-à-dire là où l'on est indécis, les perceptions sont influencées par cette heuristique de disponibilité (Lichtenstein *et al.*, 1978).

Ainsi sont surestimés les risques liés aux :
- accidents d'automobile;
- grossesses;
- cancers;
- morsures vénéneuses;
- tornades;
- inondations;
- incendies;
- homicides.

Sont sous-estimés les risques liés aux situations suivantes :
- vaccination contre la variole;
- diabète;
- cancer de l'estomac;
- infarctus, tuberculose;
- asthme;
- emphysème;
- foudre.

Le fait que la facilité à se souvenir ou à imaginer influence la perception du risque a des répercussions importantes sur la communication du risque. En effet, contrairement aux théories de la communication selon lesquelles donner davantage d'information sur un risque augmente son acceptation, le fait même de faire ressortir un risque, en en parlant, peut avoir comme effet d'accroître sa disponibilité à la conscience, c'est-à-dire la facilité de s'en souvenir ou de l'imaginer, avec comme conséquence potentielle d'amener une personne à refuser un risque qu'elle percevait auparavant comme neutre – ou qu'elle ne percevait pas du tout.

3.2.2 Émotivité

L'émotivité affectant l'imagination, elle joue aussi un rôle dans le processus de perception, en particulier pour des événements à faible probabilité mais qui marquent par la forte teneur émotive de leur contenu. Une catastrophe agira ainsi sur la perception du risque. Tchernobyl, par exemple, a modifié la perception des risques liés aux centrales nucléaires, comme l'a montré une recherche réalisée auprès de deux échantillons d'étudiants, un avant l'incendie de la centrale et l'autre après (McDaniels, 1988).

L'émotivité joue également sur le facteur précédent, la facilité de se souvenir ou d'imaginer. Ainsi, toute discussion d'un risque de faible probabilité, surtout si les conséquences sont graves, peut nourrir l'imagination relative à ce risque et, par conséquent, accroître la perception de sa probabilité. Le public peut alors penser : «Je ne réalisais pas qu'il y avait autant de choses qui pouvaient faire défaut» (Slovic *et al.*, 1980 : 49).

Dans un tel contexte, les études d'évaluation du risque, par exemple dans le domaine des biotechnologies, peuvent, tout comme au point précédent, tendre à augmenter la perception qu'il y a risque et ce, quels que soient leurs résultats. Les analyses de risques ont cet effet d'accentuation non pas seulement parce qu'elles portent le risque à l'attention du profane, mais aussi parce qu'elles permettent à l'imagination de travailler sur les conséquences.

3.2.3 Principe de similarité/simplification

L'esprit humain tend à «se faciliter» la tâche de percevoir en supposant que des activités ou événements similaires partageront les mêmes caractéristiques et donc le même niveau de risque. Ainsi par exemple, on aura tendance à assimiler guerre nucléaire et centrale nucléaire.

En fait, cette simplification traduit l'incapacité de l'esprit humain de tenir compte de l'ensemble des variables d'un problème. Elle se manifeste, par exemple, dans les demandes faites aux experts de statuer s'il y a ou non risque, alors que celui-ci ne peut être exprimé autrement que par des probabilités.

3.2.4 Limites de la charge mentale

Une charge mentale trop élevée ou une vigilance défectueuse peuvent faire en sorte que l'information, particulièrement si elle est complexe, puisse être mal interprétée. Ce fut le cas à Three Mile Island, où une étiquette accrochée au tableau de commande a empêché les opérateurs de détecter un signal d'alarme. Le même phénomène s'est produit lorsqu'un grand nombre de ces signaux se sont déclenchés simultanément.

> L'ergonomie joue ici un rôle important en permettant de détecter et de corriger ces sources d'erreurs. Par exemple, prenons le cas de panneaux dont les codes ne correspondent pas : comment interpréter correctement l'information reçue lorsque, sur un panneau de conduite de procédés, le rouge indique que la vanne est fermée et que le fluide ne passe pas, alors que sur un panneau électrique le rouge indique que l'interrupteur est fermé mais que le courant passe (Nicolet *et al.*, 1989 : 82)?

3.2.5 Force des croyances

Des croyances profondes sont difficilement modifiables, quelle que soit l'information apportée par la suite. À l'opposé, lorsque l'opinion n'est pas formée, des changements subtils dans la présentation peuvent modifier l'attitude, comme le montreront certains exemples dans le chapitre sur la communication du risque.

3.2.6 Fermeture à l'improbable

La fermeture à l'improbable est le refus de considérer l'impossible, le mécanisme faisant en sorte que certains événements sont évincés du champ perceptuel. Cela s'explique en partie par le fait que les valeurs, les croyances, etc., constituent une grille par laquelle les stimuli sont filtrés. Si ces derniers vont dans le sens de ce que l'on croit, de la grille préétablie, on les accepte alors comme vrais. Sinon, on les juge faux, impossibles ou non représentatifs, et on les rejette. De nombreux exemples, *a posteriori*, illustrent ce phénomène.

Ainsi, lors du tremblement de terre de San Francisco en 1989, Pacific Gas & Electric avait prévu la possibilité de rupture des autoroutes, mais l'effondrement du Bay Bridge était impensable (Addis, 1990). À Three Mile Island, aussi bien la société Metropolitan Edison que le Conseil national de recherche américain avaient affirmé qu'«aucun accident ne pourrait se produire» (Dynes *et al.*, 1980 : 53).

En Alaska, aucun des plans d'urgence de l'entreprise exploitant le pipeline n'avait envisagé un déversement de pétrole de l'ampleur de celui de l'Exxon-Valdez. Ces plans étaient fondés sur deux scénarios, soit des déversements de 4 000 ou de 200 000 barils (l'Exxon-Valdez a perdu 260 000 barils). Exxon prévoyait, selon un rapport datant de 1987, que le déversement le plus probable serait de l'ordre de 1 000 barils (Clarke, 1993).

3.2.7 Syndrome du Titanic

Quiconque souffre du syndrome du Titanic – le plus beau, le plus grand, le plus puissant navire, réputé insubmersible – reconnaît le risque, mais se juge invincible. Ce phénomène est renforcé par le fait que la plupart des personnes ont une grande confiance dans leurs estimations, tel que nous l'avons vu au chapitre précédent. En fait, selon Kervern et Rubise (1991 : 332) : «Le mythe de l'insubmersibilité du Titanic a créé de toutes pièces le drame du Titanic.»

Ce biais est présent autant chez les experts que chez les profanes, parce qu'en règle générale les uns comme les autres n'ont pas de moyens de détecter ce qui manque dans l'information qu'ils possèdent, dans ce cas-ci sur un risque. Par exemple, l'enquête sur l'effondrement du barrage Teton en 1976 a montré cette trop grande confiance des ingénieurs dans leurs estimations (Slovic *et al.*, 1980 : 187).

L'Exxon-Valdez fournit aussi un exemple : quand le vice-amiral Robbins de la Garde côtière a appris l'événement, sa réaction a été de dire que c'était impossible parce que «nous avons le système parfait» (Egan, 1989). L'entreprise de pipelines elle-même avait tellement confiance dans son dispositif de sécurité qu'elle avait réaffecté à d'autres tâches le groupe chargé à l'origine de réagir aux déversements.

3.2.8 *Groupthink*

Le *groupthink* (Janis, 1972) est une variante du syndrome du Titanic. C'est maintenant le groupe, plutôt que l'individu, qui se sent invincible à cause de sa trop grande cohésion. Ce groupe, tels les responsables de la NASA avant l'accident de Challenger, met l'accent sur la rationalité, sur une fausse unanimité qui, parfois, lui fait rejeter ce qui est hors norme. Pourtant, c'est précisément cette anormalité, par exemple dans les signes prodromiques, qui devrait alerter le groupe (Schwartz, 1989). En fait, par le *groupthink*, le groupe se coupe de la réalité, avec les dangers qui peuvent s'ensuivre.

3.2.9 Accoutumance au danger

L'accoutumance au danger est le phénomène selon lequel, «avec le temps, la conscience des dangers de faible probabilité diminue» (Kervern et Rubise, 1991 : 335). Cette accoutumance fait en sorte que l'on ne perçoit plus la situation à risque comme exigeant de l'attention, ce qui constitue une autre forme de fermeture à l'improbable[32].

---

32. Voir le traitement plus détaillé qu'en font les auteurs.

3.3 ÉLÉMENTS SOCIOLOGIQUES INFLUENÇANT LA PERCEPTION

Le mécanisme de fermeture perceptuelle qu'est le *groupthink* indique que des éléments sociologiques entrent aussi en jeu dans la perception du risque, telles les caractéristiques socioéconomiques ou encore les spécificités professionnelles.

3.3.1 Caractéristiques socioéconomiques

Pour comprendre les variations dans les perceptions du risque, on a eu recours à l'explication par des caractéristiques socioéconomiques telles que le sexe, le statut social, l'âge, la scolarité, l'ethnicité, etc. Par exemple, une recherche effectuée en Arizona et au Connecticut (Gould *et al.*, 1988) révèle que la scolarité et le sexe influencent peu la perception du risque. Cependant, les femmes, les gens plus scolarisés et ceux à revenu plus élevé préfèrent généralement plus de régulation et sont plus favorables à la sécurité. Ces résultats selon lesquels le sexe, par exemple, n'influence pas la perception du risque ne sont toutefois par corroborés par d'autres études.

Ainsi, Pilisuk et Acredolo (1988) ont montré que, en Californie, les minorités ethniques, les personnes moins scolarisées, les femmes et les plus pauvres percevaient davantage de risques. Quelques années plus tard Slovic (1992), dans un large échantillon au Canada et en Suède, a trouvé lui aussi que les femmes tendent à percevoir davantage de risques technologiques que les hommes. Comment expliquer ces résultats?

Un facteur explicatif pourrait être l'exposition personnelle au danger jointe à la caractéristique démographique. C'est du moins ce qu'a indiqué une recherche effectuée parmi la population du Chicago métropolitain (Savage, 1993) et dont les résultats montrent que les femmes, les personnes peu scolarisées, les jeunes et les Noirs craignent plus les dangers. L'auteur estime que le facteur explicatif n'est pas le manque d'information ou la non-acceptation du risque, mais bien le contact avec le danger. En ce sens, les perceptions refléteraient la position dans la société.

Dans la même ligne de pensée, Flynn *et al.* (1994) affirment que la préoccupation pour le risque chez les femmes et les gens de couleur provient de leur manque de pouvoir dans la société bien plus que d'un manque d'information. Ainsi, les journaux montrent que les victimes d'incendies mortels sont le plus souvent des Noirs ou des personnes issues des minorités ethniques, ce que confirment les perceptions de ces catégories, qui vivent à proximité du danger et n'ont pas de pouvoir. Ce facteur du pouvoir expliquerait aussi, selon les auteurs, la raison pour laquelle les personnes de sexe masculin, de race blanche et avec un bon revenu ne se définissent pas comme étant à risque, eu égard aux accidents d'avion, et ce en dépit de l'information qu'ils ont sur le sujet et des statistiques.

3.3.2 Fonction ou spécialité

La plupart des données concernant les risques nous viennent des experts. Ainsi, les risques associés aux changements climatiques, à la diminution de la couche d'ozone ou à l'effet de serre résultent davantage de modèles complexes développés par des spécialistes que de perceptions du public (Jamieson, 1996). Quelle est donc, à ce moment, l'influence du rôle professionnel sur la perception du risque?

3.3.2.1 Ingénieurs

D. Duclos (1991a) s'est penché sur le rôle de l'ingénieur en matière de risque. Il l'a même qualifié d'«inventeur du risque», dans la mesure où c'est l'ingénieur qui est responsable de mesurer et de contrôler le risque des équipements qu'il conçoit ou opère, et ce jusqu'à leur mise au rancart dans le système technique.

C'est l'ingénieur qui voit combien certains principes de sécurité ou certaines mesures de mitigation vont devoir s'insérer dans la culture d'entreprise et dépasser l'ordre de la logique technique. Et c'est lui qui peut se sentir démuni face à ces dimensions «molles» de l'entreprise. Une telle situation explique peut-être, selon Ferguson (1987), qu'aux États-Unis, au XIXᵉ siècle et au début du XXᵉ siècle, ce sont les assureurs plutôt que les ingénieurs qui ont soulevé le risque d'explosion des chaudières. En effet :

> [...] l'ingénieur ressent la rupture d'ordre comme la *négation* même de son travail [...] [il] peut ressentir douloureusement ces menaces multiformes. Elles représentent pour lui l'échec possible de sa mission [de sécurité] et la négation des «prouesses» – rarement reconnues – pour atteindre un haut niveau de sûreté. (Duclos, 1991a :193 et 195.)[33]

Dans une telle situation où le risque est perçu comme venant de l'extérieur, l'ingénieur peut réagir de trois façons (Duclos, 1991a : 195) :

- Reconnaître ses propres limites, en tant qu'être humain faillible, évolutif et contradictoire, et tenter de négocier la reconnaissance de ces limites avec autrui : c'est la recherche du «risque acceptable».
- Se sentir l'objet d'attaques injustes ou de trahisons inadmissibles, et chercher à y répondre sous l'angle de l'autorité, du règlement ou du recours éventuel à la répression.
- Tout en constatant que les deux premières réactions peuvent s'avérer nécessaires, mettre l'accent sur la négociation plus globale, à tous les stades du processus technologique et avec les exécutants techniques comme avec le public.

---

33. Italique de l'auteur.

Selon l'auteur, la tendance des ingénieurs est de choisir l'une ou l'autre des deux premières attitudes, la troisième étant plus difficile. Ce choix est facilité aussi par l'alliance traditionnelle de l'ingénieur avec l'économiste et le statisticien, dans les analyses technoéconomiques. Mais ce type d'alliance, toujours selon Duclos, présente des pièges, dont celui de transformer des réalités objectives en calculs et, ce faisant, de sous-estimer le jeu de l'humain. Il cite le cas d'un pilote qui, à la surprise totale de l'ingénieur, refusait d'être considéré comme un «facteur humain». En effet :

> [...] l'invention [de l'ingénieur], toute faite pour «alléger la tâche», «améliorer les performances», etc., était aussi, et peut-être d'abord, un nouveau «rapport social» introduit dans la cabine de pilotage, un nouvel ordre disciplinaire, que les pilotes devraient intérioriser, en changeant profondément leur représentation d'eux-mêmes et de leur profession [...] [paradoxe de] l'ingénieur qui pense n'offrir qu'un instrument, alors qu'il propose en même temps, de façon implicite, un rapport homme-machine différent et, du même coup, *un rapport des hommes entre eux également transformé.* (Duclos, 1991a : 197.)[34]

3.3.2.2 Ingénieurs de sûreté et ingénieurs d'exploitation ou de conception

Duclos note en outre un clivage de plus en plus marqué entre la fonction d'exploitation et la fonction de sûreté, cette dernière devenant une sorte de police suprapuissante dans l'organisation. Les conséquences de cette tendance seraient alors une judiciarisation et une importance accrue de l'écrit (pour se protéger), bref une bureaucratisation. Ce mouvement est d'autant plus surprenant qu'il s'agit ici de relations entre membres d'une même profession — celle des ingénieurs.

Dans le même ordre d'idée, il peut se développer une opposition entre le calcul du risque fondé sur le jugement professionnel (ingénieurs d'exploitation) et les analyses du risque plus quantitatives (ingénieurs de sûreté ou ingénieurs de conception). On a ainsi reproché à la NASA de ne pas avoir effectué d'études de risques – quantitatives – avant le lancement de Challenger, parce qu'elle se fiait sur le jugement professionnel des ingénieurs :

> Des pressions politiques, couplées à un manque de données numériques solides, ont mené à des variations de plus de trois ordres de magnitude dans les très rares estimations quantitatives d'une défaillance du lancement de la navette que la NASA devait obligatoirement conduire, en vertu de la loi. (Bell et Esch, 1989 : 43.)[35]

---

34. Italiques de l'auteur.
35. Notre traduction.

C'est que les analyses «classiques» du risque pouvaient être perçues par les ingénieurs de la NASA comme s'opposant à leur jugement professionnel, c'est-à-dire comme :

> [...] une insulte à leurs capacités, [comme signifiant] que le système qu'ils ont conçu n'est pas totalement parfait et absolument sûr [...] (Paté-Cornell, cité par Bell et Esch, 1989 : 46.)[36]

Le même auteur voit, dans cette opposition, le jeu de la structure, de la politique et de la culture des organisations, éléments qui influencent les actions de leurs membres, leurs priorités et leurs modes de communication (et, pourrions-nous ajouter, leurs perceptions).

3.3.2.3 Ingénieurs et planificateurs d'urgence

Une autre recherche a porté sur la perception des risques d'inondations en Angleterre (Green *et al.*, 1991). Elle démontre que chaque groupe de professions a ses propres grilles de référence pour percevoir le risque. Les ingénieurs se distinguent ainsi des planificateurs d'urgence :

- Pour les ingénieurs, le risque est une probabilité statistique. Ils parlent de contrôle du danger. Par mesure de précaution, ils tendent à surestimer le flux d'inondation et à s'assurer des facteurs de sécurité des barrages. Ils se concentrent sur la diminution des probabilités du risque plutôt que sur la diminution des conséquences d'une défaillance. Pour eux, le public, comme l'inondation, est une force à maîtriser, les ingénieurs étant là pour savoir ce dont ce public a besoin.

- Les planificateurs d'urgence, eux, ont tendance au contraire à se sentir plus concernés par la réponse du public que par l'inondation. Ils craignent les fausses alertes et les responsabilités légales, et redoutent également, comme conséquence possible du risque, une baisse de la valeur des propriétés. Pour eux, le risque de provoquer la panique est plus élevé que le risque amené par l'inondation elle-même.

3.3.2.4 Ingénieurs et scientifiques

Les perceptions relatives aux déchets nucléaires ont été étudiées en 1990 chez les membres des sections du Colorado et du Nouveau-Mexique de l'Association américaine pour l'avancement des sciences (Barke et Jenkins-Smith, 1993). L'échantillon était composé de représentants des secteurs de la biologie, de la chimie, du génie, de la géologie, de la médecine, de la physique, de la recherche biomédicale et autres.

---

36. Notre traduction.

La recherche a montré que ces scientifiques, au total, perçoivent beaucoup moins de risques que le public ou que les membres du Sierra Club. Par contre, ils ne forment pas un groupe homogène. Par exemple, les biologistes se démarquent des physiciens, des chimistes et des ingénieurs par leur tendance à :

- percevoir de plus hauts niveaux de risque lié au nucléaire;
- percevoir de plus hauts niveaux de risque pour l'environnement;
- s'opposer fortement à l'imposition de risques non voulus par les citoyens;
- être en faveur d'exigences plus fortes à l'égard de la gestion environnementale.

À toutes les étapes (production d'énergie nucléaire, stockage temporaire, transport et stockage permanent), les physiciens perçoivent le moins de risques, tandis que les biologistes, de même que les scientifiques du biomédical et de la médecine, en perçoivent le plus. Ces derniers perçoivent toutefois le risque nucléaire comme moins élevé, peut-être à cause de l'utilisation du nucléaire à des fins diagnostiques (ce serait dans ce cas une forme de banalisation du danger).

La perception du risque est aussi fonction de l'établissement dont relève le scientifique ou l'ingénieur : s'il est rattaché aux universités, aux administrations locales ou encore à l'État, il perçoit comme plus importants les risques liés à l'énergie nucléaire et aux déchets nucléaires que s'il travaille à son compte, pour des laboratoires privés ou pour le gouvernement fédéral. S'il est consultant ou fonctionnaire fédéral, il a aussi tendance à accorder peu de priorité aux problèmes environnementaux (et plus à la compétitivité économique et à la défense nationale), alors que les autres catégories de scientifiques (à l'exception des travailleurs de laboratoire) tendent à percevoir que la société est au bord du gouffre en matière d'environnement.

Cela nous rappelle que les ingénieurs et les scientifiques ne sont pas toujours neutres. En effet :

> [...] un domaine de recherche est façonné par ceux qui paient les factures. Les chercheurs apprennent à mettre l'accent sur les sujets qui intéressent les commanditaires [...] La sensibilité à ces commanditaires peut créer des pressions plus subtiles. Par exemple, les chercheurs peuvent contre-vérifier des résultats gênants d'une manière plus rigoureuse que des résultats désirés. (Fischhoff, 1996 : 76.)[37]

La subjectivité peut s'appliquer aussi au choix d'une mesure de risque (ou de conséquences). Ainsi, on peut exprimer le nombre de morts (Kunreuther et Slovic, 1996a : 120) :

- par million dans la population;
- par million dans un rayon de tant de kilomètres de la source;

---

37. Notre traduction.

- par unité de concentration;
- par établissement;
- par tonne de rejets atmosphériques toxiques;
- par tonne d'air toxique absorbé par la population;
- par tonne de produits chimiques fabriqués;
- par million de dollars de produits chimiques sur le marché;
- en pertes de vie attendues associées à l'exposition au danger.

Enfin, l'incertitude de la méthode scientifique influence également les perceptions des chercheurs. Dans le cas des risques sur la santé et sur l'environnement, cette incertitude provient de quatre causes principales (Covello, 1989 : 3) :

- le hasard statistique (la variabilité étant due aux différences de réaction aux doses entre les personnes);
- une pénurie de connaissances scientifiques, par exemple sur les mécanismes qui produisent certains effets;
- une pénurie de données scientifiques, de données de laboratoire par exemple, ou de données épidémiologiques sur les effets toxicologiques;
- l'imprécision des méthodes d'évaluation du risque, en raison notamment des différences entre les protocoles de recherche en laboratoire.

3.3.2.5 Professions liées à l'énergie nucléaire

Une recherche effectuée en 1984 (Bastide et Moreau, 1986), c'est-à-dire avant l'incendie de Tchernobyl, a porté sur le personnel du Centre d'études nucléaires de Saclay (France). Les auteurs ont constaté que les trois premiers groupes des activités à risque, parmi un éventail donné, étaient les suivants :

- Premier groupe :
  - brancher un appareil électrique près d'un point d'eau (que 72 % des répondants jugeaient dangereux).

- Deuxième groupe :
  - fumer (57 %);
  - vivre à proximité d'un centre de stockage de déchets chimiques (56 %);
  - travailler dans une mine de charbon (54 %);
  - boire de l'alcool pendant la journée (54 %);
  - passer souvent des radiographies (52 %);
  - travailler en hauteur (51 %).

• Troisième groupe :
  – utiliser des produits radioactifs (44 %);
  – utiliser des produits chimiques (43 %);
  – préparer et conditionner des sources de radioactivité (41 %);
  – travailler à proximité d'une usine chimique (39 %);
  – travailler dans une usine de retraitement du combustible (39 %);
  – vivre à proximité d'un centre de stockage de déchets radioactifs (37 %);
  – travailler dans une mine d'uranium (36 %).

Pour ce personnel, «vivre à proximité d'une centrale nucléaire» et «travailler dans une centrale nucléaire» ne sont vus comme dangereux que par 8 % et 6 % respectivement de l'échantillon. Par contre, ces mêmes répondants estiment être moyennement informés des risques qu'ils courent. Et seulement 33 % d'entre eux connaissent la signification des alarmes et les comportements à avoir en cas d'accident (33 % les ignorent totalement).

Comme il a été vu pour certaines recherches citées plus haut, les femmes manifestent plus d'appréhension et ont tendance à approuver davantage les mesures de sécurité[38]. Les ingénieurs et cadres craignent moins les risques que les techniciens, les ouvriers ou les employés. Bastide et Moreau (1986) notent que, pour ce groupe des ingénieurs et cadres comme pour la population française en général, le nucléaire n'est pas plus dangereux que la chimie, et l'on préférerait vivre près du nucléaire (usine ou centre de stockage de déchets) plutôt que vivre près de l'industrie chimique.

Une autre recherche, menée cette fois en Suède quelques années plus tard, a porté sur le personnel de deux centrales nucléaires (Sjöberg et Sjöberg, 1991). On a trouvé que les risques de radiations sont perçus comme semblables à d'autres risques au travail et que les répondants sont satisfaits des mesures de sécurité à quelques exceptions près, tels les travailleurs temporaires employés par des sous-traitants.

Toutefois, la relation n'est pas simple entre le sentiment d'être soumis à un risque et la perception de celui-ci. En effet, les perceptions de faible risque d'accident correspondent soit à ceux qui ne sont pas menacés (le groupe témoin, composé du personnel administratif de la centrale non exposé directement au risque), soit à ceux qui le sont effectivement (les travailleurs à contrat renouvelable affectés à la réparation des tubes du générateur de vapeur).

Les perceptions peuvent varier aussi d'un expert à l'autre, comme ce fut le cas à Tchernobyl : les évaluations des experts présentaient en effet des différences notables quant au

---

38. Les auteurs n'expliquent pas ce qui influence cette perception.

nombre de malformations génétiques ou de cas de cancers provoqués par la catastrophe (*Le Monde*, 1987). Pour sa part, la United States Nuclear Regulatory Commission a évalué que le risque d'une fusion du cœur du réacteur variait entre 1 sur 10 000 et 1 sur 1 000 000, selon les hypothèses de base retenues (Nuclear Regulatory Commission, 1987).

3.3.2.6 Gouvernement, entreprises, public et groupes de pression

Une recherche sur les conséquences d'un risque d'explosion d'un pipeline de gaz naturel au Canada (Gephart *et al.*, 1990) montre des variations entre les perceptions de différents groupes d'acteurs jouant un rôle dans le risque :

- Pour la Commission nationale canadienne sur l'énergie, le risque est perçu en fonction d'approvisionnements énergétiques, de responsabilité de l'entreprise exploitant le pipeline à l'égard du public et du gouvernement, et de possibilités de contrôle par le gouvernement des activités de l'entreprise.
- Pour la direction de l'entreprise, le risque perçu est lié aux profits, au degré de liberté face au contrôle de la Commission et aux pannes.
- Les travailleurs et leurs familles définissent surtout le risque relativement à leur santé et aux défaillances technologiques.

La perception des changements climatiques s'inscrit dans la même perspective d'acteurs ayant chacun des intérêts différents, parfois divergents :

> [...] nous pourrions poser l'hypothèse que les lobbies du pétrole et du charbon, les cadres supérieurs des ministères des Ressources naturelles, les syndiqués et les groupes de solidarité internationale perçoivent davantage les changements climatiques comme un enjeu économique, tandis que les employés des ministères de l'Environnement et les groupes verts perçoivent ce phénomène comme étant surtout un enjeu environnemental. (Vaillancourt et Perron, 1996 : 17.)

3.3.2.7 Experts et profanes

Les études du groupe de l'Oregon ont montré que, de façon générale, les évaluations du public tiennent compte d'un plus grand nombre d'éléments que celles des experts, par exemple (Slovic *et al.*, 1980) :

- le degré de consensus dans la communauté scientifique;
- l'équité de la distribution des bénéfices associés au risque dans la communauté touchée;
- le potentiel catastrophique de la technologie, c'est-à-dire sa capacité de tuer d'un seul coup un grand nombre de personnes.

Ainsi, les perceptions des conséquences ne sont pas les mêmes pour les experts et pour le public en ce qui concerne le nucléaire. Les peurs du public ne viennent pas de la probabilité d'une mort terrible d'une seule personne, mais de l'attente d'un grand nombre de morts simultanées, menaçant jusqu'à la survie de l'espèce humaine (Slovic, 1980).

Dans les études anglaises sur les dangers d'inondation, le public, particulièrement s'il a déjà subi ce type d'événement, a conçu des modèles de comportements et d'évaluation du risque qui ne coïncident pas toujours avec ceux des experts. Les personnes qui ont une expérience récente tendraient ainsi à surestimer le risque (Turnstall *et al*, 1992). Par ailleurs, on fait généralement confiance aux mesures techniques (digues et autres), au point même de s'installer dans des zones inondables.

Une étude effectuée en Finlande auprès du personnel d'une centrale nucléaire (Kivimäki et Kalimo, 1993) a démontré que celui-ci juge le risque moindre que le public en général. Selon les auteurs, cela peut indiquer soit une meilleure connaissance du fonctionnement de la technologie, soit une autosélection pronucléaire de ce personnel, soit un mécanisme de défense perceptuel collectif (ou encore, ajouterions-nous, une attitude fondamentalement optimiste).

Que l'évaluation des experts, par exemple dans le domaine nucléaire, soit différente de celle des profanes, une autre recherche l'a démontré. Flynn *et al.* (1993a) ont comparé les résultats d'un questionnaire administré à des personnes assistant à une réunion de l'American Nuclear Society (en 1992) à ceux d'une enquête nationale auprès du public (en 1989) portant sur les sites d'entreposage de déchets nucléaires hautement radioactifs. La différence trouvée ne tient pas seulement à la perception du sérieux du risque provenant de diverses sources (transport, entreposage, etc.), mais encore à la conception même des types de risques associés à l'entreposage de déchets nucléaires. On touche ici à un véritable fossé culturel entre les deux groupes, experts et profanes :

• Pour le public, plus d'un tiers de toutes les images associées au risque ont trait à des conséquences extrêmement négatives : danger, mort, destruction, souffrance, peine, etc.
• Pour le groupe de l'American Nuclear Society (non représentatif toutefois, comme les auteurs l'ont précisé, de tous les experts du nucléaire), à l'exception de la mention des dangers liés au transport, toutes les images négatives sont liées plutôt aux contraintes politiques («pas dans ma cour») ou économiques du projet (délais) plutôt qu'au projet en soi.

3.3.3 Controverses

Une explication au clivage experts-public, selon D. Duclos, tiendrait à ce qu'il appelle l'«effet Babel», c'est-à-dire les oppositions entre experts mêmes, qui excluraient le public. Ceci parce que, selon l'auteur, les études de risques constituent en fait un même marché où règne la concurrence :

[...] le marché des risques forme en même temps un *establishment* qui tend à exclure ceux qui n'en partagent pas les arcanes, et aussi une *famille* de gens se retrouvant de colloque en colloque, et dont la connivence est d'autant plus forte qu'ils s'y opposent entre eux avec plus de vigueur. (Duclos, 1989 : 41.)[39]

Les controverses entre experts n'ont toutefois pas toujours pour fonction d'exclure le profane : elles peuvent avoir au contraire pour rôle de sensibiliser celui-ci au risque, par exemple dans le cas des biotechnologies où les méthodes courantes d'analyse du risque ne sont pas applicables (Limoges *et al.*, 1990).

Cependant, les controverses peuvent aussi refléter l'intérêt des chercheurs à montrer l'incertitude : dans cette perspective, trop de certitude peut impliquer que la recherche n'est pas nécessaire; par contre, trop d'incertitude peut être décourageant. «Le degré juste d'incertitude exige un appel à davantage de recherches» (Jamieson, 1996 : 40).

Par ailleurs, les controverses ont d'autres types de répercussions, particulièrement sur les perceptions. Deux cas illustrent ce point, à savoir des expérimentations auprès de fonctionnaires et auprès du public.

3.3.3.1 Effet des controverses sur la perception des fonctionnaires

Trois études expérimentales en laboratoire ont été menées par Sandman *et al.* (1993). Ces derniers ont employé des nouvelles pour comparer les effets des controverses sur la perception des risques parmi les fonctionnaires d'une agence gouvernementale. Dans les deux premières expériences, la nouvelle selon laquelle les rencontres publiques, relativement à un risque, se déroulaient dans un climat de méfiance et de controverse entre experts a suscité la perception d'un risque plus élevé que dans le cas où l'information faisait état d'un climat plus serein. La relation était nettement plus claire si les différences de climat révélées par la nouvelle étaient extrêmes et si les sujets faisaient leur évaluation uniquement à partir de leurs souvenirs, sans possibilité de retour à l'information fournie sur les cas.

3.3.3.2 Effet des controverses sur la perception du public

Les discussions entre experts peuvent aussi avoir des effets sur les perceptions du risque dans le grand public. Une autre simulation (Slovic *et al.*, 1990) a permis de mesurer la perception du public relative aux risques liés à l'amiante par rapport à d'autres dangers. Le scénario consistait à être membre d'un jury et à décider de la culpabilité de l'entreprise responsable du projet.

---

39. Italiques de l'auteur.

On a d'abord dit à tous les sujets que les experts en la matière avaient déterminé que la concentration moyenne d'amiante dans l'air à l'intérieur d'une école secondaire était de 0,001 fibre par centimètre cube; on a aussi ajouté que les élèves de cette école, après trois ans, étaient susceptibles de voir leur probabilité de mortalité s'accroître de 0,23 cas par million. Le risque toutefois était faible si on le comparait aux dangers courus par les travailleurs de la construction qui enlèveraient l'amiante de l'école.

Par la suite, on a réparti les participants en trois groupes :

• Le groupe 1 n'a pas reçu d'information additionnelle. On lui a demandé d'évaluer le risque, de très faible à très élevé, et de déterminer, comme s'il constituait le jury, si l'entreprise était coupable ou non d'exposer ainsi les élèves.

• Le groupe 2 a reçu la même information que le précédent, plus des données comparant l'amiante à la cigarette, à l'alcool, aux rayons X et à d'autres produits. S'est ajoutée l'opinion d'un expert, qui a présenté un tableau comparatif de risques et conclu que le risque d'amiante était minime pour la santé.

• Le groupe 3 a reçu la même information que le groupe 2, avec en plus le témoignage d'un autre expert qui remettait en cause les données du tableau comparatif. Tout en affirmant que le risque était minime, ce dernier expert admettait qu'il n'enverrait pas ses enfants dans cette école.

Le groupe 1 a jugé le risque modérément élevé et plus de 50 % de ses membres ont trouvé l'entreprise coupable. (Par la suite, après avoir vu le tableau comparatif, 70 % de ce groupe a réduit la gravité du risque, mais le jugement de culpabilité, lui, n'a pas été modifié.) Le groupe 2 a jugé le risque moins grave et l'entreprise moins coupable que le groupe précédent. Le groupe 3, pour sa part, a présenté des résultats semblables au groupe 1, ce qui montre que l'opposition entre deux experts fait percevoir davantage de risques.

Bien que les auteurs se gardent de généraliser ces résultats, leur étude semble toutefois indiquer que la perception qu'il y a effectivement une situation à risque serait moins influencée par les analyses techniques que par les controverses.

3.3.4 Crédibilité des spécialistes et confiance du public

Un élément sociologique extrêmement important influençant la perception est la confiance dans les connaissances des spécialistes pour évaluer le risque (Britton, 1991). Cette confiance, à son tour, dépend de l'évaluation de leur crédibilité. Et comme ces spécialistes couvrent un large éventail d'expertises, de fonctions ou d'appartenances organisationnelles, les crédibilités peuvent largement varier, influençant du même coup la définition du risque.

3.3.4.1 Crédibilité des spécialistes

Un sondage sur le nucléaire (Barny *et al.*, 1991 : 19) fournit des exemples d'une variation de crédibilité entre différentes sources d'expertise. À la question «Les sources d'information suivantes vous disent-elles la vérité sur le nucléaire en France?» le plus fort pourcentage de réponses (56 %) revient aux écologistes, puis aux associations de consommateurs et aux médecins (49 % et 48 %), suivis des scientifiques. Parmi ces derniers, le CNRS arrive en tête (45 %), suivi de l'Académie des sciences (42 %); l'Institut de protection de la sécurité nucléaire, la Commission de l'énergie atomique et les experts internationaux reçoivent respectivement 38 %, et Électricité de France, 35 %. (Parmi les autres catégories de communicateurs de risque, il est intéressant de noter que, dans le même sondage, les élus locaux et les syndicats obtiennent 14 %, le gouvernement, 12 % et les politiciens, 7 %.)

Un autre sondage, effectué cette fois aux États-Unis dans trois villes californiennes (Pilisuk *et al.*, 1987), montre que la crédibilité (définie comme le fait d'être jugé «complètement digne de confiance») en ce qui concerne le risque technologique est la plus forte chez les scientifiques universitaires (50 %), puis chez les groupes d'intérêt public (23 %) et les fonctionnaires de l'État (22 %); plus loin, on trouve les fonctionnaires fédéraux (14 %), les représentants de l'industrie (9 %) et les médias (3 %).

Selon A. Moreau (1987), deux caractéristiques contribuent à la crédibilité des experts : la compétence et l'intérêt. La compétence est déterminée par la position sociale en fonction de la spécialisation, une hiérarchie qui est en général plus connue des spécialistes eux-mêmes que du grand public. Mais la compétence est remise en cause si l'on juge que l'expert a un intérêt dans un projet. C'est ainsi que les recherches menées par l'auteur montrent que l'industrie privée a une crédibilité limitée lorsqu'il s'agit de risques, et que cette restriction s'étend aux experts qui y sont associés. En fait, tout revient à une question de confiance.

3.3.4.2 Confiance du public

Nous sommes entrés dans l'ère du soupçon, selon A. Beauchamp (1996b), et ce soupçon s'attache particulièrement au risque écologique. L'auteur donne l'exemple des effets sur la santé humaine des champs électromagnétiques produits par les lignes de distribution d'électricité.

Un autre exemple est celui des soins médicaux. Ceux-ci, aujourd'hui comme par le passé, présentent un risque pour le patient. Mais aujourd'hui, à la différence du passé, ils deviennent au surplus un risque pour le médecin (Douglas et Wildavsky, 1982). Un tel changement, selon les auteurs, a peu à voir avec la technologie mais plutôt avec la méfiance envers les institutions. Entrent alors en jeu le principe de responsabilité et le concept de blâme. Cela introduit la notion, culturelle, de normalité, laquelle implique en quelque sorte une ligne de démarcation entre ce qui est socialement considéré comme normal ou non, c'est-à-dire un seuil d'acceptabilité.

La confiance joue différemment selon les pays ou les secteurs d'activité. Par exemple, si le risque nucléaire est perçu comme tout aussi élevé en France qu'aux États-Unis, les Français, contrairement aux Américains, font confiance à leur gouvernement pour exploiter les centrales nucléaires (Jasanoff, 1986). Il faut toutefois préciser que l'industrie nucléaire est publique en France et privée aux États-Unis. Pour sa part, Starr (1985) a montré que le peu de cas fait par le public du risque posé par les tigres dans les zoos indiquerait sa confiance dans la gestion de ce type de risque. De même la confiance, appliquée cette fois à l'équipe de soins, caractérise la perception des risques liés aux radiations dans les traitements médicaux, contrairement aux risques de radiations amenés par l'industrie nucléaire.

Certains événements tendent à accroître la confiance, alors que d'autres tendent à la diminuer. Slovic *et al.* (1993) ont demandé à 113 étudiants du collégial de classifier l'impact de la confiance, sur une échelle de 1 (peu d'impact) à 7 (beaucoup d'impact), pour un certain nombre d'événements hypothétiques relatifs à l'exploitation d'une importante centrale nucléaire dans leur communauté. Les événements ayant reçu la cote 7 sont présentés à la figure 3.4.

L'explication des variations, selon Slovic (1993), tient d'abord à la fragilité de la confiance. Celle-ci en effet se construit, dans le quotidien, au moyen d'un certain nombre d'actions. Et si elle a besoin de beaucoup d'éléments pour être présente, très peu d'éléments en revanche peuvent la détruire. L'auteur parle dans ce cas de «principe d'asymétrie». En vertu de ce principe, si la balance penche toujours en faveur de la méfiance, ce serait parce que :

• Les événements négatifs (destructeurs de confiance) sont plus visibles que les événements positifs (constructeurs de confiance), ils sont aussi plus définis, plus précis. La sécurité, la fiabilité sont invisibles.

• Lorsque portés à notre attention, les événements négatifs ont beaucoup plus de poids que les événements positifs.

• Les sources de mauvaises nouvelles tendent à être plus crédibles que les sources de bonnes nouvelles. Par exemple, on sait que les études des effets des produits chimiques sur les animaux peuvent difficilement permettre de prédire les effets sur la santé humaine; mais lorsqu'ils apprennent qu'une étude a cerné l'effet cancérigène d'un produit sur les animaux, les gens expriment de la confiance dans la validité de telles études pour prédire les effets sur la santé humaine (Kraus *et al.*, 1992).

• La méfiance, une fois en place, peut renforcer et perpétuer la méfiance. D'abord, parce que la méfiance tend à inhiber les contacts personnels et les expériences nécessaires pour la surmonter. Ensuite, parce que la méfiance ou confiance initiales colorent l'interprétation d'événements, renforçant ainsi les croyances de départ. Par exemple, on a pu interpréter l'accident de Three Mile Island soit comme l'illustration de la capacité d'une centrale nucléaire à contrôler les accidents graves, soit comme une catastrophe évitée grâce un coup de chance.

Figure 3.4 Impact de différents événements sur l'augmentation et la diminution de la confiance*.

* Seuls les pourcentages des évaluations ayant reçu la cote 7 (impact très fort) sont illustrés ici.

Source : Slovic, P. 1993. Perceived risk, trust, and democracy. *Risk Analysis*, 13, 6 : 678.

Outre le rôle des médias, que nous verrons ci-après, un dernier élément peut susciter la méfiance du public, et c'est le débat entre experts, lorsque des groupes de pression bien organisés emploient ces experts. Enfin, il faut noter aussi que la méfiance n'est pas que négative; il se peut en effet qu'elle pousse les personnes qui la ressentent à rechercher davantage d'information en vue d'une meilleure solution (Barber, 1983).

Que faire pour atténuer cette méfiance entre experts et profanes? Les experts ont tendance à parler d'«éducation», comme si un public «éduqué», informé, comprendrait (sous-entendu, que les experts ont raison). On s'intéresse donc à la «communication du risque». Mais les limites de cette approche tiennent, elles aussi, au manque de confiance, la communication étant parfois perçue comme une opération de relations publiques. Pour sortir de l'impasse, Pollak (1996 : 33) recommande le modèle des économistes :

> Les économistes, après tout, ne se lamentent pas sur le manque de confiance des consommateurs éventuels envers les vendeurs d'autos usagées; ils parlent plutôt de garanties et d'autres manières de rassurer de façon crédible.[40]

3.3.5 Médias

Le rôle des médias est un important élément sociologique qui vient teinter les perceptions en matière de risques. Les médias sont des amplificateurs, entendus au sens d'amplification sociale du risque qui sera vue plus loin dans ce chapitre. Ils reçoivent et interprètent eux-mêmes l'information sur le risque, en fonction de leurs propres perceptions. D'où le filtre qui vient influencer à son tour la perception du risque dans le public.

À titre d'exemple, une étude de Koren et Klein (1991) a comparé la couverture médiatique de deux études médicales publiées dans le numéro de mars 1991 du *Journal of the American Medical Association*. L'une des études contenait une bonne nouvelle («il n'y a pas d'augmentation de risques de cancers chez les résidants à proximité d'une centrale nucléaire»), l'autre, une mauvaise nouvelle («il y a augmentation du risque de leucémie chez les hommes de race blanche travaillant au Oak Ridge National Laboratory»). Les médias ont accordé plus d'attention à la mauvaise nouvelle, avec comme corollaire que c'est cette dernière qui a été davantage portée à l'attention du public.

Ce rôle des médias pourrait aussi expliquer les similitudes constatées entre les résultats d'une recherche française sur la perception des risques (méthode qualitative) et ceux de Slovic et de son équipe (méthode quantitative). Selon la première recherche (Bastide *et al.*, 1987 : 87), les causes de mortalité surestimées, par rapport aux accidents de la route pris comme point de repère :

---

40. Notre traduction.

[...] ont tendance à porter sur des faits à caractère dramatique et sensationnel (accidents, désastres naturels, homicides) alors que les causes sous-estimées sont des événements sans effet spectaculaire et ne faisant que très peu de victimes à la fois (asthme, diabète)[...] L'importance de l'information (presse et médias en particulier) apparaît clairement : on surestime les causes dont les médias se font l'écho, on sous-estime celles dont les médias ne parlent jamais.

3.3.6 Culture

Le présupposé fondamental de ce qui a été appelé la théorie culturelle dans la perception du risque est que cette dernière dépend des valeurs et de la culture d'un groupe en particulier (Douglas et Wildavsky, 1982). Pourquoi par exemple certaines sociétés mettent-elles l'accent sur la criminalité et d'autres sur les risques environnementaux? C'est que des biais perceptuels, dans une culture donnée, sous-tendent ce qu'un groupe va définir comme risque, ce qu'il va ignorer et ce qu'il va juger acceptable. Par exemple, lorsqu'un terril s'est écroulé en 1966 à Aberfan, en Écosse, engloutissant notamment une école et 116 enfants, on a constaté que, dans la tradition de l'industrie minière, ces résidus miniers n'avaient jamais été considérés comme présentant un risque (Turner, 1978).

La théorie culturelle avance que les biais perceptuels, ainsi que le style de vie qui les accompagne, sont dans une certaine mesure choisis par chaque personne et non imposés par le milieu. Pour Douglas (1992), le choix des risques est parallèle au choix de vivre et au mode de vie. Cela signifie que la plupart des dangers auxquels nous faisons face sont issus de nos activités : une société de chasseurs vivra des dangers inexistants dans une société du début de la révolution industrielle. L'auteur cite l'exemple des Himas d'Ouganda qui croient que le contact des femmes avec le bétail ferait périr ce dernier : même si l'on peut réfuter ces croyances quant à un risque, elles sont bien réelles pour les Himas et constituent, pour eux, le risque.

Douglas montre aussi que les Japonais n'ont pas de mot équivalent à celui de risque, sinon celui de danger. Le terme a alors une connotation morale et politique que l'asepsie du mot «risque» n'a pas dans bien des cas :

> Les choix entre dangers ne sont pas simples et il serait normalement préférable que ces choix soient présentés directement en tant que questions politiques plutôt qu'en termes aseptisés et déguisés de théorie des probabilités. (Douglas, 1992 : 39.)[41]

---

41. Notre traduction.

La théorie culturelle a donné lieu à l'élaboration d'un schéma de la perception des risques. Selon ce schéma, cette perception correspondrait à un certain nombre de biais, chez une personne[42], provenant de la façon dont elle s'identifie plus ou moins :

- au «groupe», c'est-à-dire comme appartenant à une unité sociale donnée; il s'agit ici de l'*étendue* des interactions sociales à l'intérieur d'une unité;
- à la «grille», par son acceptation des réglementations et de la hiérarchie de la société; il s'agit ici de la *nature* des interactions sociales à l'intérieur d'une unité.

En liant ces deux dimensions du groupe et de la grille, Douglas (1978) obtient quatre biais culturels majeurs, appelés «cosmologies», qui influencent la perception du risque :

- Les hiérarchistes : attachés à la fois au groupe et à la grille. Pour eux, le risque est perçu comme acceptable aussi longtemps que les institutions détiennent des moyens de le maîtriser. Ils sont prêts à définir de hauts niveaux de risque acceptable dans la mesure où les décisions sont prises par les experts ou par toute autre instance crédible.
- Les sectaires : attachés fortement au groupe, faiblement à la grille. Pour eux, le risque doit être évité, sauf si son acceptation est nécessaire pour protéger le bien public. Ils valorisent la sécurité.
- Les fatalistes : attachés faiblement au groupe, fortement à la grille. Pour eux, la vie est une loterie, les risques ne sont pas maîtrisables et la sécurité est une question de chance. Il leur arrive de prendre des risques, mais ils s'opposent aux risques qu'on leur impose.
- Les individualistes : faiblement attachés au groupe et à la grille. Pour eux, les risques offrent des possibilités et doivent être acceptés en échange de bénéfices. Ils s'opposent à toute régulation gouvernementale et sont peu préoccupée par l'équité.

Thomson (1980) a ajouté les «ermites» au schéma. Pour ceux-ci, le risque est acceptable aussi longtemps qu'il n'implique pas de contraindre autrui. Les ermites sont autonomes, centrés sur eux-mêmes et évaluent le risque à court terme. Ils peuvent développer des alliances avec tous les autres groupes. Toutefois Douglas (1982) refuse de considérer ces ermites dans sa typologie puisque cette dernière reflète la relation qu'une personne établit avec son environnement, ce qui n'est pas le cas des ermites.

L'analyse culturelle montre donc que la perception du risque est influencée par le groupe auquel on appartient, la personne vivant en relation avec son environnement. On lui a reproché les points suivants, auxquels une réponse a été apportée :

- Cette analyse reposerait sur des stéréotypes, posant par exemple que tous les groupes écologistes correspondent au modèle sectaire. Rayner (1992) répondra à cela que l'appartenance à une cosmologie ou l'autre dépendrait en fait de l'âge du groupe.

---

42. C'est la raison pour laquelle nous évoquons cette théorie ici, bien qu'il soit aussi approprié d'en parler dans le chapitre sur le risque acceptable.

- Elle ne refléterait pas les différences d'échelle. Douglas (1978) utilise cette typologie pour mettre en évidence les interactions entre les personnes, alors que Gross et Rayner (1985) l'appliquent à des unités sociales telles des associations. La complication, à ce moment, vient du fait qu'il faut définir le groupe et la culture à laquelle ce dernier appartient : par exemple, un groupe antinucléaire peut dépasser les particularités d'une culture nationale.

- Elle serait déterministe, en ce sens que la culture déterminerait une vision du monde et, conséquemment, une perception. Rayner prétend que la théorie culturelle propose plutôt des modèles de possibilités et de contraintes, ce qui n'empêche pas les théories psychologiques d'expliquer les choix individuels.

- Elle serait conservatrice, puisque la peur du risque est vue comme une manifestation irrationnelle. Selon Rayner, la théorie culturelle accepte au contraire des rationalités multiples. Cet auteur termine d'ailleurs en disant que la théorie culturelle est elle-même sujette à des interprétations culturelles.

3.4 LIEN PERCEPTION-COMPORTEMENT

Les études perceptuelles sont souvent considérées comme des moyens de prédire les comportements, d'où leur intérêt. Mais malheureusement pour ceux qui voudraient des recettes, on n'a pu démontrer de corrélations entre perceptions et comportements. Quelques recherches méritent toutefois d'être mentionnées ici.

3.4.1 Influence des perceptions sur les comportements

Les géographes, tel G. White de l'Université du Colorado, ont été parmi les premiers à effectuer des études centrées sur les comportements associés aux risques. Leurs échantillons ont porté principalement sur les personnes ou les groupes vivant à proximité de sources de danger. Les partisans de cette approche, qualifiée d'«écologie humaine» (Burton *et al.*, 1978), ont cherché à expliquer le comportement en fonction de la proximité de la source de risques, des caractéristiques démographiques et, dans certains cas, des perceptions de ces risques.

Selon ces auteurs, les comportements de prévention seraient influencés par la personnalité et par l'expérience. Cutter (1993) résume ainsi les résultats de ces recherches :

- Les gens ne reconnaissent pas qu'ils vivent dans un environnement à risque.
- Pour ce qui est des événements à forte probabilité, les jugements collectifs sur la probabilité de dommages ou de blessures ne diffèrent pas du jugement des experts.
- Ces jugements divergent cependant dans le cas des événements à faible probabilité.

Lindell et Barnes (1986), pour leur part, ont voulu fusionner les études perceptuelles (croyances quant au risque) et behaviorales (explication à partir de la proximité de la source du risque). Pour cela, ils ont comparé l'évacuation massive de Three Mile Island (risque nucléaire) à des risques causés par les dioxines.

Les résultats montrent que la décision d'évacuer, lorsque les autorités proposent le confinement, ne dépend pas de la proximité d'une centrale nucléaire. La relation statistiquement significative est plutôt entre, d'une part, l'intention d'évacuer et, d'autre part, les caractéristiques perçues du danger et les mesures de protection alternatives. Le danger nucléaire est perçu comme probable, comme grave – en raison des possibilités de cancers et d'effets génétiques – et comme ne pouvant être efficacement réduit par le confinement. Il n'y a pas, selon les chercheurs, de grande différence entre ce type de risque et celui qui est associé aux dioxines.

Selon les mêmes auteurs, l'évacuation massive à Three Mile Island ne dépendait donc pas uniquement d'éléments d'information contradictoires, mais aussi de perceptions du risque avant l'accident. Dans cette optique, l'évacuation préventive suggérée par le gouverneur de l'État pour les femmes enceintes et les enfants a pu provoquer une surréponse, les résidants ne pensant pas qu'il existait des différences notables entre eux et ces groupes cibles. Le confinement, selon eux, était perçu comme inefficace.

Enfin, les données sur la distance sécuritaire suggèrent que même les personnes qui étaient en dehors de la zone dangereuse percevaient qu'elles étaient soumises à un haut risque. Ce type de recherche a permis de montrer que les perceptions, avant un événement, influencent dans une certaine mesure les comportements. En ce sens, l'information fournie sur un risque, si elle est essentielle, n'est pas toujours crédible et ne résiste pas aux croyances préétablies. D'où le besoin, pour les gestionnaires de l'urgence, de comprendre ces mécanismes lorsqu'il est question, par exemple, d'évacuation.

3.4.2 Influence des comportements de communication sur la perception

Les trois études en laboratoire de Sandman *et al.* (1993), vues plus haut, ont porté non seulement sur l'effet des controverses sur les perceptions, mais aussi sur l'effet du comportement général du communicateur du risque sur la perception. Les auteurs ont donc analysé l'effet de donner de l'information (comportement) sur la perception des risques dans deux situations : quand l'agence de communication est attentive aux préoccupations des citoyens face au risque et quand elle ne l'est pas.

On a trouvé qu'une information donnée avec un comportement de respect a tendance à modifier la perception du risque, faisant percevoir celui-ci comme moins grave. Le respect devient ainsi un élément qui influence davantage les perceptions que donner une information uniquement technique ou même réduire effectivement le risque, par exemple par des mesures de mitigation. Le respect amène en fait la confiance, c'est-à-dire le contraire de ce que les auteurs appellent l'«outrage», défini comme la croyance que l'on ne peut pas faire confiance aux autorités, que celles-ci ne partageront pas l'information avec les communautés touchées, etc.

De telles études, selon les auteurs, ne permettent toutefois pas de prédire la perception du risque; celle-ci relève davantage de variables comme l'éducation, le sexe ou l'aversion pour le risque, autant de facteurs qui sont hors de portée de l'agence qui informe sur un risque. Les études démontrent toutefois l'importance de considérer les comportements de communication du risque, la réponse d'une communauté et l'interaction entre les deux en tant qu'éléments susceptibles de modifier les perceptions du risque.

3.4.3 Amplification sociale du risque

3.4.3.1 Caractéristiques

L'amplification sociale du risque est un concept développé par un groupe de la Clark University (Kasperson *et al.*, 1988). La question de départ est la même que celle du groupe de l'Oregon, à savoir pourquoi certains risques (nucléaire, transports publics) reçoivent plus d'attention que d'autres (automobile). La réponse donnée par l'approche de l'amplification sociale du risque est toutefois différente, plus sociologique que celle des analyses psychométriques. Elle est schématisée à la figure 3.5, qui représente les travaux les plus récents des auteurs (Kasperson et Kasperson, 1996).

Les chercheurs de ce groupe examinent la manière dont les organisations sociales perçoivent et internalisent le risque, ce qui modifie les effets de celui-ci sur la société ainsi que sur les réponses du public (et donc sur les comportements). En ce sens, les caractéristiques objectives du risque vont interagir avec des processus biophysiques, culturels, psychologiques ou sociaux pour amplifier (par la suite les auteurs parleront aussi d'atténuer[43]) la perception du risque[44].

Selon cette perspective, les personnes, groupes ou organisations qui recueillent de l'information sur le risque et la transmettent (comportements) constituent autant de stations, à la fois réceptrices et émettrices, par la façon dont ils présentent et encadrent le risque. Ces stations ou relais sont, entre autres :

- les scientifiques;
- les établissements de gestion du risque;
- les médias;
- les groupes d'activistes;
- les leaders d'opinion;
- les réseaux de pairs et les groupes de référence;
- les organismes publics.

---

43. L'accent mis en premier sur l'amplification sociale a donné son nom à ce courant de recherche.

44. Comme dans le cas des études de Sandman *et al.* (1993) vues précédemment, cette approche touche à la fois la communication et la perception du risque. Notre choix a été de la traiter ici en tant que mécanisme influençant la perception.

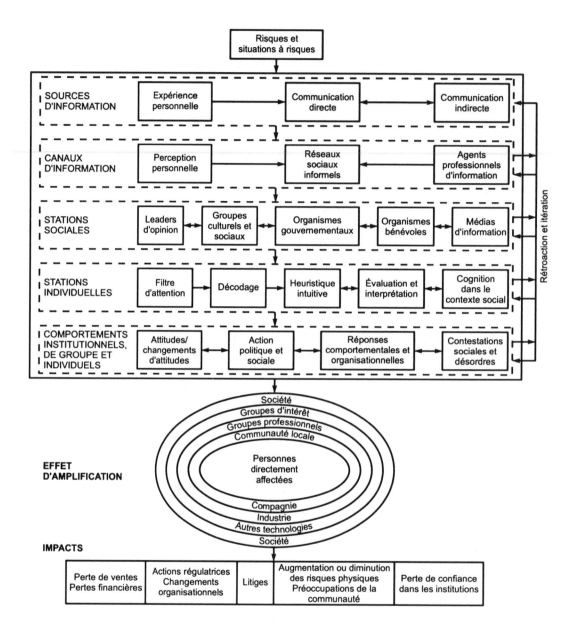

Figure 3.5   Amplification sociale du risque.

Source : Kasperson, R.E. et J.X. Kasperson. 1996. The social amplification and attenuation of risk, dans Kunreuther, H. et P. Slovic (eds). 1996. *Challenges in Risk Assessment and Risk Management.* The Annuals of the American Academy of Political and Social Sciences, 545 : 97.

L'interprétation du risque fournie par ces relais donne donc des signaux sur la gravité du risque, créant en quelque sorte un effet de stéréophonie (d'où le terme d'amplification). Car ces stations agissent de deux façons, soit :

- en filtrant les signaux reçus par des canaux de communication;
- en amplifiant (ou diminuant) ces signaux reçus sur les risques.

Certains mécanismes contribuent à l'amplification sociale du risque, notamment :

- la couverture médiatique;
- le fait que l'accident puisse se trouver dans la ligne de mire de certains groupes de pression;
- le fait que l'accident devienne un symbole (ce que nous avons appelé un mythe).

D'autres mécanismes vont au contraire atténuer le risque (Kasperson et Kasperson, 1996) dont, en particulier :

- La valorisation des bénéfices associés au risque. Les auteurs donnent le cas de l'amiante, dont les risques pour la santé, connus depuis des dizaines d'années, n'ont pas empêché les constructeurs d'écoles et d'autres bâtiments de recourir à ce matériau. C'est que les bénéfices (protection contre l'incendie), à ce moment, semblaient largement dépasser les risques.
- Des croyances profondes. Les auteurs mentionnent la violence dans les émissions de télévision destinées aux enfants; cette violence est toujours là parce que l'on croit qu'elle fait partie intégrante de la culture américaine et de la liberté d'expression. Une croyance semblable justifie la tolérance à l'égard des armes à feu.
- La marginalité des peuples, des écosystèmes ou des régions. Les auteurs évoquent la famine au Soudan, en 1983, phénomène banalisé puisqu'il s'agissait d'un régime à l'idéologie contraire aux intérêts américains. Ils mentionnent aussi le sida, connu depuis le début des années 1980 mais auquel on ne prêtait pas attention soit à cause du tabou, soit parce qu'il frappait des groupes défavorisés.

Le mécanisme d'amplification sociale du risque peut être lancé par un accident ou par une catastrophe. Slovic *et al.* (1991 : 685) donnent en exemple Bhopâl, Three Mile Island et Tchernobyl parmi d'autres :

> [Le mécanisme d'amplification sociale du risque] reflète le fait que les impacts négatifs de ces événements dépassent quelquefois largement les dommages directs aux victimes et à la propriété, et peuvent engendrer des impacts indirects massifs telles des poursuites judiciaires, des pertes de ventes, une réglementation accrue pour l'industrie, etc. Dans certains cas, toutes les compagnies sont touchées, quelle que soit la compagnie responsable de la catastrophe.

Ce sont donc les conséquences du risque qui sont atténuées ou amplifiées, avec des impacts secondaires ou tertiaires bien au-delà des effets immédiats. Ces impacts touchent par exemple :

- les perceptions ou les attitudes à l'égard de la technologie;
- les économies locales (diminution de la valeur des propriétés, des ventes locales, etc.);
- les pressions sur le politique;
- le degré de conflit dans la communauté;
- le suivi des risques et des coûts de régulation;
- les coûts d'assurances;
- d'autres technologies, produits ou organisations.

3.4.3.2   Recherches

On a appliqué la théorie de l'amplification sociale du risque aux perceptions des impacts économiques potentiels d'un site d'enfouissement de déchets nucléaires hautement toxiques au Nevada (Slovic *et al.*, 1991). Les auteurs présentent tout d'abord certaines caractéristiques de la technologie du transport et de l'entreposage de résidus nucléaires :

- Bien que les experts soient très confiants envers cette technologie, celle-ci est complexe et largement non testée.
- Le nucléaire présente une imagerie symbolique très forte.
- Dans les études de perception du risque, le nucléaire est défini comme inconnu, incontrôlable et effroyable, avec un potentiel catastrophique s'étendant aux générations à venir.

C'est sans doute pourquoi les images associées à un dépôt souterrain de résidus nucléaires ont été principalement, pour 402 résidants de Phoenix, en Arizona, reliées aux termes suivants :

- dangereux (45 % des réponses) : toxiques, non sûrs, catastrophiques;
- morts ou maladies (27 %) : cancers;
- négatifs (25 %) : mauvais, déplaisants, terribles, indésirables, horribles, etc.;
- pollution (24 %) : contamination, fuites, pollution de Love Canal, déversements;
- guerre (15 %) : bombes, guerre nucléaire, holocauste;
- radiations (15 %) : radioactivité, brillance;
- peur (14 %) : inquiétants, effroyables;
- ailleurs (12 %) : «pas dans ma cour», le plus loin possible;
- non nécessaires (11 %) : mauvaise idée, perte de terrain;
- problèmes (10 %) : troubles.

La recherche a aussi associé à ces termes d'autres caractéristiques concernant certaines villes comme lieux de tourisme ou de séjour. En fait, un dépôt de résidus nucléaires au Nevada (Yucca Mountain) ferait de ce site un lieu moins privilégié de villégiature. Cela signifie, pour ce qui est des conséquences, que l'«effet standard» des projets d'ingénierie sur l'emploi local, sur l'habitation et sur les transports est potentiellement obscurci par des «effets spéciaux» de la perception du risque et de son amplification sociale. Cependant, des mesures de mitigation, en particulier dans la gestion du risque, peuvent être apportées.

Un autre cas d'analyse de l'amplification sociale du risque est un accident survenu au Brésil en 1987. On a découvert dans une décharge de Goiânia (ville de un million d'habitants) un résidu hautement radioactif, contenant du césium 137, qui provenait d'une machine de traitement contre le cancer (Kasperson et Kasperson, 1996). Par-delà les conséquences sur la santé, d'autres effets ont émergé de l'amplification sociale de l'accident, notamment après sa «découverte» par les médias :

- Plus de 100 000 personnes ont voulu être examinées sur une base volontaire.
- Deux semaines après l'événement, les ventes des produits agricoles de l'État dans lequel est située Goiânia avaient diminué de 50 %, même si aucune contamination n'avait été trouvée dans les produits agricoles.
- Trois mois après l'événement, les ventes et les prix des maisons continuaient de chuter.
- Le tourisme a diminué considérablement, plusieurs voyageurs préférant perdre des arrhes plutôt que de risquer la contamination. Cela s'est étendu jusqu'à des hôtels situés à une heure de route de l'endroit.
- Par peur de la contamination, on a refusé l'inscription de résidants de Goiânia dans des hôtels de l'extérieur. Certains pilotes refusaient de conduire des avions avec des résidants de Goiânia à bord. Dans d'autres régions du Brésil, on a lancé des pierres sur des automobiles de cette municipalité.
- L'opposition au nucléaire s'est accrue.

L'amplification sociale du risque fait donc le lien entre les analyses de perception au sens strict et la définition du risque acceptable pour un groupe ou une société.

3.5 LIMITES DES ÉTUDES SUR LA PERCEPTION

3.5.1 Limites des analyses psychométriques

Selon Slovic (1992), les études qui utilisent des méthodes psychométriques – il appelle cette approche le «paradigme psychométrique» – présentent les limites suivantes :

- On y suppose que les gens peuvent répondre à des questions difficiles, sinon impossibles (p. ex. juger du risque de mortalité, aux États-Unis, attribuable au nucléaire).

- Les résultats sont dépendants de l'ensemble des dangers choisis, des questions, des types de personnes composant les échantillons (p. ex. des étudiants) et des méthodes d'analyse.

- Les questions renvoient à des connaissances, non à des comportements réels.

- Les valeurs qui président au choix, par exemple aux préférences exprimées, peuvent varier d'une culture à l'autre : si l'horreur, en Orient, semble être une mort rapide (arrêt cardiaque), en Occident, c'est une mort lente (cancer) qui est synonyme d'effroyabilité.

Cutter (1993) indique aussi d'autres limites :

- Les échantillons ne sont pas vraiment représentatifs puisqu'il s'agit en général de petits groupes d'étudiants ou de comités de citoyens. Les chercheurs qui ont poursuivi les études du groupe de l'Oregon ont eu tendance à oublier les mises en garde de ce dernier et à considérer ses résultats comme représentatifs de populations plus larges.

- Les évaluations sont fondées sur des moyennes de rangs provenant de différents sujets et portant sur de nombreuses technologies (jusqu'à 90 dangers), ce qui rend difficiles la compréhension des choix individuels et leur association à des caractéristiques sociologiques, par exemple. (Toutefois, les études se concentrent aujourd'hui sur des thèmes uniques tels que l'énergie nucléaire, les sites d'enfouissement de déchets radioactifs ou les champs électromagnétiques.)

- La définition même du risque pose problème, car elle est trop étroite. Le risque est défini par une conséquence, celle de mourir par suite de l'effet d'une technologie ou d'une activité. On oublie les conséquences sur la santé ou sur l'environnement.

- Le paradigme psychométrique n'a pu lier la perception à l'action, individuelle ou sociale, ou à la mise en place de politiques.

Par ailleurs, la caractéristique selon laquelle le risque est pris volontairement ou non peut présenter une certaine ambiguïté. Le risque peut en effet être volontaire sous certains aspects et involontaire sous d'autres. Ainsi, un risque peut être accepté parce qu'il apporte avec lui certains bénéfices (p. ex. des emplois), mais les gens, s'ils avaient le choix, opteraient peut-être pour une autre solution. En fait, tout est relatif, comme l'a montré Starr (1985) en donnant les exemples suivants de risques :

- Risques volontaires : un couple déménage en banlieue pour éviter le crime, mais ce faisant il augmente les risques d'accidents de la route liés à un usage plus prolongé et plus fréquent de la voiture.

- Risques involontaires : pour jouir des bénéfices de l'électricité, les communautés doivent accepter les risques d'accidents liés à l'exploitation des réseaux (électrocutions, accidents de centrales, etc.) et à l'usage de l'électricité (incendies).

Enfin, la méthode même des préférences exprimées est sujette à caution :

> Comme on ne peut pas supposer que ce que les gens font reflète adéquatement leurs préférences [...] et que ce que les gens disent préférer reflète adéquatement ce qu'ils font véritablement [...], il se peut que les préférences soient inappropriées dans la prise de décision. (Clarke, 1992b : 30)[45]

Des études ont par la suite tenté de remédier à certaines de ces limites des analyses psychométriques. L'une d'elles (Gardner et Gould, 1989) a établi des comparaisons entre les publics du Connecticut et de l'Arizona (1 021 personnes interrogées) en se fondant sur des évaluations individuelles plutôt que des moyennes agrégées. Cette étude portait sur :

- différentes technologies : circulation automobile, circulation aérienne, armes nucléaires, armes à feu et produits chimiques industriels;
- des aspects du risque associé aux technologies comme :
  - leur potentiel catastrophique;
  - leur aspect effroyable pour les gens;
  - le degré auquel ils sont compris par les scientifiques;
- des bénéfices économiques mais, au surplus, des aspects qualitatifs telle la contribution :
  - à la santé et à la sécurité;
  - au plaisir personnel et à la satisfaction;
  - aux besoins humains fondamentaux.

Les différences entre les deux populations sont minimes, mis à part le fait que l'on juge les risques liés aux armes à feu moins élevés et les bénéfices plus importants en Arizona qu'au Connecticut. La recherche a cependant permis de préciser que l'importance de chaque bénéfice qualitatif varie d'une technologie à l'autre. Ainsi, dans les deux communautés, les bénéfices économiques sont importants dans la définition de l'ensemble des bénéfices, et ce pour toutes les technologies; en revanche, la santé et la sécurité ne jouent un rôle qu'en ce qui a trait aux armes nucléaires, aux armes à feu et aux produits chimiques industriels.

Une autre recherche (Fischer *et al.*, 1991) portant sur un échantillon de personnes d'âge varié a montré ce qui suit :

- Les sujets se préoccupent d'un grand nombre de risques.
- Les étudiants et les femmes sont davantage préoccupés par les risques environnementaux à long terme, alors que les personnes âgées et les hommes mentionnent les risques personnels liés à la santé et à la sécurité. (Il faut toutefois préciser que les étudiants appartenaient à une classe d'écologie d'une école secondaire.)

---

45. Notre traduction.

- La volonté de payer est plus grande pour les risques présentant une menace personnelle directe (santé) que pour les risques menaçant l'environnement ou la société.

- Les gens se perçoivent comme responsables de la gestion des risques pour leur santé, alors que le gouvernement est, lui, perçu comme responsable des risques touchant l'environnement et la société.

- Les gens accordent une plus grande priorité aux risques pour lesquels ils se sentent responsables et efficaces, et ils tendent à agir davantage à l'égard de ces risques. L'information est vue comme un moyen efficace d'agir.

Enfin, certaines recherches dans le domaine de la perception ont voulu vérifier s'il y avait des différences diachroniques. Pour cela, on a repris en 1987 une étude faite en 1979, en s'adressant cette fois à de nouveaux répondants aux caractéristiques plus variées. La comparaison a permis de trouver :

- une stabilité dans les perceptions de certains éléments :
  - énergie électrique non nucléaire;
  - bicyclettes;
  - tracteurs;
  - cosmétiques;
  - agents conservateurs pour les aliments;
- la perception de bénéfices accrus dans le cas des éléments suivants :
  - aviation commerciale;
  - satellites;
  - fours à micro-ondes;
  - traitements par radiations;
  - lasers;
  - chirurgies cardiaques;
- la perception que le risque lié aux éléments suivants a diminué :
  - fours à micro-ondes;
  - lasers;
  - contraceptifs oraux.

En dépit de ces limites, les analyses psychométriques ont largement contribué à enrichir les analyses de risques en raison de l'accent mis sur les personnes. Que la méthodologie demande à être raffinée, par exemple par l'élargissement des échantillons, les auteurs en sont conscients. Ils travaillent actuellement dans ce sens, tout comme leurs confrères des analyses classiques.

3.5.2 Limites des analyses liées à l'amplification sociale du risque

Les recherches sur l'amplification sociale du risque ont posé les problèmes suivants :

- Elles mettent un peu trop l'accent sur le processus de communication unidirectionnelle, de l'émetteur vers le récepteur, plutôt que sur des interactions.

- Elles impliquent que les gens ont un jugement réel sur le risque, lequel est ensuite transformé.

- Elles posent une question de sémantique : l'amplification amplifie, alors que le processus en question peut aussi diminuer la perception du risque.

- Les liens avec l'action peuvent être plus complexes que ceux qui sont décrits dans les analyses. Par ailleurs, les effets secondaires ne sont pas toujours négatifs : ils peuvent aussi être, par exemple, de nature préventive.

Kasperson (1992) a répondu à ces critiques en développant davantage la plupart de ces aspects. À partir de six études de cas et d'une recherche sur 128 dangers, on a repris le modèle. Une des premières constatations de cette analyse globale est qu'il semble que le rôle des médias n'est pas nécessairement synonyme d'amplification du risque. Il est des cas où les médias ont couvert largement un événement à l'échelle nationale, mais cela n'a nullement dérangé les perceptions à l'échelle locale quant aux conséquences du risque.

L'auteur donne comme exemple la centrale nucléaire de Ginna où, en 1982, l'état d'urgence a été déclaré et cinq travailleurs exposés aux radiations. Dans ce cas, la réponse à l'urgence des autorités, le degré de confiance préexistant et une communication proactive de la part des responsables de la centrale ont fait en sorte que la confiance envers l'organisation s'est maintenue, à l'échelle locale tout au moins (il y eut néanmoins mobilisation contre le nucléaire à l'échelle nationale). L'auteur mentionne cependant que la communauté locale a des intérêts précis dans la centrale, comme source d'emploi et de taxation.

Enfin, comme il a été mentionné ci-dessus, Kasperson et Kasperson (1996) ont raffiné leurs analyses en constatant, par exemple, que les relais peuvent servir non seulement à amplifier, mais aussi à atténuer la perception du risque.

En conclusion, on voit donc que les études de perception, en particulier lorsqu'elles englobent des éléments de société, débouchent sur la question de ce qu'est, en définitive, un risque «acceptable». Car, au fond, toutes ces analyses utilisant des comparaisons, qu'elles soient classiques ou psychométriques, ont implicitement pour objectif d'en arriver à définir cette acceptabilité.

SYNTHÈSE

Ce chapitre montre comment le risque est un construit de l'esprit humain. Une première partie traite des recherches des psychologues touchant la perception du risque, appelées «analyses psychométriques». Celles-ci ont tenté de résoudre l'un des problèmes des analyses classiques, celui de ne pouvoir expliquer pourquoi les profanes n'acceptent pas les jugements «rationnels» des experts quant aux risques. Les analyses psychométriques dévoilent comment ces profanes fondent généralement leurs évaluations sur un nombre plus important d'éléments que les spécialistes, qualifiant les risques perçus selon certaines caractéristiques (volontaires, connus, fatals, etc.), dont les principales sont l'effroyabilité et la non-familiarité. Outre ces perceptions des conséquences, ces analyses vont s'attarder sur la perception des bénéfices et sur la perception du risque acceptable et des moyens pour atteindre celui-ci.

Par ailleurs, les psychologues analysent aussi comment les perceptions dépendent d'un certain nombre d'éléments, parmi lesquels on trouve la facilité de se souvenir ou d'imaginer, l'émotivité, le principe de simplification-similarité, les limites de la charge mentale, la force des croyances et la fermeture à l'improbable, cette dernière étant influencée dans certains cas par le «syndrome du Titanic» ou par le *groupthink*. Les sociologues, pour leur part, indiquent que la perception dépend également d'éléments qui tiennent à une société et à sa culture dont, notamment, les valeurs ou encore le rôle des médias. Ils établissent en outre que des caractéristiques socioéconomiques – parmi lesquelles se situent celles qui relèvent d'une profession ou d'un groupe particulier, tels les ingénieurs ou les scientifiques – influencent les perceptions, de même que les controverses et la crédibilité des experts.

Le lien entre perception et comportement, parce que non évident, est aussi abordé. Les recherches sur l'amplification sociale du risque se penchent sur la manière dont les organisations perçoivent et internalisent le risque, modifiant du même coup les effets de ce dernier sur la société et sur les réponses du public. Selon cette perspective, les organisations constituent des amplificateurs – ou des atténuateurs – des perceptions du risque.

Le chapitre se termine en considérant les limites de ces recherches sur la perception, telles qu'elles sont démontrées par les chercheurs eux-mêmes. Ces analyses ont néanmoins apporté d'importantes contributions aux connaissances sur le risque en replaçant la personne au cœur de la technologie, aidant du même coup à faire mieux comprendre que le risque est aussi sociotechnologique.

CHAPITRE

4

LE RISQUE «ACCEPTABLE»

Qu'est-ce que le risque que l'on dit «acceptable»? Et qui en décide? Ce chapitre, qui clôt cette première partie, nous amène au cœur du problème des analyses de risques. Car, au fond, celles-ci n'ont pour but que d'être évaluées par rapport à un seuil où il y a danger, c'est-à-dire au-delà duquel le risque n'est plus «acceptable». Ce seuil, précisément parce qu'il est question de risques et donc de probabilités, ne peut toutefois, à quelques exceptions près, être défini avec précision. Il est le plus souvent le reflet de perceptions; d'où l'accent mis sur ces dernières parmi les éléments influençant l'acceptabilité.

Jusqu'à présent, de façon simplifiée, on peut dire qu'il a été question, d'un côté, d'analyses classiques appliquées à des préférences révélées par des chercheurs et, de l'autre, d'analyses de perceptions effectuées sur des préférences exprimées par le public. Bien qu'à la fois chercheurs et public aient été, dans ces choix, influencés par la société qui les portait, ces analyses oubliaient le plus souvent les intérêts de tout définisseur de risques, qu'il soit expert ou profane. Dans ce qui suit, nous verrons au contraire que ce ne sont pas des purs esprits qui établissent ce qui est acceptable comme risque, mais des humains ou des organisations avec plus ou moins de pouvoir, avec des valeurs tenant à la culture et avec des intérêts parfois divergents. Cela nous amènera à constater que l'acceptabilité est toujours relative[46].

Griffith (1981 : 5-7) a donné un exemple si vivant de ce qu'est l'acceptabilité que nous le reprenons ici. Une communauté rurale désire attirer des touristes intéressés par la randonnée pédestre, car il y a un bénéfice financier en vue. On estime que les promenades seraient plus attrayantes si des ponts simples étaient construits au-dessus des petits ruisseaux. Étant donné qu'on s'attend à ce que la majorité des marcheurs soient des adultes, on pense faire les ponts en bois, en calculant environ deux fois le poids d'un adulte moyen, tout en mettant des panneaux signalant qu'une seule personne à la fois peut passer sur ces ponts.

---

46. D'où les guillemets dans le titre bien que, pour ne pas alourdir inutilement le texte, nous ne les répéterons plus dans le reste de l'ouvrage.

Toutefois, à l'occasion, certains pourraient ne pas lire les panneaux et tenter de faire traverser un cheval, par exemple ceux qui font de l'équitation. Cette probabilité est faible, mais elle existe. Par ailleurs, la résistance des planches de bois peut varier. Bien sûr, on peut construire des ponts pouvant être empruntés par des tracteurs, mais le coût devient si élevé que le projet n'est plus rentable. Avec de l'information sur le trafic pédestre attendu et sur la qualité des planches, on peut évaluer quantitativement combien de fois le pont va céder. Mais, en définitive, qui va décider : le marchand de bois local? le maire seul? le conseil municipal? les résidants en faveur du projet ou ceux qui ne veulent pas du sentier dans leur cour? les passionnés d'équitation?

Cet exemple pose, outre le problème du décideur, celui de la définition du risque comme étant d'ordre privé ou public. Car après que le risque a été jugé acceptable – et souvent en parallèle –, il y a lieu de se demander qui, en fait, doit supporter le coût des mesures qui mènent à l'acceptabilité. On est ici en face d'un problème d'équité, problème de société et non plus celui d'une personne isolée. Si, comme c'est le cas, la pollution industrielle des Grands Lacs dépasse les frontières et altère la qualité de l'eau à Montréal, quel est le risque acceptable? Celui qui reste après de nombreuses mesures de mitigation (traitement de l'eau)? Et qui doit payer pour ces mesures, en dernier ressort? Quelles sont les régulations que doit apporter la société? Ce sont ces questions, essentiellement sociologiques et politiques, qui retiennent maintenant notre attention.

4.1 DÉFINITION DU RISQUE ACCEPTABLE

Pour bien comprendre un concept, faire référence à son contraire peut apporter une aide précieuse. Qu'est-ce donc, alors, que l'inacceptable, appliqué au risque? Est-ce l'effroyabilité vue au chapitre précédent? Est-ce l'inéquité dans la distribution des conséquences des risques? Est-ce la notion d'outrage, parfois sous-jacente au refus d'un risque? Est-ce, plus profondément, le concept de risque lui-même qui devient inacceptable, en particulier lorsqu'il s'agit d'un risque majeur?

Cette dernière possibilité semble bien recevoir une certaine faveur dans nos sociétés, qui cherchent de plus en plus à étendre le champ de cet inacceptable. Cela explique peut-être le contexte actuel où l'on développe de nombreuses mesures de sécurité pour prévenir et réduire les risques. Mais, dans la réalité, une société ne peut vivre sans risque, ne serait-ce que parce que la vie elle-même est risque : les activités qu'on choisit présentent des risques et il est impossible de mettre des garde-fous partout. Le risque zéro n'existe pas.

> Il est certain qu'en supprimant les voitures, en faisant vivre chacun seul dans une cellule antisismique, antiatomique, etc., [...] on réduirait le nombre d'accidents; mais on risque de voir s'élever «verticalement» la courbe des suicides [...] il faudra alors

éliminer tout ce qui permet à quelqu'un de se supprimer : plus d'objets tranchants ou effilés, plus d'énergies dangereuses [...] bref la cellule capitonnée. (Goguelin, 1991 : 13.)

Face à l'inévitabilité des risques, la tendance est de séparer ceux qui sont acceptables des autres. Car, bien que policées, nos sociétés ont conscience qu'elles engendrent des risques, ce que leur rappelle d'ailleurs périodiquement les grandes catastrophes. Elles savent bien, au fond, que la sécurité est relative et qu'elles vivent toujours en sursis, en dépit des progrès de la technologie – à moins que ce ne soit, précisément, à cause de ces progrès.

Dans une telle situation, il reste la solution d'évacuer le risque de la conscience, un des moyens étant alors de l'exorciser. Pour cela, les controverses – de même que les analyses qui les sous-tendent – peuvent à ce moment servir en quelque sorte d'incantations de protection contre l'angoisse :

> J'aurais tendance à faire l'hypothèse que certains débats hautement médiatisés servent d'exutoire à l'angoisse et nous permettent de nous décharger de toutes nos peurs diffuses. Alors, de ce fait, ils nous réconcilient avec la dangerosité de notre société, son potentiel de catastrophe étant, de la sorte, refoulé hors de la conscience. La gestion du risque n'est ni toujours ni intégralement rationnelle. (Beauchamp, 1996a :144.)

Simultanément au désir de protection contre les aspects sombres du risque, son aspect sécuritaire, inhérent à nos sociétés modernes (ceintures de sécurité en voiture, accent mis sur la prévention, etc.), semble difficile à supporter pour une partie de la population. À preuve, des sports de plus en plus dangereux se développent. Il y a donc un risque acceptable individuellement et un risque acceptable socialement :

> [...] dans une société à forte sécurité, le risque assumé individuellement est plutôt non raisonnable, c'est-à-dire qu'il dépasse la mesure prudentielle du juste milieu en faveur de pratiques personnelles dangereuses qui sont entretenues par la culture de consommation. Qu'il suffise de penser à la violence au cinéma, aux pratiques sexuelles, à des sports démentiels comme le bungie. Par ailleurs, la gestion sociale du risque tendrait à être prudentielle et à pencher vers la solution sécuritaire, sauf dans l'univers proprement technicien lequel, pour des motifs de sous-groupe culturel, désirerait poursuivre une politique audacieuse face à un risque estimé illusoire puisque la technique ne peut défaillir. La gestion du risque ferait donc partie d'une demande collective à la hausse qui progresse à mesure que le risque résiduaire diminue. Plus le niveau de sécurité augmente, plus les gains nouveaux sont alors difficiles et coûteux [...] mais plus la demande à leur égard est exacerbée. (Beauchamp, 1996a : 45.)

4.1.1 Acceptabilité ou tolérabilité?

Selon certains auteurs, l'acceptabilité a une connotation péjorative, et il devrait être davantage question de tolérabilité. Tolérer un risque, c'est ne pas vraiment l'accepter : on tolère en attendant de pouvoir mieux juger. Pour ceux qui favorisent le mot *tolérable*, l'acceptabilité aurait ainsi un caractère plus définitif d'acceptation sans retour. Des auteurs ont noté qu'il existe, en fait, une marge de manœuvre entre les deux concepts et que, dans cette zone, des normes peuvent être établies pour rendre le risque acceptable (Kasperson et Kasperson, 1983).

Dans le même ordre d'idée, quelques années plus tard, en Angleterre, Layfield (1987) reprendra ce terme de *tolérable* parce que, selon lui, le mot *acceptable* ne fait pas référence à l'importance d'un problème et ne tient pas compte des évaluations de risques du public. Dans son sillage, la direction anglaise du ministère de la Santé et de la Sécurité dira :

> La «tolérabilité» ne signifie pas l'«acceptabilité». Le terme fait référence au fait d'accepter de vivre avec un risque pour assurer certains bénéfices et à la confiance que ce risque sera maîtrisé adéquatement. Tolérer un risque signifie qu'on ne le voit pas comme négligeable ou comme un fait qu'on peut ignorer, mais plutôt comme quelque chose qu'il est nécessaire de garder sous surveillance et de réduire davantage si c'est possible. (Health and Safety Executive, 1988, cité par Pidgeon *et al.*, 1992 : 93)[47]

Tolérabilité ou acceptabilité? Parce qu'il est plus utilisé dans les publications, nous conserverons ce dernier terme, tout en gardant en vue les nuances qu'apporte la notion de tolérabilité.

4.1.2 Acceptabilité diachronique

Un risque n'est jamais acceptable de façon définitive : c'est un processus itératif. Cela signifie que nous ne souscrivons pas à la démarche par étapes qui veut qu'un risque soit analysé d'abord scientifiquement, puis qu'une décision soit prise de poursuivre le projet et qu'enfin, en dernier ressort, le risque devienne acceptable une fois pour toutes, lorsque la décision n'est pas rejetée par le public. Cette vision, pour élégante qu'elle soit, n'en est pas moins simpliste, ne serait-ce que parce que l'acceptabilité est sujette à changement, ce qui peut, en retour, influencer les analyses.

L'acceptabilité peut changer dans le temps parce que l'information disponible peut changer. Ainsi, la thalidomide était acceptable contre les nausées des femmes enceintes jusqu'à ce que des difformités frappent les bébés. L'amiante était un produit valorisé jusqu'à ce que des études (portées par quels intérêts?) montrent que le produit présenterait des dangers pour la santé humaine (d'autres études prouvant cependant le contraire[48]).

---

47. Notre traduction.
48. Cette question de l'amiante est d'ailleurs, depuis quelques années, au cœur d'une controverse d'acceptabilité entre la France et le Canada.

L'acceptabilité peut changer aussi parce que la culture de sécurité, qui englobe un certain nombre de valeurs et de comportements, peut changer (voir ce chapitre). Les valeurs elles-mêmes changent, en ce sens qu'elles cohabitent au sein d'un réservoir selon un ordre qui peut être modifié dans le temps. Ainsi, il était courant – et peut-être l'est-il encore – pour les pays industrialisés d'envoyer leurs déchets toxiques dans les pays en développement. Cela n'est plus «politiquement correct» : l'ordre des valeurs a changé, officiellement sinon dans les comportements réels.

Enfin, l'acceptabilité peut changer parce que le pouvoir change, dans le temps. Smith (1990) montre ces jeux de pouvoir dans l'acceptation d'un projet de concentration d'industries à risque à Canvey Island, en Angleterre. Un premier gouvernement donne en 1973 l'autorisation de construire une raffinerie (privée). Des groupes de citoyens opposés au projet obtiennent cependant le soutien d'un député de l'opposition; celui-ci, lorsque son gouvernement prend le pouvoir l'année suivante, révoque le projet et exige une étude de risques.

Cette seconde phase va durer cinq ans (de 1975 à 1980), période pendant laquelle les entreprises vont faire en sorte de déplacer l'attention de l'implantation de la raffinerie (entreprise multinationale) à un terminal méthanier (société d'État anglaise). Comme le premier rapport, exigé par le député, ne fait pas l'unanimité, on décide de mettre sur pied une commission d'enquête (en 1982) qui servira d'arène aux débats d'experts. Ceux-ci, selon l'auteur, mettront davantage d'énergie à détruire la crédibilité des autres experts qu'à se concentrer sur les risques.

Smith conclut que l'utilisation de l'analyse de risques n'a pas garanti une décision équitable, le poids jouant en faveur des industriels, dans le temps. Cela montre que le risque est le produit d'une négociation, le plus souvent implicite, entre des groupes sociaux différents et que cette négociation a cours à toutes les étapes de la prise de décision quant à l'acceptabilité du risque (Clarke, 1989).

4.1.3 Acceptabilité synchronique

L'acceptabilité d'un risque se fait non seulement chronologiquement, mais aussi à un moment précis, dans le temps. Elle est un construit social en ce sens que différentes sociétés, et différents groupes à l'intérieur de celles-ci, non seulement voient le risque différemment, mais encore jugent s'il est ou non acceptable. Parler de risque acceptable, c'est donc parler de valeurs, de choix de différentes personnes et de différents groupes de la société au regard de la sécurité : c'est parler de social.

L'analyse qui préside à l'acceptabilité, dans les analyses classiques de risques, est sociale. En effet, les perceptions et les jugements constituent des phénomènes qui, s'ils relèvent de l'individu, n'en sont pas moins partie intégrante des cultures et donc des sociétés. Les décisions d'acceptabilité, elles aussi, sont sociales parce que, d'une part, ce sont bien souvent des organisations qui définissent l'acceptabilité et que, d'autre part, ces décisions ne se prennent plus, règle générale, en vase clos. Dans ce dernier cas, on constate par exemple que les entreprises propriétaires doivent soumettre leurs choix aux populations avoisinantes, les élus municipaux et ceux des autres paliers de gouvernement entrent en jeu, de même que les populations elles-mêmes accompagnées d'experts qu'elles vont chercher pour les représenter. En parallèle, des réglementations et des législations se construisent, qui constituent aussi des éléments de société.

Ce sont toutes ces raisons qui nous ont fait opter pour le terme *risque sociotechnologique majeur*, ce type de risque étant un phénomène de société auquel personne n'échappe. Car le risque majeur part bien souvent de risques considérés comme mineurs. Cela signifie que chacune de nos actions a une portée sur les autres, consciemment ou non, et cela à chaque instant. En prenant la voiture, par exemple, nous augmentons notre mobilité, affirmons notre statut social, etc. Mais, du même coup, nous nous exposons au risque d'accident et imposons aux autres ce même risque. Simultanément, nous imposons également aux autres le risque lié au pétrole, si l'on considère le système technique de l'automobile dans son ensemble (Denis, 1987) : pollution de l'air, risques liés au transport du combustible, etc. Chacun, consciemment ou non, fait une analyse de risques et prend des décisions quant au risque acceptable, qu'il soit mineur ou majeur, et ce à un moment précis, dans le temps.

En parallèle, des décisions doivent aussi être prises relativement à des risques qui concernent l'ensemble d'une collectivité. Qui, alors, décide qu'un risque sera acceptable? Si l'on prend l'exemple des sites d'enfouissement de déchets nucléaires – un des problèmes importants de l'heure –, il est évident que la décision n'est pas simple et que plusieurs intervenants sont en cause, même si ces déchets appartiennent à une entreprise privée. Qui, en dernier ressort, déterminera l'acceptabilité :

- l'entreprise propriétaire?
- un ou plusieurs responsables dans cette entreprise :
  - les ingénieurs concepteurs?
  - le service du marketing?
  - le contentieux?
  - les travailleurs?
- le client?
- la population autour de cette entreprise?
- les assureurs?
- les divers organismes gouvernementaux concernés?
- les experts?

- les corporations professionnelles?
- les commissions de contrôle publiques?
- les groupes de pression?

Cette énumération de décideurs potentiels met en lumière, ce qui est souvent oublié, qu'il n'y a pas que les personnes qui définissent ce qui est acceptable : les organisations, par exemple des organismes gouvernementaux en santé publique ou en environnement, auront bien souvent à se prononcer sur la question. Comment alors ces organisations parviennent-elles à une décision quant à l'acceptabilité? Nous proposons deux exemples. Le premier est celui de la Ford Pinto, qui sera détaillé plus loin (paragr. 4.4.1.1).

L'autre exemple est celui de la décontamination d'un édifice public à la suite d'une explosion dans un transformateur électrique ayant provoqué une fuite de BPC à Binghampton (Clarke, 1989). Dans ce cas, plusieurs organismes ont participé à la décision, tant au niveau fédéral qu'au niveau de l'État et de la région, et chacun d'eux avait ses propres intérêts dans la définition du risque acceptable :

> Les agence de l'État étaient déterminées à utiliser l'édifice et donc minimisaient les dangers potentiels; le ministère de la Santé du comté tentait de réclamer la responsabilité exclusive de protection de la santé publique et était très prudent; les agences fédérales essayaient d'empêcher leurs ressources d'aller à Binghampton; et un comité local de citoyens, méfiant envers les proclamations officielles, voulait obtenir d'être représenté auprès des autorités responsables des politiques. Plus tard, lorsque les moins puissants de ces groupes, comme le ministère de la Santé pour le comté et le comité de citoyens, ont été exclus (par divers mécanismes) [...] des solutions alternatives ont été enlevées du champ des options qui avaient été sérieusement considérées. (Clarke, 1988 : 30.)

Le risque est donc porté par différents acteurs, individuels ou organisationnels, qui ont plus ou moins de pouvoir pour statuer sur son acceptabilité. Une typologie (Stallings, 1990) distingue ainsi :

- les définisseurs du risque, c'est-à-dire ceux qui le posent et l'analysent;
- les revendicateurs (*claims makers*), c'est-à-dire ceux qui articulent les conditions ou les relations entre deux ou plusieurs conditions causant le risque;
- les parties prenantes (*stakeholders*), c'est-à-dire ceux qui ont quelque chose à perdre ou à gagner relativement à ce risque.

Voilà sans doute pourquoi les politologues ont parlé d'une arène sociale (Renn, 1992a) pour caractériser ce débat public autour du risque acceptable. Dans cette perspective, l'accent est mis non plus sur les perceptions mais sur les jeux de pouvoir effectifs ainsi que sur les atouts, dans une sorte d'analyse stratégico-systémique (Denis, 1987). Et, dans cette arène, tous ne sont pas égaux.

Il est évident, par exemple, que les experts ont un poids déterminant. Il faut toutefois se souvenir que ce poids n'est pas inné, qu'il leur est octroyé par une société qui valorise la science au détriment d'autres aspects : dans une autre société, le poids irait aux grands sorciers. La question toutefois reste toujours de savoir à quel moment les évaluations de ces multiples intervenants se rejoignent, c'est-à-dire à quel moment un risque est jugé acceptable.

4.2 ÉLÉMENTS INFLUENÇANT L'ACCEPTABILITÉ D'UN RISQUE

4.2.1 Perceptions individuelles

L'un des premiers à se pencher formellement sur cette notion de risque acceptable, Lowrance (1976), a distingué les risques en analysant les perceptions individuelles qui y sont rattachées. Selon cet auteur, l'acceptabilité dépendrait du fait que le risque est perçu comme :

- assumé volontairement : dans les sports dangereux ou certains métiers à haut risque par exemple, ou encore dans le secours aux victimes à la suite d'appels à l'aide; au contraire, lorsque le risque est pris involontairement, et plus encore lorsque la personne se sent impuissante, la tolérance est faible;
- associé à des bénéfices : en ce sens, les accidents de métro seraient moins tolérables que les accidents ferroviaires, et ceux-ci le seraient moins que les accidents d'avion puisque le public estime que, dans ces derniers cas, on a pris plus de risque pour un même bénéfice : épargner du temps (Council for Science and Society, 1977);
- à effet immédiat (par opposition au long terme);
- obligatoire (par opposition au risque choisi);
- connu avec certitude (par opposition au risque plus incertain);
- lié à une exposition jugée essentielle (par opposition à une exposition non nécessaire, de luxe);
- occupationnel (par opposition au risque non occupationnel);
- commun, courant (par opposition au risque exceptionnel, de portée catastrophique);
- susceptible de toucher le citoyen moyen (par opposition à une cible précise);
- lié à un usage admis (par opposition à une mauvaise utilisation);
- lié à des conséquences réversibles (par opposition à des conséquences irréversibles).

Les travaux du groupe de l'Oregon dans le domaine vont par la suite démontrer qu'un risque est plus acceptable s'il est perçu comme[49] :

---

49. L'accent, par rapport au chapitre précédent, est mis ici sur la notion d'acceptabilité.

- pris volontairement;
- connu de la science;
- connu de ceux qui y sont exposés;
- maîtrisable;
- associé à un décor familier;
- à faible potentiel catastrophique;
- donnant lieu à peu de mortalités;
- peu effroyable.

Pour Slovic (1980), le risque est perçu comme acceptable uniquement :

- s'il devient familier;
- si ses bénéfices sont clairs;
- si l'on fait confiance à ceux qui le gèrent.

Il donne l'exemple des gaz innervants qui, en 1969, ont été transférés d'Okinawa à une base militaire située à Hermiston, en Oregon. L'opinion publique de l'État était opposée au projet à plus de 90 %, alors que 95 % des résidants de Hermiston y étaient favorables. Pourquoi? Parce que :

- des munitions et des produits toxiques étaient déjà entreposés à cet endroit depuis 1941; le risque était donc familier et les installations présentaient jusque-là une bonne fiche de sécurité;
- il y avait des bénéfices économiques nets pour la communauté, qui s'ajoutaient à la satisfaction de s'acquitter d'une tâche jugée patriotique;
- l'agence responsable, en l'occurrence l'armée, était respectée et on lui faisait confiance.

4.2.2 Facteurs sociaux

Les premières recherches du groupe de l'Oregon se sont centrées surtout sur les perceptions elles-mêmes et les facteurs explicatifs individuels, sans s'étendre aux éléments de société, par exemple à ceux qui tiennent à la culture d'un groupe particulier. Une recherche française (Bastide *et al.*, 1989) a pour sa part abordé quelques-unes de ces variables sociologiques qui influencent les perceptions. Selon ses auteurs, deux éléments agissent sur l'acceptabilité d'un risque : le sentiment de sécurité et la légitimité. Le premier, le sentiment global de sécurité qu'une société procure à ses membres, dépend non seulement de l'état de santé – subjectif – et de l'inconfort personnel ressenti dans la vie quotidienne, mais aussi du statut socioéconomique.

Le deuxième élément, la légitimité perçue des activités à risque, provient de la culture d'une société. Par exemple, les risques médicaux et de transport sont jugés plus légitimes que les comportements à risque comme la consommation de drogue, d'alcool ou de tabac. Entre les deux catégories d'activités jugées légitimes ou illégitimes, Bastide *et al.* (1989) situent les technologies qui ont fait l'objet de débats publics, tels le nucléaire, l'industrie chimique ou le plomb dans l'essence, et dont la légitimité n'est pas reconnue par l'ensemble d'une société. À noter toutefois que la distinction que font les auteurs entre légitimité et acceptabilité n'est pas claire, bien qu'ils affirment que la première explique la seconde. C'est sans doute la raison pour laquelle, en pratique, par leurs résultats, ils se rapprochent du groupe de l'Oregon.

Quelques années plus tard un autre sondage, effectué en France également, plus précisément en Isère, constatera que deux critères servent à la population pour évaluer le risque industriel : la forte concentration d'usines dans un certain périmètre et le caractère de gravité des produits. L'acceptabilité dépend, dans ce cas, de la sécurité et des mesures de prévention, car :

> [...] consciente des risques, la population ne pense pas que la solution réside dans une limitation de l'activité industrielle, mais bien plutôt dans un renforcement de la sécurité et des mesures de prévention. (Lalo, 1992 : 132.)

Des éléments sociologiques dans la perception du risque seront traités aussi par le groupe de l'Oregon, quelques années après ses premières recherches. Il ajoutera ainsi à sa liste de critères d'acceptabilité le fait que le risque soit ou non perçu comme équitablement partagé (Slovic, 1987). Globalement, les chercheurs de ce groupe en sont arrivés à considérer les principaux éléments suivants qui contribuent à rendre le risque acceptable (Covello, 1989) :

• confiance;

• compréhension des données;

• maîtrise;

• caractère volontaire de l'exposition;

• solutions de rechange;

• distribution économiquement équitable;

• distribution équitable quant à l'âge (le risque ne doit pas viser les enfants);

• conséquences ordinaires (plutôt qu'effroyables);

• origine naturelle (plutôt qu'humaine);

• faible intérêt des médias;

• peu d'éléments à forte teneur symbolique.

4.2.3 Éthique et équité

4.2.3.1 Éthique

La liste qui précède indique que les derniers critères d'acceptabilité qui se sont graduellement insérés dans les recherches du groupe de l'Oregon ont trait à l'équité de distribution des risques, ce qui introduit des considérations sociologiques mais aussi philosophiques liées à l'éthique[50]. En fait, selon Kasperson *et al.* (1988), l'acceptabilité se rattacherait à l'éthique par quatre fils conducteurs, à savoir :

- parce qu'elle suppose des jugements de valeur quant aux choix de risques et à leurs conséquences;
- par son paternalisme implicite, qui consiste à protéger les gens quelle que soit leur volonté;
- parce qu'elle pose la question de l'équité, c'est-à-dire la répartition coûts-bénéfices entre les différents groupes ou catégories dans une société;
- parce qu'elle attribue aux personnes des responsabilités et des obligations qui viennent de l'imposition du risque à autrui; cela mène, en contrepartie, au problème de la confiance lorsque ces responsabilités et obligations ne semblent pas adéquatement remplies.

Reprenant ce dernier point, A. Beauchamp, à la suite de Max Weber, pose l'éthique de responsabilité, qu'il distingue de l'éthique de conviction. Cette dernière est celle du missionnaire, du saint, convaincu de la valeur en soi de certains principes (lutte pour les droits des animaux, végétalisme, etc.). L'éthique de responsabilité, quant à elle, s'intéresse aux conséquences des actes. L'une et l'autre ne sont pas mutuellement exclusives, mais il y a quand même une opposition de base entre elles. Ainsi, selon l'auteur :

> Dans la gestion du risque, les deux clans s'affrontent constamment. Dans chaque débat, le défi est toujours de traduire en termes de responsabilité des valeurs exprimées au départ sous la bannière de la conviction. C'est l'éthique de la conviction qui fait émerger des exigences nouvelles et, les diffusant dans la société, les fait apparaître comme des faits de société. Mais c'est à l'éthique de la responsabilité qu'il appartient d'en juger l'opportunité et d'en assurer la mise en œuvre concrète [...] La gestion du risque doit s'inscrire dans l'éthique [...] de responsabilité [...] en cherchant à intégrer le meilleur de l'éthique de conviction. (Beauchamp, 1996a : 99.)

Par ailleurs, selon le même auteur, l'éthique actuelle, dans l'évaluation du risque, relève de l'utilitarisme. Dans cette perspective, il analyse le glissement du sens du mot *valeur* qui, influencé par l'anglais, est passé de la valeur d'échange économique à une normativité imprégnant toute la société. L'utilitarisme se rapproche de l'éthique des conséquences, mais il est aussi fondé sur une conviction, celle de l'égalité des chances de départ pour tous. Ceci introduit le concept d'équité.

---

50. À cause de cette connotation morale, nous en ferons une catégorie à part, et aussi du fait que l'éthique occupe une place importante dans les discussions sur le risque acceptable.

4.2.3.2 Équité

Le concept d'équité a un sens différent selon les cultures :

> [...] dans la langue française, l'équité ressemble à une justice idéale, une justice que la loi humaine, toujours expression d'un rapport de force inégalitaire entre les hommes, ne traduit jamais parfaitement. En langue anglaise, l'équité est le fruit d'un jugement circonstancié qui supplée aux imperfections de la loi et tempère le droit par l'amour. (Beauchamp, 1996a : 107.)

L'équité, au sens anglais, est assimilable au *fairness*, la chance égale pour tous. Elle fait appel à ce moment à la notion de bien commun, traduisant une conception sociale de l'être humain que l'auteur n'associe toutefois pas à celle de bénéfice commun, davantage apparentée à une moyenne mathématique. Il a ces mots particulièrement forts :

> Entre l'individu bardé de droits et allergique à la communauté (lequel, maintenant, place son argent à l'étranger, travaille au noir ou profite de l'aide sociale, selon son statut économique) et une société tyrannique qui impose à chacun la décision de la majorité vient s'inscrire le bien commun. Le bien commun, c'est évidemment le bien de l'ensemble qui contient toute les parties et les dépasse [...] et qui profite à tous sans toutefois nuire à quelques-uns, surtout s'il s'agit des plus faibles. (Beauchamp, 1996a : 117-118.)

L'auteur est toutefois conscient des périls, dans une société pluraliste comme la nôtre, qui sont associés à l'application de cette notion de bien commun. Aussi suggère-t-il que, à défaut de s'entendre sur le fond, nous nous entendions sur la forme, ce qu'il appelle l'«équité procédurale».

On voit donc que l'équité est un concept qui implique plusieurs dimensions. Parmi celles-ci on trouve, selon Kasperson et Down (1991), l'équité liée à la distribution et l'équité liée au processus. Nous allons aborder maintenant la première, réservant le traitement de l'équité de processus au point suivant de la décision d'acceptabilité.

Équité de distribution. L'équité de distribution peut être géographique, quelle que soit l'unité (région, pays, continent), intergénérationnelle ou sociale (c'est-à-dire intergroupes). Beauchamp (1996a : 101), en parlant de ce dernier type, donne l'exemple de l'implantation d'une technologie qui constitue un risque pour une partie de la population, ce tiers n'étant ni le promoteur, ni l'organisme autorisant, ni le client. Selon lui : «[...] c'est autour du statut du tiers concerné mais possiblement exclu que se joue principalement l'éthique de la gestion du risque.» Quelle est la décision équitable dans un tel cas?

Dans cet ordre d'idée, Beck (1992) émettra l'hypothèse que l'inégalité de la distribution des risques, dans nos sociétés, serait en train de remplacer l'inégalité des classes sociales. Pour sa part, sans aller aussi loin, Zimmerman (1993) montre quand même que les risques environnementaux sont inégalement distribués aux États-Unis en ce qui concerne les sites d'enfouissement de déchets toxiques. Sur le plan ethnique, ces sites correspondent à de plus fortes concentrations hispaniques et, sur le plan racial, à de plus fortes concentrations noires. Par contre, il ne semble pas y avoir de différences significatives en ce qui concerne le seuil de pauvreté (à moins que cette variable ne soit liée aux deux autres).

Équité et principes de droit. Une autre question d'équité de distribution concerne la distinction entre le public et les travailleurs face au risque. Selon Kaufman (1995 : 5), il existe en effet, dans les organismes de réglementation américains, un double standard selon qu'il s'agit de protéger la main-d'œuvre ou le public. Cela s'expliquerait par quatre principes de droit (reliés à l'équité), à savoir :

- Principe d'utilité : les bénéfices pour la société dans son ensemble justifient qu'une partie de la population subisse des inconvénients.
- Principe de capacité : le public est plus vulnérable que les travailleurs exposés.
- Principe de compensation : l'imposition de plus de risques à la main-d'œuvre est justifiée si celle-ci reçoit un dédommagement.
- Principe de consentement : la main-d'œuvre, contrairement au public, donne son accord en toute connaissance de cause.

Selon l'auteur, ce sont ces deux derniers principes qui distinguent le travailleur du public, en matière de risque acceptable. Toutefois, le consentement au risque est un concept encore obscur et qui suppose au moins deux volets : non seulement le consentement à courir un risque, comme c'est le cas du travailleur, mais aussi le consentement à la création de ce risque. C'est au regard de ce dernier point que se poserait la question de la compensation, qui deviendrait ainsi «le tribut à payer pour celui qui crée un risque» (Kaufman, 1995 : 17).

Toutefois, comme pour le consentement, cette notion de compensation n'est pas simple. L'auteur donne l'exemple d'un assureur qui refuse à un épileptique de dédommager les victimes éventuelles d'un accident que ce dernier causerait, au volant de sa voiture. Les coûts supplémentaires, pour cette personne, profitent cependant et à l'assureur et aux victimes potentielles : ces deux groupes devraient-ils, en conséquence, dédommager l'épileptique? Si l'on transpose cet exemple à l'industriel qui veut implanter un incinérateur, serait-ce ceux qui ne désirent pas l'installation dans leur voisinage qui devraient dédommager le promoteur pour les pertes subies?

Ce principe de compensation est particulièrement important dans le cadre de la notion d'équité et pose, outre les questions précédentes, d'autres qui nous apparaissent importantes, notamment les suivantes :

- Dans le cas où la compensation résulte de poursuites judiciaires, elle risque de correspondre davantage au talent des plaideurs qu'à ce qui est réellement équitable.
- Même en dehors d'un cadre juridique, la compensation peut être plus ou moins synonyme d'«achat» d'une personne ou d'une communauté, comme vu au chapitre précédent.

4.3 ACCEPTABILITÉ COMME PRODUIT D'UNE DÉCISION

L'équité de distribution est un phénomène qui résulte en définitive d'un processus de décision, conscient ou non. Aussi est-il maintenant nécessaire de considérer ce processus qui définit l'acceptabilité d'un risque et de voir s'il est équitable. Cette démarche n'est pas facile, dans la mesure où la plupart des écrits sur le processus de décision sont fondés sur le postulat d'un acteur rationnel, individuel. Mais si, comme nous le prétendons, l'acceptabilité est sociale, alors le concept d'arène (Renn, 1992a) semble davantage utile pour cerner ce processus.

Pour mieux comprendre comment on parvient à définir l'acceptabilité d'un risque, il faut se pencher sur un certain nombre de méthodes permettant d'arriver à une décision d'acceptabilité et les analyser en fonction de l'équité de processus qui les sous-tend.

4.3.1 Jugement professionnel, comparaison et analyse formelle

Fischhoff *et al.* (1981) analysent, entre autres, trois modèles de prise de décision servant à déterminer si un risque est acceptable ou non, à savoir le jugement professionnel, la comparaison et l'analyse formelle. Il s'agit de trois méthodes d'experts qui exigent peu de participation du public à la définition du risque acceptable.[51] Ces modèles relèvent en fait de la méthode traditionnelle, sous-jacente aux analyses classiques traitées au chapitre 2. Les auteurs diront, à propos de ces dernières, que la définition de l'acceptabilité d'un risque ne peut se limiter à une équation :

> Quelque mathématique que soit leur format, les approches du risque acceptable concernent les humains; pour qu'une approche aide au processus décisionnel, elle doit faire des présupposés au sujet du comportement et, en particulier, du savoir des experts, du public et des décideurs. Quand ces présupposés ne sont pas reconnus ou sont erronés, ils peuvent mener à de mauvaises décisions et à des distorsions du processus politique. (Fischhoff *et al.*, 1981 : 35)[52]

4.3.2 Élimination à coûts raisonnables

L'élimination à coûts raisonnables est une méthode qui se rapproche des précédentes, mais qui élargit la problématique. Développée par Morgan (1992), la *prudent avoidance*, que Beauchamp (1996b) traduit par l'«élimination à coûts raisonnables», a été appliquée surtout à l'effet des champs électromagnétiques sur la santé (Morgan, 1989). La technique correspond à une situation dans laquelle :

> [...] on ne peut pas vraiment quantifier un domaine [...] on a des doutes, faiblement mais statistiquement fondés, sans posséder d'explication satisfaisante sur l'existence

---

51. Voir l'excellente discussion de ces approches dans A. Beauchamp, 1996a, que nous ne reprenons pas ici.
52. Notre traduction.

d'un risque potentiel [...] on ne sait pas trop si quelque chose peut être fait ni comment, avec quel degré de difficulté, mais que, par ailleurs, une partie de l'opinion publique s'inquiète et que de nouveaux projets soulèvent une inquiétude grandissante [...] (Beauchamp, 1996b : 37.)

En fait, le concept se situe entre l'analyse de risques formelle et le déni du risque lorsque, selon ce même auteur, «nous en savons trop pour ne rien faire et trop peu pour bien faire les choses» : à ce moment, une intervention prudente, en parallèle avec le développement de la connaissance, peut être appropriée.

L'élimination (*avoidance*) n'est pas entendue au sens d'évitement ou même de diminution : l'objectif final est réellement l'élimination du danger. S'ajoute aussi le concept de prudence, c'est-à-dire «des démarches pour éviter le pire, mais jusqu'à un certain coût» (Morgan, 1989). La prudence porte donc sur les dépenses, d'où les «coûts raisonnables». La méthode, qui définit en quelque sorte le risque acceptable de façon provisoire, consiste à :

[...] développer la recherche pour sortir de l'ignorance actuelle; informer la population de l'état actuel de la connaissance [...] poser des actions à coût raisonnable pour sortir les gens des champs [électromagnétiques]. (Beauchamp, 1996b : 48.)

Comme c'est le cas pour toutes les techniques, l'élimination à coûts raisonnables présente des avantages et des inconvénients (Beauchamp, 1996b : 86-89) :

- Avantages :
  - respect de l'état actuel des connaissances présentant de l'incertitude;
  - acte de responsabilisation de la part d'une entreprise;
  - stratégie proactive, favorisant la communication ouverte;
  - concept évolutif et variable.

- Limites :
  - prudence limitée au calcul financier, de nature quantitative, de l'intervention, excluant les aspects qualitatifs;
  - risque de devenir une stratégie manipulatrice de communication;
  - application variable d'une entreprise à l'autre en raison du caractère flou de la méthode;
  - démarche de plus en plus complexe à mesure que les dangers se précisent et que les acteurs se multiplient.

À quoi nous pourrions ajouter :
  - utilisation des comparaisons, par exemple avec les risques de la vie courante (couvertures électriques ou séchoirs à cheveux contre lignes à haute tension)[53].

---

53. Nous incluons ce point dans les inconvénients de la méthode, puisque l'utilisation des comparaisons présente, comme vu plus haut, certaines limites.

4.3.3 Modèles élitiste ou démocratique

Nelkin et Pollak (1980) ont proposé un modèle de prise de décision du risque acceptable fondé sur les mécanismes existant en Europe et aux États-Unis. Leur typologie, à la base, est double : la décision peut être élitiste ou démocratique. Elle se subdivise ensuite en un certain nombre de mécanismes, que nous détaillons dans ce qui suit.

4.3.3.1 Modèle élitiste

Ce modèle peut être fondé sur l'autorité scientifique ou sur le consensus interélites.

- Modèle élitiste fondé sur l'autorité scientifique :
  - Cours scientifiques, dans lesquelles des scientifiques débattent d'un thème (par exemple l'énergie nucléaire ou les lignes à haute tension) devant un juge *scientifique impartial*[54]. Dans ce forum, on ne débat que des questions de fait, laissant les jugements de valeur au politique.
  - Campagnes de l'énergie, dans lesquelles le gouvernement structure les débats publics parmi des scientifiques aux vues opposées (par exemple en Autriche, sur le nucléaire). Ici, il ne s'agit pas d'arriver à des consensus, mais plutôt de mettre en lumière les controverses et de clarifier les domaines de divergence.

- Modèle élitiste fondé sur le consensus interélites :
  - Commissions consultatives du ministère de la Science (Allemagne). On inclut les leaders des principales institutions (recherche, industrie, syndicats et autres groupes d'intérêt) dans des comités consultatifs.
  - Concertation régionale (France). Pour faciliter les localisations industrielles, on établit une concertation entre les représentants des principales associations et des commis de l'État, central et régional.
  - Commissions royales (Angleterre[55]). Leur but est de faire la lumière et de parvenir à des consensus sur des sujets controversés.

4.3.3.2 Modèle démocratique

Le modèle démocratique est fondé sur la participation du citoyen à la décision quant au risque acceptable. Il comprend les mécanismes suivants :

- Commissions d'enquête publiques. Ce sont des forums où l'on discute d'un projet et où diverses opinions peuvent être émises. Le public peut recevoir de l'aide pour y participer[56].

---

54. Italiques de notre part.
55. Et Canada.
56. Un exemple a été, au Québec, la commission Nicolet sur la gestion des barrages (1996).

- Enquêtes à la suite de plaintes. La France a un forum d'expression quand il s'agit de déterminer, par exemple, l'emplacement d'une centrale nucléaire. Pendant 6 à 8 semaines, tous les citoyens, dans un rayon de 5 km de l'endroit proposé, ont accès à l'ensemble des dossiers techniques et peuvent se faire entendre. Le préfet nomme un commissaire enquêteur (en général un fonctionnaire) qui recueille et évalue les plaintes ainsi que la réponse de l'entreprise nationale d'électricité, à la suite de quoi il recommande ou non que le projet reçoive le statut d'utilité publique. Il n'y a eu aucun refus à ce jour.

- Groupes consultatifs de citoyens. Il y a eu un tel groupe à Cambridge, en 1976, pour ce qui regardait les décisions de recombinaison de l'ADN.

- Référendums. Le public vote pour confirmer ou annuler une décision suscitant la controverse (exemple de la Suisse).

Fiorino (1990) reprend ce modèle démocratique et discute ses différents mécanismes. Il y ajoute :

- les sondages d'opinion, qui selon lui peuvent compléter la participation du public;

- la réglementation négociée, dans laquelle un comité de négociation réunit différentes parties, y compris l'organisme chargé de la réglementation;

- un tribunal technologique (Shrader-Frechette, 1985), où experts et citoyens débattent les options et font des recommandations.

Considérer la décision comme un processus est certes plus approprié que la considérer comme un objet statique. Mais même les processus soulèvent des questions, en particulier en ce qui touche la démocratie. Ainsi, selon Fiorino (1990), quatre critères permettent de juger du caractère démocratique d'un processus décisionnel. Ces critères sont formulés sous forme de questions, à savoir si le mécanisme :

- permet la participation de profanes, d'amateurs, c'est-à-dire de non-spécialistes;

- permet au citoyen de participer à la prise de décision, au «gouvernement»;

- offre une structure pour des discussions face à face pendant une période donnée;

- permet au citoyen de participer sur une base égalitaire avec les administrateurs publics et les experts.

Dans le même ordre d'idée, Nelkin et Pollak (1980) avaient déjà constaté certaines limites de leur typologie, qui s'appliquent également à l'ensemble des mécanismes démocratiques. Ils ont ainsi posé les questions suivantes :

- Comment est défini le problème (comme technique ou politique?) et par qui? Par exemple, les Cours scientifiques semblent ignorer que même la collecte de données est faite en fonction de jugements de valeur.

- Qui participe?

- Qui gère le processus?
- Qui possède les ressources techniques, l'information?
- Y a-t-il réellement un choix? Les oppositions des citoyens pèsent souvent bien peu en comparaison des intérêts financiers et stratégiques.

Les auteurs donnent, à titre d'exemple de limites à la démocratie, le cas d'une enquête publique sur l'emplacement d'une centrale nucléaire à Le Pellerin, en France, en 1977. Cette enquête a montré une forte opposition au projet de la part de la majorité de la population : les maires de 7 communes sur 12 ont refusé de prêter leur bureau pour l'enquête, des documents ont été volés et brûlés dans deux hôtels de ville, le préfet a dû enquêter sous protection de la police et la population a boycotté le processus. De ceux, peu nombreux, qui ont participé, 95 approuvaient le projet alors que 750 s'y opposaient. Toutefois, à la fin, les commissaires se sont déclarés inaptes à juger, tout en concluant en faveur du projet (Nelkin et Pollak, 1980).

Il est donc des cas où le modèle démocratique peut devenir élitiste, en particulier lorsqu'il s'agit de démocratie représentative. La question devient alors de savoir si la personne élue démocratiquement est apte à juger du risque acceptable, ou si ce dernier est trop complexe ou trop grave pour que l'élu décide. Dans ce dernier cas, deux options sont possibles, selon nous :

- un retour à la démocratie directe, c'est-à-dire à la participation de la population dans la décision (par exemple par initiative ou référendum, comme en Suisse);
- un passage à l'élitisme d'expertise (par exemple avec le mécanisme d'évaluation sociale des technologies).

On est ici au cœur de la délégation de pouvoir du citoyen à ses représentants, laquelle fait entrer la définition du risque acceptable dans le champ politique.

4.3.4 Consentement éclairé, droit à l'information, consensus informé

La démocratie a des exigences, dont la première, et l'une des plus importantes, est le droit à l'information. Car le pouvoir du citoyen suppose que ce dernier soit informé. Ici, un autre modèle de prise de décision nous vient de l'éthique médicale, à savoir le consentement éclairé. A. Beauchamp (1996a) en fait un modèle d'équité procédurale en ce sens que le patient a droit à toute l'information pour prendre une décision quant au traitement. Le médecin, pour sa part, a l'obligation d'informer son patient, qui devient alors partie prenante de la décision.

Ce modèle est intéressant pour quiconque doit décider de ce qui le concerne directement. Mais qu'arrive-t-il si la décision touche aussi son voisin? Ou si elle est susceptible d'engager les générations à venir? Beauchamp voit donc, avec raison, que la transposition d'une décision individuelle à une décision concernant de nombreux acteurs ne peut se faire facilement.

Toutefois, à titre d'ancien président du Bureau d'audiences publiques sur l'environnement (BAPE), l'auteur est à même de voir que l'information du public est une nécessité, tout au moins dans une société qui se veut démocratique. On parle d'ailleurs, dans cette perspective, de «consensus informé». Celui-ci :

> [...] consiste à mettre sur pied un jury formé de citoyens et citoyennes représentatifs de la population mais non impliqués dans des associations de militance. Ce jury reçoit alors l'information et est donc appelé à poser un jugement prudentiel sur l'acceptabilité des risques encourus [...], ce qui est visé étant toutefois un certain consensus et surtout le consentement. (Beauchamp, 1996a : 131-132.)

Un tel mécanisme doit cependant répondre aux questions de Nelkin et Pollak (1980) vues plus haut : comment sont choisis les représentants, qui définit le problème, etc. Au surplus, l'utilisation de l'information et le lien entre celle-ci et les comportements subséquents peuvent constituer d'autres questions épineuses (Council for Science and Society, 1977). Ainsi :

- Le fait que chaque personne subissant un risque a accès à toute l'information disponible implique-t-il nécessairement qu'un jugement approprié suivra?
- Que faire si une personne n'accepte pas le risque?
- Tous les développements technologiques devraient-ils être soumis au veto individuel?
- Quelles compensations envisager pour les personnes qui sont exposées à un risque jugé intolérable ou qui doivent déménager? Qui décide? La société doit-elle se prémunir contre les opposants qui seraient tentés de la tenir en otage parce qu'ils seraient les premiers bénéficiaires de leur refus?

Car avoir toute l'information nécessaire ne signifie pas que le consensus se fera obligatoirement, comme le souligne M. Douglas (1992 : 30) : «Le consensus ne dépend pas de la reconnaissance des faits.» Tout comme pour la démocratie, il ne s'agit pas seulement d'une question d'information mais aussi d'une question de pouvoir, bien que l'information soit un élément essentiel dans une relation de pouvoir.

4.3.5 Analyse stratégico-systémique

L'analyse stratégico-systémique peut contribuer à éclairer le processus de décision quant au risque acceptable en mettant en lumière le pouvoir. La méthode avait été mise au point pour comprendre les interrelations entre la technologie et la société, dans une perspective d'analyse stratégique (Denis, 1987). Un exemple formel en a aussi été donné pour illustrer l'utilisation d'une technologie en cas de catastrophe (Denis, 1993a : 231-233). Cette analyse se fait en plusieurs étapes :

- définition du système opératoire de base de l'activité pour, par exemple, produire un bien ou un service;

- définition du système technique autour de ce système opératoire;
- définition du système sociotechnique autour des précédents systèmes, avec ses éléments économiques, politiques, sociaux, environnementaux et culturels;
- analyse stratégique des principaux acteurs, des atouts dont ils disposent, des enjeux (ce qu'ils ont à perdre ou à gagner dans le jeu) et des stratégies d'action possibles.

Bien entendu, ce modèle ne prétend pas être en mesure de prédire les résultats de la dynamique d'ensemble, mais il permet de saisir la technologie dans une perspective globale, de cerner les interrelations entre ses éléments et de voir également les relations entre le technique et le social. Enfin – et surtout – à cette image, qui serait encore relativement statique, s'ajoute la dynamique du pouvoir.

La méthode est neutre en ce sens que, selon la typologie de Nelkin et Pollak (1980), elle peut être utilisée de façon élitiste, par des experts en vase clos, en fonction de leurs connaissances (experts tant des sciences appliquées que des sciences sociales); elle peut également s'ouvrir à la participation de groupes ayant des enjeux importants à débattre.

4.3.6 Processus de méta-décision

On constate donc que la décision quant au risque acceptable n'est pas une décision ordinaire, mais plutôt, selon le terme de Fischhoff *et al.* (1981), une «méta-décision». Les auteurs proposent des critères pour juger les différentes approches servant à définir l'acceptabilité d'un risque. Selon eux, pour conclure qu'un risque est acceptable, une approche doit être le plus possible (Fischhoff *et al.*, 1981 : 53-59) :

- globalisante : elle doit refléter l'incertitude, reconnaître les différentes valeurs et les limites humaines, et être suffisamment souple pour recevoir toute nouvelle information;
- rigoureuse sur le plan logique : elle doit refléter une règle non biaisée, correspondant à la société en cause; elle doit être fiable ou capable d'être reproduite, et doit pouvoir tenir compte des divers aspects d'un problème;
- pratique : elle doit correspondre aux vrais problèmes, au vrai monde et aux vraies contraintes de ressources;
- ouverte à l'évaluation : elle doit répondre aux questions des intéressés relativement aux présupposés de départ, aux racines politiques ou philosophiques, aux options, aux intrants, aux procédures, etc.;
- acceptable politiquement : elle ne doit pas être trop compliquée, au point de donner lieu à d'interminables procès, ni au contraire trop simpliste et donc facilement manipulable par les parties en cause; en ce sens, le processus menant à la décision est important;

- compatible avec les institutions existantes : elle doit être prise en considération par les institutions capables et ayant le pouvoir de gérer le risque, sans pour autant devenir un outil servant des fins inavouées; il se peut que ce soit l'institution plutôt que le processus qui doive s'adapter;

- susceptible de mener à des apprentissages sociaux quant au risque et, éventuellement, à des changements dans les institutions; pour cela, l'approche doit :

  - laisser transparaître ses présupposés et ses délibérations, pour faciliter la conservation des connaissances;

  - offrir une communication bidirectionnelle entre les scientifiques et les preneurs de décision, pour faciliter une compréhension mutuelle des problèmes et des incertitudes;

  - former les profanes, pour faciliter leur compréhension du processus;

  - avoir suffisamment de portée pour être utilisée dans plusieurs contextes.

Selon ces auteurs toujours :

- La question du risque acceptable est une question de décision. Le choix dépend de valeurs et ne peut donc être quantifié.

- Aucune approche n'est parfaite ou infaillible. Chacune sélectionne des éléments et en ignore d'autres. En ce sens, les approches sont toutes biaisées en fonction d'intérêts ou de solutions privilégiées.

- Une séparation claire entre les faits et les valeurs est impossible.

- Le facteur déterminant, dans plusieurs décisions sur le risque acceptable, est la définition du problème. Quelles options et conséquences sont considérées (par exemple les coûts-bénéfices liés à l'entassement des pneus usés dans une décharge, au fait de procéder ou non par îlôtage, à l'option de recyclage)? Quels types d'incertitudes sont examinés et comment sont opérationnalisés les concepts clés?

- Des problèmes nouveaux peuvent provoquer des choix de valeurs pour lesquels il n'y a pas de préférences claires. À ce moment, la personne qui doit choisir peut être influencée par le chercheur et par la formulation du problème.

- La distinction entre ce qui est objectif et ce qui est subjectif, en particulier dans le cas des nouveaux risques complexes, est loin d'être nette.

La décision quant au risque acceptable n'est donc pas facile. Car les acteurs engagés dans et par ce type de décision ne se réunissent pas une fois pour toutes pour prendre *une* décision. La définition du risque acceptable est en effet un processus itératif, qui se fait dans le temps. Et parce qu'il s'agit d'un processus, l'accent doit être mis sur ce dernier tout autant que sur le résultat final, la décision.

4.4 RÉGULATION DU RISQUE

Parler de risque acceptable, c'est ouvrir la porte non seulement au processus de décision par lequel sera définie cette acceptabilité, mais encore à la régulation plus large, sociétale, du risque. Ici, nous employons volontairement le mot *régulation*, puisqu'aucun autre terme ne nous semble refléter les notions de *législation, réglementation, contrôle, maîtrise, encadrement*, etc., que sous-tend, selon nous, la régulation. Par ailleurs, son emploi est aussi justifié du fait qu'il peut s'appliquer aux différents types de régulation que nous avons retenus.

On constate en effet deux tendances majeures dans la régulation du risque. La première est l'autorégulation par les entreprises; ce mécanisme les laisse libres d'assurer elles-mêmes la sécurité et de définir ce qui est acceptable. La deuxième tendance est la régulation gouvernementale[57]; celle-ci n'assure toutefois pas qu'elle sera appliquée, l'application devenant un enjeu sociétal avec ses propres conditions. En parallèle, on trouve ou non des régulations concernant la communication du risque soit comme support de la régulation gouvernementale, soit comme complément à l'autorégulation. Enfin, entre les deux types de régulation se situe celle apportée par les assureurs.

4.4.1 Autorégulation
4.4.1.1 Marché

Nous intégrons ces deux concepts – autorégulation et lois du marché – en un seul, bien qu'à première vue cela puisse sembler contradictoire. Mais en fait, le plus souvent, l'autorégulation – officielle – est en fait une régulation – officieuse – par les lois de l'offre et de la demande. C'est la tendance actuelle, en particulier en Amérique du Nord et en Europe, et elle présente certains dangers.

En effet, les organisations ont des approches bien différentes en matière de sécurité, tant interne qu'externe, et certaines d'entre elles peuvent laisser à désirer. Par ailleurs, l'internationalisation des marchés et la concurrence encore plus forte qui en découle pourraient faire en sorte qu'à l'avenir, même pour les entreprises prudentes, la régulation du risque en vienne à passer au dernier rang de leurs préoccupations.

Dans un tel contexte, il est évident que les stratégies d'entreprise sont davantage orientées soit vers le profit, soit tout simplement vers la survie. Cette attitude peut subsister jusqu'à ce qu'une catastrophe survienne. Ainsi, comme nous le verrons au chapitre suivant de façon plus détaillée, les bilans de certaines catastrophes (plate-formes d'exploration pétrolière, échouement de traversiers et autres) ont montré que le seuil du risque acceptable n'était pas très élevé, dans une gestion du risque autorégulée (Eisner, 1991).

---

57. Nous laissons ici volontairement de côté les mécanismes de participation, dans la mesure où ils représentent le plus souvent un apport dans l'établissement de la régulation.

Un autre exemple d'autorégulation, tristement célèbre, est celui de la Ford Pinto. Dans ce cas, la régulation par le marché a pris la forme d'analyses coûts-bénéfices. Le dilemme de l'entreprise, dans la décision du risque acceptable, était le suivant :

- ou adapter le prototype de la Pinto aux normes recommandées mais non encore légales à cette époque, retardant de ce fait la production et diminuant la compétitivité;
- ou produire l'auto en sachant qu'il existait un risque relativement élevé que le réservoir prenne feu en cas d'accident.

Ce dilemme fut résolu par une analyse coûts-bénéfices qui tranchait nettement en faveur de la deuxième partie de l'alternative[58] :

- Pertes estimées à ce moment : 180 morts brûlés (estimés à 200 000 $ par vie humaine); 400 brûlés graves; 2 100 Pinto détruites.
- Coûts de l'adaptation : 11 $ par voiture.
- Bénéfice de 137 millions de dollars si la correction n'est pas faite.
- Bénéfice net, si la correction est faite : valeur estimée à 49,5 millions de dollars.

Ford n'était toutefois pas seule à prendre une telle décision : les autres fabricants d'automobiles avaient eux aussi protesté contre les mesures législatives visant, dans les années 1960, l'installation de réservoirs d'essence sécuritaires. La décision de l'entreprise était en fait rationnelle, selon l'économiste M. Friedman (1970) : Ford avait respecté les lois en vigueur, respecté son engagement auprès des actionnaires – c'est-à-dire maximiser leurs dividendes – et respecté le client en lui vendant une voiture à bas prix. Au surplus, selon cette perspective économique, l'ultime responsable est le consommateur qui, en fonction des lois du marché, devient le décideur final.

Mais il est évident que la méthode du consentement éclairé ne s'applique certainement pas ici! Car tout porte à croire que ce consommateur, s'il avait eu l'information nécessaire pour prendre sa décision, aurait probablement acheté un autre modèle de voiture... À moins qu'il n'ait été particulièrement fataliste! Le problème du risque acceptable, dans cette optique, est qu'il est déterminé par des acteurs – les consommateurs – qui ne disposent pas de toute l'information nécessaire : c'est là une des faiblesses de cette loi du marché si chère à certains économistes.

Tout cela ne signifie pas que les entreprises adoptent nécessairement une vision aussi étroite que dans l'exemple précédent pour autoréguler les risques (rappelons, à la défense de Ford, qu'il s'agissait, au moment de la décision, de probabilités et d'estimations, non de certitudes –

---

58. Cet exemple de la Ford Pinto est basé sur le texte de Clarke (1988), citant Dowie (1977), et sur celui de Kaufman (1995). Les auteurs ne donnent pas davantage de précisions sur les chiffres qui suivent.

tout comme pour le lancement de Challenger). Il est en effet des entreprises soucieuses de bien gérer leurs risques, telles ces entreprises à haute fiabilité dont il sera question plus loin. Ainsi, pour n'en mentionner que quelques-unes, les centrales nucléaires fonctionnent sans qu'on se retrouve avec des Tchernobyl tous les jours et les grandes raffineries ont depuis longtemps mis l'accent sur la sécurité.

Le danger, toutefois, est que, dans un contexte de concurrence débridée, des économies se fassent sur le dos des mesures de sécurité, abaissant parfois dangereusement les seuils de ce qui est acceptable, comme on le constate – malheureusement trop tard – après la catastrophe.

4.4.1.2 Associations professionnelles et regroupements de partenaires industriels

Il existe aussi des formes d'autorégulation qui s'exercent par l'intermédiaire des associations professionnelles. Ainsi, dès 1984 au Canada (c'est-à-dire avant Bhopâl), l'Association des manufacturiers canadiens de produits chimiques avait énoncé le concept de «gestion responsable» (appellation réservée), selon lequel l'entreprise gère de façon responsable un produit pour toute sa durée de vie. Ce code de déontologie s'applique à toutes les activités de ces organisations, tant au Canada qu'à l'étranger. Le programme est obligatoire pour toute entreprise membre de l'Association, mais il ne l'est pas de façon plus générale[59].

Une autre forme d'autorégulation est assurée par les regroupements de personnes et d'organisations autour d'un ou de plusieurs risques majeurs. Ainsi est né au Canada le Conseil canadien pour les accidents industriels majeurs (CCAIM), mis sur pied à la suite de Bhopâl. Il est composé des principaux partenaires en matière de risques, à savoir :

* des représentants des différents paliers de gouvernement, parmi lesquels les organismes de protection civile jouent un rôle important;
* des industries;
* des associations professionnelles;
* des syndicats;
* des groupes environnementaux;
* des universitaires.

Le CCAIM a formé des comités de travail qui produisent des recommandations quant à ce qui est un risque acceptable pour l'industrie et les municipalités. Les gouvernements tant fédéral que provinciaux s'appuient d'ailleurs parfois sur ces recommandations pour établir les lois, particulièrement en matière de protection civile.

---

59. Ceci permet de conserver le terme d'autorégulation, l'entreprise choisissant d'adhérer au programme.

Le volontariat est à la fois la force et la faiblesse de ce type d'autorégulation par les associations. Le danger est en effet, dans certains cas du moins, que l'influence du regroupement s'exerce auprès des seuls convertis : les entreprises ou associations membres sont déjà sensibilisées au risque majeur et, le plus souvent, elles ont déjà pris des mesures à l'interne. Ce sont probablement celles qui n'en font pas partie qui auraient le plus besoin de régulation, quelle qu'en soit la forme.

L'avantage d'un tel regroupement, toutefois, est qu'il permet des échanges d'information sur les risques. Cependant, cette collecte d'information constitue aussi un point délicat, particulièrement – encore une fois – en situation de concurrence, où l'information sur les risques en vient facilement à faire partie des données confidentielles sur les procédés. Et sans information sur les quasi-accidents ou sur les risques nouveaux, il est bien difficile de mesurer les risques et de les réguler. L'aspect volontaire de l'échange d'information ne permet pas, dans ce cas, de connaître vraiment toutes les situations présentant un risque.

Malgré tout, en dépit de ses limites, l'autorégulation du risque par les associations, lorsqu'elle est fondée sur la confiance réciproque, constitue un excellent mécanisme de régulation du risque, comme en témoigne, entre autres, le rôle des associations de pilotes dans l'aviation civile.

4.4.2 Régulation par l'assurance

Les assureurs constituent des acteurs importants de la régulation du risque, et ce depuis la Haute Antiquité (Covello et Mumpower, 1985). Ce sont eux qui décident, par exemple, quel risque sera ou non assurable, quelles mesures de mitigation seront déductibles des primes et, en définitive, quel sera le risque acceptable. En ce sens, ils ont, selon Britton (1991 : 211-212), une fonction latente autre que celle, explicite, de compenser les pertes subies à la suite des sinistres :

> [...] l'assureur est le détenteur de règles sociales généralisées. Ainsi, le groupe des assureurs agit, quoique non intentionnellement, en tant que régulateur des comportements sociaux en encourageant les acteurs sociaux et les institutions à agir d'une certaine façon et, simultanément, en décourageant d'autres types de comportements [...] Enfin, l'assureur aide à maintenir les valeurs sociales et les coutumes en indiquant quelles choses la société considère comme plus importantes. Dans notre société, nos valeurs sont orientées vers la sécurité et la préservation de la vie et de la propriété, et c'est précisément ces éléments qui sont assurables. Au surplus [...] l'assureur peut devenir un architecte important dans le développement d'actions de régulation chez les industries à risque [...] [il détermine] quelles pratiques de contrôle du risque seront acceptables en tant que moyens de diminuer la vulnérabilité du public au regard d'un danger.[60]

---

60. Notre traduction.

Les assureurs, en fait, sont à mi-chemin entre l'autorégulation et la régulation gouvernementale dans la mesure où les entreprises, si elles sont libres de choisir l'assureur, ne le sont pas quant aux règles générales de l'assurance. C'est la raison pour laquelle les assureurs sont d'importants acteurs en matière de risque. Jusqu'à maintenant, leur rôle – privé – de régulation a surtout été fondé sur les lois du marché, mais rien n'empêche ces entreprises de l'élargir en incluant des préoccupations davantage sociales.

4.4.3 Régulation gouvernementale

Les lois et règlements sont les mécanismes de la régulation gouvernementale. Par rapport à l'autorégulation, ils constituent des moyens que les sociétés se donnent pour contrer le risque, en définissant ce qui est acceptable. Nous pouvons distinguer deux aspects à cette régulation : son établissement et son application, tous deux étroitement liés.

4.4.3.1 Établissement de la régulation

La régulation dépend tout d'abord du climat social. Par ceci, nous voulons dire que, selon les époques, les sociétés auront tendance ou à réguler les risques, ou au contraire à les déréguler. C'est ainsi qu'actuellement, dans la plupart des pays occidentaux, on observe un mouvement vers la dérégulation, la régulation gouvernementale devenant quelque peu synonyme d'auto-régulation par les entreprises.

Outre le climat social, un autre facteur qui influe sur la régulation est le jeu des groupes de pression avant l'adoption de la régulation. Ce jeu peut évidemment être favorisé – ou non – par le climat social général. Le développement des régulations serait influencé également par les facteurs suivants, selon Covello et Mumpower (1985) :

- rythme accéléré des changements technologiques, entraînant une plus grande complexité des risques (nouveaux produits, etc.);
- accroissement de la vitesse des développements scientifiques et technologiques, avec une plage de temps moindre entre l'innovation et la mise en marché;
- rôle accru du gouvernement en tant que producteur de risques, particulièrement par son appui aux activités de recherche et développement;
- coûts de plus en plus élevés du contrôle des risques technologiques et des dommages qu'ils causent.

Selon nous, c'est ce dernier point, soit le coût des catastrophes, qui exerce le plus d'influence sur la régulation gouvernementale, à quoi vient s'ajouter l'impact de la pression du public à la suite de ce type d'événement. Comme preuve, nous nous appuyons sur le fait que les autres éléments mentionnés par les auteurs sont présents dans nos sociétés, ce qui n'empêche nullement la tendance à la dérégulation. Toutefois, si un véritable désastre survenait, on verrait certainement surgir des demandes pour une régulation accrue. Car les catastrophes ont ceci de positif qu'elles font réfléchir. À titre d'exemple citons, entre autres, l'accident de Seveso (où, en 1974, une explosion dans une usine italienne de Hoffman La Roche fabriquant des herbicides a provoqué un nuage toxique), qui a donné naissance à la directive du même nom.

Cette directive Seveso, adoptée en 1982[61] par la Communauté économique européenne (CEE), est une régulation qui impose aux pays membres qui y adhèrent de légiférer pour obliger les entreprises à faire réaliser des études de risque avant d'entreprendre certains projets. Elle stipule également que le public doit être informé de la nature et de l'étendue des risques existants, des mesures de mitigation et des plans d'urgence prévus en cas de catastrophe. Cependant, quoique les entreprises soient tenues de s'y conformer dans certains cas de risques majeurs, l'application de la directive dépend beaucoup de la bonne volonté : elle se rapproche, de ce fait, de l'autorégulation[62].

L'Amérique du Nord n'a pas d'équivalent de la directive Seveso, bien que quelques mécanismes aillent dans le même sens. Ainsi, aux États-Unis, on exige des analyses de risques pour certains types de projets ayant un impact important sur l'environnement. On a aussi rendu obligatoires des mécanismes selon lesquels les entreprises informent des comités locaux de planification d'urgence des risques auxquels elles exposent la communauté. Toutefois, les avis sont partagés quant à l'utilité de ces comités : Bissett (1995) estime qu'ils sont un franc succès alors que Rossman (1994) croit que le public a, dans les faits, peu de pouvoir, sa participation ne devenant qu'un critère parmi d'autres dans la décision quant au risque acceptable.

Le Canada semble suivre le modèle américain. Il a lui aussi, tant au niveau fédéral que provincial, des régulations pour certains projets à impact majeur sur l'environnement. La régulation exige dans ces cas des études de risques de la part du promoteur, études qui peuvent ensuite être remises en cause par des citoyens mécontents. Il s'agit là de l'un des rares mécanismes d'information et de participation du public dans la définition d'un risque acceptable, si l'on exclut le jeu des groupes de pression quant à l'adoption d'une loi. Le Canada et les provinces n'ont pas non plus de réglementation gouvernementale – du type Seveso – relative à l'information du public en ce qui concerne les risques engendrés par les entreprises : ils se fient à l'autorégulation, celle des entreprises et celle des associations.

---

61. À noter quand même ici le temps écoulé entre l'accident et l'adoption de la directive.
62. Il semble d'ailleurs que la directive, en 1997, ne soit pas encore implantée de façon généralisée.

4.4.3.2 Application de la régulation

Une fois la régulation adoptée, tout n'est pas joué. Un opposant à un projet de loi ou de règlement a encore la possibilité, une fois celui-ci mis en œuvre, de faire en sorte qu'il ne soit pas appliqué. Parmi les multiples moyens qui s'offrent à lui, les plus importants sont, d'une part, la possibilité d'engager d'excellents plaideurs, s'il entame des poursuites judiciaires à la suite d'une accusation portée contre lui et, d'autre part, la déclaration de faillite.

La régulation peut également être inopérante si les organismes chargés de son application ne remplissent pas leur mandat. Deux possibilités, entre autres, peuvent expliquer une telle situation. Tout d'abord, l'organisme n'est pas en mesure d'agir, parce qu'il ne dispose pas des ressources nécessaires : par exemple, des compressions budgétaires et de personnel peuvent empêcher la vérification de l'application des lois et règlements. Si tel est le cas, il est évident que ces derniers deviennent parfaitement inutiles. La non-application de la régulation peut aussi découler du fait que l'organisme régulateur s'identifie aux préoccupations des entreprises qu'il a pour mission d'encadrer. L'exemple de la Federal Aviation Administration (FAA), fourni par Schiavo (1997), peut servir ici d'illustration. Soulignons que la discussion qui suit n'a pas pour objectif de dénigrer l'action d'un organisme régulateur, mais bien de comprendre les liens qui unissent cette action à la société dans laquelle elle s'inscrit[63].

Historiquement, les États-Unis ont adopté en 1926 la première loi dans le domaine de l'aviation civile, la *Air Commerce Act*, dont la mission était de réguler le trafic aérien. Ce dernier consistait surtout, à cette époque, en transport de courrier, ce qui explique sans doute que la responsabilité de la régulation ait été confiée alors au ministère fédéral des Postes. Avec le développement du transport des passagers, et pour rassurer ces derniers, s'ajouteront graduellement des régulations de la part des États ainsi qu'une autorégulation dans les entreprises.

En 1958 est créée la FAA, avec le double mandat de réguler la sécurité dans le transport aérien et de promouvoir l'aviation commerciale. Toutefois, les législateurs n'avaient pas prévu que les deux volets du mandat pouvaient être contradictoires. Selon Schiavo, la FAA va tendre à pencher en faveur du deuxième volet – la promotion de l'aviation commerciale – pour un certain nombre de raisons parmi lesquelles figure sa culture organisationnelle, très proche de celle des entreprises qu'elle doit réguler (le phénomène venant, entre autres, d'une rotation des têtes dirigeantes).

---

63. Les données à la base de notre analyse proviennent, comme mentionné, de l'ouvrage de Schiavo (1997), dont nous recommandons la lecture pour compléter les connaissances dans le domaine du risque relatif au transport aérien. La seule réserve à apporter ici est que ces données correspondent au moment où l'auteur, à titre d'Inspecteur général du transport, a analysé les faiblesses de la FAA et que, depuis ce temps, la situation peut avoir changé.

Dans le climat de forte régulation qui entoure la naissance de l'organisme, cette stratégie a peu de répercussions puisque la sécurité est assurée par d'autres moyens. Cependant, à partir des années 1980, la situation va changer : progressivement, les anciens régulateurs se retirent et la FAA se retrouve, de ce fait, seul organisme régulateur (le National Transportation Safety Board ou NTSB, chargé d'enquêter et de faire des recommandations en matière de sécurité aérienne, n'a pas de pouvoir de régulation). Selon Schiavo, la FAA continue alors de favoriser le deuxième volet de son mandat et, comme cette stratégie n'est plus désormais contrebalancée par d'autres forces de régulation, la sécurité relative au transport aérien est, toujours selon l'auteur, mise en péril.

Comment une telle situation a-t-elle pu se développer? Tout d'abord, pendant les années 1980, la demande pour ce type de transport est à la hausse et les entreprises de ce secteur réalisent d'énormes bénéfices. On pourrait dès lors poser en principe que, en vertu d'une situation aussi satisfaisante financièrement, l'autorégulation par les entreprises va assurer la sécurité. Pourtant, il n'en est rien, l'autorégulation diminuant même par rapport aux périodes précédentes. Une telle situation s'explique entre autres par le fait que, à la suite de la déréglementation favorisée par un gouvernement conservateur, la naissance de nouvelles entreprises augmente la concurrence et rend donc la gestion plus difficile et plus serrée.

En parallèle avec la concurrence, le risque augmente également. Le phénomène vient du fait que, entre autres :

• le nombre de vols se multiplie, reflétant en cela le climat d'optimisme économique;

• les appareils sont plus chargés, tant de marchandises que de passagers, pour des raisons de rentabilité;

• les appareils se détériorent avec le temps;

• certaines nouvelles entreprises axent leurs activités sur les profits à réaliser, indépendamment de la sécurité.

Dans ce contexte de risque accru, mais également de concurrence féroce, la FAA va définir le risque et les mesures de mitigation qui y correspondent – mesures parfois recommandées par le NTSB – comme des coûts supplémentaires susceptibles de diminuer la rentabilité des entreprises. En cela, l'organisme reflète les préoccupations des organisations que, en fonction du deuxième volet de sa mission, il doit protéger :

> Les recommandations concernant des modifications aux pratiques des compagnies aériennes, de nouveaux équipements, des règles de sûreté plus strictes, tout cela était évalué non en fonction du nombre d'accidents que ces mesures pouvaient permettre d'éviter ou du nombre de vies qu'elles pouvaient sauver, mais par rapport aux montants qu'elles coûteraient aux compagnies d'aviation, aux constructeurs, aux fabricants de

pièces ou aux entreprises préposées à l'entretien des appareils [...] [Ces coûts étaient jugés] trop élevés par rapport à la faible probabilité statistique d'un écrasement fatal [...] (Schiavo, 1997 : 49)[64]

En somme, lorsque la sécurité et la rentabilité sont conflictuelles ou perçues comme telles – ce qui revient, en définitive, au même –, la balance penchera en faveur de la seconde, et ce d'autant plus qu'il y a identification culturelle entre l'organisme régulateur et les entreprises qu'il doit encadrer. Dans ce sens, la définition du risque acceptable est, une fois de plus, sociotechnologique.

4.4.3.3　Centralisation ou décentralisation de la régulation gouvernementale

Le cas précédent illustre l'identification qui s'établit, informellement, entre un organisme régulateur et ses «régulés», et soulève la question de la centralisation, c'est-à-dire du niveau optimal auquel un tel mécanisme d'identification ne pourrait plus jouer. La situation, ici, peut se comparer au phénomène analysé par Crozier (1963) dans le modèle bureaucratique à la française, où la peur de l'arbitraire des décisions, lorsque celles-ci sont prises à un niveau proche des principaux intéressés, incite à favoriser la centralisation. On perçoit alors celle-ci comme un mécanisme qui peut garantir l'impersonnalité d'une décision, définie comme plus juste parce que plus éloignée des intérêts divergents.

Par conséquent, doit-on nécessairement centraliser la régulation du risque et la définition du risque acceptable qui en est partie intégrante? Telle est la question qui est maintenant considérée. Et cette question est d'autant plus importante que certains pays, comme le Canada, les États-Unis ou la Suisse, ont plusieurs paliers de gouvernement. Nous ne prétendons pas, bien évidemment, résoudre ici cette épineuse question, même dans le domaine limité de la gestion du risque : tout au plus nous contenterons-nous de fournir quelques pistes de réflexion.

Une de ces pistes est offerte par une recherche effectuée aux États-Unis sur les avantages respectifs de la centralisation ou de la décentralisation de la gestion des risques (Solomon, 1987). Il s'agit de deux études de cas portant respectivement sur :

- une décision d'enlever l'amiante des écoles;
- la fermeture d'une fonderie à Tacoma (WA), en raison des dangers de cancers de la peau et du poumon liés à des rejets d'arsenic.

---

64. Notre traduction.

Dans les deux cas, on cherchait à savoir si la décentralisation d'une décision au niveau local, celui d'une municipalité, présentait ou non des avantages. Selon cette étude, la décentralisation offre les avantages suivants :

- Comme la pollution d'une usine affecte directement la population avoisinante, c'est à cette dernière de décider du niveau de risque tolérable.

- Les responsables locaux peuvent négocier (*trade-offs*) l'allocation des ressources limitées pour faire face au risque (par exemple utiliser une partie des sommes allouées à d'autres risques pour enlever l'amiante des écoles).

- Les gens acceptent davantage une décision s'ils peuvent faire un choix informé (risque volontaire).

La prise de décision à l'échelle locale soulève toutefois un certain nombre d'inconvénients :

- Une décision locale peut avoir un impact négatif sur une communauté du voisinage; par exemple, une municipalité peut tolérer des rejets toxiques élevés dans un cours d'eau, ce que la municipalité voisine ne veut pas mais est forcée d'accepter.

- La gestion locale du risque peut être coûteuse et donner lieu à une duplication des efforts.

- Les gouvernements locaux sont soumis à des pressions politiques, par exemple en vue d'obtenir certaines industries sans égard aux conséquences sur la santé.

- Les élus locaux ne peuvent plus blâmer le fédéral pour les actions impopulaires[65].

En fait, le troisième inconvénient de cette liste se rapproche de ce que Crozier (1963) avait défini comme l'arbitraire des décisions, arbitraire justifiant alors le modèle centralisateur de la bureaucratie à la française. Ce modèle a également un autre avantage, celui de pouvoir blâmer le décideur sans danger, puisqu'il est relativement éloigné. C'est d'ailleurs ce que reflète le dernier inconvénient de la liste ci-dessus. Dans cette perspective, doit-on alors voir la centralisation comme une nécessité?

Selon nous, la réponse à cette question de la centralisation ou de la décentralisation de la régulation n'est pas unique mais dépend du risque en cause. En effet, des décisions telles que la construction résidentielle dans des zones inondables appellent la décentralisation, à condition cependant que celle-ci comprenne aussi les coûts de réparation. D'autres types de risques, tels le nucléaire ou l'énergie hydroélectrique, seraient difficilement décentralisables, par exemple au niveau d'une municipalité, dans la mesure où ils profitent à une communauté plus large.

Entre les deux, on trouve toutefois des situations beaucoup moins nettes. Ainsi, la régulation concernant l'installation d'une usine de traitement de déchets toxiques pourrait être à première

---

65. On rappelle au lecteur qu'il s'agit des États-Unis et non du Canada...

vue perçue comme relevant d'une municipalité, donc décentralisée. Pourtant, une étude plus approfondie, comme une analyse stratégico-systémique, permet de comprendre que la décision s'inscrit dans un ensemble plus large : le transport des déchets toxiques, par exemple, va toucher d'autres municipalités qui ne bénéficieront pas des retombées du projet et en subiront au contraire les inconvénients et les dangers. Il faut aussi compter le coût global des réparations, dans le cas où une catastrophe se produirait. Quel est alors le risque acceptable? Et à quel niveau de responsabilité appartient la régulation? La discussion est ouverte...

4.4.4 Régulation et définition d'un seuil d'acceptabilité

Une recherche (Harrison, 1991) touchant les seuils de dangerosité acceptables pour les dioxines illustre l'interdépendance des éléments vus précédemment, entre autres les calculs de risques, les seuils d'acceptabilité, la réglementation et le pouvoir des organisations. Son auteur décrit bien en effet ces phénomènes, en analysant comment le risque concernant un même produit peut avoir des seuils différents selon les pays et, à l'intérieur d'un pays, selon les organismes régulateurs. Il faut dire que ce polluant présente de l'incertitude scientifique du fait qu'il n'est jamais fabriqué mais résulte plutôt d'un autre contaminant, duquel il faut l'isoler pour savoir s'il a ou non un réel effet cancérigène.

4.4.4.1 Réglementation

L'auteur montre tout d'abord que le risque présenté par les dioxines sur la santé humaine avait, selon les cas, une régulation différente. Le Canada par exemple avait deux règlements, en vertu de la *Loi sur les aliments et drogues*. Le premier, adopté en 1980, défendait toute présence de dioxines dans les aliments sur le marché. Cependant, après qu'on eut trouvé ce polluant dans le poisson des Grands Lacs, la norme a été révisée (à la baisse) pour un certain type de dioxines dans le poisson. La décision n'était pas rationnelle, selon l'auteur, en ce sens qu'on prohibait tous les types de dioxines dans les aliments vendus, à l'exception du poisson, qui contient pourtant le type le plus pernicieux de ce produit toxique. Aucune justification n'a été donnée à ce moment-là[66].

En fait, au regard de la régulation :

> Les premiers énoncés des représentants du gouvernement canadien suggéraient une préférence pour la persuasion et des lignes directrices plutôt que pour des régulations à respecter. (Harrison, 1991 : 372)[67]

Les États-Unis, par contre, avaient peu de règlements concernant les dioxines.

---

66. Par la suite (en 1990), ces produits ont été inscrits dans la liste des substances toxiques sous une nouvelle *Loi canadienne de protection de l'environnement*.
67. Notre traduction.

4.4.4.2 Analyses de risques, seuils d'acceptabilité et justifications

Outre les diverses réglementations, les analyses de risques et les seuils présentaient également des variations. Par exemple, les analyses de risques sur la santé effectuées par l'Environmental Protection Agency (EPA) avaient fixé, mathématiquement, un seuil de danger 1 700 fois plus bas que celui du Canada. Cependant, simultanément, une autre agence américaine, le Centre des maladies virales d'Atlanta, avait défini un seuil plus élevé que celui de l'EPA. Dans ce contexte, on comprend que de nombreuses pressions soient apparues pour faire réviser – à la hausse – le seuil de l'EPA.

Une autre agence américaine, la Food and Drug Administration (FDA), avait elle aussi étudié la pollution des Grands Lacs et, comme Santé Canada, avait préféré des normes générales. Elle avait de fait défini à peu près le même seuil de danger que l'organisme canadien. La FDA justifiait toutefois ses seuils de façon différente : selon l'auteur, on a l'impression qu'elle avait utilisé les méthodes de Santé Canada, puis adopté par la suite le modèle mathématique de l'EPA pour la justification auprès du législateur.

Cependant, en dépit du fait que la FDA ait senti le besoin de justifier le seuil qu'elle jugeait acceptable par le recours aux analyses classiques de risques, les scientifiques qui avaient effectué ces calculs n'avaient pas, eux, une foi aveugle dans leurs propres méthodes : «À ce stade, ce n'est pas une science» ou encore «Tout est fumée et miroirs», ont-ils affirmé (Harrison, 1991 : 378).

On se trouve donc devant une situation où, globalement, les seuils acceptables diffèrent. On peut classer ainsi les organismes, eu égard à ces seuils, selon leur degré de sévérité (allant de plus à moins) :

- EPA;
- Santé Canada et FDA;
- Centre des maladies virales d'Atlanta.

4.4.4.3 Définition stratégique des seuils d'acceptabilité

Comment expliquer de telles différences entre des seuils de danger pour un même produit?

Une première explication, selon Harrison, est que des groupes de pression influencent les décideurs : l'industrie forestière fait par exemple pression en faveur de normes minimales relatives à l'utilisation des préservatifs du bois, l'industrie papetière fait pression pour faire accepter leurs rejets affectant les poissons et l'industrie de la pêche, etc.

Une deuxième explication résiderait dans la culture politique. L'auteur cite Brickman *et al.* (1985) selon lesquels, en Europe, la science appuie l'autorité de l'État, alors qu'aux États-Unis elle la remplace. La gestion du risque devient donc un objet d'affrontement chez les

Américains, ce qui amène les organismes à se protéger à l'aide du jargon scientifique (Jasanoff, 1986). Ce phénomène entraîne à son tour des controverses, chaque groupe engageant ses propres experts et renforçant encore davantage les oppositions de départ.

Si cette explication par la culture politique est intéressante, elle n'explique toutefois pas, selon l'auteur, les différences à l'intérieur d'un pays, telles que celles qui existent entre la FDA et l'EPA. C'est du côté des missions organisationnelles et du pouvoir qu'il faut alors chercher une troisième explication. Ainsi :

- l'EPA a pour mission de protéger de façon absolue la santé publique, sans égard aux coûts ou à la faisabilité technique. Par ailleurs, elle a peu de liberté d'action et de pouvoir discrétionnaire, et est exposée à des poursuites de la part des groupes d'intérêt;
- à l'opposé, la FDA a un pouvoir discrétionnaire (reflétant, selon l'auteur, un moment où l'institution politique avait encore du respect pour les organismes régulateurs), ce qui rend les poursuites contre cet organisme beaucoup plus difficiles.

Ces missions et pouvoirs exercent à leur tour une influence sur la culture politique, davantage bureaucratique dans le cas de l'EPA parce qu'elle sert à protéger l'organisation. C'est sous cet éclairage que se comprennent les décisions hyperprudentes de cet organisme quant aux seuils de dangerosité.

4.4.4.4 Application des législations et réglementations

En dernier lieu, Harrison regarde aussi les renforcements effectifs des législations et des réglementations. Il montre que, dans le cas des aliments, les États-Unis n'ont pas adopté de règlements, contrairement au Canada : par contre, puisque le Canada n'a pas fait le suivi de sa réglementation, la situation est similaire dans les deux cas. Par ailleurs, l'EPA n'a pas, en dépit de seuils plus stricts que ceux du Canada, établi de réglementation, peut-être parce que, selon l'auteur, le législateur ne croit pas à la validité des analyses de risques de cet organisme (ce qui explique peut-être l'importance que la FDA accorde à la justification).

Tout ceci illustre comment la question du risque acceptable s'insère en fait dans un ensemble d'éléments dont il y a lieu de saisir la dynamique. Ce n'est pas tout de définir un seuil d'acceptabilité pour un risque – bien qu'il s'agisse là d'un processus essentiel–, encore faut-il le justifier auprès du législateur et traduire ensuite concrètement cette décision dans des mécanismes de régulation. Mais ceux-ci ne sont pas non plus une panacée : leur application effective est également nécessaire, et cette dernière s'inscrit dans un écheveau complexe de relations sociales. La question du risque acceptable est donc une question grave, socialement. Par ailleurs, à de rares exceptions près, c'est une question qui n'est jamais résolue une fois pour toutes puisqu'elle est sujette à des modifications, dans le temps.

SYNTHÈSE

Ce chapitre pose la problématique du risque qu'on qualifie d'«acceptable». Il commence donc par définir ce dernier: doit-on parler par exemple d'acceptabilité ou de tolérabilité? Après quoi les aspects diachroniques et synchroniques de l'acceptabilité sont abordés. Sur le plan diachronique, tout d'abord, un risque n'est jamais acceptable une fois pour toutes. Il s'agit en effet d'un processus itératif et susceptible de varier, dans le temps, pour un certain nombre de raisons qui sont considérées en détail.

Si le risque est une construction sociale, son acceptabilité l'est tout autant à un moment précis dans le temps, c'est-à-dire dans sa dimension synchronique. Différentes sociétés, et différents groupes à l'intérieur de celles-ci, jugent simultanément si un risque est acceptable ou non. Les perceptions individuelles et les facteurs sociologiques qui les influencent jouent un rôle. Parmi ces derniers, on trouve notamment des considérations quant à l'équité de distribution des risques : les personnes qui bénéficient d'une technologie sont-elles les mêmes que celles qui doivent en subir les conséquences négatives?

Sont ensuite examinés les mécanismes qui conduisent à la décision d'acceptabilité d'un risque. Ils comprennent, entre autres, les jugements professionnels et les analyses formelles, la technique d'«élimination à coûts raisonnables», les modèles élitistes ou démocratiques de prise de décision et, enfin, le principe du droit à l'information. Une autre technique est celle de l'analyse stratégico-systémique, qui permet de comprendre que la décision d'acceptabilité résulte en fait d'une relation de pouvoir entre divers groupes.

Parler de risque acceptable, c'est parler également de la régulation sociétale du risque. Ici, on constate deux tendances majeures, illustrées par des exemples, à savoir l'autorégulation (par le marché ou les associations professionnelles et industrielles) et la régulation gouvernementale. Entre les deux s'exerce le rôle de l'assurance. La régulation ne donnant toutefois pas l'assurance de son application, une autre question devient celle de la centralisation ou non de la décision relative à l'acceptabilité du risque et à sa régulation. La centralisation permet, en théorie, d'éviter l'arbitraire qui peut expliquer une non-application de la régulation, mais son choix dépend d'un certain nombre de facteurs. Enfin, le problème de la définition d'un seuil pour le risque acceptable de même que celui de sa mise en œuvre sont ensuite illustrés à l'aide d'un cas concret. Ce chapitre nous situe donc au cœur même du risque sociotechnologique majeur.

Partie II

GÉRER LE RISQUE

SOURCES DE RISQUES DANS L'ENTREPRISE : L'HUMAIN, LA TECHNOLOGIE, LA STRUCTURE ET LA CULTURE

Une fois que le risque est compris dans ses aspects d'analyse et de définition d'acceptabilité, il reste maintenant à découvrir comment il est géré dans les organisations et comment, si cette gestion n'est pas à haute fiabilité, il faut alors gérer la catastrophe qui s'ensuit. C'est qu'en effet un désastre ne surgit pas du vide absolu. Et même dans le cas où l'élément déclencheur est spontané, telles des pluies diluviennes, la faiblesse du terrain d'accueil reste, elle, profondément sociotechnologique.

Cela signifie que chaque catastrophe se construit, dans l'obscurité du quotidien, par un certain nombre de gestes qui, pris dans leur ensemble et bien que posés isolément, vont permettre sa préparation. En ce sens, chaque catastrophe a une histoire, plus précisément une préhistoire, qui se déroule en regard d'analyse et de gestion du risque. C'est en quelque sorte la partie cachée de l'iceberg que nous abordons maintenant, celle que dévoilera le désastre et qui a été appelée sa phase d'incubation (Turner, 1978) ou encore sa phase prodromique (Shrivastava, 1987).

5.1 ENVIRONNEMENT : SOURCE DE RISQUES

Bien que l'accent soit mis dans ce chapitre sur le risque tel qu'il se développe dans l'entreprise, il n'en demeure pas moins que le risque peut aussi venir de l'environnement, que celui-ci soit physique ou sociologique. L'environnement physique est entendu au sens des phénomènes de la nature qui peuvent influencer le fonctionnement d'une organisation, alors que l'environnement sociologique est défini au sens de :

> [...] l'ensemble des acteurs sociaux dont les comportements conditionnent plus ou moins directement la capacité de cette organisation de fonctionner de façon satisfaisante et d'atteindre ses objectifs [...] (Crozier et Friedberg, 1977 : 140.)

On aura saisi que le terme d'environnement a ici une connotation non pas statique, descriptive, de «ce qui entoure», mais bien plutôt dynamique, d'influence sur une organisation et sa gestion du risque.

Cette importance de l'environnement au regard du risque a été démontrée par un sondage, non publié, que nous avions effectué en 1993 au Québec auprès de dirigeants d'entreprises. Bien que plusieurs aient répondu que le risque le plus important, pour leur entreprise, concernait les innovations technologiques chez leurs concurrents, le plus fort pourcentage de réponses est toutefois allé aux risques associés aux approvisionnements énergétiques, en particulier à la production d'électricité. Cette perception indique l'importance de l'environnement – dans ce cas-ci physique et sociologique – parmi les sources de risques pour l'entreprise.

L'environnement sociologique peut influencer le risque lorsqu'il y a, par exemple, collusion entre certains régulateurs et les responsables d'une entreprise, particulièrement lorsque des intérêts commerciaux importants sont en jeu. Ce point a été illustré au chapitre précédent à partir de l'analyse faite par Schiavo (1997) du rôle de la FAA, notamment à la suite de l'écrasement d'un appareil de ValueJet en Floride, en 1996. Dans ce cas, la collusion touchait davantage les compagnies d'aviation. Par ailleurs, le NTSB n'en faisait pas partie puisqu'il avait recommandé, entre autres, des mesures de sécurité – par exemple concernant le transport de matières dangereuses ou des équipements de détection d'incendies –, mesures que à la fois la FAA et les entreprises avaient considérées comme trop coûteuses.

Un autre type de collusion, cette fois entre l'organisme régulateur et le constructeur, est illustré par le cas de l'écrasement d'un DC-10 à Ermenonville, près de Paris, en 1974. Il semble que le problème technique de l'éjection en vol de la porte de la soute ait été connu du constructeur, McDonnell-Douglas, depuis assez longtemps. Malgré tout, la FAA autorisera l'avion à voler. Pourquoi? C'est que, selon *Eddy et al.* (1976, cité par Lagadec, 1981), tant le directeur de la FAA que celui du NTSB avaient été nommés davantage en fonction de leur appartenance politique que de leurs connaissances dans le domaine. Il y avait par ailleurs un besoin de protéger le DC-10 américain contre ses concurrents d'autres pays : l'enjeu, en ce sens, n'était plus seulement économique, mais au surplus politique. C'est sans doute la raison pour laquelle, après un quasi-accident en 1972, l'information sur le risque n'a pas été divulguée, sinon par une note de service qui n'a pas eu beaucoup d'impact.

À l'inverse, le risque peut aussi provenir non d'une collusion mais cette fois d'une opposition entre certains membres de l'environnement sociologique et l'entreprise. Ainsi, par exemple, il semblerait que la société Union Carbide, au départ, n'ait pas voulu produire la totalité du pesticide à Bhopâl. À l'origine, cette usine devait ou importer une forme semi-finie du pesticide qu'elle produisait, ou recevoir l'isocyanate de méthyle en petite quantité pour le mélanger ensuite à un autre produit dont le tout constituait le pesticide. C'est le gouvernement indien qui aurait insisté, et même exigé, que l'usine réalise le processus complet, de façon à obtenir plus d'emplois et à profiter de la technologie de production (Stix, 1989).

Bien que ces relations d'une entreprise avec son environnement soient importantes pour comprendre le risque, le présent chapitre porte surtout sur le risque tel qu'il est vécu à l'interne – sans oublier, toutefois, qu'une organisation ne vit jamais en vase clos. Dans l'entreprise, il sera d'abord question de la source du risque que l'on mentionne fréquemment dans les rapports d'accidents : l'humain. Mais les risques sont aussi distribués dans d'autres volets des fonctionnements organisationnels : ils peuvent être dans la technologie, dans la structuration, ainsi que dans la culture[68]. Notre objectif, ici, est avant tout de réfléchir à ces différents thèmes, dont certains d'entre eux seront repris ailleurs plus en détail, tels les aspects d'interdépendance ou la culture de sécurité.

5.2 HUMAIN : SOURCE DE RISQUES

Tant de choses ont été écrites sur l'«erreur humaine» qu'il est bien difficile d'en donner ici un aperçu complet. Dans ce qui suit, il sera davantage question de défaillance humaine que d'erreur humaine, pour éviter la connotation de faute généralement attachée à cette dernière[69]. À cet égard, il serait en effet intéressant de faire une analyse des dimensions implicites, parfois inconscientes, de l'utilisation du terme *erreur* appliqué à l'humain. Le mot sous-entend en effet une faute – donc une notion de responsabilité –, alors que la technique, elle, ne serait jamais responsable, elle n'aurait que des «défaillances».

En ce sens, le report de la responsabilité sur l'humain pourrait obéir à un motif idéologique, lié à une définition étroite de la technique qui exclut l'humain :

> En réalité, l'affrontement potentiel entre l'ingénieur et le social ne menace d'éclater que parce que le premier adhère sans «grain de sel» à l'idéal d'une rationalité parfaite, et répugne à admettre la présence de traits sociaux dans chaque élément de la technique, les rejetant alors en bloc vers l'extérieur. Dès qu'au contraire il se rappelle que toute élaboration collective de responsabilité ne tient que par des pactes, des échanges de codes d'honneur et de la reconnaissance intersubjective, l'ingénieur redevient le sociologue qu'il n'aurait jamais dû cesser d'être. (Duclos, 1991a : 201.)

À côté de cette exclusion de l'humain par la technique, l'erreur humaine peut être aussi idéologique parce qu'elle met l'accent sur la défaillance de l'humain dans la régulation de l'entreprise alors que, lorsque cette régulation se fait adéquatement, il n'est plus question d'en rendre le même humain responsable et de l'en remercier. Pourtant, Bernoux (1981) a bien montré comment le fonctionnement souple et régulier d'une organisation dépend de ces régulations réalisées continuellement par des humains, en particulier par les opérateurs.

---

68. Cette partie est fondée sur Denis, 1988 et 1993a, mais l'ensemble de la réflexion a été approfondie.

69. Étant donné qu'il s'agit d'un terme largement utilisé, nous le conserverons cependant - en particulier lorsqu'il reflète la pensée d'un auteur.

Car au fond, et en définitive, tout revient à l'humain, quels que soient les résultats, négatifs ou positifs. En fait, toutes les catégories de défaillances que nous énumérons plus bas sont portées par des humains. Et même dans les cas où des systèmes hautement informatisés font défaut, on en reporte encore la faute sur l'humain concepteur ou sur l'humain constructeur. Dans ce grand réservoir de défaillances possibles, la défaillance humaine a toutefois une place à part, qu'il s'agit maintenant de préciser.

Nicolet (1988) explique l'erreur humaine dans l'entreprise par trois éléments, suivant en cela Dawson *et al.* (1982) : les équipements et les procédés, tout d'abord, puis l'information et, finalement, les humains. Selon l'auteur, on peut traiter les équipements au moyen d'équations répondant à des lois de probabilités. L'information, comme les équipements, a un support matériel et, comme eux, elle a besoin d'énergie pour être véhiculée. Et elle peut, elle aussi, être traduite en équations.

Pour sa part, l'humain présente une complexité d'un autre ordre : il y a en lui un aspect matériel et un côté informationnel (génétique, ADN), avec en plus le cerveau qui donne un sens à l'information. Il existe également un autre niveau de complexité, qui résulte de l'assemblage des humains entre eux. En ce sens, les erreurs peuvent provenir, chez l'humain, de ces différents niveaux. On obtient alors les catégories d'erreurs suivantes :

- Perception : distraction, information masquée ou trop grande, etc.
- Décodage : incompréhension du message.
- Non-respect d'une procédure, par exemple à cause de l'habitude qui la change quelque peu.
- Communication, telle cette collision entre deux Boeing 747 à Tenerife :

  > Un avion est sur la piste, prêt à partir; un autre est sur une bretelle, prêt à entrer sur la piste; la tour de contrôle dit au second avion : «Go and hold». Mais, le pilote étant pressé (pour différentes raisons personnelles et de service), il comprend qu'il faut prendre la piste : «Go and roll». Son second lui dit : «Ce n'est pas l'ordre que l'on a reçu!» Mais le commandant passe outre et s'engage sur la piste. Il y avait de plus ce jour-là un brouillard épais [...] (Nicolet *et al.*, 1989 : 97.)

- Décision non prise en temps voulu. Par exemple, lorsque le gouvernail du pétrolier Amoco Cadix se bloque près de la Bretagne, il y a bien un remorqueur à proximité, mais la loi de la mer veut que celui-ci ait un droit sur la cargaison. Le commandant négocie avec les propriétaires respectifs du remorqueur, du pétrolier et de la cargaison, ainsi qu'avec les assureurs : le tout prend six heures et, pendant ce temps, le pétrolier dérive et échoue sur la côte bretonne.
- Mauvaise adaptation des actions ou mauvais dosage : tâche faite incorrectement, etc.
- Modèle de représentation : perception limitée par la grille de référence, suscitant des problèmes de communication.

L'erreur humaine, tout en pouvant être bien réelle, n'est cependant qu'un élément parmi d'autres dans une «recette catastrophe». Ainsi, Three Mile Island est généralement perçu comme un accident dû à une mauvaise interprétation humaine des signaux dans la centrale, donc à l'erreur humaine. Si ce fait est incontestable, Perrow (1984) a néanmoins montré que la complexité du système de la centrale supposait des interrelations entre les éléments qui dépassaient de loin cette seule erreur humaine. De même, le naufrage du traversier Herald of Free Enterprise dans le port de Zeebrugge, en 1987, a été officiellement causé par le fait que le responsable de la fermeture d'une porte s'était endormi. Mais, comme il sera vu au prochain chapitre, de nombreux éléments expliquent l'accident, qui débordent largement le cadre de l'erreur humaine.

Par ailleurs, l'explication par l'erreur humaine peut être aussi stratégique, permettant alors d'occulter les enjeux économico-politiques portés par la technique, et même de les innocenter. Un exemple d'une telle stratégie – consciente ou non – est l'échouement de l'Exxon-Valdez (Clarke, 1992a), où l'accent a été mis sur les problèmes d'alcoolisme du pilote, transformant celui-ci en bouc émissaire. Sur le plan stratégique, cela évitait de regarder, entre autres, le rôle de la Garde côtière américaine dans le désastre : en effet, des compressions budgétaires provenant de l'administration Reagan avaient fait en sorte que l'organisme avait dû diminuer le nombre de contrôleurs et qu'il avait remplacé le radar du port de Valdez par un système moins puissant. De plus, les entreprises pétrolières et le consortium exploitant le pipeline avaient eux aussi agi de façon similaire (art. 6.3.1).

L'explication par l'erreur humaine évitait donc, en définitive, d'examiner la responsabilité, dans l'accident, de certains acteurs dont, notamment :

- les pétrolières et leur gestion (cherchant à économiser);
- la Garde côtière (cherchant à économiser);
- le président Reagan (cherchant à économiser).

Les réflexions qui précèdent tentent de situer dans un contexte plus large ce qui est généralement appelé l'erreur humaine. Il n'en demeure pas moins que, dans certains cas, la défaillance humaine est bien là, mais sous forme quasi volontaire, tels le sabotage, le terrorisme ou les infractions. Ou, tout simplement, l'inconscience. Ainsi, dans le cas de l'incendie du centre récréatif de Summerland en Angleterre, les analyses post-accident ont montré que les responsables de la conception et de la construction ou bien n'étaient pas au courant des règlements, ou bien ne croyaient pas que ces derniers s'appliquaient à leur cas (Turner, 1978). Cet exemple illustre aussi le fait que l'erreur humaine n'est pas réservée qu'aux opérateurs...

Il ne s'agit donc pas de prétendre que la défaillance humaine n'existe pas. Nous croyons simplement qu'il faut distinguer si l'on y a recours à titre de justification, idéologique ou stratégique (et, surtout peut-être, légale, mais cet aspect constitue un volet à part). Le plus souvent, selon nous, la défaillance humaine est possiblement l'élément déclencheur direct, mais elle est aussi en relation avec de nombreux autres éléments dont l'ensemble, et non l'un d'eux pris séparément, mène à une catastrophe.

5.3 TECHNOLOGIE : SOURCE DE RISQUES

Le risque dans l'entreprise est rarement concentré; s'il l'était, il deviendrait plus facilement repérable et donc moins dangereux, précisément à cause de sa visibilité. Le risque peut en effet se situer à différents endroits de la technologie considérée en tant que système, de sa conception à sa mise au rancart. Mais les caractéristiques du risque ou son importance n'apparaissent souvent, malheureusement, qu'après les catastrophes. Nous retenons donc, comme principales sources de risques liés à la technologie, les facteurs qui suivent[70].

5.3.1 Localisation et concentration des technologies

La localisation peut être entendue au sens strict : par exemple, lorsqu'un barrage est construit sur une faille et qu'il y a rupture (barrage St. Francis en Californie, en 1928) ou qu'il est construit à proximité d'une zone fragile (mont Toc à Vaiont en Italie, en 1963). Dans ce dernier cas, un pan de montagne s'est écroulé dans le réservoir, provoquant une vague géante qui a emporté plusieurs villages.

La localisation, ce peut être aussi le regroupement d'installations à haut niveau de risque, ce qui devient un facteur de risque supplémentaire. Ainsi, Three Mile Island, avant l'accident, avait préoccupé les autorités davantage par sa proximité de l'aéroport international de Harrisburg que par son fonctionnement interne (Flynn et Chalmers, 1980). Lagadec (1981) cite le cas d'un «couloir de la chimie» à Lyon, incluant des industries pétrolières, gazières, pharmaceutiques, chimiques, etc.

Toujours à Lyon, une analyse de risques par Hubert et Pagès (1989) a comparé le transport de matières dangereuses par la route habituelle, traversant la ville, ou par une éventuelle route périphérique passant par les banlieues. Les probabilités de mortalité étant faibles, on se serait attendu à ce que la décision favorise le maintien de la route traditionnelle, pour éviter les coûts liés à un changement. Mais il n'en fut rien et Lyon, selon les auteurs, a opté pour la sécurité, c'est-à-dire la construction d'une nouvelle route évitant les régions où le risque était fortement concentré.

---

70. Comme dans le cas de la structuration et de la culture, la liste de ces éléments n'est, bien évidemment, pas exhaustive.

Il arrive aussi qu'une entreprise laisse des zones tampons de protection, mais que la squattérisation fasse en sorte que les précautions initiales relatives à l'emplacement d'une usine soient annulées, comme ce fut le cas d'Union Carbide à Bhopâl (Wilson, 1986). Inutile de préciser que ce sont en général les plus démunis d'une société qui envahissent les espaces laissés libres autour d'un équipement (Britton, 1991), devenant ainsi des groupes à risque.

En contrepartie, l'établissement d'une industrie à risque dans une zone résidentielle sera fonction non seulement des intérêts, mais également de la force de pression des résidants et de leur degré d'organisation pour résister. Le mouvement «pas dans ma cour» en fournit un exemple : les citoyens les plus articulés politiquement, ou encore ceux qui ont le plus de poids politique, peuvent se mobiliser contre l'installation de certaines industries jugées dangereuses.

5.3.2 Conception des technologies

Le cas du DC-10 d'Ermenonville dont il a été question plus haut illustre, outre une défaillance humaine, des défaillances de conception. Ainsi, lorsque le responsable des bagages ferme la porte de la soute, il ignore que le mécanisme ne fonctionne pas, la conception de ce dernier étant compliquée et non ergonomique (Perrow, 1984 : 141). Mais l'avion s'écrase non seulement parce que la conception du mécanisme de fermeture de la porte laissait à désirer (Council for Science and Society, 1977), mais encore parce que la conception des systèmes de contrôle de l'avion avait situé ceux-ci sous le sol de la partie passager. Un tel design va faire en sorte que la dépressurisation causée par l'éjection de la porte de la soute fait s'écrouler le sol de cette partie passagers, anéantissant du même coup tout le système de contrôle de l'avion.

De même, lorsqu'une tempête emporte l'Ocean Ranger en 1982, la commission d'enquête conclut que des problèmes de conception avaient rendu la plate-forme de forage particulièrement vulnérable. Des hublots trop bas et à résistance insuffisante ont fait en sorte qu'ils ont été brisés par les vagues, ce qui a ensuite provoqué un court-circuit dans le système informatisé de contrôle du ballast qui maintenait la plate-forme de niveau (Il y a dix ans [...], 1992). La plate-forme Piper-Alpha, en mer du Nord au large de l'Écosse, n'a pas eu plus de chance. Son explosion en 1988, provoquée directement par une fuite de gaz, était due à un défaut de conception : les cuisines étaient situées à proximité des équipements de production et, de surcroît, bloquaient l'évacuation en cas de sinistre. Dans ce cas, il semblerait qu'aucune analyse du risque n'ait été faite à l'étape du design (Bell, 1987). Au surplus, comme dans d'autres catastrophes, s'ajoute le fait qu'il y avait un manque d'équipements de sauvetage (Lagadec, 1991).

Tchernobyl a suscité, de la part de l'industrie nucléaire américaine, des déclarations quant à la sûreté de la conception de ses propres centrales nucléaires. Toutefois :

> La centrale de Tchernobyl utilisait le [même système que] 34 centrales nucléaires aux États-Unis. Dans toutes ces centrales, le recouvrement de béton sur le bâtiment contenant le réacteur n'est pas conçu pour résister à la pression de l'explosion. En fait, la centrale soviétique était supérieure à certains égards à celles des États-Unis [...] [par exemple] pour faire face au problème le plus redouté, la perte du refroidisseur du réacteur. Mais elle s'est révélée mal conçue en ce qui concerne le type d'accident qui est survenu. (Perrow, 1986 : 345.)[71]

Et à Three Mile Island :

> Les dispositions des cadrans et des commandes ne respectaient pas la logique du fonctionnement de l'opérateur, ni parfois même sa taille : il n'était pas rare de voir des opérateurs se jucher sur un tabouret pour lire un cadran. Lorsqu'un incident survenait, plusieurs centaines d'alarmes, sonores et lumineuses, pouvaient retentir, sans qu'un réel effort ait été fait pour aider l'opérateur à gérer et à trier des alarmes bien souvent fausses. (De Keyser, 1989 : 1448.)

Tout cela fait que, lors du déclenchement de l'alarme dans la centrale, au moment de l'accident de 1982, les témoins lumineux indiquaient qu'une commande avait été donnée (fermeture d'une vanne), ce qui n'implique toutefois pas que l'action ait été réellement accomplie : autant de problèmes de conception des équipements.

5.3.3 Construction et assemblage

Les ruptures de barrages ont parfois révélé des défaillances dans la construction. Ainsi à Austin, en Pennsylvanie, en 1909, des restrictions budgétaires et une accélération des travaux pour que le réservoir soit rempli avant l'hiver vont faire en sorte que le béton, coulé à des températures trop froides, ne résistera pas et que la rupture surviendra (Schlager, 1994).

Selon Kletz (1994a), la conception ne doit laisser subsister aucune ambiguïté susceptible de provoquer des défaillances aux étapes suivantes (montage, construction). Mais il est parfois difficile de distinguer ce qui relève de la conception initiale et ce qui relève de la construction, dans la mesure où des changements peuvent se faire dans la conception, tout au long de la construction.

---

71. Notre traduction.

5.3.4 Exploitation et entretien

Ici, l'exemple de Tchernobyl est probant. Bien que l'on ait accusé les opérateurs d'alcoolisme (*Pravda*, 1988), le problème est beaucoup plus large puisque l'état déplorable des équipements était connu des directions qui se sont succédé à la centrale ainsi que des cadres du Parti. Et ce qui transparaît actuellement au sujet de l'entretien des autres centrales nucléaires des pays de l'ex-URSS n'est guère rassurant. Le risque, en ce sens, n'a pas de frontières et ses conséquences sont facilement exportables.

Il est toutefois facile de souligner les problèmes qui se posent ailleurs, comme en Europe de l'Est, sans voir ceux qui touchent son propre pays. En Amérique du Nord, par exemple, les nombreuses compressions budgétaires actuelles, dans tous les domaines, de même que l'internationalisation des marchés font en sorte qu'il est bien possible que des décisions d'économies dans l'exploitation et l'entretien – de même que dans la construction – préparent des catastrophes. Une simple réduction des postes d'entretien passe le plus souvent inaperçue, tout comme la diminution des ressources financières affectées à la maintenance : c'est, ici encore, la partie cachée de l'iceberg.

5.3.5 Entreposage et mise au rancart

Les conditions d'entreposage, lorsqu'il est question de matières dangereuses, doivent être considérées soit en elles-mêmes, comme l'a montré Bhopâl, soit dans leur relation avec la mise au rancart.

À Bhopâl (Inde, 1984), les conditions d'entreposage laissaient à désirer. Il semblerait qu'un ingénieur de l'entreprise ait soulevé le problème posé, entre autres, par le danger d'entreposer de grandes quantités d'un produit hautement toxique, mais le groupe d'ingénierie de design de l'entreprise n'aurait pas tenu compte de cet avis (Stix, 1989).

Quant aux conditions de mise au rancart, on pense à plusieurs cas canadiens, notamment les incendies dans des dépôts de pneus usés à Hagersville (Ontario, 1989) et à Saint-Amable (Québec, 1990), ou encore dans un entrepôt de BPC à Saint-Basile-le-Grand, au Québec, en 1988 (Denis, 1990a). Ces événements soulèvent la question de la faible attention accordée aux sous-traitants ainsi que celle du poids politique des citoyens, qui avaient pourtant fréquemment souligné les conditions déplorables d'entreposage.

Le changement de vocation de certaines installations doit aussi être contrôlé. L'effondrement du barrage de South Fork, en Pennsylvanie en 1879, en donne un exemple. Un club privé, en l'occurrence un club de pêche, a racheté le barrage et l'a partiellement nivelé pour faire passer une route de façon que les usagers aient accès plus facilement aux deux côtés du barrage. Des pluies diluviennes feront céder le tout, avec de nombreuses victimes et des dégâts importants (Robbins, 1990). Le changement de vocation était soumis à la seule volonté de l'entreprise privée, sans aucune régulation gouvernementale. Peut-être y a-t-il ici matière à réflexion lorsqu'il est question de privatisations...

5.3.6 Introduction de nouvelles technologies

L'attention accordée à une nouvelle technologie peut éviter la catastrophe. Ainsi, le personnel de l'usine de Bhopâl n'était pas parfaitement familiarisé avec l'isocyanate de méthyle. De même, à Institute en Virginie occidentale, en août 1985, une autre usine d'Union Carbide n'est pas habituée à produire le composant (oxime) d'un pesticide. Un réservoir surchauffe, que l'on croyait vide (mauvaise lecture d'un indicateur), provoquant une fuite d'oxime. Mais le système de détection des fuites, en l'occurrence des rejets chimiques, est lui aussi nouveau : il s'agit d'un outil informatisé qui n'a pas été programmé pour détecter l'oxime. Donc la fuite n'est pas détectée (Zimmerman, 1988) et la catastrophe se produit.

5.3.7 Modifications mineures de la technologie

S'il s'agit de changements technologiques d'envergure (comme ceux dont il était question au point précédent), il y a de fortes chances qu'une attention particulière soit accordée à leurs effets. En revanche, les modifications mineures de la technologie suscitent beaucoup moins d'intérêt et comportent, pour cette raison, certains dangers. Kletz (1994a), qui a longuement étudié les risques, particulièrement les risques chimiques, donne de nombreux exemples de ces modifications à la technologie :

- modifications de démarrage (en général nombreuses);
- modifications mineures qui, parce que peu coûteuses, attirent moins l'attention que les autres;
- modifications faites pendant l'entretien, parfois elles aussi mineures;
- modifications temporaires;
- modifications approuvées par la haute direction ou par un comité autorisé, avec justification;
- modifications au système opératoire, par exemple aux intrants;
- nouveaux outils.

En fait, une modification qui paraît mineure peut devenir une importante source de risque lorsqu'elle est couplée à d'autre éléments. C'est ce que montrera, au chapitre suivant, l'exemple d'un coup de grisou dans une mine.

5.3.8 Interdépendances dans la technologie

Perrow (1984) a abondamment démontré que des systèmes aux interdépendances serrées peuvent provoquer des réactions en chaîne. Ce n'est donc pas un élément en soi qui provoque une catastrophe, mais le plus souvent les interactions entre un certain nombre de ces éléments. Par exemple, le risque peut être bien géré à la phase de la conception des équipements, mais oublié à la phase de la construction (on pense ici aux déficiences de construction rapportées après le tremblement de terre d'Arménie, entre autres). Il peut aussi être oublié au moment où sont apportées des modifications – mineures – aux mêmes équipements.

Le cas de Challenger présente ainsi des éléments relatifs à la technologie dont les interactions ont conduit à une catastrophe. Si les analyses de l'accident ont mis l'accent sur le joint d'étanchéité comme cause principale de l'explosion, il n'en demeure pas moins que de sérieux problèmes existaient aussi, selon la commission d'enquête, relativement au volant, au système de freinage et de direction, et au moteur principal (Schwartz, 1989). La navette avait de plus un grand nombre de pièces recyclées, et l'on sait maintenant que celles-ci peuvent être de qualité douteuse (Schiavo, 1997). La température exceptionnelle n'a été, en ce sens, que l'élément déclencheur de l'accident.

5.4 ORGANISATION DU TRAVAIL : SOURCE DE RISQUES

Les défaillances organisationnelles ont comme caractéristique principale d'être peu apparentes, les gestionnaires ayant parfois tendance à reporter sur la technique ou sur l'humain ce qui relève de ce domaine, à savoir l'agencement des tâches, les partages de responsabilités, etc. Pourtant, ces éléments apparaissent bien souvent dans les analyses expliquant les catastrophes – même s'il faut parfois, pour les détecter, lire entre les lignes. Nous identifions donc dans ce qui suit un certain nombre de ces sources de risques en entreprise qui relèvent de la structure organisationnelle.

5.4.1 Partage des responsabilités

Les décisions en matière de partage des responsabilités, tant horizontal (parcellisation ou enrichissement des tâches) que vertical (centralisation ou décentralisation), font partie de la gestion du risque en entreprise. En effet, la centralisation, lorsque poussée, peut faire en sorte que le décideur de chaque échelon organisationnel ne se sente plus qu'un numéro. Dans un tel climat, la tendance peut être forte de reporter sur le supérieur hiérarchique la responsabilité d'une décision, allant à ce moment à l'encontre du principe de responsabilisation que l'on retrouve dans les organisations à haut risque et à haute fiabilité. Par ailleurs, le simple suivi de la procédure d'autorisation d'une décision, dans une organisation centralisée, peut devenir lui-même source de risque en faisant parfois perdre un temps précieux au moment de l'urgence.

Somme toute, veut-on faire des opérateurs «intelligents», capables d'intervenir en cas de désastre, ou des «pousseux de boutons», responsables de tâches émiettées, parcellaires? En ce sens, la responsabilisation des employés devient un mécanisme qui permet, sinon de prévenir les défaillances, du moins de les détecter et d'en connaître les répercussions sur l'ensemble du processus de production. Des opérateurs à responsabilité étroite (à l'exclusion des spécialistes) constituent une faiblesse du système qui peut devenir catastrophique, surtout lorsque s'ajoutent des éléments de charge de travail et de stress.

Si le manque de responsabilisation à la base peut être source de risque, il peut aussi provenir d'une trop grande responsabilisation au sommet. On a ainsi noté le danger, pour le capitaine d'un navire, qu'il soit «seul maître à bord après Dieu» : ses décisions, parce qu'elles sont suivies sans discussion, peuvent en effet augmenter le risque d'erreur, en particulier dans des conditions extrêmes de stress et de complexité (Perrow, 1984).

Westrum (1987) a défini une sorte de type idéal d'entreprise pour gérer les risques majeurs. Une telle organisation, que l'auteur appelle «créatrice», aurait pour caractéristiques :

• d'encourager une conscientisation globale de tous les membres du système;
• d'encourager la pensée créative et critique;
• de lier les parties interdépendantes du système;
• de répertorier dans les différentes parties du système des solutions aux problèmes organisationnels;
• de récompenser les modèles de pensée systémiques;
• d'éviter trop de structuration;
• d'examiner honnêtement les erreurs.

Dans le même ordre d'idée, B. Turner (1989a) parle d'une organisation «attentive» (*caring*). L'attention est entendue ici au sens de «prendre soin», d'«être attentionné». Elle comprend, selon l'auteur, deux dimensions, à savoir une préoccupation envers :

• les conséquences de la manipulation de choses matérielles;
• les effets sur les personnes.

Plus précisément, pour l'auteur, une organisation attentive est celle qui met l'accent sur :

• l'identification, pour une technologie précise, de tâches absolument essentielles pour la sécurité au travail (mais sans plus de spécification, car un trop grand nombre de règles et de consignes peut être nuisible);
• la détection et la correction le plus tôt possible des variations par rapport à la norme – contrairement, par exemple, à Bhopâl où l'on a constaté «un délai d'une heure [...] entre la détection de l'échauffement de la cuve (augmentation de la pression) et les premières tentatives de refroidissement» (Nicolet *et al.*, 1989 : 147);
• une attention portée aux liens de communication et aux frontières des responsabilités, de façon à faciliter la communication;
• un flux d'information correspondant aux besoins des actions;
• une attention aux rôles des autres et aux conséquences de ses propres actions;

- une autorité d'expertise et d'expérience, et aussi de performance et de responsabilité;
- des systèmes de management des ressources humaines (rémunération, embauche, formation, etc.) allant dans le sens de l'attention;
- une conception des postes de travail orientée vers la sécurité;
- des valeurs de défi, de variété, de soutien, de reconnaissance, d'équité (qualité de vie au travail);
- un processus itératif, transitoire, plutôt qu'une bureaucratisation.

Nous verrons plus loin, lorsqu'il sera question des organisations à haute fiabilité, que plusieurs de ces caractéristiques constituent des assurances contre les risques pour les entreprises. La seule différence, peut-être, tient au rôle ambigu de la créativité (sous-entendue par le concept de qualité de vie au travail), laquelle peut être parfois dangereuse, lorsqu'il est question de risque majeur. En effet, dans certains cas, l'intériorisation de normes de comportements préétablies peut constituer un mécanisme plus sûr que la créativité, dans la mesure où ces normes se sont avérées efficaces, dans le passé, pour répondre au danger.[72]

5.4.2 Sous-traitance

La sous-traitance constitue un danger organisationnel sérieux par rapport à la prévention, notamment parce que les compressions budgétaires et la concurrence autour de soumissions peuvent amener le sous-traitant à économiser au détriment des équipements de sécurité.

Ce danger s'accroît davantage au moment où l'organisme principal perd la maîtrise de la situation, comme cela s'est produit avec Challenger. Il était en effet devenu presque impossible à la NASA d'avoir une vue d'ensemble du travail réalisé par ses sous-traitants, et ce pour deux raisons principales, selon Paté-Cornell et Fischbeck (1993). D'une part, le personnel de l'organisation n'avait pas suffisamment de formation technique pour suivre les sous-traitants : avec le temps en effet, le personnel de la NASA en était venu à être nommé en fonction de critères politiques autant que techniques. D'autre part, les sous-traitants cherchaient à garder pour eux de l'information : un tel comportement de protection s'expliquait, selon les auteurs, par des conflits entre entrepreneurs et par des craintes quant à leur responsabilité légale.

Si un manque de contrôle des sous-traitants est source de risque pour une entreprise, un trop grand contrôle peut l'être aussi, cette fois pour le vacataire. Car une autre facette de la sous-traitance, eu égard au risque, est que les entrepreneurs engagent parfois du personnel spécial, *ad hoc*, qu'ils peuvent utiliser comme bon leur semble, sans considérer les risques pour la santé courus par ce personnel. Ainsi, pour nettoyer et déplacer des matériaux dangereux,

---

72. Nous ne donnons pas ici d'exemples précis, dans la mesure où les chapitres 6 et 8 en présentent.

par exemple des produits radioactifs dans certaines centrales nucléaires américaines, on a fait appel à du personnel temporaire, appelé les *glowboys*. Ces personnes :

> [...] absorbaient en un jour la dose permise pour un travailleur du nucléaire pour toute sa vie, ce qui était contraire aux normes internationales acceptées. Or, 5 000 nouveaux *glowboys* furent recrutés annuellement, ce nombre devant passer à 84 000 hommes en 1990, d'après un rapport de l'Université de Clark. (Duclos, 1991b : 32.)

Dans la mesure où la sous-traitance semble devenir la règle dans la société actuelle, les points ci-dessus indiquent qu'il y a lieu de faire preuve de prudence quant aux répercussions potentielles de ce choix sur les risques sociotechnologiques majeurs.

5.4.3 Charge de travail et résistance au stress

Les compressions budgétaires ou les coûts élevés des équipements accroissent le besoin de rendement et, partant, la charge de travail. Perrow (1984) analyse comment s'exerçait cette tendance dans la marine marchande, mais la même réflexion s'applique aujourd'hui encore, comme en témoignent certains naufrages de traversiers, dont celui du Herald of Free Enterprise (voir le chapitre suivant).

Il en résulte un paradoxe. En effet, la sophistication des équipements de navigation, censée accroître la sécurité et parfois même adoptée avec cet objectif explicite (tels les systèmes de détection anticollision), devrait en théorie diminuer le nombre d'accidents. Or, il n'en est rien. La raison en est que, en parallèle – et parfois en conséquence de cette sophistication –, des pressions pour une rentabilité accrue portent à augmenter la charge de travail des équipages; par exemple, selon Perrow (1984), un capitaine peut être au travail 48 heures consécutives.

De telles pressions auraient aussi pu influencer le personnel de ValueJet, comme l'illustre le quasi-accident suivant :

> Lors d'un trajet vers Nashville, au mois de décembre précédant l'accident [de Floride] [...] tout juste après le départ d'Atlanta, des alarmes se déclenchent pour avertir les pilotes que le train d'atterrissage ne peut rentrer. Plutôt que de retourner [à Atlanta], l'équipage déconnecte un circuit électrique pour faire taire les alarmes, faisant du même coup faussement percevoir à l'ordinateur de bord que le train est rentré. L'avion vole jusqu'à Nashville avec le train d'atterrissage sorti. En approchant de sa destination, l'équipage remet en marche l'ordinateur, ce qui provoque la mise en place subite de mécanismes de freinage. L'atterrissage est difficile – la queue et le nez de l'appareil frappant successivement le sol de la piste. Lorsque la queue frappe le sol, l'impact [...] empêche le contact avec la tour de contrôle. Le pilote doit alors interrompre son atterrissage. Comme il n'a plus de communication avec la tour, il déclare une urgence à bord, effectue un virage à 270 degrés et atterrit sur une piste un peu plus loin [...] L'accident aurait pu être pire si le pilote avait perdu le contrôle de l'avion. Mais quelle

est la cause de cet accident? Un mauvais entretien du train d'atterrissage? Un pilote inexpérimenté engagé à faible salaire? *Un équipage plus préoccupé d'arriver comme prévu d'après le plan de vol – de façon à être rémunéré en conséquence – que de maintenir la sécurité? Ou tout ça à la fois? (Schiavo, 1997 : 13).*[73]

Ces pressions vers la production, qu'elles proviennent du désir de rentabiliser des équipements ou d'augmenter les profits, caractérisent la société actuelle, du moins en Occident. Aussi doit-on veiller à prendre en considération leurs conséquences sur les risques, ne serait-ce que parce que la fatigue et une moindre résistance au stress peuvent avoir un effet sur la prise de décision, en particulier à un moment critique.

5.4.4 Horaires de travail

Si la fatigue peut découler de la charge de travail, elle dépend également des horaires de travail et de l'heure où le travail est effectué. Ainsi, des horaires qui sont modifiés fréquemment, par exemple par de nombreux passages entre quart de nuit et quart de jour, taxent lourdement le système de veille chez l'humain.

L'heure où le travail est effectué a aussi des effets sur les risques, notamment entre 1 h et 4 h, ce moment de la nuit qui a d'ailleurs été appelé le «quart-cimetière» : ce serait en effet le temps de la journée où la vigilance humaine est la plus faible. Bien qu'aucune corrélation statistique n'ait pu être établie, on a noté que 33 % des accidents graves (dont Bhopâl, Three Mile Island et une explosion dans un entrepôt de gaz naturel à Mexico) se sont produits dans cette plage de temps (Wilson, 1986).

Le quart-cimetière suscite par ailleurs des interrogations relatives à l'organisation du travail le soir et la nuit. Il y a parfois, durant ces deux quarts de travail, un manque d'encadrement qui s'ajoute au fait que ce sont aussi, en général, les travailleurs les moins expérimentés qui doivent accepter ces heures de travail moins valorisées. Ce qui fait que ce «quart des défavorisés» peut de la sorte engendrer des catastrophes.

5.4.5 Climat de travail et roulement du personnel

Le climat de travail et le taux de roulement du personnel sont fréquemment oubliés lorsqu'il est question de risques. Un mauvais climat de travail, causé par exemple par un manque de confiance entre la direction et les employés ou des relations patronales-syndicales tendues, peut mener à la catastrophe, non seulement en raison des possibles actes de sabotage mais aussi par le stress qu'engendre ce climat et par la fatigue qui s'ensuit. Par ailleurs, la méfiance ou encore les rivalités qui accompagnent le mauvais climat de travail peuvent aussi favoriser la rétention d'éléments d'information qui pourraient permettre d'éviter l'accident.

---

73. Notre traduction. Italiques de notre part.

Une autre facette d'un mauvais climat de travail est qu'il accentue le roulement de personnel. À son tour, ce dernier empêche le développement d'une identification à l'entreprise. C'est cette dernière qui constitue l'élément faisant en sorte que l'on est attentif, «attentionné» pour reprendre le terme de Turner (1989a), et donc plus sensible au risque majeur. Ici, climat et roulement interagissent dans une boucle de rétroaction pour constituer un cocktail de risques assez dangereux.

Le roulement de personnel peut provenir, outre d'un mauvais climat de travail, d'un manque de personnel – alourdissant encore davantage la tâche pour ceux qui restent – ou des horaires de travail. Il peut également être le résultat d'une faible valorisation de certaines tâches dans l'entreprise, comme dans le cas des préposés à la pose des tuiles de céramique sur la navette spatiale à la NASA : selon Paté-Cornell et Fischbeck (1993), il s'agissait là d'une catégorie d'emploi peu prestigieuse, que ses membres s'empressaient de quitter une fois qu'ils avaient obtenu leur formation.

5.4.6 Formation et critères de promotion

La responsabilisation, dans l'organisation idéale dont il était question plus haut, suppose une formation adéquate. Celle-ci est souvent la première cible du couperet lorsqu'il faut réduire les frais d'exploitation : ainsi a-t-on observé à la NASA, avant Challenger, une diminution du nombre d'heures consacrées à l'entraînement par simulateur chez les astronautes (Nicolet *et al.*, 1989 : 141). L'importance de la formation ne vaut pas seulement pour les employés : la formation des cadres doit aussi être assurée puisqu'elle influencera ensuite la culture de sécurité de l'organisation.

Le rôle de la formation eu égard au risque a également été montré par Bhopâl, où les deux inspecteurs responsables de l'usine avaient bien une formation, mais dans un domaine différent des risques chimiques, à savoir le génie mécanique (Donaldson, 1986). Cette dernière formation, de base, n'était pas entièrement inappropriée, mais il aurait fallu la compléter par une formation chimique. Au surplus, idéalement, cette dernière aurait dû inclure des cours d'urgence et de sécurité, ce qui, selon Zimmerman (1988), ne fait pas partie de la plupart des formations en génie chimique dans les universités américaines.

Par ailleurs, les critères de promotion sont aussi importants dans la gestion du risque. Schwartz (1989 : 327-328) a ainsi montré comment, toujours à la NASA avant Challenger, on en était venu, graduellement, à passer «de la compétence [technique] à la pureté idéologique». Concrètement, cela voulait dire, selon l'auteur, que des considérations – et des nominations – à connotation politique ont fait en sorte que «la compétence managériale et administrative de la haute direction diminuait progressivement». Cela explique sans doute aussi le contrôle moins serré des sous-traitants et les conséquences qui ont suivi.

5.4.7 Changements organisationnels

Les changements organisationnels peuvent toucher plusieurs des points précédents. Des réorganisations, par exemple par le stress qu'elles provoquent à la suite de modifications dans les responsabilités, dans la charge de travail, dans les conditions de travail et autres, peuvent aussi engendrer, parfois par le biais d'une détérioration du climat de travail, des risques de défaillances. Comme dans le cas des changements technologiques, les changements organisationnels doivent être soigneusement suivis, particulièrement dans les entreprises à risque.

5.4.8 Interdépendances dans l'organisation du travail

Les nombreuses interdépendances liées à l'organisation sont très bien illustrées par le naufrage du Herald of Free Enterprise[74]. Des rôles mal définis, une hiérarchie au siège social, à terre, qui ne se préoccupe pas des traversiers, un manque de personnel, un manque de qualification de celui-ci, un roulement marqué de ce personnel dû à une lourde charge de travail et des horaires difficiles, tout cela se mêle pour préparer une catastrophe.

Cet exemple montre également que les défaillances organisationnelles ne proviennent pas que de la base, les plus hauts échelons hiérarchiques étant aussi concernés. En fait, ce sont les directions d'entreprises, par leurs décisions, qui sont les ultimes responsables de la gestion des risques. Mais ce sont aussi leurs valeurs qui les orientent vers ces décisions, d'où l'importance de la culture organisationnelle.

5.5 CULTURE : SOURCE DE RISQUES

B. Turner (1978) a été l'un des premiers, sinon le premier, à parler d'une culture de sécurité. Celle-ci englobe des comportements et des modes de pensée qui mettent l'accent sur l'attention : attention aux autres, attention aux équipements. Nous pourrions également parler de *vigilance*, mais préférons employer *attention*, qui a une connotation plus «aimante» (*caring*) que la seule vigilance, ce qui reflète davantage la pensée de l'auteur.

5.5.1 Culture de sécurité

La valorisation de la sécurité peut faire partie ou non de la culture plus large d'une entreprise. Turner (1991 : 241) définit cette culture comme :

> [...] cet ensemble particulier de normes, de croyances, de rôles, d'attitudes et de pratiques, à l'intérieur d'une organisation, qui a pour but de réduire le plus possible l'exposition des employés, des gestionnaires, des clients, des fournisseurs et des membres du public en général aux conditions considérées comme dangereuses ou nuisibles.[75]

---

74. Pour plus de détails, voir le chapitre suivant.
75. Notre traduction.

L'adoption d'une culture de sécurité dépend de la perception de son importance chez une personne ou un groupe, bref de sa valorisation. Elle dépend également des croyances, par exemple la croyance qu'une catastrophe peut se produire dans l'entreprise. Pauchant et Mitroff (1988) ont ainsi identifié certaines caractéristiques susceptibles de bloquer ou de favoriser, dans une organisation, le développement d'une culture préparant à l'urgence.

La mise en place d'une culture de sécurité dépend aussi des moyens financiers qui sont alloués à la sécurité. Ainsi, à l'usine de Bhopâl, la sécurité était laissée à la direction de l'usine et l'inspection relevait de l'État (Madhya Pradesh). Toutefois, il n'y avait dans cet État que 15 inspecteurs pour 8 000 usines; ces inspecteurs, sans budget, devaient même utiliser les transports publics pour se déplacer (Donaldson, 1986). On peut évidemment affirmer que de telles restrictions financières reflétaient un manque de préoccupation pour la sécurité de la part de l'État indien, mais le fait est que les ressources ne sont jamais illimitées, particulièrement dans des pays en développement.

Parmi les moyens qui influencent la culture de sécurité, le niveau hiérarchique de la fonction sécurité dans l'entreprise – et le pouvoir qui la sous-tend – est sans doute, avec les ressources financières, l'un des plus importants. On a d'ailleurs pu observer que l'une des premières mesures adoptées par la NASA, à la suite de l'accident de Challenger, a été de nommer un haut responsable de la qualité et de la sécurité qui peut au besoin, de concert avec l'équipage des navettes, suspendre un lancement.

Enfin, le succès d'une culture de sécurité dépend de son acceptation par les membres de l'organisation. Ici, les cultures professionnelles vont en général dans ce sens, puisqu'elles définissent les valeurs auxquelles un groupe se rattache ainsi que les comportements désirables, sur le plan professionnel, relativement aux risques. Mais il faut rappeler que chaque personne est unique et a ses motivations propres pour adopter une culture, ses valeurs et les comportements qu'elle privilégie.

5.5.2 Valeurs

Les différents moyens mentionnés ci-dessus pour garantir une culture de sécurité constituent autant de concrétisations des valeurs sous-jacentes à une entreprise. En fait, si par exemple le niveau hiérarchique du responsable de la sécurité est tellement important, c'est parce que la culture de sécurité et ses valeurs sont en concurrence avec d'autres valeurs dans l'entreprise, et que l'autorité hiérarchique vient lui donner du poids.

Car ce n'est pas le manque de valorisation de la sécurité en elle-même qui menace la culture de prévention. Le problème naît plutôt du fait que les ressources sont rares et que le risque n'est toujours qu'une probabilité. Par conséquent, il faut faire des choix, et dans ces choix les valeurs entrent en jeu. Il faut choisir, par exemple, entre la sécurité et une certaine définition de la productivité selon laquelle on devrait économiser quant à la qualité ou à l'entretien des équipements, à moins que les ponctions ne soient faites sur la formation.

La culture générale d'une entreprise peut ainsi révéler les valeurs de sécurité. La NASA par exemple, dans ses contrats avec les sous-traitants, prévoyait des mesures incitatives et des récompenses (reflétant ses valeurs) qui mettaient l'accent surtout sur les économies de coûts et sur le respect des échéances : ces clauses pouvaient même constituer jusqu'à 14 % de la valeur du contrat total, alors que le dossier de sécurité du sous-traitant équivalait à un maximum de 1 % (Vaughan, 1990 : 247). Dans une telle situation, il n'est pas surprenant que les modifications au joint d'étanchéité, en particulier tant qu'on n'était pas convaincu de son importance, n'aient pas été prioritaires pour le sous-traitant.

5.5.3 Culture formelle contre comportements réels

L'exemple précédent montre que les comportements valorisés officiellement sont un autre indicateur d'une culture de sécurité, notamment parce qu'ils la manifestent concrètement. La réalité, toutefois, peut être différente de l'idéal, comme l'a montré Gephart (1987) avec l'industrie chimique. L'auteur a en effet observé comment les comportements privilégiés officiellement, et énoncés par des règles formelles, diffèrent des normes de comportements généralement acceptées dans le quotidien.

Il y a ainsi, d'une part, des règles qui spécifient qu'il faut «protéger le public en l'évacuant et en assurant la sécurité des lieux» et, d'autre part, des normes informelles selon lesquelles il faut «avertir et évacuer la population en dernier ressort». Ou encore : «Le superviseur sur le terrain a l'autorité de décider, après consultation du siège social», à quoi s'oppose, informellement : «Le siège social prend les décisions, à moins qu'on ne puisse le joindre» (Gephart, 1987).

Dans la mesure où le pouvoir n'est jamais absent de la culture de sécurité, il y a lieu de veiller à ce que les valeurs ne soient pas qu'une image de marque véhiculée par les campagnes de relations publiques, mais bien qu'elles se traduisent par des comportements effectifs en accord avec ce qu'elles définissent comme important.

5.5.4 Valorisation des ressources humaines

Le premier indice de la non-valorisation des ressources humaines tient dans la valorisation implicite de la technologie au détriment de l'humain. Bien que les deux ne s'opposent pas nécessairement, il est évident que, lorsque les humains sont remplacés par des technologies acquises en vantant leurs performances au regard des faiblesses humaines, les humains qui restent se sentent, précisément, des restes. Cela peut amener une démotivation et une perte d'intérêt pour la prévention de même que, possiblement, un mauvais climat de travail, avec ses répercussions sur les risques.

En parallèle, la diminution du nombre d'employés peut constituer un autre indice du peu de valorisation de l'humain dans l'entreprise (bien qu'elle puisse aussi provenir d'autres causes, telles des difficultés financières). Cette diminution a un impact, bien entendu, sur la charge de travail et sur ce qui s'ensuit (voir plus haut). On a ainsi noté qu'à Bhopâl le nombre d'opérateurs par quart était passé de 12, en 1983, à 5 l'année suivante, année de la catastrophe (Wilson, 1986).

La faible valorisation d'une catégorie de personnel est susceptible de se transformer en facteur de risque. Par exemple, à la NASA, Paté-Cornell et Fischbeck (1993) ont observé que, du fait que la tâche des préposés aux tuiles de la navette était peu valorisée, d'autres groupes de techniciens (mécaniques ou électriques) accordaient moins d'attention à ces tuiles. Ceci, en retour, augmentait les besoins d'entretien des tuiles, la charge de travail des préposés et donc le nombre d'erreurs potentielles, c'est-à-dire, en définitive, le risque.

Les ressources humaines sont donc une part importante de la prévention, ce que vont refléter les politiques de gestion des ressources humaines, concrétisées dans l'embauche, dans la rémunération et dans les relations de travail.

5.5.5 Valorisation des sonneurs d'alarme

En relation étroite avec la valorisation des ressources humaines, il y a la valorisation des personnes qui, grâce à leur action, permettent – lorsqu'elles sont crues – d'éviter la catastrophe : il s'agit des sonneurs d'alarme. On parle ici du «syndrome de Cassandre». Rappelons que Cassandre était cette femme de la mythologie grecque qui avait le don de prédire l'avenir; mais Apollon, furieux qu'elle ait repoussé ses avances, fit en sorte que personne ne crut jamais ses prédictions[76].

À l'époque moderne, de nombreux Cassandre (masculins pourtant, et ingénieurs de surcroît) n'ont pas été entendus, probablement parce que des intérêts beaucoup plus puissants penchent en faveur du *statu quo*. Sait-on que la centrale de Three Mile Island avait été désignée comme potentiellement dangereuse, 13 mois avant l'accident, par un ingénieur d'une firme sous-traitante? La note de service de ce sonneur d'alarme aurait été court-circuitée à la fois chez le sous-traitant et au National Research Council (Fink, 1986 : 11).

Le rôle de l'ingénieur Boisjoly à la NASA a été suffisamment célèbre pour qu'on n'y revienne pas ici[77]. Un autre ingénieur, dans le cas de l'effondrement du barrage de South Fork, cité plus haut, avait joué les Cassandre : une firme située à Johnstown, ville en aval du

---

76. Sans commentaires...
77. Les conséquences de son rôle de sonneur d'alarme seront cependant traitées au point suivant.

barrage, lui avait en effet commandé une étude, et les résultats de celle-ci montraient les risques; le club de pêche ignora toutefois le sonneur d'alarme, et la catastrophe se produisit (Frank, 1981). Pour sa part, le cas du DC-10 d'Ermenonville, mentionné lui aussi plus haut, constitue un autre exemple d'inattention aux sonneurs d'alarme. En fait, selon un journaliste anglais qui préparait, au moment de l'accident, un livre sur les DC-10 (Godson, 1975, cité par Perrow, 1984 : 139) :

- Le constructeur est mis au courant du problème par un ingénieur hollandais en 1969, au moment où le premier prototype est construit.
- Un sous-traitant prédit l'événement en 1970.
- Un test au sol en 1970 montre que la porte de la soute peut exploser et le plancher de la cabine s'effondrer (à la suite de quoi on apporte une modification au design, laquelle n'est toutefois pas faite sur tous les appareils).
- À 11 reprises, jusqu'en 1972, des inscriptions au journal de bord mentionnent des problèmes de fermeture de la porte.
- Un quasi-accident se produit entre Chicago et Détroit en 1972, à la suite duquel un ingénieur signale le problème à McDonnell-Douglas; mais rien n'est fait.

Enfin, il n'y a pas que des experts pour jouer le rôle de sonneurs d'alarme. Avant l'accident d'Aberfan en Écosse, en 1966 – où un glissement de terril tua 144 personnes –, il y avait eu des plaintes de la population locale, sensibilisée d'ailleurs par un quasi-accident qui s'était produit quelques années auparavant. Et nous avons remarqué le même phénomène dans les événements précédant l'incendie des BPC de Saint-Basile-le-Grand et celui des pneus usés de Saint-Amable. Autant de Cassandre profanes...

Le refus de croire les sonneurs d'alarme peut s'expliquer par le *groupthink*, dans le cas de certaines organisations, ou plus généralement par la fermeture à l'improbable. Mais il peut aussi provenir du simple fait que les prévisions du sonneur d'alarme, contrairement à celles de Cassandre, ne sont pas légitimées par les croyances. En effet, les prédictions de la Cassandre d'origine, parce que s'appuyant sur une force supranaturelle, n'étaient pas remises en question, alors que nos Cassandre modernes n'ont à leur disposition que des probabilités. La croyance dans ces dernières est parfois fort ténue, surtout si elles vont à l'encontre de ce qui est attendu. Car, face à l'incertitude, l'humain préfère généralement le *statu quo*.

5.5.6 Systèmes de récompenses

La réponse au sonneur d'alarme soulève la question des récompenses ou des punitions qui sont attachées à la prévention. Cette dernière, en effet, est moins glorieuse, moins visible aussi, que la gestion de catastrophes. Le sonneur d'alarme, pour sa part, est le plus souvent ridiculisé, quand il n'est pas carrément pénalisé, selon la tradition fort ancienne qui consiste à mettre à mort tout porteur de mauvaise nouvelle.

Challenger s'inscrit dans cette lignée. On a vu plus haut comment les contrats récompensaient certaines valeurs. Théoriquement, on aurait pu s'attendre à ce que l'ingénieur Boisjoly soit promu et récompensé pour avoir alerté les autorités sur le problème du joint tristement célèbre. Or, au contraire, il s'est vu refuser dans un premier temps les contrats de la NASA, après quoi il a été poliment remercié, pour des raisons de santé. En dépit du soutien de son association professionnelle, la carrière de cette personne a été pour le moins compromise.

Paradoxalement, non seulement l'entreprise sous-traitante n'a pas payé la contravention prévue (10 millions de dollars américains en 1986), mais elle a obtenu par la suite d'importants contrats de recherche pour résoudre le problème (Bell et Elkridge, 1987). Toutes ces actions constituent des messages importants au regard d'autres catastrophes à venir.

5.5.7 Attention au quasi-accident (*near-miss*) et apprentissage organisationnel

Dans les exemples du DC-10 et de ValueJet, cités plus haut, un quasi-accident s'était produit : pourtant, on n'y a pas prêté attention outre-mesure. De même, plus de 25 cas d'érosion de joints d'étanchéité ont été relevés avant l'explosion de Challenger (Vaughan, 1990), mais le sous-traitant et la NASA n'avaient pas réglé le problème. Comment expliquer un tel manque de cette «sagesse *a posteriori*» que Toft (1992) a appelée *hindsight*?

Plusieurs explications sont possibles. Tout d'abord, les différents éléments relatifs à la perception du risque peuvent être invoqués ici. Ensuite, les jeux de pouvoir, les pressions des intérêts politiques et économiques constituent d'autres facteurs influençant le fait que l'on reste aveugle face au phénomène. Dans cette ligne de pensée, on peut aussi inclure en tant qu'explication possible le fait que le quasi-accident met sous la loupe des enquêteurs les différentes étapes du système technique et ouvre de ce fait la voie aux poursuites judiciaires. Ce qui a fait dire, pour l'Angleterre :

> Les tentatives, par exemple, de mettre sur pied [dans l'industrie en général] des systèmes de rapports anonymes pour les défaillances et les quasi-accidents, analogues à ceux des pilotes de ligne, ont jusqu'ici échoué, et il semble y avoir une prime au secret plutôt qu'à l'ouverture. (Turner, 1992 : 194.)[78]

L'attention au quasi-accident n'est donc pas automatique. Elle fait partie de l'apprentissage organisationnel, plus précisément de ce que Toft et Reynolds (1994) appellent l'apprentissage isomorphique : dans celui-ci, il y a élargissement d'une expérience particulière à d'autres situations, au moyen d'une comparaison entre la situation vécue et les éléments de différents incidents, accidents ou catastrophes antérieurs.

---

78. Notre traduction.

Ces comparaisons peuvent se faire d'un secteur à l'autre d'une même entreprise ou entre des entreprises parfois fort différentes (ce que les auteurs appellent, dans ce dernier cas, isomorphisme interorganisationnel). Il y a aussi un isomorphisme communal, dans lequel des organisations différentes partagent des connaissances quant à des technologies, outils, procédures, matériels, etc., telle la connaissance des dangers de l'utilisation de la mousse de polyuréthane dans les fauteuils d'avion ou dans les maisons.

L'attention au quasi-accident est le moyen le plus sûr d'apprendre, avant que se produise la catastrophe. Elle dépend toutefois du droit d'accès à l'information sur les événements, ce qui est parfois d'autant plus difficile qu'il y a possibilité de poursuites judiciaires[79].

5.5.8 Interdépendances dans la culture

Le plus bel exemple d'interdépendances entre les éléments relatifs à la culture est sans contredit celui des entreprises à haute fiabilité, telles les centrales nucléaires ou les tours de contrôle aérien. Ces entreprises ont, presque par nécessité, une culture de sécurité. Il est vrai que la moindre défaillance, pour elles, risque de dégénérer en catastrophe.

Dans ces organisations, comme il sera vu au chapitre 8 de façon plus détaillée, les valeurs individuelles et professionnelles s'harmonisent avec la culture de sécurité. En fait, elles en font partie, et les comportements s'adaptent étroitement à ces valeurs privilégiées. Les entreprises à haute fiabilité valorisent l'apport humain à la technique, elles accordent de l'attention aux sonneurs d'alarme, elles responsabilisent et elles s'intéressent aux quasi-accidents, considérés comme sources d'apprentissage. Enfin, le système de récompense est adapté à cette culture de sécurité. Tous ces éléments se renforcent mutuellement dans une même direction, celle de la fiabilité.

5.6 DÉFAILLANCE : RÉSULTAT D'ÉLÉMENTS INTERDÉPENDANTS

Lorsqu'il est question de lieux où un risque majeur peut se développer dans l'entreprise, ce ne sont pas les éléments énumérés ci-dessus qui, considérés séparément, posent problème, mais bien davantage les interrelations qui s'établissent entre eux. Nous avons montré comment ces éléments sont en interrelation au sein des différentes catégories, par exemple technique ou organisationnelle; ils le sont aussi dans la catégorie culturelle, mais comme les facteurs culturels sont d'ordre plus conceptuel, il est alors plus difficile de saisir leurs relations. Il s'agit maintenant de mettre en lumière les interrelations que l'on peut observer entre la technologie, la structure et la culture dans les entreprises, en matière de risques.

---

79. D'où l'importance de la communication du risque (chap. 9) lorsqu'il est question de risques dans l'entreprise.

Pour comprendre ces interrelations, il y a lieu de se référer à l'ensemble des travaux de Turner en ce qui concerne le risque. Car, bien que n'ayant pas consciemment défini une typologie dans ces termes de technologie, structuration et culture, l'auteur a néanmoins fourni des éléments qui peuvent se regrouper selon ces axes.

Tout d'abord, au regard de la technologie, Turner (1992) situe le risque dans un ensemble sociotechnique pouvant se retrouver dans ce qu'il a appelé :

- Le système de conception de la phase ingénierie. Ce système est le résultat de la formation, de l'expérience, de la charge de travail, du niveau de ressources et de la communication (d'où le fait que l'auteur parle d'*ensemble sociotechnique*).
- Le système d'installation. Il s'agit de la fabrication des composantes et de leur assemblage.
- Le système de l'utilisateur final. Ce système couvre l'usage du produit, les opérations et l'entretien. C'est là où l'ingénieur et le concepteur ont le moins de pouvoir, bien qu'ils doivent prendre en considération le type d'utilisation qui sera faite non seulement idéalement, mais concrètement.

Sur le plan de la structuration du travail, Turner (1978) a énuméré quelques-uns des multiples facteurs pouvant se combiner, à la phase d'incubation, pour produire une catastrophe. Il s'agit des éléments suivants :

- Un groupement interorganisationnel d'une ou de deux grandes organisations et de plus petites engagées dans une tâche complexe, mal définie et prolongée.

  - Une tâche complexe est caractérisée par :
    - le design d'un système réparti en plusieurs sites vastes et complexes;
    - le fait que les employés d'un certain nombre d'organisations ont accès à ces sites;
    - le fait que le public est admis sur ces sites.

  - Une tâche prolongée suppose parfois :
    - un changement dans les objectifs;
    - des changements probables dans la machine administrative liée à cette tâche;
    - un changement dans certains rôles liés à cette tâche.

  - Une tâche mal définie implique :
    - que des ambiguïtés sont liées à la réalisation de la tâche;
    - que l'on peut passer outre aux régulations ou que celles-ci ne sont pas strictement appliquées;
    - que les personnes, en fonction de leur position dans l'organisation ou de leur profession, ne mettent l'accent que sur certains aspects de la tâche, cela étant renforcé par les traditions de l'organisation.

Enfin, sur le plan de la culture, l'auteur (1978) a souligné les points suivants :

- Les membres de l'organisation concernée agissent, officiellement du moins, en fonction d'une vision stéréotypée du public et du comportement de ce dernier envers leur projet.

- Les plaintes du public sont généralement traitées rapidement, considérées comme provenant de non-experts qui ne comprennent pas véritablement les problèmes et qui n'ont pas accès à toute l'information pertinente. Quelquefois, preuves à l'appui, on mentionne que ces plaintes sont faites par des «énervés».

- Là où des dangers potentiels émergent, seuls quelques-uns seront reconnus et traités.

- Les autres dangers seront négligés :
  - parce qu'ils ne sont pas reconnus par ceux qui agissent selon les stéréotypes organisationnels approuvés;
  - à cause de la pression du travail;
  - parce que les reconnaître et agir supposeraient un investissement en temps, en argent et en énergie qu'il serait difficile de justifier à l'intérieur de l'organisation;
  - parce que la plupart des personnes concernées ont l'impression que, de toute façon, la catastrophe n'arrivera pas.

Nous proposons, pour illustrer ces interrelations, quelques exemples. Le premier est celui de Three Mile Island, où l'on a pu constater que la réponse des opérateurs, sur laquelle on a mis l'accent comme facteur explicatif de la catastrophe, n'a été en fait qu'un élément parmi d'autres dont, notamment :

- la conception de la salle de commandes;
- des déficiences dans la formation des opérateurs;
- la clarté des procédures;
- la capacité de l'organisation à apprendre des incidents précédents;
- la difficulté de répondre à l'événement lui-même (plans d'urgence).

Un deuxième exemple est fourni par l'accident du DC-10 à Ermenonville. Nous avons analysé les données fournies par Perrow (1984 : 141) en fonction de notre grille, ce qui donne les éléments suivants :

- Les concepteurs ont placé les contrôles de l'avion sous le sol de la cabine passagers.
- La conception du mécanisme de fermeture de la porte de la soute laisse à désirer.
- Des sonneurs d'alarme et un quasi-accident font en sorte que deux types de mesures de mitigation technique sont proposés pour la porte de la soute : d'un côté un redesign de la porte au complet, pouvant par exemple glisser plutôt que s'ouvrir et, de l'autre, l'ajout d'une plaque de métal au mécanisme existant.

- Les entreprises et la FAA optent pour cette dernière solution, moins coûteuse.
- L'échéancier des correctifs est laissé au bon vouloir des entreprises. Les mesures de mitigation prennent donc en général du temps à être implantées. Il arrive qu'on oublie de les mettre en place, même sur de nouveaux appareils.
- Le DC-10 d'Orly n'avait pas cette plaque de métal.
- Un préposé aux bagages ferme la porte.
- Une information rédigée en deux langues, sur la porte, indique comment la fermer. Le préposé connaît aussi deux langues, mais aucune de celles qui sont sur les instructions.
- Ce préposé, bien qu'expérimenté, n'est pas familiarisé avec le mécanisme de fermeture, compliqué et difficile.
- Aucun signal extérieur n'indique que la porte est mal fermée.
- Le mécanisme de sûreté prévu pour pallier la défaillance de la fermeture de la porte – à savoir que la cabine ne puisse être pressurisée si la porte n'est pas parfaitement fermée – ne fonctionne pas, comme cela s'était produit dans le quasi-accident de 1972.
- Des pressions pour faire vite sont présentes : en effet, une grève du personnel des aéroports est imminente à Paris, et l'équipage comme les passagers désirent partir avant d'être retenus par la grève en question.
- À cause de cette menace, l'avion est bondé (l'auteur mentionne que s'il n'y avait pas eu un tel poids sur le sol de la cabine, les contrôles auraient peut-être pu être conservés intacts, comme cela s'était produit lors du quasi-accident de 1972).

En conclusion, face à un tel enchevêtrement d'événements à première vue disparates, on constate que ce n'est pas un élément en particulier de la culture de sécurité, de la structuration ou de la technologie qui est à l'origine d'une catastrophe, mais bien un ensemble dont les éléments sont nécessairement liés entre eux, dans une relation que l'on ne comprendra, malheureusement, qu'*a posteriori*. Et ces interrelations mettent en cause non seulement une entreprise, mais aussi la société qui l'entoure.

En ce sens, la recherche d'un coupable en vertu de l'explication par l'erreur humaine ne mène à rien. Nous préférons parler d'élément déclencheur d'une catastrophe, les analyses ultérieures montrant que cet élément n'est en fait que le point de départ d'une suite de faiblesses. Certes, chacune de ces faiblesses constitue, isolément, un risque, mais leurs interrelations en représentent un plus grand encore. C'est ce qui sera illustré au chapitre suivant.

SYNTHÈSE

Ce chapitre montre comment un désastre se construit, dans l'obscurité du quotidien, par un certain nombre de gestes posés isolément mais qui, pris dans leur ensemble, rendent possible l'événement. C'est en quelque sorte la partie cachée de l'iceberg qui est analysée en ce qui a trait au risque dans l'entreprise. Cela ne signifie pas que la défaillance ne vienne que de l'interne. Des exemples prouvent au contraire qu'elle peut être influencée par le rôle de l'environnement sociologique de l'organisation, soit lorsqu'il y a collusion entre les acteurs de cet environnement, soit au contraire lorsqu'il y a rivalité entre eux.

Quatre grandes catégories de sources de défaillances à l'intérieur de l'entreprise sont ensuite analysées. Tout d'abord, la catégorie des défaillances provenant des personnes, ce qui est généralement appelé l'«erreur humaine». Si cette dernière est tout à fait possible, elle n'en constitue pas moins, dans certains cas, un prétexte idéologique pour cacher d'autres types de défaillances. Une deuxième source de risques a trait à la technologie. Ici comme pour les autres catégories, tous les éléments retenus sont illustrés par des exemples. Il s'agit de la localisation des technologies et de leur concentration, de la conception et de l'agencement des équipements, de leur construction et de leur assemblage, de l'exploitation, de l'entretien, de l'entreposage et des mises au rancart, et enfin de l'introduction de nouvelles technologies ou des modifications apportées à ces dernières.

Une troisième source de risques dans l'entreprise se rattache à la structuration organisationnelle : partages de responsabilités, sous-traitance, charge de travail et résistance au stress, horaires et climat de travail, rotation du personnel, formation, critères de promotion et changements organisationnels. Enfin, la dernière source de défaillances dans l'entreprise est liée à la culture organisationnelle : culture de sécurité, valeurs, hiatus potentiels entre culture formelle et comportements réels, valorisation des ressources humaines et des sonneurs d'alarme, systèmes de récompense et attention accordée aux quasi-accidents.

Outre le détail de ces différents éléments, leur interaction est également prise en compte pour décrire comment survient une défaillance : interaction interne à chaque catégorie et interaction entre technologie, structure et culture de façon à montrer comment, profondément, le risque en entreprise est sociotechnologique.

CHAPITRE

6

INTERDÉPENDANCES DES RISQUES

Le chapitre sur les risques en entreprise montre que ces risques sont rarement concentrés dans un seul aspect de l'organisation. Ce qui fait leur complexité, c'est qu'ils sont en interactions, celles-ci étant souvent invisibles. Ce sont en général les analyses précatastrophes, à la suite de quasi-accidents, ou encore les analyses postcatastrophes, qui dévoilent ces interactions et permettent d'apprendre. D'où la nécessité, avant de se pencher plus avant sur les interdépendances des risques, de parler brièvement de ces analyses.

Quelques précisions sémantiques ici : dans ce qui suit, il sera question indistinctement d'accident, de désastre ou de catastrophe, bien que le premier soit moins grave que les autres. Par ailleurs, nous emploierons surtout le terme *quasi-accident*, malgré le fait qu'il s'agit plutôt, dans certains cas, de *quasi-catastrophe*.

6.1 ANALYSES PRÉCATASTROPHES ET POSTCATASTROPHES

6.1.1 Analyses précatastrophes

Les analyses précatastrophes proviennent de rapports portant sur les quasi-accidents. Comme nous l'avons vu au chapitre précédent, la publication de ces rapports a pour objectif l'apprentissage et la prévention. Il s'agit de rapports formels et obligatoires dont la fonction est d'identifier des incidents qui, dans un autre contexte, auraient pu causer des catastrophes. L'aviation a développé le système le plus reconnu. Cette industrie peut également compter sur d'autres sources de données concernant les risques tels que le journal de bord, le formulaire de rapport de la société aérienne, le rapport de situation et, bien sûr, «les conversations au bar après un vol difficile» (Wilson, 1994).

Selon Kletz (1994b), les rapports de quasi-accidents sont nécessaires pour des raisons :

• morales;

• pragmatiques, aux fins d'échange d'information;

- économiques, afin d'éviter le coût lié à un accident;
- de sauvegarde de l'industrie, la catastrophe entraînant une perte de confiance du public et des lois plus contraignantes.

Certains obstacles se dressent toutefois relativement à la publication de ces rapports. En ce qui concerne l'aviation, Wilson (1994) a noté les suivants :

- Il existe des différences dans les perceptions des pilotes, différences provenant des cultures différentes, des formations différentes, etc.
- La transmission de cette information hautement confidentielle exige une chaîne de communication en dehors de la hiérarchie habituelle, puisque ces rapports doivent à la fois demeurer confidentiels et donner à la haute direction une information non filtrée.
- Il est difficile de mesurer dans quelles circonstances *un* rapport sur *un* événement a permis d'éviter réellement *un* accident, dans la mesure où ce dernier est le plus souvent le résultat d'une chaîne d'événements dont les combinaisons sont variables.
- Une fois l'information connue, il faut agir. Or, le coût des changements que suppose l'identification d'une faiblesse peut soulever des réticences.

L'industrie pétrolière et l'industrie chimique ont aussi favorisé ce genre de rapports. Cette pratique s'est étendue, au Canada entre autres, à toutes les industries faisant partie du Conseil canadien pour les accidents industriels majeurs (CCAIM). Mais, tel que nous l'avons vu dans le chapitre 4, les organisations sont réticentes à fournir une information confidentielle et qui peut même donner lieu à des poursuites judiciaires. Kletz (1994b) a constaté le même phénomène en Angleterre, où les industries pétrolières et chimiques, par exemple, semblent moins disposées que par le passé à publier de tels rapports d'accidents. Selon l'auteur, les craintes relatives à la diffusion de l'information sur les quasi-accidents s'expliqueraient par :

- un manque de temps pour remplir les rapports, la récession économique entraînant des compressions de personnel;
- l'influence des avocats de l'entreprise, surtout aux États-Unis, bien qu'«en Angleterre les avocats [soient] plus souvent une excuse à la non-publication qu'une raison sérieuse» (Kletz, 1994b : 3);
- la crainte d'une mauvaise publicité, notamment dans les médias;
- la lourdeur des procédures à suivre avant de publier (consultation de nombreuses unités administratives, etc.);
- la crainte de divulguer de l'information confidentielle.

Se dessine ici un grave problème de société, car ces rapports, préparés dans un climat de confiance, pourraient permettre d'éviter la catastrophe. On peut prétendre que les causalités ne sont pas directes ou qu'elles sont non vérifiables, mais si la possibilité existe de sauver des vies humaines, alors la mesure est nécessaire, moralement sinon légalement. Peut-être faudrait-il penser à adapter en conséquence le système judiciaire, en offrant par exemple une forme d'immunité aux personnes ou aux entreprises qui publient ces rapports. La question demeure ouverte.

6.1.2 Analyses postcatastrophes

À la suite d'une catastrophe, on effectue généralement un certain nombre d'analyses de différents types. Il existe, selon nous, deux grandes catégories de ces analyses postcatastrophes, à savoir ce qu'il est convenu d'appeler les «analyses techniques», d'une part, et les analyses des commissions d'enquête, d'autre part. Toutes deux remontent à la réponse à la catastrophe mais aussi, bien souvent, à la gestion du risque qui l'a précédée, ce que Lagadec (1991) a appelé la «remontée de l'obscur».

6.1.2.1 Analyses techniques

Les analyses techniques se font le plus rapidement possible après une catastrophe. C'est sans doute la raison pour laquelle elles posent le problème de leur mise en œuvre par rapport aux besoins, simultanés, de la réponse à l'urgence et, en particulier, du secours aux victimes. Ces analyses peuvent être de différents types. On a ainsi :

- Les analyses d'indices sur les lieux d'un attentat, par exemple après l'écrasement d'un avion civil à Lockerbie, en Écosse, ou d'un convoi militaire à Gander, à Terre-Neuve. Le rôle des policiers et des enquêteurs criminels de formation technique est ici fort important.
- Les analyses techniques portant sur les structures des immeubles, comme après un tremblement de terre. Le rôle des ingénieurs est alors crucial.
- Les retours d'expérience sur les actions de réponse à la catastrophe. Ils touchent tous les gestionnaires d'une catastrophe, privés ou publics.

Les analyses techniques permettent de recueillir des données, de les analyser et d'appliquer les résultats aux prochaines constructions (dans le cas de tremblements de terre), aux mesures de sécurité (par exemple pour prévenir des attentats terroristes) ou aux modes de fonctionnement (grâce aux retours d'expérience). En fait, elles constituent des sources précieuses d'apprentissage pour les organisations.

Dans le cas des accidents d'avion, il existe des règles formelles d'analyses techniques touchant la sécurité du site. Par exemple, au Canada, le Bureau de la sécurité des transports (BST) a le pouvoir d'établir un périmètre de sécurité tant que les débris d'un avion écrasé n'ont pas été examinés afin de déterminer les causes de la catastrophe; bien entendu, ces mesures d'isolement ne doivent pas entraver les secours aux victimes.

Dans le cas d'écrasements de structures, tels des ponts, des autoroutes ou des immeubles, provoqués par exemple par un tremblement de terre, il est parfois bien difficile d'exiger des secouristes qu'ils laissent les débris de structures en place le temps que les ingénieurs terminent leurs analyses en vue d'améliorer leurs connaissances. Ces analyses techniques sont néanmoins essentielles car, dans certaines conditions extrêmes, il n'existe pas de simulation possible, la catastrophe réelle servant alors de test :

> [...] les structures de génie civil sont différentes des structures d'aéronautique en ce que les premières ne peuvent jamais être aussi facilement testées en conditions contrôlées que les secondes [...] En pratique, un pont important [...] ne peut être vraiment secoué qu'avec la force réelle du vent ou d'un tremblement de terre, ce qui est, bien sûr, une expérience non contrôlée et non planifiée. Et les ponts les plus ambitieux sont en général construits à un unique exemplaire. (Petrovski, 1994 : 318.)[80]

Les analyses techniques sont donc nécessaires pour faire avancer la science. Il est aussi des cas où elles ont une utilité immédiate, comme lorsqu'elles servent à décider de la solidité des structures, et donc de la continuation ou de l'arrêt des secours, ou encore de la réintégration – ou non – des résidences après une catastrophe. De telles situations posent parfois des dilemmes aux secouristes, ceux-ci voulant continuer leur travail. Ils ont alors tendance à refuser les conclusions des ingénieurs spécialistes en structures.

D'autres exemples de ces cas où l'on ne fait pas confiance aux analyses techniques postcatastrophes sont fournis par deux tremblements de terre : le premier est survenu en 1990 aux Philippines (Durkin, 1991) et le second en 1987 à Whittier-Narrows (Andrew, 1988). Ces événements ont mis en lumière, respectivement, le refus du personnel médical et des patients de réintégrer un hôpital et le refus des sinistrés de revenir dans leur demeure, ceci en dépit d'assurances techniques formelles. En contrepartie, il est aussi des situations où les sinistrés refusent les avis techniques, mais cette fois parce qu'ils veulent réintégrer leur domicile à tout prix.

De tels comportements ne doivent cependant pas faire oublier que les analyses techniques postcatastrophes sont essentielles. Si elles ont été définies en général en termes d'ingénierie ou encore de criminologie, elles peuvent aussi s'étendre à d'autres aspects des connaissances, telle l'organisation des secours. En effet, il est tout aussi utile, dans certains cas, de connaître le mode de mise en place et l'efficacité de la réponse à l'urgence que d'obtenir une analyse des structures physiques.

---

80. Notre traduction.

On pense alors à ces retours d'expérience (*debriefings*) sur la réponse à la catastrophe qui se font, comme les autres analyses techniques, le plus rapidement possible après l'événement. À la différence toutefois qu'elles ont lieu après un certain délai, puisque le rôle premier des personnes qui y participent est de répondre à l'urgence, l'analyse technique de cette réponse n'étant qu'un moyen. Inspirés des modèles des corps policiers, ces exercices se sont étendus à la gestion d'ensemble d'une catastrophe.

Les retours d'expérience peuvent être sectoriels et concerner uniquement un organisme gouvernemental ou une entreprise privée. Ils peuvent aussi être plus larges, jusqu'à couvrir l'ensemble des intervenants. L'étude sur l'incendie de BPC de Saint-Basile-le-Grand (Denis, 1990a) appartient à cette dernière catégorie, puisqu'elle portait sur tous les gestionnaires de la catastrophe. Ces mécanismes sont utiles en ce qu'ils permettent d'améliorer les interventions à venir, c'est-à-dire qu'ils permettent l'apprentissage organisationnel. Par contre, ils présentent aussi un certain nombre de limites. Ainsi :

- Les recommandations auxquelles ils donnent lieu peuvent rester lettre morte pour diverses raisons.
- Ils peuvent avoir une fonction d'exorcisme. À ce moment, les gouvernements se satisfont de l'exercice en soi et ne jugent pas nécessaire de mettre en œuvre les recommandations, ce qui revient au point précédent.
- Ils peuvent refléter des rationalisations et des justifications *a posteriori*, chaque participant essayant de défendre son action passée.
- Si les retours d'expérience sont pilotés par les responsables de la réponse à la catastrophe et que ce sont eux qui doivent décider des dédommagements financiers, les participants peuvent, consciemment ou non, orienter leurs réponses vers une justification des actions gouvernementales de façon à s'assurer des relations harmonieuses avec les bailleurs de fonds.
- Les retours d'expérience peuvent devenir de lourds processus bureaucratiques qui consomment beaucoup de temps et empêchent du même coup d'autres activités de recherche sur le terrain. En effet, le bassin des gestionnaires d'urgence est limité et ceux-ci sont fatigués après de tels événements : dans un tel contexte, on comprend qu'ils ne peuvent répondre à toutes les demandes des chercheurs.

6.1.2.2 Analyses des commissions d'enquête

Les retours d'expérience débordent le domaine d'une technique en particulier pour s'étendre à la gestion de l'urgence ou à la culture des organisations en cause. Ils se rapprochent donc du deuxième type d'analyses postaccidents, celui des commissions d'enquête publiques. La différence fondamentale entre les deux catégories est que la commission d'enquête revêt toujours un aspect judiciaire – tel le pouvoir d'assigner des témoins ou de protéger leur droit de témoigner –, tandis que les analyses techniques peuvent ou non avoir cette dimension.

Il existe cependant des formes diverses de ces mécanismes appelés «commissions». À titre d'exemple, au Québec, à la suite des inondations de 1996 au Saguenay, on a mis sur pied une commission «scientifique et technique» (Nicolet *et al.*, 1996), avec des budgets et des commissaires, mais sans le titre de commission d'enquête et sans ce pouvoir judiciaire qui l'accompagne normalement.

Une autre différence entre les commissions d'enquête et les analyses techniques est que les premières couvrent en général un terrain plus large que les secondes (bien qu'elles puissent aussi, dans certains cas, se limiter au seul aspect technique). En effet les commissions d'enquête, tout en mettant largement l'accent sur le technique, ont tendance à étendre leur analyse aux dimensions sociales et même, parfois, à la culture de sécurité. Ainsi, la Commission d'enquête sur la tragédie de la mine Balmoral, en 1981, a analysé, à côté de la technique, les aspects sociopolitiques et économiques de la gestion du risque de même que, phénomène plus rare, ses aspects organisationnels (Legendre et Dofny, 1982).

Les analyses des commissions d'enquête constituent donc des sources précieuses pour comprendre la gestion du risque. Car elles ne se concentrent pas seulement sur la réponse à l'urgence, mais aussi – dans certains cas nous dirions surtout – sur les causes d'une catastrophe. Voilà pourquoi nous nous appuyons sur les résultats d'un certain nombre de ces analyses pour comprendre le risque dans ses nombreuses interdépendances.

Le premier cas est celui d'une catastrophe minière en Angleterre. Ici, les analyses ont pris la forme d'une méthode qui montre que les commissions d'enquête ne couvrent pas toujours tous les aspects d'un risque. Nous présentons ensuite, à partir de notre grille, une analyse de la gestion du risque telle qu'elle se dégage des résultats de certaines commissions d'enquête : il s'agit d'un grave incendie dans la station de métro King's Cross, à Londres, en 1987, et du naufrage du traversier Herald of Free Entreprise en Belgique, la même année.

6.2 ÉLÉMENTS EN INTERDÉPENDANCE : QUELQUES CAS

6.2.1 Coup de grisou dans une mine

Une méthode, le *Schematic report analysis diagram* (SRAD), a été développée pour schématiser les éléments du risque menant à une catastrophe à partir des données des commissions d'enquête. Cette méthode aide à comprendre les interrelations entre les éléments d'un risque, avec l'exemple d'un coup de grisou dans une mine.

Le SRAD a été d'abord mis au point par B. Turner (1978), puis développé davantage par Toft et Turner (1987) pour analyser ce même accident minier. La méthode a par la suite été étendue à d'autres événements, tels l'effondrement d'une toiture sous le poids de la neige (Pidgeon *et al.*, 1986), un incendie dans un wagon-lit ayant fait 12 victimes en 1978 en

Angleterre (Turner, 1989b) et un accident à un passage à niveau (Toft et Reynolds, 1994). C'est uniquement le premier cas que nous présentons ici.

Quels éléments du risque sont à l'origine de la catastrophe?

6.2.1.1 Croyances erronées

Sur les dangers du gaz. Selon le rapport de la commission d'enquête, le facteur le plus important pour expliquer la catastrophe est la croyance, répandue chez les mineurs, que la veine qu'ils exploitent est libre de gaz. Il y avait bien toujours un peu de grisou, mais cela ne causait pas d'inquiétude parce que les émanations étaient inférieures à la norme.

Sur les besoins de ventilation. La croyance précédente va faire en sorte qu'on ne se préoccupe pas de la ventilation – ni, ajouterions-nous, des mesures d'urgence – au moment où l'on décide d'exploiter une nouvelle face dans la mine, en janvier 1965.

6.2.1.2 Constructions temporaires et retards

L'amorce d'un nouveau front d'exploitation exige la construction de passerelles d'aération entre deux tunnels. On n'accorde pas beaucoup d'attention à la qualité de la construction de cette passerelle puisqu'on ne croit pas que la ventilation constitue un élément important, la mine étant jugée sécuritaire.

Une tel choix est aussi motivé par le fait que la passerelle d'aération est temporaire, puisqu'elle doit être remplacée sous peu par une passerelle permanente. Toutefois, la construction de cette dernière sera suspendue pour permettre d'autres tâches jugées plus importantes.

6.2.1.3 Tests faussement sécurisants

Lors du processus normal de minage, une vieille section (P11) est rejointe le 7 mai. On ne pense pas avoir de problème à cet endroit avec le méthane, ce qui est confirmé par des tests. Mais la passerelle doit être scellée de toute façon, ce qui est réalisé au terme de six jours de travail, les tests de méthane continuant d'être négatifs. (Turner, 1978 : 93.)[81]

6.2.1.4 Urgences dont il faut s'occuper

Le 17 mai, on croit avoir laissé ouverte une paire de portes de ventilation conduisant à une autre partie de la mine. Il y a beaucoup d'activité le matin du 17 mai, en raison de bris du convoyeur et du système de halage – ainsi que des réparations correspondantes. Cela amène plus d'hommes que d'habitude à la face P26 et exige d'eux d'utiliser fréquemment les

---

81. Notre traduction.

ouvertures d'accès dans la passerelle temporaire d'aération, un fait qui est sans conséquence dans des conditions normales de ventilation. (Turner, 1978 : 94.)[82]

6.2.1.5 Pressions pour reprendre la production et autre défaillance – électrique cette fois

À la suite des bris du matin, il y a des pressions pour reprendre la production le plus vite possible quand, à 12 h 15, survient une panne électrique dans un moteur. On fait appel aux électriciens pour la réparer et, à 12 h 40, ils sont en train de tester un commutateur. (Turner, 1978 : 94.)[83]

6.2.1.6 Erreur humaine

L'élément déclencheur de l'événement est le fait que les électriciens, peut-être à cause du désir de faire vite, n'utilisent pas un couvercle de protection pour empêcher le contact d'étincelles avec l'air ambiant.

Le test du commutateur, qui n'a pas son couvercle protecteur correctement boulonné, provoquera le mélange grisou-air. (Turner, 1978 : 95.)[84]

6.2.1.7 Accumulation insoupçonnée de grisou

En fait, en faisant la liaison avec la vieille partie (P11) de la mine, on a fait entrer du méthane, ce qui, joint à une ventilation insuffisante, amène une accumulation de grisou. L'étincelle, dans ces conditions, provoquera l'explosion.

6.2.1.8 Éléments en interdépendance

Pour illustrer les interdépendances, il y a lieu, à la suite des auteurs, de procéder en trois étapes. Tout d'abord, la figure 6.1 présente les interrelations entre les éléments qui ont mené à la catastrophe. Dans un deuxième temps, on peut également (fig. 6.2) montrer les interrelations entre :

- les événements, qu'il s'agisse d'une action humaine (non-protection d'un commutateur, mauvaise construction, etc.) ou d'un phénomène (étincelle, accumulation de grisou, etc.);
- les croyances erronées, de façon à présenter le développement, caché cette fois, de la catastrophe.

---

82. Notre traduction.
83. Notre traduction.
84. Notre traduction.

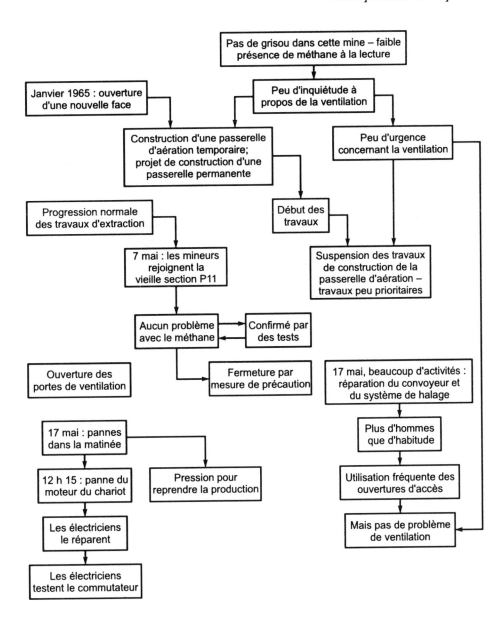

Figure 6.1 Représentation schématique des événements qui sont survenus à la mine Cambrian Colliery avant l'accident du 17 mai 1965.

Source : Turner, B. A. 1978. *Man-Made Disasters.* Londres, Wykeham Publications : 97.

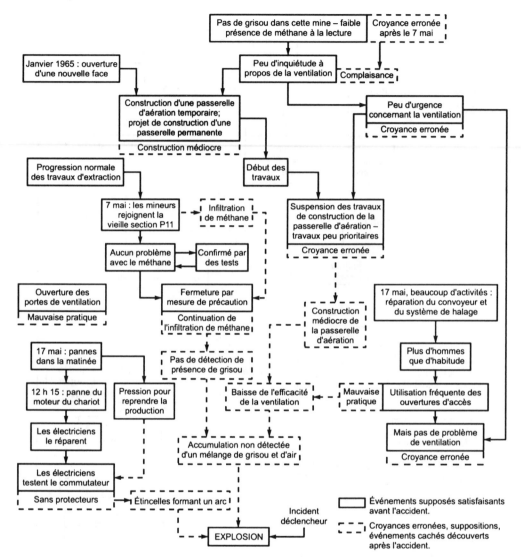

Figure 6.2   Représentation schématique des événements qui sont survenus à la mine Cambrian Colliery après l'accident du 17 mai 1965.

Source : Turner, B. A. 1978. *Man-Made Disasters*. Londres, Wykeham Publications : 98.

La troisième étape est l'utilisation du SRAD au regard des recommandations de la commission d'enquête (fig. 6.3). Selon Toft et Turner (1987), le principal avantage de la méthode vient de ce qu'elle permet de montrer comment les recommandations des commissions d'enquête – parce qu'elles sont surtout techniques et juridiques – passent parfois à côté de certains éléments importants, telles les pratiques courantes des mineurs. Un tel accent sur certains aspects au détriment d'autres points s'explique d'autant plus difficilement que, selon les auteurs, le rapport de la commission d'enquête mentionne pourtant bien ces pratiques; il va même jusqu'à affirmer que le travail des électriciens est routinier et ennuyeux. Mais aucune recommandation formelle ne suit ces réflexions.

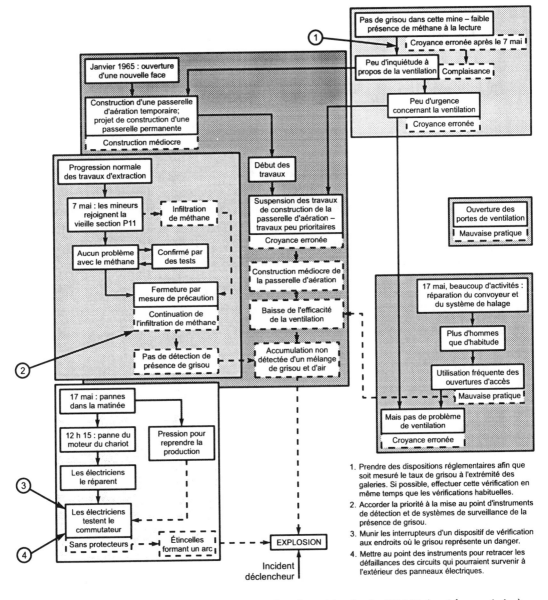

Figure 6.3 Regroupement d'événements selon la méthode du SRAD (accident minier).

Source : Toft, B. et B. A. Turner. 1987. The schematic report analysis diagram : A simple aid to learning from large-scale failures. *International C³IS Journal,* 1, 2 : 16.

Notre grille d'analyse centrée sur la technologie, sur la culture et sur la structuration peut aussi s'appliquer à cette catastrophe. Les tests effectués (technologie) laissent penser qu'il n'y a pas accumulation de grisou, et cette croyance (culture) est renforcée par l'historique de sécurité de la mine (culture et technologie). La construction rapide d'une passerelle de ventilation, parce que temporaire (technologie), sera faite en fonction de cette croyance. Bien entendu, l'élément déclencheur, lui, est une mauvaise pratique de la part de l'électricien, c'est-à-dire une défaillance humaine. À côté de ces éléments de base, d'autres vont s'ajouter comme des urgences à résoudre et un personnel plus nombreux (structuration), utilisant donc plus fréquemment les ouvertures d'accès, ainsi que des pressions pour reprendre la production le plus vite possible (structuration).

Si ces derniers éléments, tenant surtout à l'organisation du travail, avaient été absents, il se peut que rien ne soit survenu et qu'on ait pu construire par la suite des bouches d'air permanentes. Mais cela reste une hypothèse. Il se peut aussi que, malgré les pressions de production et les urgences à régler, le coup de grisou ne se soit pas produit si l'électricien avait adopté un comportement sécuritaire. Mais cela aussi reste hypothétique. Sans compter que la catastrophe aurait sans doute été évitée si l'on n'avait pas tenu pour acquis que la mine ne présentait aucune accumulation de méthane et qu'on avait fait des tests régulièrement — comme l'a d'ailleurs recommandé la commission d'enquête.

Il ne s'agit donc pas d'un élément mais d'un ensemble d'éléments en interaction. Même si, à l'origine de la catastrophe, on trouve un élément déclencheur, celui-ci n'a d'importance que parce que d'autres maillons de la chaîne étaient faibles.

6.2.2 Incendie dans une station de métro

En novembre 1987, à 19 h 29, heure d'affluence, un incendie se déclare dans un escalier mécanique de la station de métro King's Cross, l'une des plus achalandées de Londres. Le feu se propage rapidement, précédé d'une épaisse fumée noire qui bouche toutes les issues. L'accident fait 30 victimes.

Nous laissons de côté ici la réponse à la catastrophe proprement dite. Toutefois, comme l'a souligné la commission d'enquête (Fennell, 1988), les conséquences de l'événement auraient été moins graves s'il y avait eu une meilleure coordination des secours et si les intervenants avaient bénéficié d'une bonne formation à la lutte contre l'incendie (d'où l'importance de cet élément qu'est la réponse à la catastrophe sur l'échelle de gravité des dangers vue au chapitre 2).

Il est vrai aussi que l'incendie aurait causé moins de pertes de vies humaines s'il s'était produit à un autre moment ou dans une autre station. Mais ces contingences situationnelles (Denis, 1993a) ne sont, précisément, que des contingences.

Un ensemble de facteurs a donc mené à la catastrophe, en particulier les suivants.

6.2.2.1 Aménagement physique des lieux et achalandage

Plusieurs corridors de correspondance de cette station de métro avaient déjà, à certaines heures, une circulation de personnes tellement dense que des bouchons survenaient à l'occasion. Selon l'un des membres de la commission royale d'enquête, le professeur Bernard Crossland (1994), personne n'a songé, semble-t-il, à cette question du flux excessif de passagers avant que l'accident survienne.

6.2.2.2 Lourd passé de quasi-accidents

Il existe dans l'entreprise, au moment de la catastrophe, un historique d'incidents du même type, causés par des mégots de cigarettes mal éteints prenant feu au contact de détritus et de graisse accumulés dans les escaliers mécaniques. On a ainsi relevé 57 de ces quasi-accidents dans la période 1939-1944, avant le grave incendie de la station de métro Paddington : après cela, des gicleurs seront installés sous tous les escaliers mécaniques. Entre les années 1956 et 1988, on relève 46 incendies, dont certains sévères, pour une moyenne de plus d'un quasi-accident par année.

6.2.2.3 Recommandations laissées en suspens sous prétexte d'une modernisation à venir du système

Les quasi-accidents seront suivis d'un certain nombre de recommandations, prévoyant par exemple le nettoyage régulier des escaliers, le déplacement des valves contrôlant les gicleurs à un endroit moins soumis à la fumée, de même que la formation du personnel chargé d'utiliser cet équipement.

Ces recommandations ne sont cependant pas mises en œuvre par l'entreprise. Celle-ci refuse d'engager des frais parce qu'elle réserve ses ressources à un plan de remplacement de ses vieux escaliers mécaniques. Comme dans le cas précédent de la mine, ces remplacements vont tarder – dans ce cas-ci à cause d'un manque de capitaux et du désir de ne pas trop perturber le système en place.

6.2.2.4 Peu de valorisation de la sécurité

La gestion de la sécurité n'est pas une grande préoccupation dans l'organisation, ce que reflète le peu de personnel préposé à la sécurité. On ne retrouve en fait que quelques agents de sécurité, rattachés au surplus à un palier assez bas de la hiérarchie et isolés de la haute direction.

6.2.2.5 Responsabilités mal définies et manque de coordination

Les responsabilités des agents de sécurité sont orientées surtout vers le personnel de l'entreprise. La responsabilité de la sécurité des passagers est floue. L'ensemble de la sécurité relève de la Direction des opérations, tandis que les escaliers mécaniques sont sous la responsabilité de l'Ingénierie, et il n'y a pas de liens formels entre ces deux unités administratives. La situation témoigne donc d'un manque flagrant de coordination.

6.2.2.6 Erreur humaine

L'élément déclencheur, dans ce cas, est lié à la négligence humaine : un mégot de cigarette mal éteint, jeté dans l'escalier mécanique. Cette «erreur humaine» est fort probablement inconsciente, car des centaines sinon des milliers de passagers à Londres agissent de la même façon chaque jour.

6.2.2.7 Éléments en interdépendance

Si l'on applique notre grille d'analyse fondée sur la trilogie technologie-structure-culture, on note tout d'abord, dans ce cas, des problèmes liés à la technique :

- peu d'entretien des escaliers mobiles;
- manque d'équipements de lutte contre l'incendie;
- peu d'intérêt pour l'aménagement de l'espace, les couloirs étant par essence un milieu clos doté de peu de sorties;
- flux élevé de passagers, particulièrement à certaines heures.

Mais ces lacunes sont bien connues, et le métro de Londres fonctionne avec ces contraintes depuis de nombreuses années.

La culture joue aussi un rôle important dans la catastrophe de la station King's Cross. À l'instar de nombreuses autres organisations, on note :

- peu de valorisation de la sécurité;
- peu d'attention aux quasi-accidents et aux recommandations qui y font suite, parce que la situation est considérée comme temporaire.

Enfin, on retrouve également le jeu de l'élément structurel :

- responsabilités mal définies entre deux directions et au regard de deux catégories de personnes, les employés et le public;
- manque de communication;
- manque de coordination;
- manque de formation du personnel affecté à la sécurité.

Tous ces éléments font en sorte qu'après une accumulation suffisante de graisses et de détritus, dont peut-être l'un d'eux est particulièrement inflammable, un mégot jeté par inadvertance fait toute la différence. Mais, à côté de cet élément délencheur, d'autres éléments, comme on l'a vu plus haut, sont entrés en ligne de compte pour fabriquer la catastrophe.

6.2.3 Naufrage d'un traversier

L'enquête sur le naufrage du Herald of Free Entreprise dans le port de Zeebrugge en 1987 (Department of Transport, 1987) révèle un certain nombre de facteurs de risque touchant l'exploitation de ces traversiers de type RORO (*roll-on, roll-out*), à chargement et à déchargement rapides. Nous les avons analysés selon notre grille s'intéressant à la culture, à la structure et à la technologie.

6.2.3.1 Défaillance humaine

L'erreur humaine est l'élément déclencheur de l'événement : un membre du personnel s'endort au moment où le traversier quitte le port et omet de fermer une porte située près de la ligne de flottaison.

6.2.3.2 Design technique à risque

Dans l'ordre de la technologie, on constate que le design du système de chargement et déchargement rapides implique d'énormes portes coulissantes servant à faciliter le passage des véhicules. Au surplus, le mécanisme de fermeture de ces portes a été placé plus près de la ligne de flottaison que sur des traversiers traditionnels. Cet élément de la conception technique n'a pourtant jamais été perçu comme porteur de risques, et il faudra attendre la catastrophe pour qu'on le prenne en considération.

6.2.3.3 Mesures de mitigation refusées

Il y avait bien eu des recommandations suggérant de mettre une autre porte pour séparer les cales, au cas où l'une ou l'autre des portes principales resterait ouverte, mais ces recommandations ne seront pas mises en œuvre.

6.2.3.4 Responsabilités mal définies

En ce qui concerne le partage des responsabilités, la vérification de la fermeture de la porte à la suite du chargement est, sur le traversier, la responsabilité de l'adjoint du maître d'équipage. Aucun autre mécanisme de contrôle n'est en place. C'est à cette personne que sera attribuée l'erreur humaine, du fait qu'elle s'est endormie dans sa cabine au moment du départ et ne s'est éveillée qu'au moment où le traversier coulait.

Lors de l'enquête postaccident, le maître d'équipage affirmera que ce n'est pas son rôle de s'assurer que la porte était bien fermée, mais celui de son adjoint. Il n'était pas question non plus qu'il ferme la porte lui-même, dans le cas où l'adjoint serait empêché de le faire.

6.2.3.5 Historique de quasi-accidents

La navigation avec ce type de traversiers a un lourd historique de quasi-accidents. On a de fait noté au moins cinq cas où des traversiers ont quitté le port avec une porte ouverte. La plupart des rapports sur ces quasi-accidents n'ont toutefois jamais été publiés. Les problèmes de porte ne sont donc pas connus du personnel de bord, au moment de l'accident, la direction de l'entreprise propriétaire n'ayant pas transmis d'information à ce sujet aux capitaines.

6.2.3.6 Recommandations sujettes à interprétation

Après quelques quasi-accidents, une directive est publiée en 1984. Elle exige que l'officier responsable du chargement sur le pont principal s'assure de la fermeture des portes en quittant le port. Mais la directive est interprétée comme signifiant uniquement que cet officier doit s'assurer que quelqu'un est bien responsable de la fermeture des portes. Une fois la délégation mise en oeuvre, l'officier peut s'en désintéresser et ne se considère plus comme responsable. Ceci explique d'ailleurs la réponse du maître d'équipage aux enquêteurs à la suite de la catastrophe.

6.2.3.7 Comportements fondés sur la confiance

Le comportement précédent peut être interprété, selon la dimension culturelle, comme étant fondé sur la confiance. De fait, on délègue et on ne contrôle plus que de façon tatillonne. Par ailleurs, un autre élément de culture s'insère dans cette perspective, et c'est la règle généralement acceptée selon laquelle «pas de nouvelle» signifie «bonne nouvelle». Ainsi, si le maître d'équipage n'a pas d'information à l'effet contraire, il tient pour acquis que tout va bien et que le traversier peut quitter le port. Ici comme dans le cas de la mine, on est en présence d'une croyance erronée.

En fait, il se peut que la confiance, en tant qu'attitude privilégiée, résulte non d'un choix quelconque de la culture mais d'une forme d'obligation tenant à un manque de temps et de personnel, donc à des contraintes de production.

6.2.3.8 Automatisation, diminution de personnel, surcharge de travail et fatigue

Les traversiers de type RORO étant relativement automatisés, l'entreprise propriétaire a en conséquence réduit le personnel, ce qui a bien entendu augmenté la charge de travail et, par la même occasion, la fatigue.

6.2.3.9 Fatigue, maladies et climat de travail

La fatigue à son tour tend à augmenter les demandes de congés de maladie. On assiste donc à des modifications fréquentes et sans préavis des horaires de travail. Ces bouleversements continus ont pour effet d'augmenter encore plus la charge de travail, ainsi que la fatigue qui en résulte, dans une sorte de cycle autoaggravant.

6.2.3.10 Rotation du personnel et climat de travail

Les changements d'horaires ont aussi pour conséquence d'accroître la rotation du personnel de bord entre différents traversiers appartenant à l'entreprise. Ce phénomène nuit au travail d'équipe et au sentiment d'appartenance à un navire en particulier : puisque les équipages ne sont pas homogènes d'une traversée à l'autre et que leurs membres ne se connaissent pas, ils s'intéressent peu au fonctionnement de leur traversier. En outre, tout porte à croire qu'un mauvais climat de travail augmente davantage la fatigue, les maladies, etc., et nourrit le cercle vicieux.

6.2.3.11 Inattention aux sonneurs d'alarme

À la suite de problèmes observés dans le passé, les capitaines ont bien fait un certain nombre de recommandations à l'entreprise exploitant le traversier, à savoir :

- ne pas dépasser un certain nombre de passagers (en trop grand nombre, ils affaiblissent le lest du traversier);
- installer des indicateurs d'ouverture des portes;
- avoir davantage d'information sur le lest du navire;
- doter les traversiers d'une pompe à haute capacité aidant à maintenir le lest.

Bien que la commission d'enquête ne l'ait pas mentionné, on voit que le lest du navire préoccupe déjà, à ce moment, les capitaines[85]. Par ailleurs, la recommandation concernant les indicateurs de fermeture des portes sera jugée trop coûteuse et non nécessaire. Cette mesure sera cependant rendue obligatoire à la suite de l'accident du Herald of Free Entreprise : ce sont en fait de tels moniteurs en circuit fermé qui permettront au personnel de l'Estonia, un autre traversier de type RORO, de voir l'eau s'engouffrer par la porte. (Une défaillance de ce système fera par contre croire à l'équipage que la porte est fermée alors qu'elle est restée ouverte, provoquant ainsi un autre naufrage.)

---

85. La méthode du SRAD n'a pas été appliquée dans ce cas, mais elle aurait sans doute donné des résultats intéressants.

6.2.3.12   Éléments en interdépendance

Ce n'est pas un élément en particulier mais un ensemble d'éléments liés à la technologie, à la structuration et à la culture qui vont mener à la catastrophe, dans le naufrage du Herald of Free Entreprise. On retrouve des éléments de nature technologique. Par exemple, le système de contrôle aurait dû inclure des indicateurs d'ouverture des portes ou du lest du navire. Cependant, comme le montrera le naufrage de l'Estonia par la suite, un système technique peut s'avérer défectueux.

Une bonne conception de l'équipement aurait aussi aidé à prévenir l'accident ou, à défaut, le suivi des mesures de mitigation qui avaient été suggérées (telles des portes pour isoler les cales). Mais, comme pour les indicateurs, ces mesures entraînent des dépenses supplémentaires pour l'entreprise propriétaire : d'où les refus des recommandations des capitaines, jusqu'à ce qu'une réglementation intervienne. Par ailleurs, on peut soupçonner, bien que la commission d'enquête n'en fasse pas mention, que les mêmes motifs financiers faisaient parfois accepter des passagers en surnombre, au risque de compromettre le lest du navire.

Ces considérations économiques reflètent des valeurs, donc une culture d'entreprise. Elles expliquent, au moins en partie, qu'on néglige les appels des sonneurs d'alarme et qu'on ferme les yeux sur les quasi-accidents, autres éléments de la culture. Par ailleurs, la culture à bord d'un traversier repose sur la confiance, laquelle peut toutefois entraîner de fausses croyances. Et les grilles de perceptions peuvent amener l'équipage à interpréter, dans le sens le plus facile, les recommandations faisant suite à des quasi-accidents. Cela a été le cas de ce maître d'équipage qui a choisi de déléguer sa responsabilité, puis de s'en désintéresser.

Enfin, on remarque beaucoup d'éléments qui se rattachent à la structuration et à l'accomplissement des tâches. À l'origine de ce que nous appellerons le cercle vicieux lié à la réduction du personnel de bord se trouvent aussi bien l'automatisation que les désirs d'économies. De là, on observe une surcharge de travail et une fatigue accrue. Cette dernière est susceptible à elle seule de provoquer des accidents, comme l'illustre le sommeil du responsable de la porte du Herald of Free Entreprise (tout en gardant à l'esprit que d'autres causes que la fatigue ont pu, peut-être, influencer un tel comportement).

Surcharge de travail et fatigue à leur tour vont provoquer :

• une augmentation du nombre de congés pour raison de maladie;

• des modifications nombreuses et soudaines aux horaires de travail;

• une rotation du personnel;

• des équipages qui n'ont pas du tout le sens du «nous»;

• un climat de travail qui laisse à désirer.

C'est dans ce contexte, dans cet ensemble d'éléments en interdépendance, que survient la catastrophe. Si l'élément déclencheur est une défaillance humaine, ici comme dans les cas précédents un grand nombre d'éléments entrent aussi en ligne de compte (fig. 6.4).

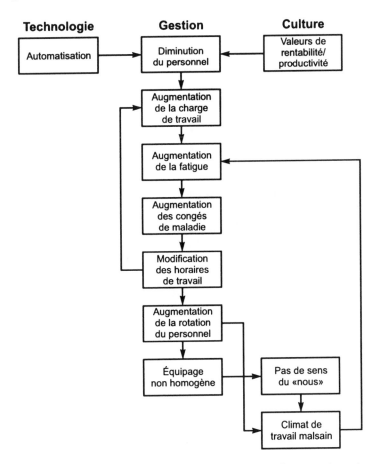

Figure 6.4 Éléments de gestion en relation avec la technologie et la culture : le cas du Herald of Free Entreprise.

Le rapport de la commission d'enquête sur le naufrage du Herald of Free Entreprise laissera, comme dans le cas de la mine, un certain nombre de points en suspens (fig. 6.5). En particulier, on n'approfondira pas la question du lest du traversier, qui sera mentionné uniquement en lien avec les recommandations des capitaines. D'autres causes ont-elles contribué à la catastrophe? Et est-il plus facile d'obtenir un dédommagement de la part des assureurs lorsque l'accident est causé par une «erreur humaine» (employé endormi) plutôt que par une décision du management (acceptation d'un trop grand nombre de passagers)? Il est impossible de répondre à ces questions.

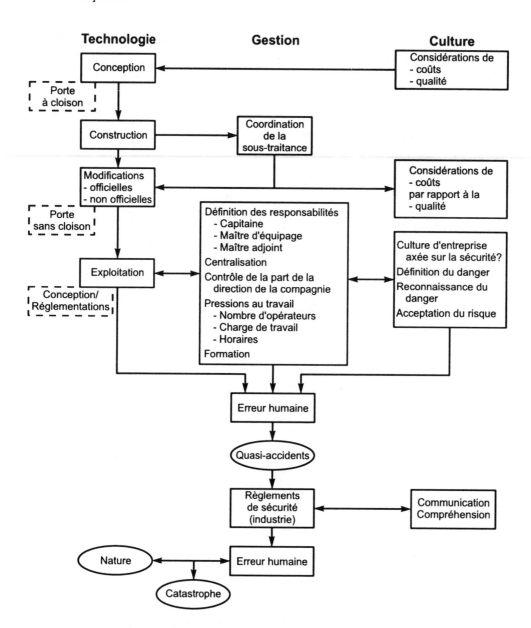

Figure 6.5 Éléments menant à un désastre : le cas du Herald of Free Entreprise.

Source : Denis, H. 1995b. How disasters uncover previous risk management practices in organizations. *Process Safety and Loss Management.* Pre-Print Document. Waterloo, University of Waterloo, Institute for Risk Research : 50.

6.3 INTERDÉPENDANCES DANS LE TEMPS

Lorsqu'il est question de système, les éléments qui le composent peuvent varier, dans le temps, de même que leurs interdépendances. Par exemple, des entreprises peuvent agir avec beaucoup de considération pour la sécurité au moment du démarrage d'un procédé, puis avec le temps, relâcher leur vigilance. À titre d'exemples, l'échouement de l'Exxon-Valdez et l'écrasement d'une toiture d'usine en Angleterre.

6.3.1 Exxon-Valdez

Roberts (1993b) montre comment l'échouement de l'Exxon-Valdez, en 1989, provient de l'interaction simultanée des éléments suivants :

- des politiques d'Exxon non mises en œuvre;
- des coupures de la Garde côtière dans la formation de la main-d'œuvre et dans le nombre d'employés, ainsi qu'une attention moindre aux possibilités de catastrophes;
- le même phénomène se retrouve chez Alyeska, le consortium de pétrolières exploitant le pipeline, à quoi s'ajoute, dans ce cas, une mauvaise planification de la part de l'organisation;
- le peu de surveillance des activités d'exploitation du pétrole de la part de l'État de l'Alaska.

Toutefois, lorsque les champs pétrolifères avaient été mis en exploitation en 1977, toutes les agences gouvernementales, y compris Exxon, valorisaient hautement la sécurité. Cependant, les comportements en sont venus à changer, dans le temps. Ainsi :

> [Au début, en 1977] [...] Exxon et les autres entreprises actives en Alaska ont semblé avoir des comportements correspondant à de hauts niveaux de sécurité. La Garde côtière avait en place un bon dispositif de surveillance et Alyeska faisait des exercices de contention des déversements de pétrole. Au cours des ans, ces activités se sont atrophiées, tout comme les valeurs et les normes (qui relèvent de la culture) qui y étaient associées. (Roberts, 1993b : 166.)[86]

Pourquoi un tel changement? L'auteur ne le mentionne pas explicitement, mais on pense aux pressions de production soulignées par Perrow (1984 : 171-173) dans son analyse de la marine marchande :

> La technologie et ses progrès ont simplement élevé les pressions de production, accroissant l'efficience, étroitement mesurée, mais ne réduisant pas les coûts sociaux. La régulation succombe aux pressions économiques et nationalistes, et est hautement inefficace [...] La plupart des victimes identifiables ont un statut social peu élevé [...] Les élites ne voyagent pas sur des pétroliers libériens.[87]

---

86. Notre traduction.
87. Notre traduction.

On pense aussi, comme nous l'avons mentionné, aux compressions budgétaires qui, en situation de forte concurrence, passent relativement inaperçues. Pourtant, elles ont un poids qui s'ajoute à celui des autres facteurs de risque jusqu'à provoquer la catastrophe, dès que survient un élément déclencheur.

6.3.2 Écrasement d'une toiture d'usine

Sans être aussi complexe que celui de l'échouement de l'Exxon-Valdez, un autre type d'interdépendance de risques dans le temps est illustré par l'effondrement d'une toiture d'un établissement industriel (Pidgeon *et al.*, 1986). Ce bâtiment est érigé en trois phases successives, sur une période de 10 ans. Les deux premières phases (1970 et 1975) sont réalisées par le même ingénieur et par le même entrepreneur. L'attention porte alors surtout sur les fondations, car un pourcentage élevé de tourbe dans le sol en affaiblit la capacité portante et on veut pallier cette faiblesse.

Au moment où la phase 3 est conçue, on ne tient pas compte de ses interdépendances avec la phase précédente, notamment en ce qui concerne les effets du vent soufflant la neige. Lorsqu'une forte – mais non exceptionnelle – tempête de neige provoque en 1982 l'effondrement du toit du bâtiment de la phase 3, on constate que le facteur critique est lié à l'accumulation de la neige soufflée par le vent sur une partie du bâtiment. Considérées isolément, tant la phase 2 que la phase 3 étaient correctement conçues. Mais le jeu des interdépendances, dans le temps, n'a pas été pris en considération.

Cette question des interdépendances diachroniques, si elle est moins étayée que la précédente, n'en est pas moins particulièrement importante lorsqu'il s'agit de comprendre le cheminement vers une catastrophe. Cela signifie que les changements qui se produisent, dans le temps, doivent faire l'objet d'un suivi rigoureux aux fins de l'analyse et de la gestion des risques.

En conclusion, nous avons voulu montrer, dans ce chapitre, à l'aide de quelques exemples précis, que les risques sont constitués d'un ensemble d'éléments en interdépendance n'apparaissant, le plus souvent, qu'*a posteriori*, au moment où survient une catastrophe. C'est la raison pour laquelle Perrow (1984) appelle ces interdépendances des «interactions cachées». Elles peuvent être au surplus serrées, et présenter de la complexité et de l'incertitude. Par ailleurs ces interdépendances, si elles peuvent se modifier dans le temps, sont néanmoins porteuses de lourdeurs. Ceci parce que, en définitive, les systèmes sont humains. Ce sont en effet :

> [...] des constructions humaines, qu'ils soient conçus par des ingénieurs ou par des présidents d'entreprise, ou qu'ils soient le résultat de tentatives humaines non planifiées, involontaires, évoluant lentement. D'une manière ou d'une autre, ils sont très

résistants au changement [...] [à cause des] privilèges privés et des profits et de la superposition de cycles d'accommodements et de négociations, au nom de la tradition [...] Mais ce sont des constructions humaines et, à cause de cela, les humains peuvent les détruire ou les reconstruire. (Perrow, 1984 : 351).[88]

Dans cette perspective, la gestion du risque apparaît comme une dynamique sans cesse en mouvance et qui peut être saisie suivant les dimensions que nous avons retenues pour l'étude du risque en entreprise, à savoir la technologie, la structure et la culture. C'est sur ce dernier élément qu'il s'agit maintenant de revenir, en vue de mieux comprendre, par la suite, comment fonctionnent les organisations à haute fiabilité.

SYNTHÈSE

Ce chapitre explore en premier lieu les analyses précatastrophes, y compris les rapports de quasi-accidents et les difficultés qu'ils occasionnent. Puis les analyses postcatastrophes sont considérées, qu'il s'agisse de rapports de commissions d'enquête ou de rapports d'analyses techniques plus spécifiques à la suite d'une catastrophe. La question des retours d'expérience est aussi traitée. L'interdépendance entre de nombreux éléments de la défaillance est illustrée au moyen de cas analysés en commissions d'enquête, lesquelles ont l'avantage de remonter jusqu'à la gestion du risque.

Le premier de ces cas est un coup de grisou dans une mine anglaise. Il s'en dégage, au surplus, une méthode pour traiter plus systématiquement le contenu des rapports des commissions d'enquête. Le deuxième cas, anglais également, est l'incendie qui a ravagé la station de métro King's Cross à Londres en 1987. Les éléments ayant joué un rôle dans cette catastrophe sont détaillés et leurs interdépendances, analysées. Le troisième cas est celui de l'échouement du Herald of Free Entreprise en 1987. Ici comme dans les cas précédents apparaissent de nombreux types de défaillances parmi lesquelles l'erreur humaine n'est que l'élément déclencheur, élément auquel s'ajoutent des facteurs d'ordre technologique, structurel et culturel, liés les uns aux autres.

En dernière partie, deux exemples, moins détaillés cependant que les précédents, illustrent le jeu des interdépendances, diachroniques cette fois, entre les éléments contribuant à la défaillance : il s'agit du naufrage du pétrolier Exxon-Valdez et de l'écrasement d'une toiture d'usine en Angleterre. L'accent mis par ce chapitre sur les interdépendances démontre que celles-ci sont cruciales pour comprendre que le risque sociotechnologique majeur se situe non seulement à un moment précis dans le temps, mais qu'il est également toujours dynamique.

---

88. Notre traduction.

7

CULTURE DE SÉCURITÉ ET CULTURE D'ENTREPRISE

L'importance de la culture a été esquissée au chapitre sur les risques en entreprise. Il est maintenant essentiel de reprendre plus en détail ce concept de façon à mieux comprendre le rôle capital de la culture, notamment dans les organisations à haute fiabilité (que nous verrons au chapitre suivant). La culture est toutefois abordée ici non seulement au sens de culture dans une organisation en particulier mais, de façon plus large, au sens de culture d'une société qui définit le risque[89].

7.1   CULTURE, CULTURE D'ENTREPRISE, CULTURE DE SÉCURITÉ

7.1.1   Culture et culture d'entreprise

Nos recherches ont, depuis de nombreuses années, pris en considération la culture d'entreprise (Denis, 1990b). Toutefois, avant de revenir sur ce concept et d'aborder celui de culture de sécurité, il convient de cerner ce qu'est la culture au sens strict.

Dans sa signification la plus large, c'est-à-dire appliquée à une société, la culture est :

> [...] un ensemble lié de manières de penser, de sentir et d'agir plus ou moins formalisées qui, étant apprises et partagées par une pluralité de personnes, servent, d'une manière à la fois objective et symbolique, à constituer ces personnes en une collectivité particulière et distincte. (Rocher, 1969 : 88.)

Cette définition a l'avantage d'inclure, en tant qu'éléments composant la culture, les comportements et les significations. Elle pose aussi la culture comme un ensemble, un système, ce qui implique que ses éléments sont en relation entre eux. Ceux-ci peuvent par exemple, par regroupements, former des sous-cultures, c'est-à-dire des cultures caractérisant différents

---

89. Quelques recoupements avec le chapitre 5 sur les risques en entreprise ont semblé inévitables, par exemple en ce qui a trait à la culture de sécurité et aux valeurs, mais il ne s'agit cependant pas de répétitions.

groupes ou différents milieux professionnels, dans une entreprise. D'où le développement, par la culture, d'un sens du «nous» qui s'applique à un groupe particulier, quelle que soit sa taille.

La culture d'entreprise est à saisir dans cette perspective, l'organisation constituant un tel groupe particulier. Quant à la culture de sécurité, elle forme à son tour un sous-groupe de la culture d'entreprise puisqu'elle doit obligatoirement passer par celle-ci, même lorsqu'elle provient d'une culture professionnelle. Car en fait ces cultures professionnelles, qui tiennent à un groupe plus large que l'entreprise, doivent faire passer leurs préoccupations de sécurité par la culture de l'organisation en question.

C'est donc dans ce contexte global que la culture joue un rôle, et un rôle important, dans la définition du risque sociotechnologique majeur et dans les mesures à prendre pour le gérer. En fait, tout au long de la première partie de cet ouvrage, il a été question de culture, et ce dans un sens plus large que ne le propose la théorie culturelle de Douglas (1978) abordée au chapitre 3. Car parler de perceptions, de valeurs, de risque acceptable, c'est se situer au cœur de la culture. Par ailleurs, même les analyses classiques comportent un volet culturel, ne serait-ce que par leur valorisation du quantitatif. On ne peut donc pas échapper à la culture, tout au plus peut-on rester inconscient de ses incidences dans nos vies.

7.1.2 Culture de sécurité

Turner (1992) a distingué certaines caractéristiques de la culture de sécurité qui précisent sa définition (vue au chapitre 5). Il s'agit des éléments suivants :

- mise en place d'une réponse qui prend soin, qui se préoccupe des conséquences des actions et des politiques;
- engagement à l'égard de cette réponse de tous les niveaux de l'organisation, en particulier de la haute direction, tout en évitant une attitude de rigidité à l'égard de la sécurité;
- feedback aux opérateurs sur les incidents liés aux systèmes;
- mise en place de règles et de normes globales et généralement acceptées pour résoudre les problèmes de sécurité, le tout soutenu de façon souple et non punitive.

Ces caractéristiques encadrent les actions et les perceptions des personnes en matière de sécurité, en définissant ce qui est désirable. Turner insiste beaucoup sur le fait que la culture de sécurité ne doit pas être rigide, faute de quoi il y a danger de tomber dans le *groupthink* (Janis, 1972). Par ailleurs, le rôle du feedback sur les défaillances est crucial si l'on considère que le développement d'une catastrophe peut être relativement semblable d'un événement à l'autre (Pidgeon, 1991).

Dans les caractéristiques ci-dessus, un élément à retenir est que la culture de sécurité ne doit pas être limitée au strict niveau opérationnel, mais qu'elle fait aussi partie, intrinsèquement, du management stratégique. En effet, les conséquences d'une défaillance dans les systèmes sociotechniques complexes sont imprévisibles et peuvent s'avérer fort importantes en ce qui concerne leur impact sur une entreprise (Pidgeon *et al.*, 1991a). Voilà pourquoi le rôle de la haute direction dans le suivi d'une culture de sécurité (Pidgeon *et al.*, 1991b) peut être un mécanisme de prévention au regard de la gestion du risque. La culture de sécurité, dans ce contexte, va imprégner l'ensemble de la culture d'entreprise et de l'organisation (comités, responsables, analystes, etc.) plutôt que d'être limitée à l'exploitation.

Le suivi de la haute direction assure également, autre point important, que les comportements réels se conformeront à la culture de sécurité officielle. En effet, selon Weick et Roberts (1993 : 373), les éléments d'une culture de sécurité, si l'on veut que cette dernière joue un rôle effectif de prévention, doivent obligatoirement se traduire dans des comportements réels :

> L'attention (*care*) [élément de la culture de sécurité] n'est pas cultivée en dehors de l'action. Elle est exprimée dans et par l'action [...] L'attention est dans l'action.[90]

Cette action, toutefois, n'est pas qu'individuelle. En fait, les comportements liés à la sécurité ne sont pas seulement la responsabilité d'une personne considérée isolément : ils relèvent plutôt de la notion du «nous», ce que les auteurs appellent *collective mind* et qui rappelle, à une échelle plus réduite, le concept de «conscience collective» de Durkheim (1937).

> Être prudent est un acte social plutôt que solitaire. Pour agir attentivement, les gens doivent envisager leur contribution dans le contexte des exigences d'une action commune [...] (Weick et Roberts, 1993 : 373).[91]

Ce regard sur l'action commune fera dire aux mêmes auteurs, en ce qui concerne les organisations à haute fiabilité, que les porte-avions – leur objet de recherche – sont sécuritaires non pas *en dépit* du couplage serré (interdépendances étroites, sans zone tampon entre elles), mais bien à cause du couplage serré, lequel amène à développer un sens du «nous». Ceci nous fait déduire que, selon cette perspective, le «nous» devient en quelque sorte un couplage serré non plus technique, mais social.

Pour en arriver à un tel arrimage entre comportements et culture de sécurité, il faut aussi qu'il y ait congruence entre cette dernière et les différents systèmes de l'entreprise, notamment ceux qui concernent les ressources humaines. Ainsi, les systèmes de promotions doivent s'harmoniser avec les valeurs et les comportements prônés par la culture de sécurité : par exemple, si cette dernière met l'accent sur l'attention (*care*), les personnes devraient, tout au moins en théorie, se conformer à cette norme pour devenir admissibles à des promotions.

---

90. Notre traduction.
91. Notre traduction.

C'est que ces systèmes – en particulier les systèmes de recrutement et de formation – peuvent faciliter l'intériorisation de la culture de sécurité. Pour cela, soit qu'on recrute le personnel en fonction de ses valeurs préexistantes, lesquelles se trouvent en accord avec la culture de sécurité prônée par l'entreprise, soit qu'on familiarise le nouveau personnel, quelles que soient ses valeurs précédentes, avec les valeurs qui font déjà partie de l'organisation. Bien entendu, les deux types d'action ne sont pas mutuellement exclusifs. Tout ceci, en définitive, implique que la culture est un construit.

7.2   CULTURE : UN CONSTRUIT

La culture est un construit. À ce titre, elle est en développement continu, en perpétuelle mouvance. Si la culture d'une société est apprise dès la naissance, la culture d'entreprise et la culture de sécurité qui en fait partie sont, pour leur part, apprises dès l'entrée dans une organisation. L'une et l'autre se modifient par la pratique quotidienne ou, en certaines circonstances, par un apprentissage, formel ou informel.

7.2.1 Socialisation

L'apprentissage de la culture, la socialisation, peut être assuré de manière formelle par l'école, par l'exercice d'un métier ou d'une profession, ou encore par une organisation. L'apprentissage peut aussi être informel, tenant alors à l'influence d'un autrui significatif – personne ou groupe – sur les comportements. En ce sens, l'intégration au sein d'un collectivité – groupe ou organisation – n'est jamais neutre : elle suppose des façons de faire et même des façons de penser particulières qui vont distinguer cette collectivité des autres. Dans cette perspective, la socialisation a pour objectif de produire un sens du «nous».

Cette socialisation, pourtant, n'est pas synonyme d'uniformisation totale bien que, dans une certaine mesure, elle offre une sorte de moule aux comportements. Ce moule est plus ou moins rigide, selon les collectivités. Les personnes sont ainsi plus ou moins libres de rejeter le moule qu'on leur propose. Des motivations jouent ici en faveur soit de l'acceptation, lorsque par exemple il s'agit de faire partie d'un groupe qu'on privilégie, soit du rejet.

Peck (1987) donne, à titre d'exemple, le cas d'un service de police dans lequel les recrues sont surtout des jeunes gens agressifs qui, influencés en cela par leur milieu socioéconomique d'origine, valorisent cependant la loi et l'ordre. Étant donné que la direction de l'organisation leur laisse peu de latitude dans les décisions, il s'ensuit que les jeunes qui ne supportent pas l'encadrement – ou la pression – abandonnent, laissant de ce fait une organisation plus homogène encore[92]. Certains modèles culturels sont donc plus contraignants que d'autres. Dans le même ordre d'idée, la culture IBM (Denis, 1990b) offrait peu de choix au personnel lorsque le fondateur de l'entreprise, Watson, était au pouvoir.

---

92. Il est à noter toutefois que les conditions socioéconomiques, par exemple l'état de l'emploi, doivent aussi rendre possible le rejet d'une organisation, ce qui n'est pas précisé par l'auteur.

Toutefois, cela n'est pas la règle. En effet, si la socialisation propose toujours un moule, celui-ci est le plus souvent assez souple car la culture, dans une entreprise, n'a pas la force de la culture familiale sur l'enfant. Dans l'entreprise, les personnes ont déjà leur propre bagage culturel, qu'elles doivent adapter, du moins dans une certaine mesure, aux valeurs, croyances, préférences, etc., de l'organisation, mais cela ne concerne que leur vie au travail. Là s'arrête l'«embrigadement» qu'on reproche quelquefois à la culture d'entreprise (Aktouf, 1990) – et qu'on pourrait également reprocher, sous toutes réserves, à la culture de sécurité.

7.2.2 Culture-stratégie

Cette liberté que suppose le moule d'une culture revient à dire que celle-ci est un construit. La culture est souvent un choix, mais ce choix n'apparaît avec clarté que dans certaines circonstances, dans certains comportements. La culture, en ce sens, est toujours stratégique. Elle résulte d'une relation de pouvoir entre les choix d'une organisation, plus précisément de certains de ses membres à un moment précis, dans le temps, qui ont opté pour une culture particulière, et les choix d'autres personnes – à l'intérieur ou à l'extérieur de l'organisation en question – ou d'autres organisations.

De tels choix peuvent être illustrés, pour ce qui est de la culture de sécurité, par l'attribution des responsabilités à la suite d'une défaillance. Perrow (1984) note ainsi que, si l'on est porté à attribuer les accidents d'avion à l'erreur humaine, plus précisément à celle du pilote, les syndicats de pilotes de ligne sont organisés pour réfuter, s'il y a lieu, ces allégations. Leur stratégie va plutôt dans le sens d'attribuer la responsabilité de la catastrophe aux erreurs des concepteurs, des fabricants d'équipement ou encore à celles des gestionnaires de la société aérienne.

On constate de la sorte que ce qui, au départ, pourrait devenir facilement la culture de sécurité d'une société entière (par exemple, attribuer, chez les Américains, les causes des catastrophes à l'erreur humaine) se transforme en enjeu dans des relations de pouvoir entre différents groupes. À ce moment, c'est le concept même de sécurité qui en vient à être défini différemment, selon ces groupes.

L'aspect stratégique de la culture est essentiellement dynamique, tel que l'illustre, cette fois, le cas de l'explosion de Challenger. En imputant la faute à l'humain et aux communications, les explications *a posteriori* de la catastrophe par la commission d'enquête disculpent la NASA en tant qu'institution, c'est-à-dire dans son leadership et dans son organisation. L'entreprise va cependant devoir adapter ses fonctionnements à une telle interprétation. Aussi la NASA doit-elle modifier sa culture pré-catastrophe, que l'on pourrait qualifier de technicienne, pour la transformer en une culture de secret, en une culture bureaucratique qui protège ses membres. La culture de la NASA est ainsi passée d'une orientation vers la performance, vers des résultats économiquement mesurables, à une culture dans laquelle la façon dont les décisions sont prises a préséance sur la performance (Deal et Kennedy, 1982). Un autre auteur abondera dans le même sens en disant :

> [...] la structure de la NASA est passée soudainement, le 28 janvier 1986 à 40 000 pieds dans les airs, d'une culture techno-entrepreneuriale à une culture légaliste-bureaucratique [...] (Browning, 1988 : 215.)[93]

Avec la conséquence que :

> [...] la décision morale aura été simplement déplacée [...] avec la différence qu'il ne s'agit plus alors d'une responsabilité individuelle, mais d'un organigramme anonyme très complexe où il devient difficile de retracer le rôle exact (et pas seulement formel) de chacun. (Duclos, 1989 : 128.)

Dans le même ordre d'idée, mais pour absoudre cette fois non l'organisation mais la technologie, on trouve le cas du USS Vincennes lorsqu'il abat un Airbus iranien en 1988. L'attribution des responsabilités, à ce moment, met la faute sur l'humain, qui n'a pas lu correctement le radar à cause du stress du combat, plutôt que d'accuser la nouvelle technologie sophistiquée utilisant un système expert (Cohen, 1988). Cela a pour avantage de laisser intact le prestige de la technologie et, selon le cas, d'en permettre la vente ou de défendre la pertinence de son acquisition à coût élevé.

À l'inverse, il est aussi des situations où l'on juge préférable d'accuser la technologie plutôt que l'humain. Tchernobyl représente ainsi l'un de ces cas subtils dans lequel l'erreur humaine étant manifeste – et aussi, bien que moins évidente, la défaillance organisationnelle – les pays occidentaux ont tout de même préféré mettre l'accent sur l'explication par une défaillance technologique liée à la vétusté et à la conception des installations (Denis, 1993a). Cela sous-entend à la fois que les pays développés sont nécessairement supérieurs dans le domaine et que, en raison de cette supériorité technologique, de telles catastrophes sont impensables chez eux. Toutes ces interprétations de l'événement, ces attributions de responsabilités, relèvent de la culture – et de la stratégie.

7.2.3 Changer une culture de sécurité

Si la culture est un construit, est-il possible de la modifier? La plupart des théories qui traitent de la culture dans le management avancent que l'on peut changer la culture d'entreprise. La même affirmation vaut-elle pour la culture de sécurité? Bien qu'on ait affirmé que la culture est un construit, il faut ici être prudent et ne pas en déduire que la culture est un objet malléable à volonté. Changer une culture, organisationnelle ou de sécurité, est extrêmement difficile dans la mesure où l'on a tendance à favoriser ce qui est connu, en l'occurrence le *statu quo*.

---

93. Notre traduction.

> Il y a lieu de reconnaître que la culture n'est pas simplement une «chose» qui peut être «boulonnée» à une organisation, ni un ensemble de pratiques qui peuvent être implantées un lundi matin après une formation de fin de semaine. (Turner *et al.*, 1989 : 8.)[94]

Notre propre expérience en entreprise nous a montré la pertinence de cette affirmation. Une grande entreprise du domaine de l'alimentation avait mis sur pied, à grands frais, un programme destiné à changer le style de leadership de ses cadres de tous les niveaux. Les sessions de formation, tenues durant les week-ends, donnaient lieu les lundis matins à des bouleversements dans chacune des unités de l'entreprise où revenaient ces cadres fraîchement formés et voulant appliquer la nouvelle approche proposée par les consultants.

C'est que le changement les faisait passer d'un style autoritaire (le vendredi soir) à un style démocratique et participatif (le lundi matin). Toutefois, les employés regardaient avec inquiétude ces modifications de comportement chez leur supérieur et n'y croyaient guère. Ils étaient inquiets; ils avaient aussi peur de participer, de dire ce qu'ils pensaient, comme le leur demandait leur patron nouvellement converti. Avec la conséquence que, souvent avant la fin du même lundi, le cadre revenait à son ancien style, autoritaire, «qui fonctionnait, lui». Et les employés, rassurés, poussaient un soupir de soulagement... Ceci démontre que les changements de culture prennent du temps, doivent être soigneusement préparés et ne doivent pas être trop brutaux.

Il existe toutefois des cas de réussite. Nous avons déjà donné en exemple la culture apportée par le fondateur d'IBM et ses modifications subséquentes. Roberts (1993b) cite aussi un cas de changement de culture qui a réussi, celui de la marine américaine, par lequel les responsables militaires ont réussi à faire chuter radicalement le nombre d'accidents de 1955 à 1993. L'auteur note que la nouvelle culture, orientée vers la responsabilisation, a été implantée dans l'organisation – en l'occurrence un sous-marin à propulsion nucléaire – par trois types d'action :

- Une migration descendante de la prise de décision jusqu'au niveau le plus bas où existe l'information appropriée.
- Un management par exceptions : là où les échelons supérieurs ne prennent pas la décision eux-mêmes, ils ne reprennent les décisions que si les choses ne vont pas. Cela constitue en fait une formation pour le preneur de décision du niveau le plus bas.
- Une formation au développement d'une vision d'ensemble, ce que le personnel du sous-marin étudié appelle *having the bubble*.

Bien que l'auteur ne l'écrive pas en ces termes, ces mécanismes font en sorte que la perspective passe de l'individualisme à une plus grande attention accordée aux autres et à l'équipement. Cette attention appartient à la culture de sécurité et se traduit par une vue d'ensemble

---

94. Notre traduction.

de l'organisation, de la «bulle». Il s'agit donc d'un élargissement de perspective suivant lequel l'action de chacun est vue avec toutes ses répercussions possibles sur le système, ce qui complète la responsabilisation au plus bas niveau hiérarchique. L'analyse de Roberts porte sur un sous-marin nucléaire, mais elle pourrait s'appliquer à de nombreuses entreprises en matière de sécurité.

7.2.4 Changer une culture professionnelle : le paradoxe de la culture d'ingénieur

Le cas précédent illustre un changement de culture réussi dans une organisation, en fait dans une culture de sécurité. Une autre façon de modifier la culture est d'aller à la source, par la formation universitaire, notamment celle qui est liée aux professions. Car un changement dans une culture professionnelle peut constituer un changement dans une culture de sécurité et, par là, se répercuter sur une culture d'entreprise ou même sur celle de plusieurs entreprises d'un secteur industriel.

Prenons à titre d'exemple la culture des ingénieurs[95]. Ceux-ci sont en effet des acteurs importants en matière de risque. Quelle culture les caractérise? Un auteur a résumé celle-ci de la façon suivante :

> Les ingénieurs sont des gens capables de résoudre des problèmes avec bon sens, guidés par la rationalité scientifique et un œil sur l'invention. Efficience et esprit pratique sont leurs *leitmotivs*. Les biais émotionnels et une action non justifiée sont pour eux des anathèmes. Donnez-leur un problème à résoudre, précisez les conditions limites et laissez-les aller, libres de toute influence externe (et responsabilité administrative). Si des problèmes doivent surgir au-delà du poste de travail ou du plancher de l'usine, il vaut mieux les laisser aux gestionnaires ou (à Dieu ne plaise!) aux politiciens. (Herkert, 1994 : 8.)[96]

Dans une telle perspective strictement technicienne, tout ce qui concerne le flou, l'humain est perçu au mieux comme hors contexte, au pire comme dangereux (parce qu'on ne peut en avoir la maîtrise totale). Le rêve de l'ingénieur, au fond, c'est de contrôler parfaitement une technologie et d'en assurer la pleine efficacité en toutes circonstances. C'est entre autres pour cette raison que l'ingénieur est extrêmement conscient de la sécurité. Cette orientation est certes rassurante pour l'utilisateur d'un ouvrage technique (pont, avion, etc.), mais elle va se heurter, dans la réalité, à un certain nombre de problèmes qui tournent tous autour du fait que le risque est non seulement technique mais aussi sociotechnologique.

---

95. Nous donnons cet exemple parce que nous connaissons bien le domaine, mais la même réflexion peut s'appliquer à d'autres milieux, par exemple celui des médecins.

96. Notre traduction.

On sait par exemple que la construction d'un barrage implique de plus en plus la participation du public, ou tout au moins la communication avec ce dernier; le choix de l'emplacement des ouvrages techniques, désormais, est rarement laissé à l'ingénieur seul. Les risques doivent aussi, dans certains pays, être communiqués à la population et la technologie se retrouve alors sur la ligne de tir. Par ailleurs, des définitions différentes de la sécurité surgissent, comme l'a illustré la discussion autour du risque «acceptable». Du point de vue de la culture de l'ingénieur et de sa conception de la sécurité, cette insertion du social dans la technologie représente une incertitude.

L'introduction du social dans la technologie exige en effet de l'ingénieur qu'il modifie radicalement ses perceptions, ses grilles de référence, en fait sa culture professionnelle. Il doit en quelque sorte réaliser un «saut perceptuel», pour ne pas dire existentiel, lequel est amené par deux forces. D'une part, l'ingénieur en vient à comprendre que le quantitatif, qu'il valorise parce qu'il est sécurisant, est néanmoins porteur de valeurs et donc, en définitive, non aussi sûr qu'il le croyait. Cela suppose déjà un important changement dans sa grille de référence. D'autre part, l'ingénieur en vient à comprendre que la technologie n'est jamais strictement technologique, ce qui peut l'amener à faire place, dans son travail, à une rationalité élargie. Il peut aussi, car il s'agit pour lui d'un choix, évacuer le tout hors de son champ perceptuel (Duclos, 1991a).

Ces modifications constituent des changements dans la culture de l'ingénieur. Il doit passer en effet d'une relative certitude (car il est néanmoins habitué aux probabilités) à une incertitude qui provient de l'insertion du social, du politique et d'autres domaines propres à l'humain dans la technologie. Ce passage peut se faire au travers de l'expérience professionnelle, bien sûr, ou il peut être favorisé par la formation universitaire. Ce qui a fait dire à Herkert (1994 : 9) :

> [...] une compréhension totale de l'évaluation du risque et des problèmes de la communication du risque n'est pas possible sans une intégration des concepts techniques et des concepts liés aux humanités et aux sciences sociales.[97]

L'auteur suggère donc de transformer la culture du génie en mettant davantage l'accent, dans les programmes de formation, sur les relations entre la technologie et les préoccupations sociales, politiques, économiques, éthiques et juridiques. Un autre moyen de transformer cette culture est de faire davantage appel aux équipes multidisciplinaires, que ce soit au travail ou à l'université. Enfin, les associations professionnelles doivent elles aussi appuyer le mouvement, le favoriser même plutôt que de simplement le refléter[98].

---

97. Notre traduction.
98. C'est d'ailleurs ce qu'a fait le Conseil canadien d'accréditation des ingénieurs en recommandant fortement l'ajout d'une composante sciences humaines, sociales et administratives aux programmes des facultés de génie du Canada.

Lorsqu'il est question de culture professionnelle, on doit aussi tenir compte des cheminements de carrière, par exemple lorsqu'un ingénieur accède à un poste de gestion. Paradoxalement, ce type de promotion a d'autant plus de chances de lui arriver qu'il a eu du succès à titre de spécialiste technique, mais ce succès signifie que, pour lui, le changement de culture sera alors encore plus important. L'ingénieur doit en effet, dans un tel cas, changer de peau, muer en quelque sorte. Certes, dans ce nouveau rôle comme dans l'ancien, il se préoccupe de sécurité, mais son action doit désormais tenir compte d'un certain nombre de contraintes propres aux tâches de gestion. Le changement de poste, dans cette perspective, implique une rationalité élargie à plus d'un niveau.

Il n'y a donc pas que la culture des ingénieurs à modifier, lorsqu'il est question de risque et de culture professionnelle, mais aussi celle des gestionnaires. Ce sont eux, le plus souvent, qui vont porter l'odieux de ces compressions budgétaires qui ont été définies plus haut comme sources potentielles de risques majeurs. La culture de sécurité, pour ces gestionnaires, peut donc avoir un sens différent de celui qu'elle a dans la culture d'ingénieur, comme l'a illustré la NASA avant l'explosion de Challenger.

7.3   ÉLÉMENTS DE LA CULTURE DE SÉCURITÉ

Il y a lieu maintenant de considérer quels sont les principaux éléments constitutifs de la culture de sécurité. Nous avons volontairement parlé, en premier lieu, de l'aspect dynamique de la culture, de façon à souligner que ces éléments sont constamment en mouvement dans le temps. Rappelons que la culture est avant tout symbolique et que les comportements qu'elle amène sont en lien étroit avec ce niveau des significations.

7.3.1   Mythes

Il y a des risques qui frappent l'inconscient collectif par le degré de frayeur qu'ils suscitent dans la population; ils font justement partie de la catégorie des «risques effroyables», retenue par les analyses psychométriques (chap. 3). Le nucléaire engendre de ces risques, ne serait-ce que parce qu'il peut mettre en cause la planète entière et les générations à naître.

Il y a également d'autres types de risques qui revêtent aussi cet aspect mythique, les BPC notamment, avec la connotation de cancer qu'ils supposent. Voilà sans doute pourquoi l'incendie de Saint-Basile-le-Grand a représenté pour l'ensemble de la population québécoise un point tournant dans sa sensibilisation à l'environnement. On garde l'impression qu'il y a un «avant Saint-Basile» et un «après Saint-Basile» (Denis, 1990a). Certains sont allés jusqu'à parler de «Saint-Tchernobyl-le-Grand». Pour eux, les pouvoirs publics ont volontairement tu les conséquences de l'événement, dont on ne connaîtra jamais la gravité exacte puisque les résultats des analyses scientifiques ont été détruits.

En ce sens, lorsqu'il est question de produits à connotation mythique, la paranoïa n'est jamais loin. On soupçonne en général le pire, puisque les effets sont perçus comme effroyables. Ainsi, au sujet de Seveso, on a parlé de :

> [...] Hiroshima de la chimie [créant] de toutes pièces un monstre aussi imaginaire que les soucoupes volantes, et considéré comme un risque majeur par tous les pays du monde [...] (Tazieff, 1989.)

La culture, par la définition de l'événement qu'elle permet, a donc une profonde influence à la fois sur les comportements au moment où survient la catastrophe et sur les évaluations des événements subséquents. Dans le premier cas, l'aspect mythique d'un événement est l'un des éléments susceptibles de faire dégénérer la catastrophe en crise (Denis, 1993b), l'action de réponse étant facilement bloquée par l'importance des enjeux. Par ailleurs, dans le second cas, lorsqu'un premier événement a été défini comme mythique, il est fort probable que les autres, comparés à ce standard, soient considérés comme de simples accidents.

Cela signifie que les entreprises dont les risques comportent un aspect mythique, et l'on pense ici en premier lieu au nucléaire, devraient porter une attention encore plus grande à l'analyse et à la gestion de leurs risques. La catastrophe, pour eux, devient encore plus catastrophique, étant donné l'importance, chez le public, du mythe attaché à leur produit. Et étant donné que cet aspect mythique d'un risque change bien peu, dans le temps.

7.3.2 Sens du «nous»

L'une des fonctions essentielles de toute culture est de créer, par un sens du «nous», des liens entre les membres d'une collectivité, qu'il s'agisse d'un petit groupe, d'une association professionnelle, d'une organisation ou d'une société plus large. Lorsqu'il est question de risque et de culture de sécurité, toutes les discussions autour du risque acceptable, par exemple, ont montré qu'il peut y avoir plusieurs «nous», plusieurs factions autour d'un même risque, avec non seulement des intérêts différents mais aussi des valeurs, des cultures différentes.

En fait, les conséquences des risques sont la plupart du temps inégalement partagées dans une société. Compte tenu de cette situation, il y a lieu de se demander quels «nous» deviennent privilégiés lorsqu'il est question de gestion du risque. La culture est un construit et elle est stratégique. Certains groupes, certaines cultures, certains «nous» ont donc plus de poids que d'autres. Il est certain qu'on pense rarement à installer un incinérateur de BPC dans un quartier huppé : on sait à l'avance le poids des résidants sur le politique et donc sur la décision.

Il peut aussi y avoir différentes sous-cultures, différents «nous» dans une entreprise, comme l'a montré Sainsaulieu (1985). Fitzpatrick (1980) a ainsi constaté chez des mineurs une culture de sécurité indépendante de la culture de la direction de l'entreprise. Ce sens du «nous» des mineurs provient, informellement, des interactions quotidiennes et de la tradition, de même que du partage d'une situation de danger.

Dans le même ordre d'idée, notre expérience passée dans une grande entreprise nous a permis de comprendre qu'une forte démarcation existait entre la culture d'une catégorie d'employés préposés à l'entretien et celle d'autres groupes. Comme la tâche de ces employés d'entretien présentait un certain risque, leur culture comportait des éléments relatifs à la sécurité (comportements, valeurs, etc.) plus nombreux et plus spécifiques que ce qui se retrouvait chez les autres catégories de personnels de l'organisation.

Car les exigences de sécurité peuvent varier d'un groupe à l'autre. Certains éléments d'une culture de sécurité, par exemple, sont généraux à une entreprise, alors que d'autres appartiennent en propre à un sous-groupe particulier. Sans compter que les changements technologiques sont susceptibles de modifier les exigences de sécurité dans un groupe, faisant alors pression sur la culture de sécurité.

Finalement, le sens du «nous», ce peut être aussi la culture influencée soit par le pays d'origine, soit par la religion, soit par les deux. Une illustration de cette influence de la culture est fournie par l'exemple d'accidents de chantier survenant toujours dans la même plage de temps, soit entre 10 h et 12 h.

> Une rapide étude sociologique de la population des chauffeurs mit en évidence que tous [ceux qui étaient impliqués dans les accidents] appartenaient à une même ethnie qui avait un long passé nomade. Devenus sédentaires, ils avaient conservé leurs habitudes et pratiques alimentaires. Légèrement sous-alimentés et prenant leur poste vers six heures du matin, ils étaient [...] sujets au fameux coup de pompe de onze heures, ce qui avait pour effet une diminution de leur vigilance et de leurs réflexes. Une solution s'imposait à l'évidence : instaurer une pause casse-croûte [mais] aucun des chauffeurs ne voulut s'alimenter durant la pause [parce que] aucun homme de la tribu ne pouvait s'alimenter en dehors de sa maison. (Nicolet *et al.*, 1989 : 178.)

Dans ce cas, le responsable du chantier a demandé au chef religieux de la communauté comment faisaient les nomades de son pays lorsqu'ils étaient en voyage. Celui-ci a répondu qu'ils aménageaient un territoire-maison en posant des tapis sur le sol et des pierres pour symboliser les murs. Un espace réservé a donc été aménagé pour ces travailleurs sur le chantier et par la suite on n'a plus observé d'accidents touchant ce groupe précis.

7.3.3 Grilles de référence

La grille de référence constitue un filtre au travers duquel le monde, le stimulus qui est perçu, est interprété. Elle donne un sens à la réalité. Intériorisée par chacun, elle est partie intégrante de la culture. Ainsi, Gephart (1984), lors d'un déversement de pétrole, note des similitudes entre les grilles des représentants gouvernementaux et celles de l'industrie, mais également une différence entre ces deux groupes et les critiques publiques. À Bhopâl, Shrivastava (1987) a constaté des grilles de référence différentes dans le cas des victimes, de l'industrie et des représentants gouvernementaux.

À la suite de l'incendie de l'entrepôt de BPC à Saint-Basile-le-Grand en 1988, notre propre recherche a montré des grilles de référence différentes chez un certain nombre de groupes (Denis, 1993a)[99] :

1. La grille du propriétaire de l'entrepôt. Pour lui, l'incendie est la «grenade dégoupillée dont il faut se débarrasser au plus vite», selon les termes de Lagadec (1988 : 46). Contrairement au président d'Union Carbide, qui se rend spontanément à Bhopâl, le propriétaire de l'entrepôt ne fait aucun geste, sinon celui de partir aux États-Unis. Il sera totalement absent de la gestion de la catastrophe.

   Sa grille est toutefois probablement influencée par le fait que, quelque temps auparavant, il a proposé au gouvernement une méthode de destruction des BPC – et donc une solution au problème de l'entreposage –, mais sa proposition n'a pas été retenue.

2. La grille des évacués. Pour ce groupe, l'incendie, qualifié de mythique, illustre le laisser-aller du gouvernement, en particulier du ministère de l'Environnement, dans la gestion des déchets toxiques. Par ailleurs, puisqu'ils sont les premiers à subir les conséquences du risque, leur grille tente de trouver des coupables.

   Cette grille est influencée par le fait que les sinistrés ont, depuis longtemps, annoncé la catastrophe sans cependant que le gouvernement réponde à leurs besoins.

3. La grille des politiciens. Ces derniers cherchent à traduire l'aspect humain de la crise, celui des besoins des évacués, ce qui est une critique implicite de l'action des fonctionnaires.

   Au-delà de leurs sentiments humanitaires, la grille des politiciens est aussi influencée par leur désir d'assurer leur popularité électorale. On distingue chez eux les grilles particulières suivantes :

   a) *La grille des élus municipaux.* Comme les évacués, les élus municipaux sont les premiers à subir les risques dans leur communauté. Ils sont proches de leurs concitoyens et accusent le gouvernement (provincial) de ne pas avoir tenu compte des sonneurs d'alarme.

---

99. Nous avons repris les points analysés dans cette publication tout en y ajoutant quelques éléments.

b) *La grille des élus provinciaux.* Ceux-ci sont complètement dépassés par l'événement. Personne ne semble responsable de la coordination, car le plan d'urgence n'est pas connu (certains disent qu'il est inexistant)[100].

c) *La grille des élus fédéraux.* Ils évitent de prendre la place de leurs collègues provinciaux. Vu l'ampleur de l'événement, certains offrent spontanément l'aide du fédéral, indépendamment de leurs responsabilités respectives.

4. La grille des fonctionnaires. Les fonctionnaires partagent tous l'idée que la catastrophe se gère techniquement, en dépit du fait que des grilles différentes caractérisent les trois paliers de gouvernement. Nous retrouvons ainsi :

a) *La grille des fonctionnaires municipaux.* Ces fonctionnaires sont débordés par les interventions de leurs collègues des autres paliers de gouvernement, au regard desquels ils se sentent parfois comme des citoyens de seconde zone. Cette situation les frustre puisqu'il s'agit, en définitive, de leur municipalité. L'expression «un Saint-Basile» traduira d'ailleurs ce sentiment, en sous-entendant un événement où les décisions ont été rapidement centralisées au détriment des responsables locaux.

b) *La grille des fonctionnaires provinciaux.* C'est la grille du chacun pour soi. Le seul point de leur grille de référence qui les unit est leur méfiance à l'égard de l'un des leurs, en l'occurrence les policiers provinciaux, dans le rôle de coordination de l'information que leur a attribué le gouvernement. Les fonctionnaires provinciaux sont jaloux de leurs prérogatives et méfiants envers la culture de secret des policiers. Ils seront cependant unanimes à constater combien ces derniers ont été efficaces pour leur procurer les ressources matérielles dont ils avaient besoin.

On distingue, dans cette catégorie, les sous-groupes suivants :

– Les fonctionnaires de l'Environnement. Pour eux, c'est le désastre soudain, le cauchemar dont on ne peut sortir. Ils affirment qu'ils auraient voulu prévenir la catastrophe, mais qu'ils n'avaient pas les moyens nécessaires. On les accuse pourtant d'incurie, ce qu'ils estiment être injuste. Ce seront en fait les boucs émissaires de l'ensemble de l'action gouvernementale.

– Les spécialistes de la Santé. Ils perçoivent la santé des citoyens comme l'élément le plus important à considérer, qui doit primer sur les besoins de la machine gouvernementale. Ils agissent seuls.

– Les fonctionnaires de l'Agriculture. Eux aussi font bande à part, peut-être, comme leurs collègues de la Santé, pour ne pas s'embourber dans le fouillis administratif. Des considérations économiques teintent leur grille, comme ce sera aussi le cas des spécialistes en agriculture lors de l'accident nucléaire de Tchernobyl (Otway *et al.*, 1988).

---

100. Dans le fouillis qui s'ensuit, la coordination d'ensemble sera assurée par le chef de cabinet du premier ministre.

– Les forces policières. Pour elles, l'incendie est un accident comme un autre : elles ne font pas de distinction, à ce moment, entre une catastrophe – même si elle a le statut de mythe – et un incendie criminel. Étant donné qu'elles soupçonnent que l'événement est d'origine criminelle, leur grille de référence privilégie le secret, comme c'est habituellement le cas dans de telles circonstances. Ce comportement se bute toutefois au besoin de la population de tout savoir sur la catastrophe – un des effets attendus d'un événement mythe, de par l'anxiété qui s'y rattache.

Ces policiers sont surpris des perceptions relatives à leur rôle de coordination de l'information et des résistances opposées par les différents ministères.

c) *La grille des fonctionnaires fédéraux.* Ces fonctionnaires restent volontairement en retrait de la gestion de la catastrophe, tout en accomplissant du travail sur le terrain, à la demande de leurs vis-à-vis provinciaux. Pour eux comme pour les policiers, il s'agit d'un accident ordinaire.

Ces différentes grilles permettent de comprendre que, au moment d'une catastrophe, ce sont des cultures de groupe qui, bien qu'avant tout symboliques, se traduisent dans des comportements concrets d'affrontement ou de collaboration, ainsi que d'interprétation du sens de l'événement.

Ces grilles de référence ne se construisent pas en un jour. Elles sont là, déjà, quand il s'agit d'analyser et de gérer le risque, donc avant la catastrophe. Par exemple, il semble que le propriétaire de l'entrepôt ait proposé au gouvernement, avant l'incendie, un incinérateur pour brûler les BPC, ce qui avait été refusé. Il s'est donc retrouvé avec deux entrepôts «temporaires» – pour une longue durée. Sa grille a sans doute été influencée, au moment de l'urgence, par cette situation précédant la catastrophe.

Par ailleurs, les grilles de référence sont susceptibles de changer, dans le temps. Celles des fonctionnaires provinciaux, par exemple, ont été modifiées par une action gouvernementale précise à la suite de l'incendie de BPC. Et les désastres qui ont suivi l'événement ont montré un passage de l'individualisme organisationnel à davantage de collaboration entre les organisations, par exemple entre les ministères de la Santé, de l'Environnement et de l'Agriculture. En ce sens, ces organismes ont développé un sens du «nous» élargi, une nouvelle «vue d'ensemble de la bulle». La grille des policiers elle aussi s'est modifiée, puisque leurs modes de communication ont désormais été adaptés au type de catastrophe.

7.3.4 Attribution des responsabilités

La question de l'attribution des responsabilités a été traitée en tant que stratégie (art. 7.2.2), c'est-à-dire comme un choix, comme un comportement. Il s'agit maintenant de reprendre le concept pour considérer comment, concrètement, il est le reflet des valeurs d'une collectivité. L'attribution des responsabilités passe toujours, en effet, par les filtres que sont les grilles de référence.

Cette question nous intéresse ici dans la mesure où elle est de nature à influencer la gestion du risque. Car savoir qu'on peut être blâmé est susceptible de devenir un facteur qui peut amener les intéressés à prendre davantage de mesures de sécurité. Ce blâme est un processus sociologique sous trois aspects (Bucher, 1957) :

- Il résulte d'un long processus d'interactions sociales.
- Il est encadré par la définition de la situation.
- Il est une interaction symbolique – un processus de création, de maintien et de redéfinition des significations partagées.

En fait, le blâme reflète les valeurs d'une communauté, ce que démontre, notamment, le processus judiciaire (Drabek et Quarantelli, 1967). On blâme parce que des valeurs ont été bafouées (Neal, 1984). Dans cet ordre d'idée, la culture d'une société influence le blâme, dans l'attribution des responsabilités, en encadrant la façon d'aborder un problème. Ainsi, si une société valorise la technologie, alors la cause des défaillances sera considérée à partir d'une perspective technique. Une telle orientation est souvent illustrée par les commissions d'enquête post-catastrophes. Toft (1993) donne le cas de Challenger en exemple :

> [On est en présence] d'une communauté dont la culture [américaine], fortement influencée par les découvertes scientifiques et les réalisations pratiques de la révolution industrielle, accorde la plus grande importance aux attributs quantitatifs du design physique. En conséquence, lorsqu'il est question d'enquêter sur les causes des catastrophes, ce sont à ces aspects que l'on accorde le plus d'attention.[101]

L'élargissement des rationalités peut cependant caractériser aussi l'attribution des responsabilités, cette fois non pour absoudre la technologie, mais plutôt pour voir l'ensemble sociotechnologique qu'elle constitue. Dans cette perspective, les enquêtes techniques faisant suite aux tremblements de terre[102] en sont venues à élargir leur champ de recherche aux aspects organisationnels et sociaux des catastrophes, par exemple par l'insertion de sociologues dans les équipes de géologues et d'ingénieurs.

Les médias sont d'importants reflets de la culture d'une société et de la façon dont celle-ci attribue les responsabilités, dans la gestion du risque. Une société plus fataliste aura ainsi moins tendance à blâmer qu'une société plus individualiste. Voilà sans doute pourquoi il serait sans doute extrêmement surprenant de voir aujourd'hui, au Canada, des reportages dans les médias faisant appel à la volonté divine pour expliquer un désastre...

---

101. Notre traduction.
102. Voir à ce sujet le périodique *Earthquake Spectra*.

7.3.5 Valeurs

Les valeurs constituent des jugements sur ce qui est désirable. Ainsi, la sécurité, l'honnêteté, la transparence sont autant de valeurs. Que veut-on réellement en matière de sécurité? Ici, les chercheurs ont distingué les valeurs terminales – qui sont à respecter en soi parce qu'importantes, telles la liberté, l'égalité, la fraternité – des valeurs instrumentales – qui sont à respecter parce qu'elles permettent d'atteindre d'autres objectifs, par exemple le travail bien fait, la vigilance, etc. À noter que la différence peut parfois être ténue entre valeurs terminales et valeurs instrumentales.

Ce qui nous intéresse davantage dans le cas du risque, c'est de connaître la profondeur des valeurs (y tient-on ou non?) et leur étendue sur un certain nombre de comportements (sont-elles généralisées ou limitées à un secteur?). Ainsi, dans la société occidentale actuelle, la valeur du respect de l'environnement vient teinter la gestion du risque. Elle est générale, s'étendant à différents secteurs de la société, au point d'être «politiquement correcte» – en ce sens que nul n'oserait affirmer que polluer est un comportement acceptable. Elle est cependant vécue avec plus ou moins de profondeur, car certaines personnes ou certains groupes parmi ceux qui réclament la protection de l'environnement peuvent avoir des comportements de pollution cachés.

Un auteur (Browning, 1988) a noté à la NASA, avant l'accident de Challenger, les valeurs suivantes :

• Avoir de la vision.

• Articuler la vision par la visibilité et par des actions congruentes avec la politique. Cela s'est fait :
  – en rendant routiniers les vols dans l'espace;
  – en valorisant la recherche et l'éducation par des recherches dans l'espace;
  – par un processus de cooptation, en important des «héros» provenant des minorités, des femmes et des civils dans les équipes, telle l'institutrice lors du vol fatal[103].

• Encourager l'innovation et la prise de risques. Ici, le risque a été pris, mais on n'a pas respecté une valeur instrumentale selon laquelle tout problème devait être réglé par des *task force* et par une action rapide.

Ce dernier point indique qu'il peut y avoir opposition entre des valeurs de la culture de sécurité et d'autres de la culture d'entreprise plus large, par exemple entre la sécurité et l'innovation. Dans ce cas de Challenger, il est évident que la NASA valorisait la vie humaine. Pourtant, la décision de lancement n'a pas reflété cette valeur. Pourquoi?

---

103. Cette traduction de la vision constitue un excellent exemple de ce que l'on pourrait appeler «l'anti-groupthink».

C'est que d'autres valeurs entraient dans la décision, comme le succès du programme, l'emploi dans ce secteur, etc. Ces valeurs exigeaient tout d'abord que le programme se poursuive, mais pour cela une rentrée de fonds publics était nécessaire, qui dépendait à son tour du Congrès. D'où l'importance du lancement de la navette comme moyen d'agir sur l'opinion publique puis, par rebond, sur les institutions politiques. D'où, pour un effet maximal, l'importance d'amener une institutrice à bord qui enseignerait aux enfants à partir de l'espace, car on valorise à la fois les enfants et l'enseignement, dans la culture américaine.

Autant de valeurs qui vont dans le même sens, mais peuvent aussi s'opposer à la valeur de sécurité, au moment de la décision de lancement. Par contre, là encore, il faut dire que cette valeur n'a sûrement pas été consciemment bafouée, puisque l'insuccès supposait aussi des enjeux importants.

7.3.6 Croyances

Comme les valeurs, les croyances guident continuellement notre action. La croyance est plus spécifique que la valeur et elle contient un ingrédient de «foi». Si une valeur peut influencer plusieurs croyances, une croyance peut également correpondre à plusieur valeurs. La relation entre valeurs et croyances n'est donc pas simple. Par ailleurs, la croyance est le plus souvent inconsciente et reste implicite. Comme la valeur, ce sont les actions concrètes qui la traduisent.

Mitroff *et al* (1989 : 277) ont par exemple énuméré un certain nombre de croyances qui touchent négativement la capacité des organisations de faire face à la complexité d'une crise. Il s'agit de ce que les auteurs appellent les illusions suivantes[104] :

- La taille : «Notre importance va nous protéger.»
- L'abondance des ressources et la protection : «Quelqu'un viendra à notre secours pour éponger nos pertes.»
- L'excellence : «Les entreprises excellentes ne subissent pas de crises.»
- La localisation ou la géographie : «Aux États-Unis, il n'y a pas à se préoccuper de terrorisme.»
- L'immunité ou la vulnérabilité limitée : «Certaines crises n'arrivent qu'aux autres.»
- La responsabilité sociale mal placée : «La gestion de crises est la responsabilité de quelqu'un d'autre.»
- L'imprévisibilité : «Les crises étant imprévisibles, on ne peut s'y préparer.»

---

104. Nous n'avons retenu que certaines d'entre elles.

Dans le cas de Challenger toujours, il est évident que la NASA ne croyait pas l'accident possible, sans quoi elle aurait sûrement reporté le lancement. La croyance dans le danger fait pourtant partie, intrinsèquement, d'une culture de sécurité. Cependant, comme il a été vu ci-dessus, le lancement de Challenger se situait dans un ensemble de facteurs menant à la décision, et la croyance qu'il pouvait y avoir danger en était venue à passer au second plan par rapport à ces facteurs.

L'étude d'une mine (Fitzpatrick, 1980) montre la force des croyances chez les mineurs. Ceux-ci, tout en reconnaissant que le danger fait partie de leur tâche quotidienne, ne voient toutefois pas celle-ci comme essentiellement dangereuse. La plupart banalisent le danger général, tout en le précisant pour des situations particulières. Certains des dangers sont ainsi qualifiés selon leur fréquence (quotidiens, moins fréquents, quasi improbables) ou selon leurs conséquences possibles, qui sont prises très au sérieux. Simultanément, le mineur accepte l'incertitude que le danger présente : c'est sans doute la raison pour laquelle l'une des croyances les plus profondes, dans la mine, est que personne ne doit travailler seul.

7.3.7 Normes

Les normes sont les façons de faire privilégiées qui reflètent les valeurs et les croyances d'un groupe ou d'une société. Elles sont parfois données formellement, par exemple dans les codes de déontologie d'une profession, ou sont transmises – formellement ou informellement – par la socialisation dans l'entreprise.

Dans la mine, Fitzpatrick (1980) a retrouvé huit normes qui règlent les comportements et les relations, de façon à faire face à l'incertitude et au danger de la situation de travail. Ce sont :

- faire sa part;
- respecter des obligations sociales réciproques (d'assistance);
- agir avec modération;
- agir de façon responsable;
- protéger les intérêts de ses compagnons;
- agir uniquement selon son niveau de compétence et d'expérience;
- être accommodant, souple de caractère;
- prendre au sérieux une situation dangereuse.

La culture, par les normes, privilégie donc certains types de comportements. Le cas de la NASA, ici encore, est instructif, où les normes privilégiaient les comportements suivants (Vaughan, 1990) :

- Prendre les décisions en secret lorsque le consensus est nécessaire mais impossible à atteindre. Ainsi, au cours de la téléconférence relative au joint d'étanchéité le matin du lancement, les échanges sont interrompus, à un moment, pour permettre des discussions «en privé».

- Retenir de l'information aux plus bas échelons hiérarchiques pour éviter de placer un supérieur dans une position délicate de prise de décision.
- Demander des analyses quantitatives.
- Laisser la décision incertaine, laisser des points obscurs dans la discussion.
- Distinguer les types de décisions : changer de chapeau selon qu'on aborde un aspect technique ou de gestion.

Les normes sont susceptibles d'être modifiées, dans le temps. Il se peut aussi qu'elles restent intactes, même après une catastrophe, si l'organisation adopte un comportement de défense de ses actions sans se remettre en question.

7.3.8 Styles culturels

Les normes peuvent être en relation les unes avec les autres, leur assemblage donnant alors ce qu'il est convenu d'appeler des styles culturels. Un inventaire de ces styles a permis d'en répertorier 12, se manifestant par les relations interpersonnelles et par les activités liées à la tâche. Nous les reprenons en détail ici, dans la mesure où ils ont été utilisés pour caractériser la culture des organisations à haute fiabilité. Dans ce qui suit, ces styles sont appelés «cultures» (Cooke et Lafferty, 1986, cités par Cooke et Rousseau, 1988). Il s'agit des styles suivants (les normes sont entre parenthèses) :

1. Une culture *humaniste-aidante*, dans laquelle les organisations sont gérées de façon participative et se centrent sur la personne. Les membres doivent être aidants, constructifs et ouverts à l'influence dans leurs relations avec les autres («consacrer du temps aux autres, aider»).

2. Une culture d'*affiliation*, insistant sur des relations interpersonnelles constructives. Les membres doivent être amicaux, ouverts, sensibles à la satisfaction de leur groupe de travail («relations amicales, partage des sentiments et des pensées»).

3. Une culture d'*approbation*, qui évite le conflit et où les relations interpersonnelles sont agréables, au moins superficiellement. Les membres doivent être appréciés et estimés des autres («être sûr qu'on nous accepte, bien s'entendre avec les autres»).

4. Une culture *conventionnelle*, où l'organisation est conservatrice, traditionnelle et bureaucratique. Les membres doivent se conformer, suivre la règle et faire bonne impression («se couler dans le moule, suivre les politiques et les pratiques»).

5. Une culture de *dépendance*, où l'organisation est centralisée, hiérarchiquement contrôlée et non participative. Les membres font ce qu'on leur dit de faire et font approuver toutes les décisions («plaire à l'autorité, faire ce qui est attendu»).

6. Une culture d'*évitement*, où l'organisation ne récompense pas le succès mais punit les erreurs. Les membres ont alors tendance à refiler les responsabilités aux autres et évitent d'être blâmés pour des erreurs («attendre que les autres agissent en premier, prendre peu d'initiatives»).

7. Une culture d'*opposition*, où prévalent la confrontation et la critique. Les membres deviennent influents en critiquant et en prenant des décisions sûres mais non appropriées («montrer les failles, être difficile à impressionner»).

8. Une culture de *pouvoir*, où l'organisation est structurée selon la position hiérarchique et est non participative. Les membres croient qu'ils seront récompensés s'ils prennent des responsabilités, s'ils dominent les subordonnés et, simultanément, s'ils répondent aux demandes de leurs supérieurs («ériger sa base de pouvoir, motiver les autres»).

9. Une culture de *compétition*, où gagner est valorisé et où les membres sont récompensés s'ils surpassent les autres. Les membres agissent en gagnants-perdants et croient qu'ils doivent travailler contre leurs pairs pour être remarqués («la tâche est un concours, ne jamais sembler perdre»).

10. Une culture de *perfectionnisme-compétence*, qui valorise le travail dur, la persévérance. Les membres croient qu'ils doivent éviter toute erreur, garder une copie de ce qu'ils font et travailler de longues heures pour atteindre des objectifs définis étroitement («faire les choses à la perfection, maîtriser toutes choses»).

11. Une culture de *réalisation*, où l'organisation fait bien les choses et valorise les membres qui définissent et accomplissent leurs propres objectifs. Les membres se donnent des défis réalistes et les poursuivent («rechercher l'excellence, montrer ouvertement de l'enthousiasme»).

12. Une culture d'*actualisation de soi*, où l'organisation valorise la créativité, la qualité, à la fois, l'accomplissement de la tâche et la croissance personnelle. Les membres sont encouragés à trouver du plaisir au travail, à se développer et à pratiquer de nouvelles activités intéressantes («penser de façon originale et indépendante, faire bien même les tâches simples»).

Nous verrons plus en détail, au chapitre suivant, comment s'insèrent ces styles dans la culture des organisations à haute fiabilité. Ils y orientent en fait les comportements dans un sens bien défini et ont une réelle influence sur le fonctionnement de ces organisations. En ce sens, la culture n'est pas en dehors du quotidien.

7.3.9 Éléments en interaction

Les différents éléments ou caractéristiques de la culture peuvent être plus ou moins nombreux dans une organisation, plus ou moins étendus et plus ou moins profonds. Certains, tenant par exemple à des pratiques religieuses, sont enracinés dans l'individu, alors que d'autres sont facilement modifiables. Nicolet *et al.* donnent un regroupement de ces éléments, allant de l'abstrait au concret et de l'externe au secret (fig. 7.1). Cette figure fournit un aperçu d'ensemble très net, qui se passe de commentaires.

La culture est donc un ensemble, un système dont il y a lieu de comprendre le fonctionnement, dans les organisations, notamment en ce qui a trait au risque, et en particulier au risque sociotechnologique majeur. Les différents éléments de la culture sont en interaction pour former une culture de sécurité – ou s'y opposer. Ils sont également, dans l'entreprise, en relation avec les autres dimensions que sont la technologie et la structuration organisationnelle. L'analyse des interrelations entre ces éléments et dimensions permet d'éviter diverses situations problèmes, comme d'installer de nouveaux équipements qui supposent des comportements de collaboration alors que la culture d'entreprise favorise l'individualisme et qu'il n'y a pas de culture de sécurité.

Ce dernier exemple indique qu'il est aussi absolument nécessaire de considérer la relation qui s'établit entre une culture d'entreprise et la culture de sécurité, lorsque celle-ci existe ou qu'on veut l'instaurer. Ici encore, il peut y avoir incongruence, par exemple entre les normes de comportements : une culture de sécurité peut mettre l'accent sur l'attention, sur la vue d'ensemble, alors que la culture d'entreprise valorise l'action rapide en vue du profit. Les incongruences peuvent en outre toucher les styles culturels, lorsque par exemple la culture de sécurité est instaurée en prônant un style humaniste-aidant ou encore d'affiliation, alors que dans les faits la culture d'entreprise valorise le style d'affrontement ou de pouvoir.

Les remarques qui précèdent ne signifient pas que certaines valeurs, certaines normes ou certains styles sont préférables. Tout dépend de la situation. Ce qui est toutefois essentiel, c'est de regarder, dans une organisation, la congruence entre d'une part les divers éléments composant la culture et, d'autre part, les relations qui s'établissent avec cette dernière et la technologie ou la structuration. Ces points seront illustrés magistralement par le fonctionnement des organisations à haute fiabilité.

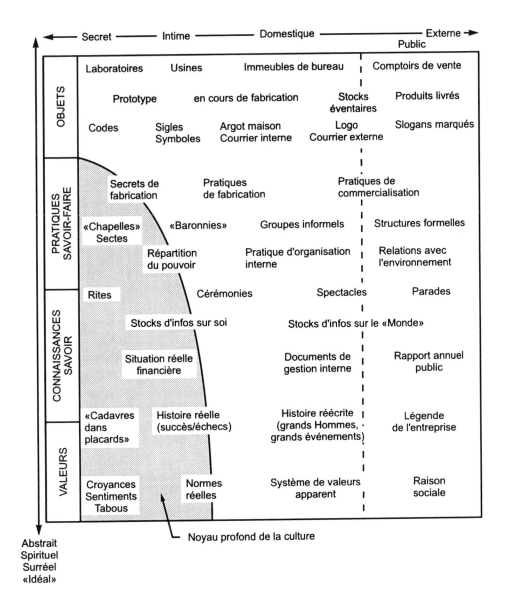

Figure 7.1 Dimension profonde de la culture.

Source : Nicolet, J.L., A. Carnino et J.-C. Wanner. 1989. *Catastrophes? Non merci!* Paris, Masson : 188.

SYNTHÈSE

Ce chapitre reprend plus en détail le concept de culture, esquissé au chapitre sur les risques en entreprise, de façon à mieux comprendre les organisations à haute fiabilité (traitées au chapitre suivant), dans lesquelles cette dimension de la culture est vitale. Ce sont tout d'abord la culture de sécurité et ses relations avec la culture d'entreprise et la culture générale d'une société qui retiennent l'attention, car les dangers d'incongruence sont toujours présents. Les différentes caractéristiques de la culture de sécurité sont ensuite examinées.

La culture est aussi abordée en tant que construit. Pour cela, il est d'abord nécessaire de définir le processus de socialisation qui permet d'internaliser une culture, quelle qu'elle soit. Suit une discussion sur les aspects stratégiques de la culture et les problèmes qui se posent lorsqu'on veut modifier une culture précise, et tout particulièrement une culture de sécurité. Dans certains cas, la culture professionnelle comporte également des volets relatifs à la gestion du risque: comment alors renforcer l'aspect sécurité? Est présenté, à titre d'exemple, le paradoxe de la culture de l'ingénieur, coincé entre la valorisation de la technologie et la constatation des limites de celle-ci.

Les éléments constituant la culture sont ensuite appliqués au risque. Il s'agit entre autres : des mythes qui font qu'un risque est perçu comme plus grave et pouvant dégénérer en crise; du sens du «nous»; des grilles de référence qui permettent de saisir la réalité à partir, par exemple, d'un rôle organisationnel; du processus d'attribution des responsabilités en lien avec le risque; enfin, des valeurs, croyances, normes et styles culturels.

Il était finalement important de souligner les interactions entre les diverses composantes de la culture. Somme toute, ce chapitre démontre qu'on doit tenir compte des significations sous-jacentes aux comportements, qui sont partie de la culture, pour mieux comprendre et gérer le risque sociotechnologique majeur.

CHAPITRE
8

ORGANISATIONS
À HAUTE FIABILITÉ

Une fois que nous avons mieux saisi l'importance de la culture dans ses relations avec le risque, et pour comprendre encore davantage les interdépendances entre technologie, structure et culture dans la gestion du risque sociotechnologique majeur, un regard sur ce qu'il est convenu d'appeler les «organisations à haute fiabilité» est maintenant nécessaire. Ce terme a été utilisé par une équipe interdisciplinaire de chercheurs californiens autour de K. Roberts pour refléter les caractéristiques précises d'un certain type d'organisation.

L'intérêt de ces travaux est de démontrer comment se vivent la complexité et l'incertitude extrêmes à l'intérieur d'une organisation. À partir de cette démonstration, les entreprises un peu moins complexes mais cependant à risque pourront s'inspirer des stratégies développées par ces organisations à haute fiabilité pour gérer leurs propres risques. C'est la raison pour laquelle nous insistons quelque peu sur ce type d'entreprise, tout en sachant fort bien que la plupart des organisations à risque ne sont ni des centrales nucléaires ni des porte-avions à propulsion nucléaire, ces cas étudiés par les chercheurs.

8.1 DÉFINITION DES ORGANISATIONS À HAUTE FIABILITÉ

Les organisations à haute fiabilité sont, plus précisément, des organisations à haut risque et à haute fiabilité. Pour simplifier, nous avons convenu, à l'instar des chercheurs californiens, de les désigner par le terme d'*organisations à haute fiabilité* (OHF).

De quoi s'agit-il exactement? Les OHF sont des organisations aux fonctionnements complexes dont la plupart des défaillances pourraient se transformer en catastrophes. Ainsi, en réponse à la question «Combien de fois votre organisation aurait-elle pu avoir une défaillance aux conséquences dramatiques, voire catastrophiques?», les OHF répondent «Plusieurs milliers de fois» (Roberts, 1990a). En ce sens, ce sont des organisations dont les fonctionnements généraux sont à haut risque.

Un tel phénomène vient, en partie, du fait que les technologies des OHF ont elles aussi un potentiel élevé de catastrophes. Elles comportent en effet des complexités interactives à couplages serrés qui font en sorte que l'accident peut se propager rapidement. C'est d'ailleurs à partir de ces caractéristiques des technologies à haut risque que Perrow (1984) a émis l'hypothèse que, quelles que soient les mesures de sécurité, l'accident devient presque inévitable. Il en a tiré son concept d'accident «normal», entendu au sens que la possibilité d'accident est en quelque sorte incluse dans le système, de par la complexité de ce dernier.

La culture intervient aussi, dans les OHF, par la valorisation de la fiabilité. Car, dans ces entreprises à haut risque, la fiabilité est aussi importante que la productivité en tant qu'objectif de base, ce qui fait des OHF un sous-ensemble des organisations à haut risque :

> Les organisations à haut risque sont ces organisations qui opèrent des technologies suffisamment complexes pour être sujettes à des accidents catastrophiques. Les organisations à haute fiabilité sont un sous-ensemble des organisations à haut risque, conçu et géré pour éviter de tels accidents. (Roberts et Rousseau, 1989 : 132.)[105]

Cependant, risque et fiabilité ne sont pas nécessairement synonymes, et certaines organisations à haut risque ne présentent pas une haute fiabilité. Pour illustrer ce point, Roberts (1989a : 113) a développé une typologie risque-fiabilité (fig. 8.1) dans laquelle on trouve :

- Des entreprises à faible risque et à faible fiabilité (case 1). Il s'agit par exemple de ces industries à domicile, lors de la révolution industrielle, où le travail était fait sans contrôle strict de qualité, avec toutefois peu de risques majeurs.
- Des entreprises à haut risque mais à faible fiabilité (case 2). L'auteur cite des entreprises où sont survenues des catastrophes comme l'usine de Union Carbide à Bhopâl, la centrale de Tchernobyl, etc.
- Des entreprises à faible risque et à haute fiabilité (case 3), tels les systèmes d'approvisionnement en eau des grandes métropoles.
- Des entreprises à haut risque et à haute fiabilité (case 4). L'auteur mentionne ses objets de recherche, à savoir des tours de contrôle de trafic aérien, des porte-avions nucléaires et une centrale nucléaire.

Les OHF s'insèrent uniquement dans cette dernière catégorie. Le risque y est défini par le nombre de fois où une défaillance aurait pu provoquer une catastrophe. Il ne s'agit cependant pas seulement de fréquences d'accidents, mais aussi de probabilités et de conséquences. La probabilité d'accident est importante en effet dans la mesure où ces OHF sont complexes, d'une complexité telle que les humains ne peuvent en saisir toutes les implications (Perrow, 1984).

---

105. Notre traduction.

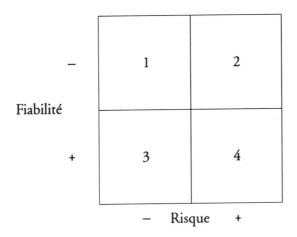

1. Industries à domicile.
2. Bhopâl, Three Mile Island, Tchernobyl.
3. Réseaux d'aqueducs des grandes métropoles.
4. Tours de contrôle de trafic aérien, porte-avions nucléaires, centrales nucléaires.

Figure 8.1 Typologie du risque et de la fiabilité.

Source : Roberts, K.H. 1989. New challenges in organizational research : High-reliability organizations, *Industrial Crisis Quartely*, 3, 2 : 113.

Une telle catégorisation soulève toutefois, selon nous, deux questions théoriques. La première touche l'aspect synchronique de la fiabilité : lequel, parmi un ensemble d'éléments interactifs à l'œuvre dans un système, fait en sorte qu'il y a fiabilité? L'usine de Bhopâl aurait-elle gardé son statut d'OHF s'il n'y avait eu squattérisation (l'événement n'aurait alors fait aucune victime) ou si des mesures techniques avaient été en place (p. ex. réservoirs de retenue)?

La seconde question théorique concerne l'aspect diachronique de la fiabilité : à quel moment une organisation peut-elle prétendre à la haute fiabilité? Pour reprendre l'exemple de Bhopâl, l'usine, la veille de l'événement fatidique, était qualifiée d'OHF. Et, quelques années après la catastrophe, est-elle redevenue une OHF, ou sa défaillance fait-elle en sorte qu'elle restera à jamais stigmatisée dans la catégorie 2 de la typologie? En somme, y aurait-il une forme de «pardon» par lequel les organisations pourraient, dans le temps, retrouver leur statut d'OHF?

Nous croyons, pour notre part, que la fiabilité est dynamique et que ce genre de typologie n'est utile qu'en tant que point de départ pour des analyses organisationnelles, à un moment précis dans le temps. Et encore y a-t-il lieu d'être prudent. Car certaines entreprises à haut risque peuvent prétendre être à haute fiabilité sans que cela corresponde à la réalité : une centrale nucléaire, par exemple, peut très bien ne pas être concrètement à haute fiabilité si le secret de ses défaillances est bien gardé – et si une catastrophe ne survient pas. La centrale de Tchernobyl, la veille de l'incendie, aurait pu elle aussi se situer dans la catégorie 4 de la typologie et pourtant...

Ce dernier point suscite à son tour une autre réflexion, à savoir que la catégorisation des entreprises est susceptible de varier selon la personne qui effectue le classement. Ainsi, du fait qu'il possède de l'information que ne détient pas le public, un expert aura sans doute un jugement différent quant à la fiabilité d'une organisation. Par ailleurs, cet expert doit aussi avoir des données précises sur les fonctionnements quotidiens d'une entreprise pour être en mesure de porter un jugement éclairé.

Une autre typologie précisant la précédente, parce qu'appliquée à l'intérieur cette fois des OHF, a été élaborée par Schulman (1993). L'auteur distingue les OHF selon que :

- les *activités* pour assurer la sécurité sont localisées ou étendues à l'ensemble du système;
- les *analyses* (conceptualisation) exigées pour assurer la sécurité sont localisées ou étendues à l'ensemble du système.

Cette dernière typologie, toutefois, a été peu utilisée dans les recherches sur les OHF, si ce n'est pour comparer les cultures d'une centrale nucléaire civile et d'un centre de contrôle du trafic aérien (Klein *et al.*, 1995). Il est ressorti alors que la typologie s'applique mieux aux extrêmes, ce qui donne des organisations :

- décomposables, où l'action et l'analyse sont localisées;
- holistiques, où l'action et l'analyse sont étendues à l'ensemble du système.

Les OHF holistiques ne peuvent décomposer leurs actions et leurs analyses, et ne peuvent simplifier leurs fonctionnements, même temporairement. C'est par exemple le cas d'une centrale nucléaire où, en cas de défaillance d'un élément, le système entier doit s'arrêter jusqu'à ce que le problème soit réglé. Ces organisations, en fait, sont dépourvues de ressources tampons qui permettraient une certaine marge de manœuvre (Galbraith, 1977). Le risque y est donc beaucoup plus difficile à gérer parce que les interdépendances sont étroitement couplées.

En contrepartie, les OHF décomposables sont davantage en mesure d'isoler les dépendances et les interactions des systèmes. Ce découpage peut aller jusqu'au plus bas niveau hiérarchique, celui où l'opérateur devient à la fois analyste et acteur. C'est notamment le cas du contrôleur aérien qui à la fois conceptualise le problème, découvre la solution et peut la mettre en œuvre. Les interdépendances au sein de ces systèmes décomposables peuvent alors être réduites, tout au moins pour un certain temps. Cependant, dans la réalité, l'isolement d'interdépendances revient souvent à les reporter sur d'autres systèmes : ainsi, l'interdiction des atterrissages dans un aéroport, s'il simplifie le système temporairement, devient par contre une source supplémentaire de complexité dans un autre.

Afin de mieux saisir concrètement ce que sont ces organisations à haute fiabilité, il y a lieu d'en examiner les caractéristiques définies par le groupe des chercheurs californiens. Auparavant, il est toutefois nécessaire de situer ces derniers dans le courant qui est à l'origine de leurs travaux, en sociologie des organisations, et dont les auteurs eux-mêmes se réclament (Roberts, 1989b).

8.2 CARACTÉRISTIQUES DES OHF

8.2.1 Complexité et couplage serré

Les chercheurs qui se sont intéressés aux OHF ont été influencés tout d'abord par les travaux de Perrow (1984). Celui-ci a été l'un des premiers sociologues de l'organisation (après Turner, 1978) à expliquer en termes organisationnels les défaillances techniques. Selon lui, deux caractéristiques des entreprises peuvent expliquer ces défaillances, à savoir la complexité et le couplage serré.

8.2.1.1 Caractéristiques de la complexité

Selon Perrow (1984 : 88), la complexité des systèmes s'oppose à leur linéarité. Cette complexité possède les caractéristiques suivantes[106] :

- proximité, dans un espace restreint, d'équipements qui ne sont pas en séquence de production;
- étapes de production rapprochées;
- plusieurs liens non spécifiques entre des composantes qui ne sont pas en séquence de production;
- interdépendances entre les composantes;
- spécialisation (des opérateurs) qui limite la conscience des interdépendances;
- capacité de substitution limitée des fournitures et du matériel;
- nombreuses boucles de rétroaction non familières ou séquences inattendues;
- contrôles multiples et interactifs;
- sources d'information indirectes;
- compréhension limitée de certains processus (associés à la transformation).

---

106. Notre traduction après adaptation.

8.2.1.2 Caractéristiques des couplages serrés

Toujours selon Perrow (1984 : 96), les couplages serrés – par opposition aux couplages lâches – présentent les caractéristiques suivantes[107] :

* impossibilité de délais dans les processus;
* séquences invariantes;
* une seule méthode pour un but;
* peu de jeu possible dans la gestion des ressources, des équipements et du personnel;
* tampons et redondances inclus délibérément dans le système (et ne pouvant être modifiés);
* peu de possibilité de substitution des ressources, des équipements et du personnel, ces éléments étant inclus intrinsèquement dans le système.

Bien entendu, les fonctionnements les plus à risque sont ceux qui ont les caractéristiques de la complexité et du couplage serré. Perrow présente une typologie des organisations à partir de ces deux dimensions (fig. 8.2). Il en ressort que les industries les plus à risque, sur le plan organisationnel, sont les centrales nucléaires, les dépôts d'armes nucléaires, les laboratoires faisant la recombinaison d'ADN, les usines chimiques ainsi que l'aviation. Par la suite, l'auteur analyse la typologie de Slovic *et al.* (1980) décrivant des risques aux conséquences effroyables (fig. 3.2) et constate que les organisations qui comportent ces risques correspondent, dans sa propre typologie, à une forte complexité et à un couplage serré.

L'un des apports importants de Perrow à la théorie des organisations, et qui poussera Roberts (1989b) vers l'étude des OHF, est la mise en lumière d'un paradoxe. Perrow se demande en effet comment, dans la réalité, concilier deux besoins contradictoires dans les organisations à risque :

* Pour une exploitation sécuritaire, les gestionnaires des organisations à haut risque doivent adopter, en théorie, une approche autoritaire, donc centralisée.
* Simultanément, la complexité et le couplage serré exigent, en théorie également, une décentralisation pour faire face aux interactions non prévues.

Il est nécessaire, en terminant ce bref exposé des recherches de Perrow, d'insister sur le caractère dynamique de la complexité et du couplage serré, ce sur quoi l'auteur n'a pas vraiment mis l'accent. Complexité et couplage serré peuvent en effet être modifiés, dans le temps. Des compressions budgétaires, par exemple, peuvent avoir des conséquences graves non seulement parce qu'elles permettent le développement des phénomènes décrits précédemment (chap. 6), mais aussi parce que ces phénomènes eux-mêmes sont susceptibles d'accroître, dans le temps, la complexité et le couplage serré. Une telle dynamique est illustrée par le cas de Bhopâl :

---

107. Notre traduction après adaptation.

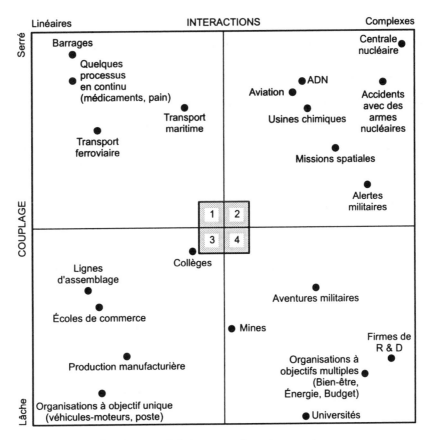

Figure 8.2 Schéma couplage-interactions.

Source : Adapté de Perrow, C. 1984. *Normal Accidents : Living with High-Risk Technologies.* New York, Basic Books : 97.

Lorsque les restrictions budgétaires sont concentrées dans les unités les moins importantes [chez Union Carbide], ce n'est pas seulement la diminution de l'entretien qui accroît la possibilité de crises. Ce sont plutôt tous les effets indirects sur les travailleurs de la perception que leur unité ne compte pas. Cette perception a comme conséquence une inattention plus grande, de l'indifférence, un roulement de personnel [...] qui tous enlèvent des marges de manœuvre, abaissent le seuil d'irruption de la crise et accroissent le nombre d'endroits séparés où une telle crise peut se produire. Quand la marge de manœuvre diminue, les interactions complexes augmentent dans la technologie, ce qui signifie qu'il y a plus d'endroits où une défaillance mineure peut se transformer en catastrophe au moment où d'autres défaillances mineures surviennent simultanément. (Weick, 1988 : 313.)[108]

---

108. Notre traduction.

En ce sens, la complexité et le couplage serré représentent des sources d'incertitude dans les organisations, ce qui fait qu'on les retrouve au cœur des entreprises à haut risque, sinon à haute fiabilité.

8.2.2 Relation connaissances-comportement

Un autre chercheur (La Porte, 1987, cité par Roberts, 1989b) influencera le courant de recherches sur les OHF. Pour La Porte, la question de départ pourrait se formuler ainsi : qu'est-ce qui est nécessaire pour atteindre l'erreur zéro dans les grandes organisations technologiquement avancées? Qu'est-ce qui peut favoriser – ou nuire à – cet objectif? Il répond à ces questions en recourant à une explication par deux éléments : d'une part les comportements et, d'autre part, les connaissances que ces comportements supposent. Sans oublier, bien entendu, la relation entre les deux.

En effet, selon l'auteur, s'il existe réellement des comportements (C) qui vont dans le sens de la fiabilité, ceux-ci reposent sur une compréhension du monde, ce qu'il appelle des «connaissances» (que nous remplaçons par le terme *savoir*, désigné par S, pour éviter la confusion entre les abréviations). Le lien entre les deux devient alors pour lui un objet de recherche, qu'il formule sous forme d'hypothèses qui seront reprises par l'équipe de Roberts. Les savoirs influenceraient donc les comportements de la manière suivante :

- Des connaissances non ambiguës et quasi complètes sur les fonctionnements organisationnels et techniques (S) seraient associées à l'erreur zéro pour le personnel et la technologie (C).

- Des signaux sur les déviations même minimes par rapport aux normes d'exploitation, pour chaque composante critique (S), seraient associés à l'identification des erreurs et à l'alerte en cas de problèmes de fonctionnement techniques ou humains (C).

- Une connaissance améliorée de la nature des conséquences des défaillances (S), en particulier si celles-ci se propagent dans le système, serait associée aux capacités d'absorption des erreurs de l'organisation pour contenir les dommages et fournir des canaux redondants d'opération (C).

- Une connaissance crédible et exacte des effets des opérations techniques sur l'environnement biologique et social, de façon à être en mesure d'évaluer les coûts-bénéfices de ces opérations (S), serait associée à une capacité continue de détecter les effets externes à mesure que la technologie vieillit ou prend de l'expansion (C).

- Des mécanismes clairs de spécification des erreurs que le public veut éviter (S) seraient associés aux stratégies qui assurent que l'organisation est sensible aux erreurs du système et qu'elle est préparée à contenir leurs conséquences (C).

8.2.3 Facteurs de risque majeur

Un autre prédécesseur ayant influencé le groupe californien est Shrivastava (1987), avec son étude sur Bhopâl. Cet auteur a ainsi énuméré les facteurs qui ont mené à cette catastrophe :

- formation déficiente;
- motivation faible;
- interactions non prévues et couplages serrés (Perrow);
- peu d'importance de l'usine pour le siège social;
- non-viabilité économique;
- rotation de personnel de la haute direction;
- problèmes de fonctionnement des équipements.

Les chercheurs californiens se sont demandés comment les OHF tiennent compte de ces différents éléments pour que la catastrophe ne survienne pas. En d'autres mots, quelles stratégies concrètes ces organisations déploient-elles pour contrer de telles faiblesses potentielles? La recherche, dans cette perspective, va porter sur les stratégies de réponse à la complexité et au couplage serré.

8.2.4 Caractéristiques des OHF

Dans la foulée des auteurs précédents, l'équipe de Roberts propose un certain nombre de caractéristiques qui constituent une définition opérationnelle des OHF. Cela signifie que, pour ces chercheurs, le terme d'OHF peut se comparer à une sorte d'«appellation réservée» : si, par exemple, une entreprise à risque ne possède pas l'ensemble des caractéristiques qui suivent, elle ne peut faire partie de leur échantillon (ce qui ne signifie pas, toutefois, qu'au sens général cette entreprise ne soit pas à haute fiabilité).

Selon Roberts et Rousseau (1989 : 132-133), ces caractéristiques nécessaires à l'appellation «OHF» sont celles décrites dans les paragraphes suivants.

8.2.4.1 Hypercomplexité

Cette caractéristique vient de la variété extrême des composantes, des systèmes et des niveaux hiérarchiques. Par exemple, un porte-avions comprend la navigation (pilotage du navire), la tour de contrôle (direction des vols), le personnel du pont et les équipages de vol, chacun avec sa procédure, sa hiérarchie, ses techniques de formation, ses technologies, etc. Il y a de plus la complexité liée à la propulsion nucléaire, sans compter l'ensemble des actions posées par toutes ces catégories de personnel.

Une telle complexité repose non seulement sur la variété, mais aussi sur les interdépendances entre les unités et entre les niveaux hiérarchiques. Ces interdépendances impliquent à leur tour de nombreuses interactions. Car, contrairement à l'image selon laquelle les organisations seraient constituées d'éléments et de couches superposées et indépendantes, les fonctions et les niveaux hiérarchiques, dans les OHF, interagissent constamment (Roberts et Gargano, 1990).

8.2.4.2 Couplage serré

Le couplage serré résulte des interdépendances réciproques entre plusieurs unités et niveaux dont il a été question ci-dessus, à quoi s'ajoute le fait qu'il y a impossibilité de délais dans les processus, que les séquences sont invariantes et nombreuses, et qu'il existe peu de jeu possible dans la gestion des ressources. Cela signifie qu'une défaillance peut se propager rapidement, sans possibilité d'être stoppée avant qu'il soit trop tard. Par exemple, lorsqu'un avion, sur un porte-avions, connaît un problème au décollage, le manque de marge de manœuvre rend cette situation beaucoup plus grave que sur une piste d'aéroport. C'est là un effet des couplages serrés.

8.2.4.3 Différenciation hiérarchique extrême

Il a été question plus haut de plusieurs fonctions spécialisées sur le porte-avions qui constituent en fait trois hiérarchies séparées : celle du navire, celle de l'aviation mais aussi celle de l'amirauté (qui commande l'ensemble d'un bataillon). Chaque hiérarchie et chacun des niveaux dans ces hiérarchies demeurent cependant distincts.

8.2.4.4 Grand nombre de décideurs dans des réseaux complexes de communication

Un grand nombre de décideurs caractérise les OHF. Ce nombre vient d'abord des trois hiérarchies et de leurs interactions, celles-ci supportées par un réseau complexe d'information. Ainsi, pour décider par exemple de l'heure où les vols de nuit doivent commencer et les vols de jour cesser, il faut intégrer les préoccupations :

- du commandant de vol, pour la formation des pilotes;
- de l'amiral, pour les exercices militaires;
- de l'intendance, pour la préparation des repas;
- du capitaine du navire, pour le positionnement du navire en vue des exercices;
- du service de l'air, pour ne pas travailler trop tard dans la nuit.

Au surplus, le nombre de décideurs vient du principe selon lequel il doit y avoir redondance de ces décideurs, du fait qu'il existe un risque. Une telle redondance humaine, reflétée dans la redondance des tâches, ne permet pas des décisions plus rapides, mais elle permet de faire plus dans le même temps et d'assurer que la décision ira dans le sens de la fiabilité, grâce aux consultations réciproques (Roberts, 1992).

8.2.4.5 Forte responsabilisation

Il s'agit là d'un élément beaucoup plus fort dans les OHF que dans d'autres organisations, à cause des conséquences tragiques d'une défaillance en situation de complexité et de couplage serré. Chacun, et ce quel que soit son niveau hiérarchique, est responsable du problème qu'il constate, c'est-à-dire qu'il doit ou résoudre ce problème, ou aller chercher de l'aide. On s'assure ainsi qu'il n'y a pas ce phénomène d'évitement des responsabilités par la méthode qui consiste à les «remonter» vers le supérieur hiérarchique, comme c'est le cas généralement dans les bureaucraties classiques. Et, comme on le verra plus loin, la culture vient appuyer cette responsabilisation.

8.2.4.6 Nombreuses rétroactions immédiates sur les décisions

On observe, dans les OHF, une extrême rapidité tant de la prise de décision elle-même que de la rétroaction qui l'accompagne (p. ex. entre la tour de contrôle et le pilote). On ne peut s'offrir le luxe d'une décision trop lente dont les répercussions pourraient être graves.

8.2.4.7 Facteurs de temps comprimés

Les cycles d'activité sont mesurés en secondes (sur les porte-avions par exemple, les avions décollent et atterrissent à des intervalles de 48-60 s).

8.2.4.8 Plus d'un résultat critique à obtenir simultanément

La simultanéité signifie à la fois la complexité des opérations et l'impossibilité de retirer ou de modifier la décision opérationnelle, par exemple au sujet du décollage et de l'atterrissage sur un porte-avions.

C'est l'ensemble des huit caractéristiques précédentes qui doit, selon les auteurs, être présent pour qu'une organisation se qualifie d'OHF. C'est la raison pour laquelle les urgences des hôpitaux, d'après eux, bien qu'étant des systèmes à haut risque, ne sont pas des OHF : elles ne répondent pas aux caractéristiques d'hypercomplexité et de profusion des décideurs (et, serions-nous porté à ajouter, de responsabilisation au plus bas niveau hiérarchique). Les raffineries, de leur côté, sont aussi à haut risque, mais elles ne présentent pas, toujours selon les auteurs, les septième et huitième caractéristiques des OHF (facteurs de temps comprimés et plusieurs résultats critiques simultanés).

Pour Roberts et Rousseau (1989), ces caractéristiques sont liées à trois autres facteurs qui les complètent.

L'invisibilité. Les OHF sont invisibles jusqu'à ce que quelque chose survienne. Voilà pourquoi on n'entend jamais parler du travail des contrôleurs aériens, à moins qu'une catastrophe ne se produise. La même chose vaut pour le nucléaire.

Des opérations à la limite des capacités humaines. On remarque dans les OHF une tendance des opérateurs à agir à la limite de leurs capacités. Ce phénomène est parfois la conséquence de demandes pour une plus grande productivité, par exemple lorsqu'il y a accroissement de la charge de travail sans augmentation correspondante du nombre d'opérateurs. Le phénomène est aussi inhérent au couplage serré qui caractérise ce type d'organisation.

L'influence de différentes constituantes. Différentes constituantes, tels les concepteurs, les opérateurs, les gestionnaires ou les politiciens (ceux-ci agissant à titre de législateurs), influent fortement sur les fonctionnements des OHF, plus sensibles aux pressions de leur environnement. Cela s'applique tant aux porte-avions (militaires) qu'à la centrale nucléaire (privée, mais dont la composante nucléaire suscite l'attention du public).

Pour illustrer dans le quotidien ces caractéristiques relativement théoriques, il convient maintenant de revenir aux trois cas étudiés par le groupe de chercheurs sur les OHF.

8.3 CENTRE DE CONTRÔLE RÉGIONAL DU TRAFIC AÉRIEN DE L'AVIATION FÉDÉRALE AMÉRICAINE

Le centre de contrôle régional du trafic aérien de l'aviation fédérale américaine couvre les États-Unis, y compris Hawaii et l'Alaska. Il comprend les aéroports et les centres de contrôle locaux, régionaux et fédéraux, et est relié à ces unités par radio, par radar et par ligne téléphonique. Chaque contrôleur est responsable d'un secteur aérien et veille à ce que les avions gardent entre eux une certaine distance. Il doit aussi s'assurer que les passages des avions d'un secteur à l'autre sont bien accomplis. Si un contrôleur fait trois erreurs, il est radié de sa profession.[109]

8.4 CENTRALE NUCLÉAIRE

La centrale nucléaire de Diablo Canyon, établie sur la côte californienne, comprend deux réacteurs. Exploitée par la Pacific Gas & Electric Company, elle emploie 1 300 personnes. Le réacteur n° 1 de la centrale était, en 1990, le huitième au monde pour ce qui est de la production d'énergie électrique.

Selon notre propre grille d'analyse des organisations, la centrale comporte les dimensions suivantes.

---

109. Il y a encore peu de résultats publiés sur cette organisation, ce qui fait que nous ne pouvons malheureusement la décrire davantage. Le lecteur peut toutefois consulter l'ouvrage de Schiavo (1997) qui, bien que n'employant pas le terme de OHF, traite abondamment des problèmes relatifs à l'aviation.

8.4.1 Technologie

La centrale présente une forte complexité technique, comme le montre un chercheur :

> Nous avons posé des questions au sujet du combustible [nucléaire]. On nous a montré une carte magnifique : elle porte un tas de petits carrés représentant un paquet de combustible, avec un code de couleur pour l'âge et le degré d'enrichissement. À chaque moment, il y a trois générations de combustible dans le cœur, mais une demi-douzaine ou plus de types de combustible. L'enrichissement va d'environ 2 % à 4 %. Les paquets sont arrangés symétriquement par quatre. Puisque le flux de neutrons est plus grand au centre, mais que la réactivité doit être la plus égale possible à travers le cœur, le combustible à plus faible enrichissement est placé au bord extérieur. Parce que le type de combustible frais qui est utilisé dépend de l'histoire opératoire du réacteur, il n'y a pas deux cœurs semblables. Ils ont des personnalités de plus en plus différentes à mesure qu'ils vieillissent. (Roberts, 1992 : 173.)[110]

Une telle complexité, il va sans dire, peut être source de défaillances. Dans la mesure où cette complexité technique ne peut être diminuée, l'entreprise développe des stratégies soit strictement techniques, soit structurelles, soit culturelles. Comme stratégie technique au regard du risque, l'organisation fait appel à la redondance, particulièrement dans le domaine des équipements (p. ex. doubles indicateurs pour certaines valves).

Si la centrale est à risque, elle est aussi à haute fiabilité, comme le montre son facteur de capacité : cet indicateur permet en effet de comparer l'énergie produite au moment de la pointe de production électrique à la somme totale de ce qui aurait pu être produit. On constate ainsi que, en 1990, les deux unités combinées de la centrale ont produit à 86 % de leur capacité et étaient au premier rang, aux États-Unis, dans leur catégorie. Par ailleurs, en 1991, le réacteur n° 2 a réussi la plus longue période d'exploitation continue entre deux entretiens parmi tous les réacteurs à eau légère au monde : il a fonctionné à 94-95 % de sa capacité pendant 481 jours consécutifs (Klein *et al.*, 1995 : 777). Cette ultraperformance technique permet donc d'inclure sans hésitation, selon les auteurs, la centrale dans la catégorie des OHF.

8.4.2 Structuration organisationnelle

La structure – fonctionnelle – de l'organisation de la centrale est répartie selon les opérations, l'entretien, etc. La main-d'œuvre est divisée en deux quarts de travail quotidiens. Il y a peu de roulement de personnel. La formation et l'expérience font en sorte que les opérateurs, à mesure qu'ils progressent dans l'organisation, deviennent de plus en plus compétents. L'un des moyens pour accroître cette compétence est la responsabilisation. Ainsi :

---

110. Notre traduction.

Pendant une séance d'observation participante à Diablo Canyon, le réacteur n° 2 s'est bloqué. Les observateurs ont noté que le directeur de la centrale est resté généralement en dehors de la salle de contrôle et s'est fié aux analyses de causes faites par le personnel responsable qui, à son tour, se fiait aux analyses des subordonnés. (Roberts, 1992 : 179.)[111]

En transformant les opérateurs en preneurs de décisions importantes, on s'assure que la décision est prise le plus près possible de la source du problème, c'est-à-dire le plus rapidement possible. En retour, cette façon de faire renforce la formation et augmente la compétence des opérateurs ou des gestionnaires, et ce à tous les niveaux hiérarchiques.

Face à la complexité technique, une autre stratégie, structurelle, consiste à développer et à appliquer des procédures (appelées *SOP* ou *standard operating procedures*) qui assurent la fiabilité. Par contre, celles-ci ne doivent être ni trop nombreuses ni trop complexes. On remarque que les plus consultées d'entre elles, dans les manuels, ont trait aux valves (d'après l'usure des pages!). Ces procédures sont modifiées, dans le temps, reflétant le fait que les différentes unités de l'entreprise, telles que l'ingénierie, l'entretien et l'exploitation, reconnaissent de plus en plus les interdépendances qui les unissent (Roberts, 1992) et mettent davantage l'accent sur le travail d'équipe. En ce sens, les procédures ne sont pas immuables.

8.4.3 Culture

Un autre type de réponse à la complexité technique vient de la culture. Par exemple, même si le système technique est complexe, et probablement parce qu'il est complexe, le personnel doit le comprendre, ce qui signifie avoir une vue d'ensemble. Les gestionnaires appellent ce mécanisme *having the bubble*. Une telle capacité cognitive, qui se rattache aux connaissances (S) de La Porte, est perçue, à l'instar de ces dernières, comme étant susceptible d'influencer les comportements.

En effet, cette vision d'ensemble permet de saisir la signification des tableaux de bord, en reliant par exemple un indicateur à une fonction bien concrète dans le réacteur. Pour cela, le processus consiste à repérer un certain nombre de variables sur lesquelles on agit, selon les besoins. La détection de ces variables clés suppose cependant de l'expérience, de l'expertise et de l'instinct, un peu comme la conduite automobile. Roberts (1992 : 185) donne trois exemples tirés de ses entrevues :

«Le simulateur est là pour développer l'*instinct*. Le simulateur est le deuxième meilleur endroit pour apprendre, après la centrale elle-même, mais vous ne pouvez pas jouer avec elle.»

---

111. Notre traduction.

«Les opérateurs connaissent réellement la centrale. Avec toutes ces promenades aux alentours, ils ne voient pas les tableaux et panneaux lorsqu'ils fonctionnent, ils voient en fait la centrale «à travers» eux. Les bons opérateurs peuvent sentir la machinerie à travers les indicateurs.»

«Ce qui est important, c'est ce qui n'est pas écrit textuellement. Une valve arrête par exemple. On l'ajuste selon le livre ou selon le senti? Selon le senti. Je ne ferais pas confiance à un jeunot superbrillant qui le ferait uniquement selon le livre. Le livre continue à ignorer les gens, mais les gens traduisent le livre en un travail de réelle qualité.»[112]

Il s'agit bien d'éléments de la culture de sécurité, étendue jusqu'au niveau des opérateurs. Car il faut dire que le développement de la vision d'ensemble se fait, entre autres, par la décentralisation des responsabilités vers ces opérateurs. Ceci montre que structure, culture et technologie sont liées dans la centrale nucléaire : la responsabilisation fait que la vision globale «descend», dans la hiérarchie, pour permettre davantage de fiabilité, mais il y a néanmoins, en parallèle, un apport de la technologie (en particulier des redondances) et de la structuration (par exemple par les procédures et une structure classique, par fonctions).

La responsabilisation s'appuie donc sur du connu, comme les procédures, mais celles-ci ne sont pas figées : elles sont au contraire adaptées continuellement pour refléter de nouveaux besoins, tel celui de travailler en équipe. Cette méthode de travail permet à son tour de développer davantage la vision d'ensemble et, au même titre que cette dernière, d'absorber les interdépendances.

8.5 PORTE-AVIONS À PROPULSION NUCLÉAIRE

Il s'agit en fait de deux porte-avions, le USS Enterprise et le USS Carl Vinson. Cependant, comme les chercheurs ont fusionné les résultats de leurs analyses concernant ces deux unités, il sera uniquement question, dans ce qui suit, *du* porte-avions.

Pour bien saisir la complexité de ce type d'organisation, on peut comparer un porte-avions à une ville de 6 000 habitants dotée d'un aéroport sur le toit. Le pont où circulent les avions mesure environ 305 m de long, et la centrale nucléaire du navire pourrait alimenter en électricité une ville comme Minneapolis (environ 370 000 habitants). Une des personnes interviewées résume ainsi, en termes imagés, ce qu'est cet ensemble :

[...] imaginez que c'est un jour de grande activité et que vous réduisiez l'aéroport de San Francisco à seulement *une* courte piste, *une* rampe d'accès et *une* porte (*gate*). Des

---

112. Notre traduction. Italique de l'auteur.

avions décollent et atterrissent en même temps, à intervalles réduits de moitié par rapport aux intervalles admis dans un aéroport. Faites rouler la piste d'un bord à l'autre [roulis], et exigez que tous ceux qui sont partis le matin reviennent la même journée [...] Fermez le radar pour éviter la détection, imposez des contrôles stricts aux radios, faites le plein de carburant avec des avions rapprochés, dont le moteur tourne en même temps, mettez un ennemi dans l'espace aérien et éparpillez des bombes armées et des missiles autour de tout ça. Maintenant, mouillez l'ensemble avec de l'eau de mer et du pétrole, et dirigez-le avec des jeunes de 20 ans dont la moitié n'a jamais vu un avion de près. Oh, et en plus, incidemment, essayez de ne tuer personne. (Rochlin *et al.*, 1987, cité par Weick et Roberts, 1993 : 357.)[113]

L'analyse de l'organisation du porte-avions commencera par la présentation de l'organisation à haute fiabilité à partir des différentes publications du groupe de recherche. Après quoi nous reprendrons notre grille d'analyse (technologie-structure-culture) pour voir comment les donnés des chercheurs peuvent illustrer ces stratégies de réponse à la complexité.

8.5.1 Analyse des chercheurs de Californie

8.5.1.1 Structuration organisationnelle

Le porte-avions nucléaire fait partie d'un bataillon, composé d'une dizaine de navires, dont il constitue le cœur : à ce titre, il est le plus protégé du groupe (Rochlin, 1989). L'organisation du porte-avions est mécaniste et fonctionnelle (Mintzberg, 1979), avec trois hiérarchies principales distinctes, à savoir :

- la hiérarchie de la marine, c'est-à-dire du navire lui-même, qui compte environ 3 000 personnes sous l'autorité d'un capitaine ou officier commandant;
- la hiérarchie de l'aviation, de taille semblable à la précédente, sous l'autorité d'un commandant de l'air (*Air Group Commander*);
- la hiérarchie du commandement du bataillon (*Flag*), sous l'autorité de l'amiral, comportant moins de 100 personnes logées sur le navire.

La marine et l'aviation se rapportent toutes deux à l'amirauté – comme d'ailleurs les autres unités du bataillon.

Les responsabilités du navire consistent à manœuvrer le bâtiment lui-même, mais aussi à veiller aux activités liées à l'intelligence, au combat et à d'autres fonctions. La structure organisationnelle du navire comprend 17 unités fonctionnelles d'égale influence, tels les départements des Matériels, de l'Ingénierie, etc. Parmi ces unités, deux sont d'un type un peu particulier : d'une part le département des Réacteurs nucléaires (Halpern, 1989), dont

---

113. Notre traduction. Italiques de notre part.

l'exploitation correspond à une discipline spéciale dans la formation de la marine et, d'autre part, le département de Contrôle de la navigation aérienne (tour de contrôle). La responsabilité de l'aviation, pour sa part, se concentre sur les missions relatives aux vols : son commandement doit non seulement diriger le vol de 90 types d'appareils (avions de combat, hélicoptères, etc.), mais aussi veiller à l'entretien de ces appareils.

8.5.1.2 Interdépendances

La fonction principale d'une organisation est de gérer les interdépendances issues des interactions que suppose toute division du travail. Les principes de structuration, au fond, n'ont pour but que de répondre à ce besoin. Dans le cas des OHF toutefois, et en particulier du porte-avions, le problème devient plus complexe du fait que les interdépendances ont différentes caractéristiques.

Tout d'abord, les interdépendances sont nombreuses. Elles sont aussi simultanées : on a ainsi une surveillance de plusieurs pistes de vol en même temps par un contrôleur de trafic aérien (Rousseau, 1989). Les interdépendances sont également serrées, dans le temps, laissant peu de marge de manoeuvre pour les gérer car le rythme est précipité : un décollage et un atterrissage à des intervalles de 55-60 s. Par ailleurs, ces interdépendances nombreuses, simultanées et serrées peuvent avoir, au surplus, de graves conséquences si elles ne sont pas résolues : ainsi, on doit en même temps – et très rapidement – charger des munitions dans les avions de combat, faire le plein d'essence, et tout cela pendant des atterrissages et des décollages.

Les interdépendances doivent également être résolues à intervalles réguliers : entre le navire et l'aviation, des interactions se produisent au minimum à chaque heure, par exemple pour réajuster les façons de faire. Ces interactions sont coordonnées par un responsable représentant chaque hiérarchie (tout comme dans les structures matricielles[114]) : un membre du commandement du bataillon a, de la sorte, son homologue dans la marine et dans l'aviation. Toutefois, contrairement à ce qui se passe dans des organisations traditionnelles et dans des structures matricielles, les interactions tendent à augmenter avec le niveau hiérarchique (Roberts et Gargano, 1990).

Malgré tout, en dépit de ces nombreuses interactions entre différents groupes, les échanges demeurent plus nombreux à l'intérieur des sous-groupes particuliers : ainsi, les interactions dans la tour de contrôle, au moment des atterrissages, sont plus nombreuses entre les membres de la tour qu'elles ne le sont entre la tour et le personnel des autres unités (Roberts, 1992), y compris le pont du navire.

---

114. Rappelons qu'il s'agit de ces structures à multiples coordonnateurs – ou chefs hiérarchiques – comme, en gestion de projet, le directeur fonctionnel et le directeur de projet.

On retrouve par ailleurs, sur le porte-avions, les trois types d'interdépendances de Thompson (1967), c'est-à-dire des interdépendances séquentielles (lorsque les dépendances se suivent dans le temps, par exemple sur une chaîne de montage), réciproques (lorsque, telle une salle d'opération dans un hôpital, les différentes parties sont en interactions étroites, simultanées et sans ordre prédéterminé) ou communautaires (lorsque chacune des parties en interdépendance contribue au tout ou en est dépendante, sans toutefois qu'il s'établisse de relations entre elles : c'est le cas de vendeurs disposant d'équipements communs).

Les interdépendances peuvent aussi être symétriques ou asymétriques, reflétant la nature de l'équilibre dans les échanges et donc les dépendances mutuelles. Il est intéressant de constater que les perceptions quant à ces dépendances varient selon que l'on est de la marine ou de l'aviation, ou selon le rang hiérarchique. Ainsi, les plus haut gradés des deux groupes et les aviateurs voient une interdépendance symétrique entre la marine et l'aviation, ce qui signifie que, pour ces groupes, les dépendances sont jugées relativement semblables entre les deux unités. En revanche, les plus bas niveaux hiérarchiques et les marins en général croient que la marine est plus dépendante de l'aviation que l'inverse, et donc que les interdépendances sont asymétriques. Toutefois, la marine perçoit également que l'aviation assure sa sécurité, rendant de la sorte la relation plus égale.

Finalement, malgré cette extrême complexité, les interdépendances sont consensuelles. Cela signifie qu'il n'est pas possible aux parties d'atteindre leurs objectifs (p. ex. faire décoller un avion) sans négociations ou consensus, la situation comportant trop d'incertitudes pour qu'il en soit autrement.

8.5.1.3 Un exemple de fonctionnement : l'alerte de niveau 5

La description qui précède indique que le porte-avions constitue un système extrêmement complexe, aux interdépendances en couplages serrés. Une illustration est fournie par l'alerte de niveau 5 analysée par Rochlin (1989), que nous reprenons ici.

Dans ce type de situation, de un à quatre avions de combat (F-14) sont en état d'alerte dans un environnement réellement ou présumément hostile. On doit pouvoir disposer d'appareils dont le plein d'essence est fait, qui sont armés et dont les pilotes sont prêts à partir dans les cabines de pilotage. Les avions doivent être lancés dans un délai de 5 min. Au sol, cet exercice ne présenterait pas de difficultés particulières, mais en mer il implique des couplages serrés et une certaine complexité, à cause des éléments limitatifs suivants :

• Contraintes des limites physiques, tant pour les avions que pour les services d'entretien. Par exemple, les avions sont hissés des hangars au pont à l'aide d'un monte-charge, ce qui demande une planification soignée, car toute correction est difficile.

• Disponibilité des avions en fonction des besoins d'entretien, puisque même les plus gros porte-avions n'ont qu'une quantité limitée de pièces de rechange. Cette situation exige des négociations entre les différentes unités du navire quant au déroulement des actions à poser.

- Disponibilité des pilotes. Cette contrainte est due aux règles extrêmement strictes qui régissent les vols. Par exemple, un pilote qui n'a pas volé depuis une semaine n'est plus qualifié pour les vols de nuit et ne peut donc participer à l'alerte.
- Conflit possible entre les besoins de l'amirauté, qui doit planifier le plan d'ensemble du mouvement du bataillon, et les besoins de l'alerte.
- Contraintes liées au navire lui-même. Celui-ci doit en effet continuer sa course pendant tout le temps de l'alerte. Les pistes de décollage et d'atterrissage, en ce sens, sont toujours en mouvement.

Ces éléments de complexité font que le personnel de pont du Carl Vinson et de l'Enterprise parlent de leur lieu de travail comme d'un «chaos organisé». Organisé, en ce que chacun connaît la tâche à accomplir, et chaotique, en ce que personne ne sait ce qui va arriver (Roberts, 1990b)[115].

8.5.1.4 Paradoxes organisationnels

Les théories classiques, en organisation, ont énoncé un certain nombre de principes parmi lesquels on retrouve, entre autres, les suivants (Roberts et Gargano, 1990) :

- Des structures hiérarchiques devraient accroître la fiabilité de la performance.
- Dans les systèmes à forte interdépendance, une coordination étroite assure la fiabilité.
- Les redondances accroissent la fiabilité dans les systèmes à couplage lâche.
- Plus l'organisation fait face à de l'incertitude, plus le système doit être souple pour assurer la fiabilité (l'assouplissement pouvant notamment être apporté par la décentralisation).
- Des ressources sont nécessaires pour coordonner et contrôler en vue d'assurer une grande fiabilité.

Les OHF ont cependant des traits qui vont à l'encontre de ces théories classiques. Elles présentent donc des contradictions apparentes, des paradoxes du point de vue de la théorie des organisations. On observe ainsi :

- Un paradoxe entre le besoin d'une prise de décision rapide et appropriée, et le fait que les règles gouvernant chaque décideur sont différentes. Dans une telle situation, les méthodes de prise de décision pourraient devenir facilement biaisées, mais des contrepoids existent tels :
  – la décision au plus bas niveau;
  – une recherche massive d'information.

---

115. La même expression avait caractérisé le fonctionnement des structures m atricielles (Denis, 1983).

La prise de décision au plus bas niveau entraîne le :

* Paradoxe entre la grande différenciation hiérarchique et la décentralisation, qui coexistent sur le porte-avions. Par exemple, n'importe qui peut refuser à un avion d'atterrir s'il y a un obstacle sur le pont, et ce quel que soit son rang hiérarchique. Simultanément, la hiérarchie militaire est toujours de rigueur.

La recherche d'un maximum d'information entraîne le :

* Paradoxe entre la hiérachisation et le fait que l'information recueillie n'est pas évaluée en fonction du rang ou du statut.
* Paradoxe entre la pression de l'urgence (couplage serré) d'une part et, d'autre part, le fait que plusieurs personnes cherchent l'information en même temps (redondance) sur de courtes périodes. Dans ce cas, la formation de ces personnes fait en sorte qu'elles savent quoi chercher.

D'autres paradoxes des OHF proviennent du fait que :

* Les OHF font face à des environnements turbulents – ce qui demanderait, selon la théorie des organisations, des couplages lâches –, mais ces OHF présentent dans les faits des couplages serrés. Pour résoudre ce dilemme, la réponse classique serait :
  – des structures hiérarchiques pour accroître la fiabilité de la performance,
  – une coordination serrée,
  – des ressources plus nombreuses,

alors que la solution retenue par les OHF consiste plutôt à mettre en place une unité chargée de gérer les interdépendances et à assouplir la hiérarchie.

Les organisations à haute fiabilité sont donc à la fois hiérarchisées et décentralisées. Elles ont des couplages à la fois lâches et serrés. Les formations sont étroitement spécialisées, ce qui suppose une incapacité de s'adapter à l'incertitude, mais en parallèle on met l'accent sur une vision d'ensemble, sur la capacité de voir «la bulle».

En fait, au regard des interdépendances, l'organisation du porte-avions est «séquentiellement centralisée et décentralisée» (Roberts, 1994). Il ne s'agit donc pas d'un mode de structuration (centralisation ou décentralisation) qui est figé dans le temps, mais plutôt d'un mode de structuration souple, qui s'adapte aux besoins de la situation. Cette adaptation, à son tour, suppose que des stratégies de réponse sont développées pour répondre aux paradoxes.

8.5.1.5 Stratégies de réponse aux paradoxes

Les OHF développent des stratégies en réponse à ce qui semble à première vue des tendances inconciliables, des paradoxes.

a) Stratégies face à la complexité

La complexité pose le problème de la capacité humaine à la gérer. À cause de cette complexité, les personnes :

> [...] ratent l'information importante, leurs diagnostics sont incomplets et leurs remèdes à courte vue, pouvant aggraver plutôt qu'atténuer un problème. (Weick, 1987 : 112.)[116]

C'est ce que démontre le principe d'Ashby (1956) selon lequel, lorsque la variété dans le système à gérer est plus grande que la capacité des personnes à réguler ce système, ou bien on tente de rendre ce dernier moins complexe, ou bien on tente d'améliorer les capacités du cerveau humain. C'est en accord avec cette deuxième partie de l'alternative que les OHF développent des substituts aux mécanismes classiques d'essais et erreurs : on peut recourir, par exemple, à l'imagination, à l'expérience, à des histoires, à des simulations, etc. On peut aussi développer les stratégies suivantes :

- formation continue et redondances pour contrer la complexité provenant de séquences inattendues potentielles (pas de prévision possible);
- formation continue et responsabilisation à tous les niveaux pour faire face à la complexité des technologies;
- structuration séparant les fonctions, formation, système de compagnonnage, codes de couleur et aires géographiques précises afin de maîtriser la complexité engendrée par le potentiel catastrophique provenant d'interdépendances entre systèmes à fonctions en principe incompatibles (p. ex. armement et plein d'essence, décollages et atterrissages);
- plusieurs sources directes d'information, pour répondre à la complexité des sources indirectes : chaque contrôleur dispose ainsi de 20 téléphones dans la tour de contrôle du navire; l'officier de pont peut joindre la tour de contrôle par au moins cinq moyens différents;
- formation aux langages spécialisés et exercices variés pour faire face à la complexité provenant des interactions non familières déroutantes, invisibles.

b) Stratégies face au couplage serré

Les stratégies de réponse aux couplages serrés sont les suivantes :

- redondances pour compenser l'absence de délai (deux contrôleurs aériens par radar et trois contrôleurs affectés aux secteurs occupés ou aux heures de pointe);
- spécialisation des tâches et souplesse à l'égard des séquences invariantes de l'atterrissage («empiler» les avions dans l'espace aérien pour les faire attendre);
- négociations et souplesse pour compenser le manque de jeu dans les ressources.

---

116. Notre traduction.

8.5.2 Analyse des stratégies selon la grille technologie, structure et culture

Les stratégies peuvent aussi se répartir selon la grille de la technologie, de la structure et de la culture dans les organisations.

8.5.2.1 Technologie

Les chercheurs ne nous donnent pas d'indices sur la conception des équipements ni sur leur construction, mais on peut croire qu'une attention particulière est accordée à ces éléments, en particulier si l'on considère le rôle de l'amiral Rickover dans la mise en place d'une culture pour la marine nucléaire (paragr. 8.5.2.3g).

a) Redondances techniques

L'organisation du porte-avions met l'accent, dans la mesure du possible, sur les redondances techniques. Celles-ci sont toutefois limitées par l'espace physique sur le navire. Elles peuvent être liées (Rochlin, 1989) :

- aux appareils (p. ex. 20 téléphones par contrôleur);
- à l'approvisionnement en matériel et autres biens.

b) Ergonomie des systèmes de communication

Les systèmes doivent être adaptés sur le plan ergonomique, et cela d'autant plus que les données de recherche sur le sujet montrent que la fréquence des erreurs de système est inversement proportionnelle à la capacité des pilotes de reconnaître l'information qu'ils reçoivent des contrôleurs aériens (Hurst, 1982, cité par Weick, 1987).

C'est sans doute la raison pour laquelle on observe que la première action des pilotes plus anciens, en entrant dans la cabine de pilotage, est de mettre la radio à une puissance telle qu'elle est quasi insupportable pour les plus jeunes. Ces pilotes ont en effet été habitués à des habitacles plus bruyants et peuvent avoir perdu de leur capacité auditive. En agissant de la sorte, ils veulent s'assurer de bien comprendre les instructions de la tour de contrôle.

Toujours selon Weick, un phénomène de ce genre aurait pu jouer un rôle dans l'accident de Tenerife, en 1977 (sect. 5.1). Et la même chose se retrouverait, semble-t-il, dans les centrales nucléaires, car avant d'être affecté à la salle de contrôle du réacteur le personnel doit passer un certain nombre d'années sur le plancher de la centrale, beaucoup plus bruyant.

c) Aménagement physique

Des éléments comme les codes de couleur ou les aires géographiques bien définies (vus plus haut) relèvent de l'aménagement de l'espace physique, qui fait partie de la technologie. Ces moyens permettent aussi de traduire les différents rôles organisationnels.

8.5.2.2 Structuration organisationnelle

a) Spécialisation des tâches

Des tâches bien définies et des fonctions séparées figurent parmi les éléments de structuration qui viennent répondre à la complexité des OHF. On parle peu d'enrichissement des tâches, si ce n'est dans une perspective de polyvalence relative (paragr. 8.5.2.2b). Il est vrai qu'un mélange de tâches différentes (pilotage, entretien, etc.) pourrait, à la limite, se révéler dangereux. C'est sans doute ce qui explique certaines stratégies relevant de la technologie, tel l'aménagement d'aires correspondant à des tâches spécialisées.

Cette spécialisation n'est cependant pas synonyme de cloisonnement, comme dans certaines bureaucraties classiques. Elle est au contraire accompagnée d'une ouverture qui vise à comprendre la tâche des autres, à saisir le sens des interdépendances et à conserver une vue d'ensemble du système, de la «bulle» globale.

b) Redondances managériales

Ces redondances sont de trois ordres. Il y a d'abord une redondance des postes (appelée polyvalence relative), notamment aux positions critiques, au cas où une unité deviendrait inopérante. La fonction A exerce, par exemple, les responsabilités 1, 2 et 3, alors que la fonction B exerce les responsabilités 2, 4 et 5; la fonction C a, quant à elle, les responsabilités 1, 4 et 6, et ainsi de suite :

```
A 1 2 3
B   2   4 5
C 1     4   6
```

Pour les activités régulières, il existe des redondances qui consistent en des contre-vérifications internes des décisions. Par exemple, chacun à bord fait partie de plusieurs réseaux constituant des boucles de vérification sur différents canaux, et cela simultanément. Ce suivi se fait par observation des déviations par rapport à la normale; tout élément hors norme devient ainsi nécessairement détecté par quelqu'un, quelque part, qui le corrigera puisqu'il est responsable ou le rapportera avant que l'élément en question puisse nuire.

Enfin, lorsqu'il s'agit des aspects particulièrement critiques des opérations, plusieurs réseaux informels passent à travers la hiérarchie et les relations latérales fonctionnelles. Ces unités fantômes (ou virtuelles), appelées «pseudo-structures latérales», constituent également des redondances managériales.

c) Pseudo-structures latérales

De nombreux réseaux latéraux informels de résolution de problèmes se font et se défont, selon les questions qui se posent. Sur le porte-avions, ils se juxtaposent aux structures hiérarchiques (marine, aviation et amirauté) et aux structures de spécialités (navigation, ingénierie, gestion du pont, etc.). Ces réseaux, le plus souvent latents, sont quasi permanents. Ils font l'objet d'exercices constants et, à cause de cela, peuvent être constitués en tout temps. Rochlin (1989) les désigne comme des «pseudo-structures latérales». Lorsqu'elles sont en fonction, ces structures consistent en des réseaux de communication informels, souples, servant par exemple à la négociation pour des ressources rares. Il s'agit d'une forme d'auto-organisation, mais éphémère. Un officier les a décrites comme des *authority overlays*, un peu comme des transparents se posant l'un sur l'autre. Ces structures ont pour objectif :

> [...] d'offrir un ensemble particulier de connaissances d'intégration pour compléter à la fois la structure formelle existante et les ensembles de réseaux habituels structurels-fonctionnels [...] Leur but premier est de fournir des modèles mentaux compréhensibles pour se représenter adéquatement la complexité organisationnelle. (Rochlin, 1989 : 168.)[117]

Il s'agit de mécanismes de résolution de problèmes qui sont transmis par tradition orale. Parce que ces réseaux de l'ombre sont recherchés, maintenus et testés constamment, Rochlin ne les définit pas comme des réseaux *ad hoc*. Ils ne sont d'ailleurs décrits nulle part, officiellement, dans l'organisation. Toutefois, chacun de ces réseaux est un système de décision et d'autorité en lui-même, qui favorise de la sorte la décentralisation des décisions.

L'auteur reprend l'exemple de l'alerte de niveau 5, vu plus haut, avec ses limitations d'espace physique et de disponibilité des appareils et des pilotes. Lorsque, au surplus, survient un élément perturbateur imprévu (p. ex. échec de décollage du premier avion), il faut repenser totalement ce qui avait été planifié. Cela exige des négociations entre le capitaine du navire, les officiers responsables de l'aviation et du pont, le personnel sur le pont et dans les hangars, les pilotes, etc. À ce moment, chacun considère un certain nombre de possibilités et participe à la décision, informellement, dans ces pseudo-structures latérales dont les membres, aux expertises variées, doivent décider en moins de 10 min :

- du réapprovisionnement en carburant;
- de la planification des vols;
- des réserves d'appareils dans les hangars;
- des déplacements des appareils sur le pont du navire;
- de leur approvisionnement;
- de leur armement.

---

117. Notre traduction.

d) Responsabilisation

Toute personne qui détecte un problème en est responsable, quel que soit son niveau hiérarchique. Un tel principe n'a pas pour but de produire des boucs émissaires, mais plutôt de s'assurer des décisions plus appropriées – et plus rapides. Pour cela, certaines conditions sont toutefois nécessaires.

La première condition est que le point de référence, au départ, doit être le suivi de la procédure normale pour les opérations de routine : il s'agit des *Standard Operating Procedures* (*SOP*). Après quoi, comme deuxième condition, la responsabilisation va obliger à une plus grande recherche d'information avant la prise de décision (Halpern, 1989), et ce type de comportement est valorisé par la culture. Pour obtenir l'information qui lui est nécessaire, la personne a une entière liberté d'action à travers les unités et les niveaux hiérarchiques.

La troisième condition est que la personne responsabilisée doit être prête à accueillir avec plus d'ouverture une information en apparence contradictoire. On évite ainsi les biais qui accompagnent généralement une prise de décision trop rapide en situation d'urgence. En effet, selon les processus cognitifs généraux, la personne qui doit prendre une décision rapidement cherchera à compléter l'information déjà existante en demeurant aveugle à ce qui ne va pas dans le sens déjà établi. C'est tout le contraire qui est demandé au responsable dans les OHF.

La quatrième condition concerne les moyens d'apprentissage relatifs à l'acquisition d'une telle ouverture d'esprit. Il s'agit de la formation, de l'expérience et des histoires de cas. On recourt aussi à des mécanismes particuliers de formation, entre autres à un système qui se rapproche du compagnonnage (*buddy system*) : c'est l'accompagnement, par un pair, pour une période de temps donnée.

Une dernière condition à la responsabilisation est la congruence avec les valeurs de la culture et les comportements de récompense qui s'y rattachent. C'est ainsi qu'il est clair, sur le porte-avions, que personne ne sera puni pour avoir pris ses responsabilités, même s'il y a eu erreur. À la limite, on peut aller jusqu'à enfreindre une règle, car il y existe une méga-règle qui dicte de «ne jamais enfreindre une règle, sauf si le fait de se soumettre à cette règle met en danger la sécurité» (Roberts *et al.*, 1994a).

e) Expertise informelle cachée ou non reconnue

Un des facteurs non reconnus de la dynamique des organisations est que les gens, dans ces systèmes, ne font généralement pas ce que le système stipule qu'ils devraient faire, idéalement. En réalité, ces personnes en font beaucoup plus, ce qui permet au système de fonctionner sans problème la plupart du temps. C'est ce qu'on appelle l'expertise cachée ou non reconnue, et qui s'applique le plus souvent à la gestion des interdépendances.

Bernoux *et al.* (1973) ont donné l'exemple d'ouvriers sur une chaîne d'assemblage qui, pour que la production continue, remplissent en fait une multitude de fonctions en dehors de leurs descriptions de tâches officielles.

On constate aussi ce phénomène sur le porte-avions, par exemple chez les contrôleurs aériens. Ceux-ci disposent de nombreux moyens – qui constituent leur expertise informelle, parfois non reconnue – pour rendre plus stable un environnement turbulent. Grâce à leur connaissance des façons de faire des pilotes (ce qui est toutefois plus facile sur un porte-avions que dans un aéroport classique), les contrôleurs peuvent reconnaître les pilotes qui répondent vite ou lentement, déceler la peur dans la voix, etc. À ce moment, ils peuvent utiliser des ressources tampons pour accroître la fiabilité, ressources qui tiennent aussi à leur expertise. Ils peuvent par exemple :

• «standardiser» leurs clients – les pilotes – pour que ces derniers s'attendent à plus de délais, la surcharge venant non seulement du nombre d'avions mais de la complexité des interactions avec les pilotes;

• maintenir les avions au sol, les ralentir, les accélérer, les refuser, les «empiler» dans l'espace aérien, etc.; toutefois, de telles actions créent à leur tour d'autres problèmes comme :

– le risque qu'un pilote ne s'en tienne pas aux directives, en allant plus haut, plus loin ou plus vite;

– la création de «fouillis» dans un petit espace radar, ce qui rend encore plus difficile le suivi des avions par le contrôleur.

En fait, le contrôle aérien, selon les chercheurs, est un exercice de foi, de confiance, défini par des attentes et une compréhension mutuelles qui constituent une expertise cachée ou non reconnue.

f) Formation

Tant de choses ont été écrites sur l'importance d'une excellente formation, en particulier dans les OHF, qu'il est inutile d'y revenir. La formation, on l'a vu, est l'une des stratégies importantes pour répondre à la complexité.

Par contre, si la formation peut prévenir des erreurs, il est parfois des situations où elle peut en créer, notamment par la différence entre la situation de formation et la réalité. Weick (1987) donne en exemple l'entraînement des contrôleurs aériens, où l'on rejette parfois les contrôleurs qui ne peuvent résister au stress suscité volontairement par l'entraîneur, à partir du présupposé que le contrôleur répondra de la même façon émotive aux abus des pilotes d'avion. Rien n'indique cependant que ce jugement soit fondé. On pourrait affirmer au contraire, selon l'auteur, que ces personnes, parce que plus sensibles aux émotions, seront davantage capables de détecter les émotions chez les pilotes – et d'en prévenir les conséquences.

Les remarques qui précèdent ne remettent cependant pas en cause l'utilité d'une excellente formation : tout au plus soulignent-elles une des limites de celle-ci, comme cela a été observé dans certaines OHF.

g) Compagnonnage

L'organisation du porte-avions a instauré pour tout nouveau venu une sorte de compagnonnage (*buddy system*) par lequel celui-ci est jumelé à un partenaire. Une telle association constitue une forme de redondance humaine qui contribue non seulement à la formation mais aussi à la sécurité en situation de danger. Ce mécanisme rappelle en fait le système traditionnel dans les mines, où les mineurs étaient obligatoirement jumelés entre eux; cette association durait parfois non seulement toute leur vie, mais l'obligation envers le partenaire s'étendait même, à la mort de ce dernier, au soutien de sa famille. Bien entendu, le système de compagnonnage du porte-avions est plus temporaire.

8.5.2.3 Culture organisationnelle

a) Valeurs de fiabilité, de sécurité, de vigilance et autres

La principale caractéristique des entreprises à haute fiabilité réside dans le poids au moins égal, sinon plus grand, que l'on accorde à la fiabilité – et donc à la sécurité – par rapport à l'efficience ou à la productivité. Il est donc certain que la sécurité constitue une valeur fondamentale au sein de ces organisations.

La sécurité se traduit par d'autres valeurs, plus instrumentales (Roberts, 1993b), à savoir être :
- responsable des autres;
- centré sur la personne;
- aidant et supportant;
- amical, ouvert, sensible dans les relations interpersonnelles;
- créatif;
- motivé par des objectifs;
- crédible;
- confiant;
- souple de caractère, accommodant, prêt à négocier.

La sécurité se traduit aussi par un certain conservatisme technologique, qui se manifeste par une résistance à l'égard des nouvelles technologies (Roberts, 1989 : 121). Cette attitude est fondée sur les raisons suivantes :
- La sécurité du connu est préférée à l'incertitude de la nouveauté.
- On craint de perdre les qualifications des opérateurs, surtout en situation d'urgence, si l'on se fie trop aux technologies complexes.
- Les nouvelles technologies sont tellement interdépendantes que les erreurs se propagent plus facilement.

En ce sens, la culture valorise l'introduction prudente des nouvelles technologies. Une autre valeur importante est la vigilance, car la fiabilité est un non-événement dynamique qui suppose une grande attention.

> La fiabilité est à la fois dynamique et invisible, et cela crée un problème. La fiabilité est dynamique en ce sens qu'elle est une condition continue dans laquelle les problèmes sont momentanément maîtrisés, en raison de changements compensatoires touchant les composantes du système. La fiabilité est invisible [parce que] les gens ne savent pas, bien souvent, combien d'erreurs ils auraient pu faire mais n'ont pas faites, ce qui signifie qu'ils ont tout au plus une idée grossière de ce qui produit la fiabilité [et parce que] les résultats fiables sont constants, ce qui signifie qu'il n'y a rien pour retenir l'attention. Les opérateurs ne voient rien et, ne voyant rien, présument que rien ne se passe [...] Ce diagnostic est trompeur parce que des intrants dynamiques peuvent créer des résultats stables. (Weick, 1987 : 118.)[118]

On pense ici au problème de l'ennui, lorsqu'il ne se passe rien, à l'habitude et à une possible diminution de l'attention. De telles situations peuvent sans doute expliquer le fait qu'il y aurait une tendance, dans le contrôle aérien, selon laquelle il se commettrait davantage d'erreurs lorsque le trafic est léger que lorsqu'il est lourd. C'est la vigilance, en fait, qui vaut aux OHF le qualificatif d'«organisations invisibles».

b) Histoires, langage, etc.

On retrouve cette partie importante de la culture sur le porte-avions. Elle comprend des histoires sur le nouveau patron, sur ce qu'il a fait en situation de danger, etc. On se rappelle aussi les moments de stress ou de quasi-accidents.

Par ailleurs, le langage permet également de refléter la culture. On a par exemple le pouvoir évocateur des comparaisons : le pont est associé tantôt à un orchestre symphonique, tantôt à une ferme d'élevage de volatiles. Sans compter le jargon spécialisé (Roberts *et al.*, 1994b).

c) Rites

Un des principaux rites sur le porte-avions consiste en la réunion quotidienne des chefs d'unités. Il s'agit non seulement d'un mécanisme de coordination et de résolution de conflits, mais encore d'un moyen de renouveler la structure, de la tenir en éveil. Cette activité permet aussi l'expression des sentiments et des préoccupations.

Un autre rite se rattache à la traversée de l'équateur, en lien cette fois avec les traditions de la marine. D'autres rites enfin marquent les fêtes données à l'occasion des changements de commandement.

---

118. Notre traduction.

d) Confiance dans la délégation de responsabilités

La délégation de responsabilités n'est pas qu'un phénomène structurel; elle est aussi – peut-être surtout – culturelle en ce qu'elle traduit les valeurs profondes sous-jacentes aux comportements, soit les valeurs de confiance. Cette confiance peut se développer par l'expérience et par le partage. Ainsi, lorsque l'attention d'un pilote est accaparée par un problème, par une crise, il faut tout de même que le copilote, précisément, pilote. À ce moment, le premier doit faire confiance aux capacités de son coéquipier, d'où le besoin de compréhension mutuelle (Wiener, dans Weick, 1987).

Cette compréhension mutuelle signifie que, si le coéquipier est trop différent, la confiance n'est pas toujours acquise (Weick, 1987). Il faut cependant être prudent dans l'accent mis sur la similarité en tant que facteur permettant de développer la confiance. Car un trop grand besoin de similitude, chez les membres d'un groupe, peut entraîner ce que Kanter et Stein (1979) appellent la «reproduction homosociale» de certains conseils d'administration. Cette dernière vient du fait que, puisqu'on doit faire confiance à des collègues dans certaines situations critiques de prise de décision, il vaut mieux se «reproduire» entre pairs. Ce faisant, toutefois, on se ferme à l'«étranger», devenant ainsi plus susceptible de succomber au *groupthink* (Janis, 1972).

Le paradoxe est que la confiance est accordée d'autant plus difficilement que les enjeux sont élevés, alors que c'est là, précisément, où elle est le plus nécessaire. Ceci signifie que la confiance, si essentielle au moment de l'urgence, doit donc se construire. Pour cela, dans les OHF, la routine et le quotidien constituent autant de terrains d'exercice.

e) Systèmes de récompenses/punitions

Les systèmes de récompenses ont tendance à valoriser l'extraordinaire. Dans les OHF, toutefois, ce mode de pensée est totalement renversé puisque c'est l'invisible qui est privilégié. Car :

> Si un contrôleur peut produire une journée de travail normale, ennuyeuse, cela devrait lui attirer de la reconnaissance et des félicitations [...] (Weick, 1987 : 120.)[119]

Le système de récompenses reflète donc toujours les valeurs fondamentales d'une organisation, et non seulement celles qu'elle prône pour être «politiquement correcte». Ainsi, sur le porte-avions, une procédure exige d'informer directement le capitaine (marine) ou le commandant (aviation) de tout danger grave. Bien que ce mécanisme puisse être source de fausses alarmes, la personne est récompensée pour avoir suivi la procédure, quelle que soit la situation réelle. À la limite, on peut même récompenser une mauvaise décision si celle-ci a été prise dans une perspective de sécurité.

---

119. Notre traduction.

f) Styles culturels privilégiés

Dans une recherche sur la centrale nucléaire et sur le porte-avions, Halpern (1989) a repris les 12 styles culturels vus au chapitre précédent, à savoir :

1. humanisme et aide;
2. affiliation;
3. approbation;
4. conventions;
5. dépendance;
6. évitement;
7. opposition;
8. pouvoir;
9. compétition;
10. perfectionnisme et compétence;
11. réalisation;
12. actualisation de soi.

Klein *et al.* (1995) ont regroupé ces styles en trois dimensions[120] :

- sécurité-individu : approbation, convention, dépendance et évitement (styles 3, 4, 5 et 6);
- satisfaction : réalisation, actualisation de soi, humanisme-aide et affiliation (styles 11, 12, 1 et 2);
- sécurité-tâche : opposition, pouvoir, compétition et perfectionnisme-compétence (styles 7, 8, 9 et 10).

Les auteurs ont ensuite analysé, selon ces regroupements, la centrale nucléaire de Diablo Canyon et le centre de contrôle régional du trafic aérien[121]. Leurs résultats sont les suivants :

- Dans la dimension satisfaction, l'affiliation et l'actualisation sont plus faibles que dans les organisations classiques.
- Dans la dimension sécurité-tâche, le pouvoir et la compétition sont plus faibles que dans les organisations traditionnelles; par ailleurs, l'opposition est plus forte et le perfectionnisme-compétence encore plus fort, de façon significative, pour le contrôle aérien.

---

120. Il ne s'agit pas ici de discuter de la pertinence de ces regroupements, mais uniquement de voir comment ils s'appliquent dans les OHF.
121. Bien qu'il ne s'agisse plus du porte-avions, nous présentons ici ces résultats dans la mesure où leur discussion est pertinente pour ce thème des styles culturels.

Ces observations feront dire aux auteurs :

> Le tableau des OHF décrit ici est un tableau dans lequel il y a moins de sensibilité aux relations interpersonnelles ouvertes et amicales, et dans lequel les organisations ne valorisent pas la créativité, le développement personnel et la croissance individuelle autant que d'autres organisations [...] [Les OHF] prônent la confrontation et le négativisme, probablement pour augmenter la sécurité. La créativité n'est pas considérée favorablement, ce qui se comprend si l'on considère qu'il s'agit d'exploiter une centrale nucléaire ou de suivre et guider le trafic aérien. (Klein *et al.*, 1995 : 782).[122]

Ces mêmes auteurs constatent peu de différence entre les styles culturels des unités ainsi qu'entre ceux des niveaux hiérarchiques, dans la centrale nucléaire. Ils notent seulement que les gestionnaires sont plus faibles sur les échelles d'humanisme-aide, d'affiliation et de réalisation, alors que les opérateurs sont plus faibles sur l'échelle de convention. Toutefois, selon eux, on ne peut rien déduire de façon significative de ces constatations.

La comparaison entre les opérateurs de la centrale nucléaire et ceux du contrôle aérien révèle par contre que le caractère décomposable (élément de la typologie vue en début de chapitre) du système de contrôle aérien se reflète dans la culture. Les contrôleurs aériens, en comparaison des opérateurs de la centrale nucléaire, sont plus forts sur les échelles d'humanisme-aide (participation, ouverture), de perfectionnisme-compétence (on travaille fort pour éviter les erreurs) et de réalisation. On pourrait en déduire, selon les auteurs, qu'ils peuvent s'offrir le luxe de la collaboration et du perfectionnisme, puisque leur organisation peut en quelque sorte isoler des blocs d'interdépendances.

En revanche, les opérateurs du nucléaire témoignent plus fortement que les contrôleurs aériens des styles d'approbation, de convention, de compétition, de dépendance et d'évitement. Ces styles sont probablement influencés, toujours selon les auteurs, par le fait que l'organisation est perçue comme holistique : une erreur ne peut être isolée et se répercute nécessairement sur l'ensemble. D'où l'importance, par exemple, du respect des procédures que traduit l'élément convention.

Les chercheurs ont aussi relevé deux qualités qui s'avèrent nécessaires dans une centrale nucléaire : la crédibilité et la confiance, toutes deux nourries par des réunions fréquentes. Ces résultats sont toutefois en contradiction avec l'accent mis sur un style d'évitement, mais les auteurs n'expliquent pas cette incongruence.

En ce qui concerne les porte-avions, Roberts *et al.* (1994b) notent une tendance vers la culture de sécurité-tâche avec prédominance des styles de pouvoir, d'opposition, de compétition, de perfectionnisme et d'évitement. Il n'y a pas de différence importante entre

---

122. Notre traduction.

les niveaux hiérarchiques : il n'y a en fait sur le navire qu'un seul style culturel, la sécurité-tâche, avec toutefois quelques variations mineures dans les sous-cultures. Ainsi :

- Les officiers ont comme dimensions privilégiées le perfectionnisme, la compétition et le pouvoir.
- Les subordonnés optent surtout pour l'évitement et l'opposition.

Selon les auteurs :

> [...] on fait face au paradoxe selon lequel les deux dimensions reflètent un respect pour la technologie dangereuse et complexe utilisée ici et l'immense interdépendance entre des individus travaillant dans un environnement à haut risque. (Roberts *et al.*, 1994b.)

L'un des porte-avions abrite aussi une sous-culture particulière, celle d'un escadron spécial (escadron d'attaque à un pilote), où dominent les styles de satisfaction et d'opposition. L'absence du style de compétition qu'on trouvait pourtant chez les autres pilotes s'explique, selon les auteurs, par le fait que ces pilotes d'attaque sont étroitement liés à leurs collègues puisqu'ils volent simultanément et en groupe : un esprit d'équipe peut ainsi se développer jusqu'à dominer la tendance à la compétition.

Les styles culturels retrouvés dans les OHF s'expliquent, selon Rousseau (1989), par le fait que ces organisations doivent faire face à deux sortes d'anxiété :

- l'anxiété fondée sur l'accomplissement de la tâche, sur l'utilisation de la technologie et de ses risques;
- l'anxiété qui correspond aux conséquences des défaillances tant sociales (groupe de travail, escadron, etc.) que politiques (regard du public, etc.).

En ce sens, des styles culturels, qui dans d'autres organisations seraient considérés comme négatifs – pouvoir, opposition, compétition, évitement – ne semblent pas l'être, dans les OHF, puisque les comportements qu'ils reflètent pourraient bien sauver la vie de leurs membres.

En clair, il n'y a pas suffisamment de données pour permettre de savoir si l'on peut mener une unité à haute fiabilité d'une manière hautement coordonnée, prévisible, avec un haut degré de souplesse et de liberté d'action des opérateurs. (Rousseau, 1989 : 297.)[123]

Il ne s'agit donc pas d'associer OHF et souplesse, entendue au sens de liberté d'action, comme l'évoquait par exemple le mouvement en faveur de la qualité de vie au travail dans les années 1970. Il y a une souplesse, dans ces organisations, mais elle tient au système lui-même, à ses stratégies pour répondre à l'incertitude de son environnement. En ce sens, il n'y a pas vraiment de place pour la créativité individuelle dans les OHF, sinon dans des cas, fort probablement limités, de résolution de problèmes inédits.

---

123. Notre traduction.

g) Développement de la culture : éléments dynamiques et en interdépendance

Que la culture soit un construit est un des leitmotivs de notre exposé, et c'est tout aussi vrai dans le cas des OHF. Pour illustrer ce point, Bierly et Spender (1995) donnent l'exemple de la culture propre aux sous-marins nucléaires, qui se démarque de celle de la marine en général. Cette culture de sécurité a été développée par une personne, l'amiral H.G. Rickover. Celui-ci, à l'instar de Watson chez IBM, a construit une culture de haute fiabilité à partir de divers éléments. Il a en effet instauré dans la marine nucléaire une culture particulière :

- en obligeant tous les officiers des sous-marins nucléaires à avoir une formation d'ingénieurs nucléaires; cela a eu comme conséquence d'éviter la constitution de deux groupes sur le navire, celui des officiers, connaissant la marine, et celui des opérateurs, connaissant le nucléaire;
- en choisissant rigoureusement les candidats; ses entrevues, qui servaient en quelque sorte de rites de passage, ont donné lieu à des histoires qui ont circulé parmi le personnel, renforçant du même coup la culture de l'organisation;
- en attribuant la responsabilité à l'opérateur, en le rendant conscient des répercussions de ses actions;
- en assurant à ce dernier une formation rigoureuse;
- en exigeant une rotation du personnel (à l'intérieur toutefois du groupe de la marine nucléaire), de façon à diffuser les modes d'action et à assurer leur congruence;
- en centralisant dans une forte bureaucratie certains aspects des opérations nucléaires, notamment tout ce qui concerne le système technique, de la conception à la mise au rancart;
- en faisant respecter les exigences de cette bureaucratie (située à terre), par exemple par l'apprentissage strict des *SOP* de façon que chacun à bord connaisse les actions correspondant à chaque situation, pour absorber le plus possible les incertitudes engendrées par des événements imprévus.

La bureaucratie centralisatrice créée par l'amiral Rickover à terre n'a pas agi uniquement sur le personnel de la marine nucléaire ou sur les opérations de cette dernière. Elle s'est aussi étendue aux sous-traitants en exigeant d'eux une qualité de premier ordre (ce qui aurait, selon les auteurs, suscité de solides inimitiés contre l'amiral). C'est donc tout le système technique qui était touché par la culture, c'est-à-dire la conception des équipements, leur construction, l'exploitation, l'entretien et la mise au rancart définitive.

Ce système technique se devait d'être fiable. Pour cela, l'amiral a favorisé un certain conservatisme, par exemple à l'égard des innovations en design, ce que reflète l'attitude dominante actuelle sur le porte-avions quant aux nouvelles technologies. Ainsi :

> Toutes les formes d'automatisation étaient évitées, sauf si elles étaient absolument nécessaires, à cause des dangers de la situation de travail. La simplicité, qui donne aux opérateurs bien entraînés une possibilité d'intervenir, était son objectif [à l'amiral

Rickover] déclaré de design. Les systèmes en résultant ont donc combiné la fiabilité et une ingénierie extrêmement conservatrice, tout en mettant l'accent sur les actions des opérateurs. (Bierly et Spender, 1995 : 651.)[124]

La fiabilité était ainsi assurée, tant à l'échelle technique qu'à l'échelle humaine et organisationnelle. Voilà pourquoi :

Au moment de l'accident de Three Mile Island, en 1979, Rickover était responsable des quelque 152 réacteurs qui avaient été en service sur une période de presque 30 ans. Pourtant, aucun accident menant à une fuite radioactive n'était survenu. Lors de l'enquête sur Three Mile Island, [l'amiral] Rickover a bien précisé que cette extraordinaire fiabilité n'était pas due au personnel ou au contexte militaire, mais plutôt à la sélection soignée d'un personnel hautement intelligent et motivé, de surcroît fort bien entraîné et ensuite tenu personnellement pour responsable. (Bierly et Spender, 1995 : 651.)[125]

Il y a toutefois des dangers associés à une forte culture organisationnelle, comme nous l'avons souligné à l'aide de l'exemple d'IBM (Denis, 1990b). Dans le cas de la marine nucléaire, le principal d'entre eux provient du fait que la sécurité exige d'étouffer la créativité, ceci chez des êtres particulièrement intelligents et motivés, qui ont au surplus été triés sur le volet. Ce serait là l'une des raisons pour laquelle, semble-t-il, la plupart des officiers interrompent prématurément leur carrière :

Les causes habituellement fournies de démissions sont les longues heures de travail, le manque de créativité et d'individualité, et le stress lié au fait d'opérer dans un système à double allégeance, c'est-à-dire aux [à l'unité des] Réacteurs de la marine et à leur propre carrière dans la marine. (Chatam, 1978, dans Bierly et Spender, 1995 : 654.)[126]

On se trouve donc devant un dilemme comparable à celui qui caractérise les fonctionnements matriciels, à savoir la double allégeance à une spécialité, qui assure la progression de la carrière, et à un projet ou produit, dans ce cas-ci le nucléaire. Une conséquence indirecte de cette situation, qui n'avait certainement pas été prévue au départ, est que les officiers de la marine nucléaire ont eu tendance à se tourner vers les centrales nucléaires sur terre pour poursuivre leur carrière, ce qui vient, selon Weick (1987), augmenter la haute fiabilité de ces technologies.

Comme autre conséquence, probablement imprévue elle aussi, on note un conflit entre les valeurs de la marine nucléaire et celles de la marine classique. À la limite, les valeurs de la première vont aller à l'encontre des valeurs traditionnelles de la seconde et en particulier de

---

124. Notre traduction.
125. Notre traduction.
126. Notre traduction.

deux de ces valeurs. Tout d'abord il est impensable, aux yeux de la marine traditionnelle, que la liberté d'action à bord du navire soit restreinte par une bureaucratie établie à terre. Ensuite, il est exclu qu'on sacrifie l'équipage pour sauver le navire; pourtant, à cause de sa composante nucléaire et des conséquences d'un accident, la culture du sous-marin nucléaire admet, en situation extrême, le sacrifice de l'équipage pour éviter les effets néfastes d'une catastrophe (Bierly et Spender, 1995).

En fait, la culture développée par l'amiral Rickover est appropriée aux dangers du nucléaire, tandis que la culture de la marine classique convient à la vie en mer sur de longues périodes. Cette dernière suppose en effet une liberté d'action et une valorisation de la vie humaine sans égard aux conséquences : mais celles-ci, dans la tradition de la marine, portent surtout sur des pertes matérielles et n'ont pas l'effroyabilité du nucléaire.

L'incongruence entre les deux sous-cultures est particulièrement dysfonctionnelle lorsqu'une même personne doit opérer dans des unités qui prônent respectivement l'une et l'autre, ou lorsque deux groupes doivent coopérer. À ce moment, les deux «nous» ne peuvent que s'affronter, officiellement ou non, en se rencontrant. Dans cette perspective, il y a lieu de se demander ce qui arrive lorsqu'un marin, sur le porte-avions, passe dans d'autres secteurs, plus traditionnels, de la marine.

En conclusion de ce chapitre, on peut dire que les OHF indiquent de façon intéressante comment se vit la cohabitation entre la culture, la technologie et la structure dans des entreprises dont les actions quotidiennes peuvent facilement être sources de catastrophes. Ces dimensions ne sont pas statiques : elles sont en continuelle mouvance dans le temps et elles s'influencent mutuellement. Cette analyse termine en fait la partie consacrée à l'étude des risques en entreprise, en montrant comment peut être gérée la fiabilité au regard du risque.

SYNTHÈSE

Ce chapitre se penche sur ce qu'il est convenu d'appeler les organisations à haute fiabilité (OHF). La définition de ces OHF montre qu'elles sont en fait, plus précisément, des «organisations à haut risque et à haute fiabilité». L'analyse de leurs caractéristiques (complexité, couplage serré et incertitude, notamment) permet de mieux les cibler, tout comme le regard porté sur les perspectives théoriques des travaux effectués par les chercheurs dans ce domaine. Deux cas illustrent ce type d'organisation, dont le premier se rapporte à une centrale nucléaire. Les données présentées par les chercheurs ont été catégorisées selon notre propre grille de technologie, structuration et culture. Il fallait tenir compte également des relations entre ces trois dimensions pour bien comprendre le fonctionnement de l'organisation.

L'autre cas est celui de deux porte-avions à propulsion nucléaire de la marine américaine. En premier lieu sont traitées les caractéristiques des OHF sous l'angle des interdépendances à gérer. Le lecteur est à même de constater que les paradoxes qui caractérisent leur gestion ne sont pas prévus par les analyses classiques des théories de l'organisation. Dans ce contexte, il devient intéressant de voir quelles stratégies se développent pour faire face à ces contradictions inhérentes aux fonctionnements d'une entreprise. En second lieu, les résultats des chercheurs sont interprétés à la lumière de notre propre grille d'analyse – technologie, structuration et culture.

En résumé, les OHF illustrent de façon magistrale comment peut être géré le risque sociotechnologique majeur. Ce type d'organisation montre, en définitive, que la gestion du risque ne donne pas toujours lieu à des catastrophes, et ce même dans un contexte où des fonctionnements quotidiens à haut niveau de risque pourraient facilement y conduire.

CHAPITRE
9

COMMUNICATION DU RISQUE

Communiquer le risque fait partie intégrante de la gestion du risque sociotechnologique majeur. De plus en plus en effet, les lois – telle la directive Seveso –, ou simplement l'éthique, obligent les entreprises à s'ouvrir sur l'extérieur dans ce domaine, notamment en informant les populations susceptibles d'être touchées par une éventuelle catastrophe. Les résidants autour d'un ouvrage ou d'un établissement à risque ont besoin de savoir, par exemple, à quel type de produit ils ont affaire et quelles actions poser en cas d'accident. Par ailleurs, les services municipaux spécialisés ont eux aussi besoin de connaître les produits dangereux qui se trouvent sur leur territoire : encore aujourd'hui, il arrive en effet qu'ils n'aient pas ces données, soit parce que l'exercice de recension n'a pas été fait, soit parce qu'une entreprise a modifié ses procédés – utilisant par exemple de nouveaux produits dangereux – sans en avertir les autorités.

En ce sens, gérer un risque sociotechnologique majeur, c'est aussi gérer la communication de ce risque. Celle-ci représente toutefois un défi de taille, non seulement en situation d'urgence, mais aussi avant que survienne une catastrophe : d'où la tendance au silence. C'est ce qui s'est produit au Saguenay (Québec), à l'été 1996, lorsque des digues ont été emportées par des crues torrentielles. Dans ce cas, l'information sur les plans d'urgence et sur les probabilités de rupture de barrages avait été tenue secrète, sous prétexte qu'il ne fallait pas «faire peur au monde». Jusqu'à ce que ce monde se retrouve les pieds dans l'eau et que désormais il n'ait plus confiance dans la capacité des pouvoirs publics d'assurer sa sécurité.

Mais que se serait-il passé si, avant ces terribles inondations, on avait expliqué que le cœur de la ville de Chicoutimi, dans cette région, serait balayé par une pluie exceptionnelle? Qu'une partie d'une municipalité, Grande-Baie, serait engloutie? Y aurait-il eu panique, comme semblent le craindre les autorités de partout dans le monde, ou est-ce que cela aurait suscité plutôt un mouvement de prévention, concrétisé par des précautions et par des mesures de mitigation? Une chose est certaine : cette communication aurait tout au moins sensibilisé la population aux risques. Et cette sensibilisation n'est pas sans conséquence.

En effet, les réticences à la communication du risque (CR) – un phénomène présent dans l'ensemble des pays – s'expliquent, selon nous, par deux grandes peurs chez les autorités, qu'elles soient privées ou publiques. Il y a tout d'abord la peur que le public panique, ce qui toutefois n'a pas été démontré par les recherches. En fait, à l'exception de certains cas où la population ignore totalement les risques de son environnement, les résidants autour d'une installation à risque savent très bien, en règle générale – même s'ils ont parfois tendance à l'oublier –, qu'ils vivent dans une zone potentiellement dangereuse (Lalo, 1988). Il y a ensuite la peur qui vient du fait que, si le public se rend compte brusquement que l'environnement qu'il croyait relativement sûr ne l'est pas, il exigera de la part des autorités des actions de mitigation que ces dernières ne sont pas nécessairement prêtes à poser. On aura saisi ici que la peur des autorités concerne leur engagement face à une situation à risque.

Cela signifie que, consciemment ou non, des choix sont arrêtés : les autorités, publiques ou privées, préfèrent le plus souvent une stratégie d'immobilisme – car c'en est une – en matière de communication du risque, en espérant que rien ne se passe. Et en sachant que, si la catastrophe survient, on y fera face avec l'aide des gouvernements centraux et de la population non touchée, émue par l'événement[127]. Mais ces autorités ont aussi tendance à oublier, en faisant ce calcul (encore une fois conscient ou non), que cette attitude leur coûtera cher en crédibilité, au moment de l'urgence. Car une chose est certaine : une absence de réponse au risque, avant la catastrophe, contribue à faire mal accepter la réponse des autorités pendant et après la catastrophe.

Ceci entraîne le besoin, avant l'événement, d'inclure le public dans la gestion du risque, puisque sa méfiance, si un désastre se produit, rendra plus difficile la gestion de ce dernier. Mais il y a aussi une autre raison, toute simple, qui fait que le public doit être inclus, par la CR, dans la gestion du risque, et c'est le fait qu'il sera le premier à souffrir d'une catastrophe. Il semble normal, dans cette perspective, que le public en question connaisse son environnement et, surtout, qu'il sache quoi faire advenant un accident. En ce sens, selon nous, la communication du risque doit atteindre toute la population, dans une zone donnée, susceptible d'être touchée par une catastrophe. L'information sur le risque n'est pas qu'affaire de spécialistes.

9.1 DÉFINITION ET CARACTÉRISTIQUES
9.1.1 Définition
Lorsqu'il est question de communication du risque, deux concepts retiennent l'attention, celui de risque et celui de communication. Nous ne reviendrons pas ici sur la notion de risque, définie au premier chapitre de cet ouvrage. C'est donc sur la communication que

---

127. Au Saguenay par exemple, en 1996, la Croix-Rouge a récolté des sommes considérables pour l'aide aux sinistrés.

nous porterons maintenant notre attention, sans oublier toutefois que les deux termes sont étroitement liés. En effet, il ne s'agit pas de n'importe quel type de communication, lorsqu'on parle de communication du risque, mais bien d'une communication dont le contenu est important et probablement anxiogène, étant donné que le risque peut dégénérer en catastrophe.

La communication du risque a été définie comme :

> L'échange d'informations relatives à la nature, à l'importance, à la signification ou à la maîtrise d'un risque parmi les parties intéressées : agences gouvernementales, corporations ou groupes industriels, syndicats, médias, scientifiques, organisations professionnelles, groupes d'intérêt, communautés et citoyens individuels. (Covello, 1994 : 498.)[128]

La communication du risque, ici comme dans tout autre domaine, est vue principalement comme un échange. Son objet est le risque et l'ensemble de ses facettes, et son destinataire, le plus souvent, est le public. Ce dernier se répartit en segments plus ou moins spécifiques (groupes d'âge, communautés, etc.). Par ailleurs, les destinataires de la CR peuvent aussi être des représentants gouvernementaux, des experts ou encore des journalistes. Ce sont tous ces divers aspects qu'il convient maintenant d'explorer.

9.1.2 Caractéristiques

9.1.2.1 De nombreux intéressés

Une première caractéristique de la communication du risque est qu'elle met en cause différents intéressés (*stakeholders*). La définition citée ci-dessus en énumère un certain nombre, qu'on peut reprendre en les précisant et en y ajoutant des joueurs. Il s'agit principalement des :

- acteurs organisationnels, privés ou publics, qui sont sources de risques; ces acteurs se situent à différents niveaux hiérarchiques au sein de leur organisation;
- acteurs des agences des différents paliers de gouvernement chargées de réguler ces risques; ces acteurs se situent eux aussi à différents niveaux hiérarchiques dans leur organisation;
- politiciens des différents paliers de gouvernement;
- groupes de pression : environnementaux privés, éthiques, spirituels (Églises);
- experts, privés ou publics, indépendants ou au service de l'un ou l'autre groupe d'intéressés;
- médias : locaux, régionaux, nationaux, internationaux;
- résidants près de la source du risque;
- amis et parents de ces résidants, ainsi que la population en général qui se sent concernée;
- assureurs.

---

128. Notre traduction.

Ce sont en fait ces acteurs qu'on retrouvait dans la gestion du risque, avec peut-être ici des absents qui s'expriment rarement dans la communication du risque : les établissements financiers. Ces derniers ont pourtant un rôle à jouer dans le risque, par exemple par leurs politiques de prêts à la construction résidentielle en zone inondable.

Ces divers acteurs agissent à l'échelle municipale, provinciale, fédérale ou internationale. À l'intérieur des organisations, plusieurs niveaux hiérarchiques peuvent aussi intervenir. Si, en règle générale, cette participation à la CR est le fait des hiérarchies, il arrive toutefois que les interactions des employés d'une entreprise à risque avec le reste de la communauté constituent elles aussi une forme de CR. C'est qu'en effet, selon Hrudey et Jardine (1995), les employés sont d'importants communicateurs informels du risque – ou même formels si l'entreprise les inclut dans ses programmes de communication, comme il sera vu en fin de chapitre.

D'autres acteurs de la CR sont moins connus. Par exemple, lors d'une contamination chimique de l'eau potable (Fessenden-Raden *et al.*, 1987), on a constaté que ce que les auteurs appellent les «messagers non officiels» jouent un rôle important dans la communication. Il s'agit dans ce cas du lecteur du compteur d'eau, du vendeur d'appareils de purification de l'eau, d'ingénieurs externes venant faire des études techniques, des médias et des réseaux de voisins ou de parents. Les messages de ces communicateurs informels, même s'ils contredisent les messages officiels, auraient tendance à être crus davantage et ce, en dépit du manque de connaissances en toxicologie des communicateurs. La cause de ce phénomène serait qu'il semble que les «messagers non officiels» répondent aux préoccupations des gens et qu'ils bénéficient d'une bonne crédibilité.

9.1.2.2 Comportements, échanges et pouvoir

Une autre caractéristique de la CR est qu'elle est essentiellement un comportement, verbal ou symbolique, par lequel un émetteur veut exercer un effet sur un récepteur, lequel à son tour rétroagit ou non. C'est la perspective classique de la communication considérée en tant que processus, en tant qu'échange. Envisagée sous cet aspect, la CR se positionne sur un continuum allant d'une communication unilatérale à une communication bilatérale, qu'on pourrait expliciter comme suit, selon Fisher (1991) :

- Dire ce qui a été décidé ou dire quoi faire, ou les deux.
- Donner de l'information sur l'ampleur du risque et laisser le récepteur interpréter et décider.
- Aider le récepteur à interpréter, sans ajouter de biais, mais en le laissant décider.
- Découvrir les préoccupations du récepteur, l'aider à interpréter les résultats et l'aider à mettre en œuvre des façons d'influencer la décision.

L'émetteur peut donc laisser plus ou moins de pouvoir au récepteur. Dans tous les cas, ses objectifs doivent être clairs et il doit définir dès le début son rôle par rapport au récepteur. On peut ici formuler l'hypothèse que, comme nos recherches passées l'avaient montré en ce qui concerne la participation dans l'entreprise lors de projets de changements (Denis, 1990b), le récepteur ne sera pas froissé outre mesure si, bien qu'on attende de lui un rôle limité (par exemple si la communication n'a pour objectif que de l'informer), ces attentes sont clairement définies à l'avance. Le problème ne se complique que lorsque le message est ambigu, par exemple s'il indique qu'une participation des principaux intéressés est désirée alors qu'en fait l'émetteur ne cherche pas de rétroaction et parfois même la fuit.

9.1.2.3 Personnes, groupes, organisations

Dans toute communication du risque, l'émetteur et le récepteur sont, il va sans dire, des personnes. Mais l'émetteur peut être aussi une organisation, bien que celle-ci soit toujours concrètement représentée par une personne. Il arrive également que le récepteur soit un groupe, une organisation ou encore un public large, constitué à son tour de différentes personnes ou groupes : c'est la raison pour laquelle on parle maintenant, par exemple, *des* publics et non plus *du* public.

En raison de cet aspect particulier de la CR, il faut élargir les données classiques de la communication, telle qu'elle est traitée par exemple dans les théories psychosociales, et passer d'une communication uniquement interpersonnelle à une communication élargie. L'aspect comportemental est toujours présent, parce que la communication passe toujours par des humains, mais les acteurs de la CR agissent rarement seuls, à titre d'émetteur ou de récepteur.

La CR concerne donc surtout des groupes ou des organisations, sauf peut-être quand il s'agit des sonneurs d'alarme, qui eux agissent le plus souvent seuls. Mais même ces derniers doivent convaincre les autres pour qu'il y ait action. Ainsi, en 1981, un médecin de Philadelphie a détecté un niveau de radon quatre fois supérieur à la normale dans sa résidence. Il n'a pu cependant rallier d'autres intéressés à sa préoccupation, et il a fallu attendre 1985 pour que l'État de Pennsylvanie prenne des mesures (Mazur, 1987). Cassandre doit toujours convaincre, et la plupart du temps c'est de groupes qu'il s'agit. Tout au moins d'un ensemble de personnes.

9.2 HISTORIQUE

Historiquement, les études sur la communication du risque ont d'abord insisté sur le risque, davantage que sur la communication. Il s'agissait de faire comprendre aux profanes les dangers — ou plutôt l'absence de dangers — liés aux risques. Par la suite, lorsqu'on s'est aperçu que la transmission d'information sur le risque ne résolvait pas tous les problèmes, c'est-à-dire que les récepteurs n'étaient pas nécessairement convaincus, on s'est tourné vers les données des sciences humaines. L'accent a alors été mis sur la communication elle-même, sur les règles particulières qu'elle suppose, quel que soit le sujet – technique ou non technique – abordé. Après quoi, et c'est la tendance actuelle, on a compris que le contexte influençait aussi le contenu de la communication, d'où l'appel cette fois aux sciences sociales.

Les croyances des spécialistes relatives au public ont subi une évolution parallèle. Les premiers communicateurs du risque, souvent du domaine technique, ont d'abord perçu le public-récepteur comme un profane à qui ils devaient faire «admettre» la vérité au moyen de la CR. On est ensuite passé à une perception beaucoup plus nuancée des jeux de pouvoir qui entourent le risque et qui font intrinsèquement partie de sa communication. Reflétant cette dernière tendance, on ne parle d'ailleurs plus du public, mais bien des publics.

Dans cette perspective, selon Fischhoff (1995), il existe une gradation dans la communication du risque. Cette gradation permet de voir que la crédibilité peut se construire, de l'expert au public, de la même façon qu'elle se construit entre experts. Cette échelle illustre en fait les différentes étapes de l'histoire de la CR. Celles-ci ont été divisées ensuite en trois phases (Leiss, 1996). Chaque phase regroupe des croyances dont chacune commence par «Tout ce qu'on a à faire, c'est [...]» :

1. [...] d'avoir les bons chiffres;
2. [...] de communiquer les chiffres aux publics;

3. [...] d'expliquer aux publics ce que veulent dire les chiffres;
4. [...] de montrer aux publics qu'ils ont accepté des risques similaires dans le passé;
5. [...] de montrer aux publics que c'est une bonne affaire pour eux (*good deal*);
6. [...] de bien traiter les publics;

7. [...] de faire des publics des partenaires;
8. tout ce qui précède à la fois.

Pour Leiss (1996), les deux premières étapes correspondent à une première phase de la communication du risque (que l'auteur situe entre 1975 et 1984), celle où l'accent était mis sur le risque lui-même. La principale limite de cette phase aurait été l'«arrogance de l'expertise technique», laquelle a contribué à accroître la méfiance du public. Les étapes 3 à 6 inclusivement correspondent à une deuxième phase (environ de 1985 à 1994), celle où l'accent était mis sur la communication. À ce moment, il s'agissait de convaincre le récepteur selon les modèles du marketing : connaître les caractéristiques des publics et reconnaître que leur perception est légitime.

Mais ici encore, les limites ont tenu au manque de confiance que toutes ces techniques de persuasion, parfois fondées sur la propagande, n'ont pas réussi à effacer. D'où une troisième phase, actuelle, qui correspond aux deux dernières étapes. Les communicateurs tentent aujourd'hui de comprendre le manque de confiance en ayant recours aux connaissances relatives aux aspects sociaux du risque, aux jeux de pouvoir et aux acteurs, en somme à ce que l'on appelle le contexte du risque.

On voit donc que ce ne sont pas seulement les techniques de la CR qui ont changé, mais aussi les croyances à l'égard du public et de son rôle. C'est là un bon exemple de changement culturel. Ce changement, bien entendu, ne s'est pas fait en vase clos : il a été influencé par un grand nombre de facteurs qui ont agi soit simultanément, soit séquentiellement. Les plus importants sont, selon nous :

- les limites des développements technologiques et leur faillibilité, représentée par les catastrophes;
- l'établissement de groupes de pression organisés autour de la défense de l'environnement;
- le pouvoir grandissant des citoyens et leur rôle actif et critique face aux développements technologiques «dans leur cour», comme en témoignent les recours judiciaires de plus en plus nombreux.

La CR a été transformée par l'émergence de ce contre-pouvoir, ce qui ne signifie pas qu'elle n'ait été qu'une réponse à l'évolution du contexte. Une telle mutation de la CR est importante en ce que ce sont désormais les termes mêmes de la relation de pouvoir qui sont modifiés lorsque, par exemple, industriels et experts envisagent – sérieusement et honnêtement – une forme de partenariat avec le public.

9.3 MOMENT DE LA COMMUNICATION DU RISQUE

Puisqu'il s'agit du risque sociotechnologique majeur, la communication du risque peut se situer avant, pendant ou après une catastrophe. La plupart du temps, la CR a lieu avant la catastrophe. Mais il se peut aussi qu'elle soit nécessaire pendant ou même après le désastre, surtout si les impacts, par exemple sur la santé, ne sont pas établis, comme ce fut le cas à Tchernobyl ou à Saint-Basile-le-Grand.

9.3.1 CR avant une catastrophe

En ce qui concerne la communication du risque avant une catastrophe, on distingue en général la communication relative à une source ou à un site déterminé de risque de la communication relative à la planification d'urgence (Otway et Wynne, 1989). Dans le premier cas, selon les auteurs, l'accent est mis davantage sur l'information générale quant au risque, à ses probabilités et à ses conséquences. Ce type de CR peut être faite aux différentes étapes d'une analyse du risque et peut – ou non – mettre à contribution les principaux intéressés à chacune de ces étapes (Delisle, 1997). Quant à la CR relative à la planification d'urgence, elle porte plutôt sur les mesures à prendre en cas d'accident.

Selon Otway et Wynne (1989), il peut y avoir contradiction entre les deux types de communication. En effet, la communication relative à un site serait surtout destinée à «transmettre un message crédible, que les gens accepteront pour ensuite oublier l'entreprise, ses risques et même la communication du risque» (Otway et Wynne, 1989 : 142). De son côté, la planification des mesures d'urgence rend nécessaires des messages vifs et prégnants au sujet des procédures d'urgence, et donc du risque, ce qui va à l'encontre du premier type de communication. Car cette sensibilisation, en faisant percevoir le risque, peut amener les citoyens à exiger la fermeture de l'installation en cause.

Selon nous, les deux types ne sont pas aussi nettement distincts : la CR relative à une source comporte souvent un volet de planification d'urgence; et cette dernière, notamment lorsqu'il est question de catastrophes dites «naturelles», prend en considération des sites précis, des sources de risques. Comme exemple du premier cas, on peut mentionner la CR effectuée par des entreprises pétrochimiques de l'Est de Montréal dans leur communauté, qui comprend aussi un plan d'urgence réalisé en collaboration avec cette communauté. Comme exemple du deuxième cas, on peut citer les plans d'urgence préparés en prévision de ruptures de barrages dans une municipalité, qui expliquent également les risques liés à des sites particuliers.

Cette complémentarité de la CR relative à une source déterminée et aux plans d'urgence n'empêche toutefois pas Otway et Wynne d'avoir raison lorsqu'ils affirment que les contenus de la CR tendent le plus souvent à s'opposer. D'ailleurs, on peut même faire l'hypothèse que c'est en partie cette contradiction inhérente qui pousse les entreprises à ne pas communiquer leurs risques et les gouvernements à ne pas rendre publics les plans d'urgence identifiant ces risques.

9.3.2 CR pendant la catastrophe

La CR qui a cours au moment de l'urgence s'étend jusqu'à la phase du rétablissement de la situation, par exemple jusqu'à la réintégration des domiciles évacués (à moins, bien entendu, que les habitations n'aient été détruites). Ce point sera traité au chapitre suivant.

9.3.3 CR après la catastrophe

La CR après la catastrophe se confond surtout avec la période des commissions d'enquête. Dans ce cas, on examine le risque sur un mode passé de façon à mieux prévenir. Le public, davantage sensibilisé, peut alors exiger des actions de la part des responsables politiques. Mais c'est aussi le moment où les rapports peuvent tomber dans l'oubli, l'actualité reprenant ses droits pour faire passer la catastrophe au second plan et, avec elle, la gestion du risque qui permettrait d'en éviter une autre. Par exemple, on ne parle en général des risques posés par Tchernobyl qu'aux dates anniversaires de la catastrophe[129].

9.4 COMMUNICATION DU RISQUE EN TANT QUE PROCESSUS

Selon sa définition, la CR est un échange entre un émetteur et un récepteur. La communication idéale, en ce sens, serait une idée parfaitement transmise, c'est-à-dire sans blocage, au destinataire. Toutefois, les limites du cerveau humain rendent cette situation impossible. La communication est donc toujours teintée à la fois par l'émetteur et par le récepteur.

Considérée en tant que processus, la CR nous amène à reparler de l'«amplification sociale du risque» (Kasperson *et al.*, 1988), vue au chapitre sur la perception. Il s'agit du mécanisme selon lequel des événements liés au danger interagissent avec différents processus, notamment psychologiques, organisationnels, sociaux et culturels, pour intensifier ou atténuer la perception du risque et définir les réponses. Bien qu'étudiée surtout en tant que mécanisme influençant les perceptions, l'amplification sociale du risque a été aussi largement analysée dans une perspective de communication du risque : les acteurs servent d'amplificateurs qui traitent l'information et lui répondent de différentes façons (Renn, 1992b).

La CR, analysée à titre de processus, implique donc :

- une source, un émetteur : l'unité qui émet une idée, une intention, un besoin, un objectif, etc, et qui peut être une personne, un groupe ou une collectivité plus large;
- l'encodage de l'idée : l'organisation de la pensée selon un code qui peut être parole, écriture, peinture, geste, décor, etc.;
- un message : la résultante, le produit physique de l'idée et du code, c'est-à-dire un discours, une toile, une mélodie, etc.;
- un canal de transmission : c'est le médium de transmission du message tel que le face-à-face, les médias, etc.; le canal peut se situer sur un continuum allant du formel à l'informel;
- un récepteur : l'unité qui reçoit le message et qui peut être une personne, un groupe ou une collectivité plus large;
- le décodage : l'interprétation du code par le récepteur, influencé par ses capacités, ses attitudes, ses connaissances, sa culture, etc., tout comme l'est l'émetteur à la source;
- la rétroaction, selon les circonstances.

---

129. L'exception à cette affirmation étant le souci, médiatisé en ce moment (novembre 1997), des autorités locales et des experts internationaux d'éviter une autre catastrophe, vu l'état des installations.

Dans ces différentes étapes, la CR se distingue de la communication en général de deux manières. Tout d'abord, la CR suppose toujours un élément anxiogène, risque majeur et catastrophe étant étroitement liés. D'où le grand rôle joué par les scientifiques dans cette communication et l'importance de leur crédibilité. Ensuite la CR, par rapport à la communication en général et surtout à la communication interpersonnelle, a ceci de particulier que l'émetteur qui définit le message peut être distinct de celui qui le transmet. Ainsi, des membres d'un organisme gouvernemental peuvent rassembler des données et les organiser sous forme de message, lequel sera ensuite transmis par un porte-parole qui n'a pas participé à la première étape. En ce sens, le dilemme entre experts et profanes ne se pose pas que pour le récepteur, dans la CR, mais également lors de la constitution et de la transmission d'un message, c'est-à-dire pour l'émetteur.

Il s'agit donc maintenant de reprendre ces différents éléments de la communication en tant que processus pour les explorer davantage.

9.4.1 Émetteur

Selon les caractéristiques de la CR présentées plus haut, l'émetteur peut être une personne seule (rarement) ou plusieurs personnes représentant un groupe ou une organisation. Cet émetteur n'agit pas en vase clos : il est toujours influencé par le contexte soit de sa propre histoire (personnalité, culture, formation, etc.), soit de l'histoire de son organisation, soit de la situation actuelle qui constitue l'objet de la communication. Ces incidences touchant l'émetteur auront un effet sur la communication. Nous proposons d'en examiner quelques-unes.

Il faut rappeler ici que tout ce qui a été vu précédemment, notamment en ce qui concerne la perception et l'évaluation du risque ainsi que la culture, s'applique à la CR et aux facteurs qui influencent la relation émetteur-récepteur.

9.4.1.1   Prestige et connaissances de l'émetteur

Le prestige de l'émetteur est un élément important qui influe sur la communication par le biais de la crédibilité. Si, par exemple, l'émetteur détient un prix Nobel, son message sera jugé plus important et davantage crédible. Le même phénomène se produit — et c'est là un paradoxe — si cet émetteur prestigieux déborde de son domaine d'expertise, par exemple si un Nobel de physique ou de chimie se prononçait sur des questions politiques ou sociologiques. C'est ce que la psychologie appelle l'effet de halo.

Dans le même ordre d'idée, il arrive que même à l'intérieur des domaines scientifiques, les spécialistes n'ont pas toujours les connaissances correspondant au thème précis de la CR qui est en jeu. Il est par exemple des cas où les représentants du domaine de la santé, tels les médecins, doivent expliquer les risques de contamination de l'eau potable par des produits chimiques, alors qu'ils ne sont pas des spécialistes de la chimie, encore moins de la chimie de l'eau potable. La même remarque peut s'appliquer, toujours dans ce cas de la contamination de l'eau potable, au directeur local du service des eaux – s'il est par exemple ingénieur de formation (Fessenden-Raden *et al.*, 1987).

La plupart du temps, ces limites peuvent être surmontées lorsque l'émetteur s'entoure d'experts du domaine en cause afin de répondre aux préoccupations des récepteurs. Il reste toutefois que la population est portée à croire les spécialistes, même lorsque ces derniers s'aventurent hors de leur spécialité, ceci d'autant plus que les distinctions subtiles de formation ou d'expertise ne sont pas toujours évidentes pour les profanes. En ce sens, l'émetteur peut être crédible alors que le contenu de la communication est inadéquat. Nous reviendrons plus loin sur cet aspect.

9.4.1.2 Grilles de référence

Ce thème, développé entre autres dans le chapitre sur la culture, a une influence sur la communication. Les grilles de référence en effet montrent comment les perceptions de l'émetteur filtrent la réalité et transmettent une vision particulière de celle-ci. À l'intérieur d'un même gouvernement, par exemple, des ministères ont des grilles différentes relativement à l'importance du secret ou de l'ouverture et encadrent donc différemment la CR (Denis, 1993a).

9.4.1.3 Valeurs

Deux importants groupes de communicateurs du risque sont constitués par les scientifiques et par les représentants des médias (ces derniers lorsqu'ils agissent à titre d'émetteurs). Leurs valeurs viennent donc teinter le processus de communication.

a) Valeurs des scientifiques à l'égard du public

Selon Sandman (1986), plusieurs raisons liées aux valeurs font que les scientifiques tendent à éviter de jouer le rôle d'émetteur dans la communication avec le public. Ces raisons, dont il y a lieu de tenir compte si l'on veut comprendre globalement la CR – en particulier du fait de l'importance de la communication scientifique lorsqu'il est question de risque –, sont entre autres les suivantes :

• Le terme de «vulgarisation» scientifique, dans la communication, exprime bien le peu de considération de la communauté scientifique pour cette communication vers le grand public.

• La simplification de réalités complexes peut donner l'impression que tout est facile, avec comme conséquence de diminuer le prestige du scientifique.

- On hésite à expliquer clairement les choix et les actions, notamment parce que, parfois, l'incertitude et des jugements de valeur président à ces choix ou à ces actions.

- Si la connaissance est pouvoir, le partage des connaissances par le biais de la communication suppose le partage du pouvoir.

- L'expert peut craindre de paraître incompétent ou de dire quelque chose qui n'est pas exact.

- L'expert peut craindre d'être mal traduit par les journalistes, même s'il s'est exprimé correctement.

- L'information du public exige du temps et les experts ont généralement peu de temps.

- L'expert peut craindre les poursuites judiciaires.

Plusieurs de ces raisons ont trait, on le voit, au double rôle du scientifique en tant qu'expert et en tant que communicateur (Denis, 1991c). Ces deux volets peuvent sembler incompatibles à certains experts, qui préfèrent se cloisonner dans leurs analyses et dévalorisent parfois, en conséquence, l'effort de leurs collègues qui mettent l'accent sur la communication.

b) Valeurs des médias

Les représentants des médias sont aussi influencés, consciemment ou non, par leurs propres valeurs. Ils ont parfois tendance à mettre l'accent sur la panique et sur les rumeurs ou encore à rechercher le sensationnel. Cela fait vendre leurs produits, ce qui sous-entend un certain nombre de valeurs : par exemple que le journaliste a à cœur de conserver son emploi ou d'être reconnu, ou encore que le propriétaire du média se préoccupe d'accroître ses revenus (le journaliste peut aussi en retirer un avantage financier à l'occasion). Bien entendu, à côté de ces valeurs bassement matérielles, d'autres valeurs plus «nobles» – autre jugement de valeur – peuvent entrer en ligne de compte, tel le droit du public à l'information.

Dans les faits, cependant, l'accent mis sur un aspect ou l'autre du risque découle de l'interprétation que font les représentants des médias, en tant que profanes, d'une situation complexe. En effet, il ne faut pas oublier que les journalistes, à quelques exceptions près, ne sont pas spécialisés et s'apparentent à des profanes dans le domaine des risques ou de la technologie. D'un côté, une telle situation offre l'avantage de les rapprocher du public qu'ils doivent informer; de l'autre, se pose la question de l'interprétation des données qu'ils ont reçues, à titre de récepteurs, et qu'ils doivent retransmettre, en tant qu'émetteurs.

9.4.1.4 Stéréotypes

Les stéréotypes constituent des idées préconçues qui biaisent les perceptions. Ils permettent à une personne de simplifier la complexité de la réalité qui l'entoure en classant celle-ci dans des catégories préétablies et bien définies. Les émetteurs, dans la CR, ne sont pas à l'abri du phénomène, comme le montrent les stéréotypes, entre autres, des scientifiques et des représentants gouvernementaux. Il est à noter que, si l'accent dans ce qui suit a été mis sur ces deux groupes de personnes en particulier, cela ne reflète nullement un jugement de valeur de notre part mais correspond plutôt à ce qui a été retrouvé dans la littérature spécialisée.

a) Stéréotypes des scientifiques

Selon Thorne (1995), on retrouve des stéréotypes chez les experts lorsque ces derniers sont émetteurs dans la CR. Ainsi, pour certains d'entre eux :

- Il existe une façon simple de rendre la communication du risque facile.
- Une communication du risque améliorée réduit les conflits et adoucit la gestion du risque.
- Si les gens comprenaient les comparaisons quant au risque, il leur serait plus facile de prendre des décisions.
- L'information scientifique peut résoudre tous les problèmes importants concernant un risque.
- Il est facile d'identifier et de comprendre les valeurs, les préférences et les besoins d'information des acteurs concernés par le risque.
- Les médias sont des causes importantes des problèmes qui se posent dans la communication du risque.
- Le public désire des réponses simples quant à ce qu'il faut faire dans chaque cas.

Certains stéréotypes, tel le dernier mentionné, peuvent certes refléter la réalité. Des affirmations comme celles qui précèdent ne présentent en fait un danger de biais que si elles traduisent une idée préconçue de l'émetteur, qui l'amène à filtrer la réalité et l'empêche de voir clairement ce qui l'entoure. Le stéréotype implique que, pour le scientifique par exemple, *tous* les publics agissent de la même façon. Par conséquent, pour lui, tous les publics désirent une réponse simple, et il est exclu que certains soient prêts au contraire à faire l'effort de comprendre des explications complexes.

b) Stéréotypes des représentants gouvernementaux

Il semble que les représentants gouvernementaux adhèrent aussi, parfois, à certains stéréotypes relatifs au public-récepteur (Kasperson, 1986). Évidemment, ils ont souvent des intérêts à défendre dans la CR. Par ailleurs, comme ils s'adressent à différents publics, ils peuvent être portés à simplifier la diversité des auditoires au moyen des stéréotypes. Les représentants gouvernementaux ont par exemple tendance, à l'instar des scientifiques, à percevoir la CR comme ayant pour but :

- de corriger les fausses perceptions du public;
- d'éduquer celui-ci;
- d'atténuer les conflits;
- de faciliter l'implantation d'un projet ou d'en accroître la légitimité.

Certains représentants gouvernementaux pensent également – autre stéréotype – que le public a tendance à ignorer les alertes, que ce soit par déni ou par tout autre mécanisme psychologique. Il y a aussi le stéréotype de la panique du public et, enfin, celui de son comportement asocial lors d'une catastrophe. Pourtant, les recherches dans le domaine démontrent que ces derniers comportements sont peu fréquents (Quarantelli, 1977; Turner *et al.*, 1986). D'autre part, en ce qui a trait à l'ignorance des alertes, les recherches indiquent, là aussi, que le public a au contraire un comportement de prudence, en particulier à l'égard des risques technologiques en général, et davantage encore si l'événement est à forte connotation symbolique (Brunn *et al.*, 1979).

Il faut donc être sensible à l'existence de stéréotypes dans la mesure où ils masquent la réalité et où ils sont susceptibles de teinter la communication du risque, encadrant alors celle-ci dans un sens qui biaise le réel.

9.4.1.5 Climat de la communication

Parmi les facteurs influençant l'émetteur d'une CR, il importe de considérer le climat de la communication, comme en témoigne l'exemple suivant[130]. Il s'agit de la communication relative à l'implantation d'un site d'enfouissement de déchets nucléaires à Yucca Mountain, au Nevada. Cette CR s'est faite dans un tel climat d'affrontement entre les parties qu'elle s'est soldée, au bout du compte, par un échec (Flynn *et al.*, 1993b). Les responsables du projet avaient pourtant prévu une campagne d'information auprès du public, campagne bien financée et réalisée de façon professionnelle. Mais ils avaient présupposé – exemple de stéréotype – que le public ne comprenait pas le problème et qu'il fallait simplement le rassurer avec de l'information scientifique.

Dans les faits, toutefois, l'opposition du public ne provenait pas seulement de la peur des risques de radiations. Elle était aussi causée par une profonde méfiance envers l'industrie nucléaire et le Département de l'énergie qui la régit, par des préoccupations liées à l'équité ainsi que par le désir des gouvernements locaux (municipalité et État) de contrôler le projet. La communication s'est donc faite dans un climat de méfiance et d'opposition, et la campagne d'information a été un échec, se retournant même contre les promoteurs.

9.4.1.6 Crédibilité de l'émetteur

La crédibilité est l'un des éléments les plus importants de la CR, ayant d'ailleurs été surnommée le «Saint-Graal de la communication du risque» (Otway et Wynne, 1989 : 144). Il s'agit cependant d'un attribut qui est difficile à doser correctement. En effet, la trop grande crédibilité d'un émetteur peut nuire à la sécurité, parce qu'elle empêche les remises en

---

130. Cet exemple illustre aussi un cas de CR basée sur un stéréotype, mais nous avons préféré mettre ici l'accent sur le climat.

question qui seraient nécessaires pour juger adéquatement d'un contenu. D'un autre côté, le contenu le plus juste, sans crédibilité de l'émetteur, peut rester lettre morte.

La crédibilité de l'émetteur dépend parfois de la relation de pouvoir qui s'établit entre lui et le récepteur. Car, selon Sandman (1986), le contenu d'une communication peut être refusé parce que le récepteur se sent impuissant face à l'émetteur, un peu, selon l'auteur, comme un enfant qui trouve injuste la décision d'aller au lit sans considérer s'il s'endort ou non. Il s'ensuit qu'une grande crédibilité de l'émetteur est nécessaire pour compenser un manque de pouvoir chez le récepteur.

Cette crédibilité ne surgit pas spontanément du vide absolu. Elle se construit par une relation de confiance qui s'établit, dans le temps. Cela signifie que, si la crédibilité de l'émetteur n'est pas présente dans la CR, le premier pas – obligatoire – consiste à la constituer. Dans ce qui suit, nous allons donc considérer d'abord la crédibilité de certains groupes de communicateurs du risque, pour décrire ensuite le caractère relatif du phéno-mène et, enfin, son caractère dynamique.

a) Crédibilité des scientifiques

Qu'est-ce que la crédibilité appliquée au scientifique? Pour Fischhoff (1996), cet attribut exige un certain nombre de conditions, à la fois scientifiques et sociales, qui se divisent en conditions immédiates et ambiantes (c'est-à-dire de contexte). Toutes ces conditions, en fait, concernent le domaine des connaissances :

- Conditions scientifiques :
  - Conditions immédiates. Il s'agit de la connaissance du sujet traité, y compris les modèles théoriques, les instruments, les analyses, etc.
  - Conditions ambiantes. Ce sont les connaissances relatives à l'historique, aux perspecti-ves théoriques plus larges, etc.

- Conditions sociales :
  - Conditions immédiates. Ce sont les connaissances des analystes du domaine, leur recon-naissance par les pairs, etc.
  - Conditions ambiantes. Il s'agit de la connaissance de la communauté scientifique du domaine, des régulations, etc.

Concrètement, selon le même auteur, un émetteur scientifique doit démontrer, s'il veut asseoir sa crédibilité (Fischhoff, 1996) :

- de l'empathie, du *caring*, de la sincérité, une capacité d'écoute et une capacité de voir les problèmes à la place de l'autre;
- de la compétence et de l'expertise, de l'autorité, de l'expérience, un niveau de formation élevé, des réalisations professionnelles et une connaissance approfondie de l'information;

- de l'ouverture et de l'honnêteté, de la justice, de l'objectivité, de la sincérité et une absence de parti pris (c'est-à-dire une relative indépendance);
- du dévouement et de l'engagement, de l'altruisme, de la diligence et une attitude sérieuse.

L'expertise n'est donc pas tout. En fait, parmi les facteurs ci-dessus, le premier est, selon l'auteur, le plus important. Ce jugement du récepteur concernant l'empathie de l'émetteur peut survenir pendant les premières minutes, parfois pendant les trente premières secondes de la CR. Et, une fois établi, il est extrêmement difficile à modifier (comme d'ailleurs tout jugement). Il n'y a donc pas que la compétence qui renforce la crédibilité du scientifique, l'attitude est également cruciale : sa disponibilité après une présentation, l'arrivée à l'heure à une rencontre prévue et le fait de rester quelque temps après, par exemple, sont autant de signes de sa considération envers le public.

Selon Covello (1994), on note des différences dans l'évaluation de la crédibilité selon le sexe, les femmes recevant une plus faible évaluation en ce qui concerne la compétence et l'expertise. Mais comme elles reçoivent le plus souvent une meilleure cote quant aux autres critères, cela fait en sorte qu'une femme jugée experte l'emporte en général haut la main. Cependant, les hommes n'étant généralement pas jugés compatissants, honnêtes et dévoués à la santé publique, dans les rares cas où un homme se classe bien quant à l'ensemble de ces critères, il l'emporte sur la femme, même si cette dernière est jugée la plus compétente et possède elle aussi l'ensemble des critères.

Ces résultats semblent indiquer que s'il vaut mieux, selon le mot de l'humoriste québécois Yvon Deschamps, «être riche et en santé que pauvre et malade», il serait plus profitable à un expert, pour être crédible, non seulement d'avoir de l'empathie, de la compétence, de l'ouverture et du dévouement, mais aussi, en bout de ligne, d'être un homme...[31]

b) Crédibilité des industriels et des représentants des gouvernements

Deux groupes importants de communicateurs du risque, à savoir les industriels et les représentants des gouvernements, jouissent souvent d'une faible crédibilité, la population percevant généralement que les seconds sont manipulés par les premiers (Covello, 1994). Ces groupes disposent cependant de grandes quantités d'information, mais on ne leur fait pas confiance dans la diffusion de celle-ci, notamment parce qu'on juge qu'ils ont été :

- insensibles aux préoccupations et aux peurs du public;
- non désireux de reconnaître les problèmes;
- non désireux de partager l'information;
- non désireux de faire participer la population;
- négligents à remplir leurs responsabilités environnementales.

---

131. Sans commentaires!

Ces facteurs, selon le même auteur, sont liés aux faits suivants :

- Il y a des débats entre experts. Par exemple, une étude de la U.S. Nuclear Regulatory Commission (1987) estime que le risque que le cœur du réacteur fonde dans une centrale nucléaire s'étend de 1 sur 10 000 à 1 sur 1 000 000, selon l'hypothèse de base retenue.
- Les ressources pour les analyses du risque et les actions correctrices ne correspondent pas aux demandes des citoyens.
- La coordination entre les agences gouvernementales est déficiente, les systèmes de régulation étant fragmentés. Tout cela amène aussi des analyses du risque contradictoires, diminuant encore plus la confiance du public.
- Plusieurs représentants des gouvernements ou de l'industrie n'ont pas de formation dans le domaine des relations avec la communauté et avec les médias : leur emploi d'un jargon incompréhensible est perçu comme un moyen d'éviter les vraies réponses.
- Plusieurs de ces responsables sont insensibles aux besoins d'information du public, qui varient selon la catégorie de population.

c) Crédibilité relative

La crédibilité est susceptible de varier selon les différents émetteurs. Il existe en fait une échelle de crédibilité de ces émetteurs, celle-ci variant selon les différents récepteurs en fonction de caractéristiques précises. Ainsi, une enquête française effectuée en Isère en 1989 et portant sur les risques naturels (Lalo, 1992) a montré que les professionnels les plus crédibles sont ceux qui réunissent trois atouts, à savoir :

- l'expertise;
- l'indépendance par rapport aux enjeux;
- le service aux citoyens.

Selon ces critères, viennent dans l'ordre :

- les pompiers (73 % des répondants leur feraient confiance pour de l'information sur les risques de catastrophe naturelle);
- le personnel du Service des eaux et forêts (61 %);
- les scientifiques (60 %);
- les associations de protection de l'environnement (57 %);
- les écologistes (49 %);
- les paysans, chasseurs, pêcheurs ou guides de haute montagne (49 %);
- le Service de météorologie (44 %);
- les associations de consommateurs (43 %);
- les médecins (41 %);
- les ingénieurs de l'Environnement (40 %);
- les gardes champêtres (37 %);
- les organismes privés spécialisés (34 %);

- le préfet (28 %);
- les enseignants (20 %);
- les élus de la région (20 %);
- l'armée (19 %);
- les pharmaciens (19 %);
- les journalistes (17 %).

L'étude a le mérite de couvrir de nombreuses catégories de personnes et de faire des distinctions parmi les fonctionnaires de l'État. Ainsi, dans ce cas particulier des risques naturels, les représentants des Eaux et Forêts obtiennent une meilleure cote que ceux de l'Environnement et de l'Industrie (pourtant bien notés, selon l'auteur, lorsqu'il s'agit des risques industriels).

En dépit du fait que les journalistes, dans la recherche précédente, ont reçu le dernier prix dans les «concours» de crédibilité, une autre étude, faite au Québec sur les dangers des lignes d'énergie électrique (Moreau, 1987), a monté que la crédibilité des journalistes est parfois plus grande que celle d'autres experts, tels les spécialistes de la santé. L'auteur dira en effet que le scepticisme du public persiste :

> [...] même si l'on indique aux participants aux entrevues que nous avons menées que ce sont des médecins qui mettent en cause les lignes électriques et que des recherches scientifiques ont donné des résultats tendant à confirmer ce point de vue. Ces prises de position et la publication des résultats de quelques recherches scientifiques dans les journaux sont moins éloquentes, pour nos informateurs, que l'absence de reportage spectaculaire et de suivi dans les journaux, de prises de position officielles des autorités publiques ou de resserrement des mesures de sécurité. L'absence de débat dans les journaux est indicative de l'importance du problème puisque «s'il y avait quelque chose là», les journalistes, toujours à l'affût du sensationnel, auraient tôt fait d'en parler. (Moreau, 1987 : 12.)

d) Crédibilité dynamique

La crédibilité est un phénomène dynamique. En effet, la position sur l'échelle de la crédibilité n'est pas donnée une fois pour toutes. À titre d'exemple, un sondage effectué parmi la population américaine (Covello, 1994) a montré tout d'abord, à un moment précis dans le temps (1991), la position de certains groupes eu égard à la crédibilité. Sur cette échelle, le groupe le plus crédible était constitué :

- des médecins et autre professionnels de la santé;
- des professeurs (surtout les professeurs ayant beaucoup d'expérience et appartenant à des universités locales respectées);
- de certains citoyens respectés, bien informés;

- des organismes bénévoles sans but lucratif;
- des employés non cadres.

Le groupe du milieu était constitué des médias et des groupes environnementaux. Enfin, le groupe le moins crédible était formé par les représentants de l'industrie, par les représentants du gouvernement fédéral et par les consultants en environnement au service de firmes privées.

L'étude de 1994 est intéressante en ce qu'elle montre l'évolution de l'évaluation dans le temps. Ainsi, par rapport aux années précédentes et pour ce qui est de la crédibilité, les groupes environnementaux ont perdu de 10 à 15 %, les médias ont gagné de 5 à 10 % et les représentants des gouvernements et des industries ont perdu environ 10 %. Bien entendu, de nombreux éléments peuvent expliquer ces variations, notamment le moment où le sondage a lieu (par exemple après un événement catastrophique).

Entre autres facteurs, la découverte – souvent le fait de journalistes qui prennent leur travail au sérieux – qu'un émetteur a menti dans le passé provoque une baisse de crédibilité. Confirmant ce que nos propres recherches sur l'introduction des changements technologiques en entreprise avaient démontré, on constate que le mensonge, «par action ou par omission» pour reprendre une terminologie religieuse, ne pardonne pas dans la CR. La pente à remonter est ensuite très abrupte pour les émetteurs coupables comme pour leurs successeurs, la méfiance chez les récepteurs s'étendant parfois sur plusieurs années.

Le phénomène, il faut le noter, touche non seulement les mensonges flagrants, mais aussi les demi-vérités qui caractérisent parfois la CR. En ce qui concerne ces dernières, il a été question dans les médias, en août 1997, d'un important incendie dans une usine de plastique de l'Ontario, au Canada, incendie qui aurait gravement contaminé l'environnement. On mentionnait le fait que les résidants ne voulaient plus entendre parler de CR et n'assistaient plus aux assemblées d'information, convaincus qu'ils étaient qu'on leur avait caché – et leur cachait encore – des parties de la vérité. Quelle que soit la situation réelle dans ce dernier cas, de tels comportements révèlent la faible crédibilité des représentants des gouvernements et de l'industrie.

Dans le même ordre d'idée des demi-vérités, il y a lieu de soulever une autre question – qui concerne cette fois l'émetteur scientifique –, à savoir si celui-ci exprimera ou non les difficultés liées aux analyses de risques. On sait que, souvent, ces analyses butent davantage sur les probabilités que sur les conséquences. C'est qu'on peut assez bien évaluer les conséquences d'un danger, mais il est beaucoup plus difficile d'en soupeser les probabilités et surtout de déterminer la plage de temps où l'événement pourrait survenir. Pourtant, le public s'intéresse autant sinon plus aux probabilités qu'aux conséquences. S'attarder sur un aspect en passant l'autre sous silence peut amener le public à accuser l'émetteur d'offrir des demi-vérités, réduisant du même coup sa crédibilité.

e) Crédibilité ou authenticité?

Lorsqu'il a été question de la difficulté de doser correctement la crédibilité (9.4.1.6), une relation a été établie entre la crédibilité de l'émetteur et le contenu du message. Ainsi, une trop grande confiance dans l'émetteur, si sa crédibilité est très élevée, peut affaiblir la vigilance quant au contenu de la communication, entraînant possiblement une diminution de la sécurité (Otway et Wynne, 1989). Crédibilité et contenus, en effet, sont étroitement liés. Car bien que la crédibilité concerne principalement la relation entre l'émetteur et le récepteur, elle s'étend également au contenu du message transmis.

C'est la raison pour laquelle les mêmes auteurs proposent un autre concept que celui de la crédibilité, l'authenticité. Leur distinction est intéressante dans la mesure où, pour eux, la crédibilité peut être manipulée, contrairement à l'authenticité. C'est que la première concerne non seulement les relations, mais surtout, en définitive, les contenus. Ainsi :

> Plusieurs professions, de la science-fiction aux ventes de voitures usagées, tentent de rendre crédible ce qui ne l'est pas nécessairement [...] Une information «crédible» peut néanmoins correspondre à des relations non authentiques. Les notions courantes de CR évitent une question de politique plus large qui doit être traitée de façon constructive : quelle sorte de relations sociales doivent être favorisées entre l'industrie, les gouvernements et les publics? Dans la gestion du risque comme ailleurs, l'information ne devient une tentative authentique de communication que lorsqu'il y a engagement social.

> Une information crédible est un *artefact*, présenté dans des emballages soigneusement conçus, alors qu'une communication authentique implique des relations soutenues dans lesquelles la confiance mutuelle et le respect sont cultivés. L'authenticité, par exemple, suppose la reconnaissance ouverte des inévitables incertitudes et difficultés rencontrées dans la gestion des risques technologiques, ce qui serait normalement considéré comme un obstacle à la crédibilité [...] (Otway et Wynne, 1989 : 144.)[132]

Les auteurs lient donc directement l'authenticité aux relations et, par voie de conséquence, à la vérité du contenu de la CR, quel qu'il soit. Pour eux, la crédibilité au contraire reste attachée à la présentation de ce contenu, que la crédibilité de l'émetteur contribue à rendre plus acceptable. En fait, on sent que les auteurs s'érigent principalement contre la manipulation qui caractérise parfois la CR. Pour nous cependant, crédibilité et authenticité sont considérées comme synonymes, comme l'a montré notre discussion sur le mensonge ou les demi-vérités. Mais il est vrai que, tant que ces derniers ne sont pas découverts, un émetteur peut rester crédible (dans ce cas toutefois, le même raisonnement peut s'appliquer au concept d'authenticité).

---

132. Notre traduction.

Car, selon nous, la crédibilité d'un émetteur, même si elle est élevée, n'empêche pas le récepteur de prendre également en considération le contenu d'un message sur le risque. C'est d'ailleurs ce qu'a montré une étude pilote sur les besoins en information sur le risque effectuée en Italie (De Marchi, 1991b). L'auteur a en effet découvert que ce qui retient l'attention en premier lieu, dans la CR, c'est le contenu du message, en particulier lorsqu'il s'agit d'actions précises à poser. Seulement un quart de la centaine de personnes interrogées prêtait attention au messager. Même s'il se garde de généraliser ses résultats, le chercheur les explique de la manière suivante :

> [...] les gens vivent dans un monde de communication et ne font pas nécessairement la différence entre les intrants informationnels en fonction de leur source. De plus, les gens sont souvent ignorants des différences entre les sources, les émetteurs et les canaux. (De Marchi, 1991b : 212.)[133]

Tout cela met en contexte l'influence de la crédibilité, sans toutefois lui enlever son rôle d'élément important, pour l'émetteur, dans la communication du risque.

9.4.2 Encodage

La deuxième étape du processus de la communication du risque est l'encodage. Que ce soit volontairement ou spontanément, le communicateur choisit toujours certains codes aux dépens d'autres codes. Ces codes sont par exemple les mots, les graphiques, les images (qui ont fait dire qu'une image vaut mille mots), la musique, les décors, les gestes, etc. Dans le domaine de la CR, on pense aussi spontanément aux pictogrammes associés aux produits dangereux.

Mais les choix de codes ne sont pas infinis. Ils sont notamment limités par les connaissances, tout d'abord, et aussi par la nécessité d'être adaptés au canal retenu. Il est évident par exemple – mais on n'y pense pas toujours – que les codes des médias écrits sont plus larges que ceux de la radio. Contrairement aux seconds, les premiers publient généralement plus de détails et peuvent recourir à des graphiques et autres illustrations. De même, la télévision a ses possibilités propres, bien que le récepteur ne dispose dans ce cas que de peu de temps pour examiner un graphique.

Parmi l'ensemble des questions relatives à l'encodage, trois d'entre elles nous semblent particulièrement importantes : il s'agit de l'importance du non-verbal, du choix des mots et des statistiques, et des problèmes de langue.

---

133. Notre traduction.

9.4.2.1 Comportements non verbaux

Lorsqu'il est question de communiquer un risque, le langage non verbal est crucial. Il s'agit en premier lieu du langage des gestes et de l'expression du visage, qui constituent autant de codes pouvant exprimer une idée. Le problème, c'est que cette expression est le plus souvent inconsciente : écarquiller les yeux, hésiter à s'exprimer sont en général des comportements spontanés. C'est d'ailleurs la raison pour laquelle les spécialistes de la communication insistent sur la maîtrise de ces expressions auprès de leurs clients, de façon qu'ils ne se «trahissent» pas.

Ces types de comportements sont des codes qu'il faut déchiffrer et qui varient selon les cultures. Par exemple, regarder quelqu'un dans les yeux en parlant peut être interprété, selon les grilles de référence et les croyances, comme de la franchise ou de l'effronterie. Si l'on se trouve dans un environnement du premier type, ne pas regarder son public en communiquant un risque peut être le signe que l'émetteur a quelque chose à cacher, avec des conséquences sur sa crédibilité.

Dans cette catégorie du non-verbal entrent aussi les décors, telle la symbolique des moyens de transport au moment d'une catastrophe (hélicoptères, etc.). Ou encore le niveau hiérarchique du communicateur : le président de l'entreprise s'est-il déplacé en personne ou a-t-il envoyé un subordonné? L'équilibre ici est parfois difficile à atteindre, car le déplacement du président signifie éalement que l'événement est important, donc qu'il peut y avoir danger. D'autres exemples de codes entrant dans cette catégorie ont été donnés plus haut concernant la crédibilité : arriver à l'heure, rester après une réunion pour répondre à des questions, tous ces comportements qui indiquent qu'on a de l'empathie pour le public sont, en fait, des comportements non verbaux.

9.4.2.2 Mots et statistiques

Encoder, c'est aussi choisir des mots, avec le sens que chacun des publics peut leur attribuer. Ainsi, parler de «gestion du risque» est le résultat d'un choix de mots : pourquoi ne pas employer plutôt «réduction du risque» ou encore «élimination du risque» (Keating, 1989)? De la même façon, le terme de risque «acceptable», vu précédemment, revêt aussi différentes connotations.

Le choix des mots renvoie aux valeurs et, bien entendu, à la connaissance des termes, qui peut varier selon les cultures ou selon les personnes. Par ailleurs, ce choix de mots soulève aussi la question du niveau de langage approprié. Les mots ne doivent être ni trop savants ni trop simplistes, signifiant dans ce dernier cas qu'on croit le public ignare. En fait, tout est question d'équilibre et, surtout, de respect de l'autre. Car le choix des codes reflète, en définitive, l'attitude de l'émetteur envers le récepteur.

Le choix des codes, c'est aussi le choix des chiffres, des statistiques. Par exemple, au cours d'une expérience (McNeil *et al.*, 1982, cité par Kunreuther et Slovic, 1996b), on a donné à des patients atteints de cancer une description détaillée de deux méthodes de traitement parmi lesquelles ils devaient choisir : l'intervention chirurgicale ou la radiothérapie. Dans un cas, on a mis l'accent sur les probabilités de survie, dans l'autre, sur les probabilités de mortalité. Ainsi, plutôt que de dire que 68 % des patients survivent au traitement par radiations, on mentionnait que la probabilité de mourir était de 32 %. Le choix du traitement par radiations a alors chuté de 44 % à 18 % et ce, aussi bien chez les médecins que chez les profanes. La façon de présenter les statistiques, en ce sens, n'est pas neutre.

9.4.2.3 Problèmes de langue

Il peut s'agir tout d'abord des difficultés de communication entre langues différentes, par exemple entre les membres de minorités ethniques (hispanophones en Californie, asiatiques à Montréal, etc.) et la communauté plus large. Mais les problèmes de langue peuvent aussi être liés au jargon des scientifiques. Il est bien rare en effet que l'information, dans ce domaine, soit simple, dans la mesure où les données scientifiques présentent souvent de l'incertitude, ce qui peut amener des évaluations différentes du degré de risque. D'où un besoin de traduction pour atteindre le profane, en l'occurrence la population mais aussi les fonctionnaires ou les journalistes. Toutefois, certains stéréotypes des scientifiques concernant l'utilisation d'un langage trop simple, vus précédemment, peuvent aller à l'encontre de ce besoin.

9.4.3 Message

Le message résulte de la réunion d'une idée et d'un code. Il peut s'agir d'un discours, d'un communiqué de presse ou d'une autre unité de communication. C'est donc sur le sens de l'ensemble qu'il convient maintenant de s'attarder.

Ce sens peut varier selon l'assemblage des mots, leur place dans la phrase, la ponctuation à l'écrit et l'intonation dans le discours. On pense par exemple à la formule «les clients qui pensent que le service est pourri devraient voir le gérant», qui peut s'interpréter différemment selon le ton lorsqu'elle est entendue et selon la ponctuation lorsqu'elle est lue.

Dans tous les cas, le message peut influencer des comportements ou des attitudes par le seul fait qu'il amène à percevoir un risque. Car communiquer un risque à quelqu'un, c'est déjà le sensibiliser à ce risque. Une étude de Morgan *et al* (1985) a ainsi montré que les jugements sur les risques liés aux lignes à haute tension varient selon que le public a ou non reçu de l'information – au demeurant neutre – sur le sujet. En ce sens, quel qu'en soit le contenu, le message en lui-même influence les perceptions.

Un certain nombre d'éléments – dont la liste n'est pas exhaustive – sont à prendre en considération lorsqu'il est question du message. Il s'agit de son contenu, quantitatif et qualitatif, de l'utilisation des analogies et de l'incertitude inhérente tant au contexte qu'au contenu du message.

9.4.3.1 Contenu quantitatif du message

Quantitativement, le message présente deux dangers : d'une part, celui de comporter trop d'information et, d'autre part, celui de ne pas en offrir suffisamment. Dans le premier cas, la surcharge d'information peut noyer l'essentiel parmi les détails. Ou multiplier l'information contradictoire, en particulier lorsqu'elle provient de trop nombreuses sources. Trop d'information peut aussi diluer le message lorsqu'elle passe à travers de multiples canaux.

À l'autre extrémité, le manque d'information rend le message caduc et accroît l'anxiété. De telles situations se produisent plus fréquemment que ne l'affirment généralement les autorités responsables. Par exemple, selon Perrow (1986), l'information sur le risque n'aurait pas été donnée :

- lors d'un accident où il y a eu fonte du réacteur à Fermi 1, à Détroit, en 1966;
- lors d'un incendie dans une centrale nucléaire à Windscale, en Angleterre, où l'on a attendu quatre jours avant d'avertir le public;
- au Nevada où, les essais atomiques n'étant pas annoncés, les enfants pouvaient jouer avec les flocons radioactifs comme avec de la neige;
- en France, où l'on a caché deux accidents nucléaires et nié pendant plusieurs jours que les retombées de Tchernobyl avaient été 400 fois plus fortes sur Paris;
- en URSS, à Khystym dans l'Oural en 1957, où un accident dans un entrepôt de déchets nucléaires, bien qu'annoncé par le Danemark, n'a été reconnu par les États-Unis qu'après 10 ans.

Il faut dire également que l'information sur les retombées de Tchernobyl s'est toujours voulue rassurante dans tous les pays occidentaux, alors que, dans les faits, l'incertitude quant aux effets réels n'a jamais été complètement levée, soit que les échantillons aient été perdus ou détruits, soit que les tests n'aient pas été effectués au moment où c'était nécessaire.

9.4.3.2 Contenu qualitatif du message

Il n'y a pas que la quantité d'information à considérer dans le message. La qualité aussi est importante, entendue au sens de ce que doit contenir un message et des facteurs qui le rendent plus clair ou plus crédible.

Relativement au contenu du message, pour aider les experts dans leur tâche de CR, la communauté scientifique américaine a recommandé que les prédictions de tremblements de terre incluent au moins six éléments (Sorensen *et al.*, 1984) :

- le moment où se produira l'événement;
- la plage de temps dans laquelle se produira l'événement attendu;
- l'ampleur de l'événement;
- son lieu;
- son impact relativement aux pertes;
- les probabilités que l'événement survienne.

Ces éléments, dans la CR, sont souvent des sources d'incertitude en ce qu'ils correspondent à des images de pertes variées, mais aussi à des émetteurs et à des canaux différents. Car la CR n'est pas homogène : elle constitue souvent une sorte de *patchwork* composé de multiples émetteurs et récepteurs agissant simultanément, et les messages reflètent cette complexité.

Selon Nigg (1995), le contenu d'un message de CR devrait :

- être lié à une institution scientifique, sans être du jargon scientifique;
- spécifier pourquoi on fait une annonce à ce moment-ci;
- expliquer le degré de risque, sur le plan des conséquences sociales (niveau de l'inondation, force du vent, dommages prévisibles, etc.); le récepteur doit personnaliser le risque, croire qu'il est réellement en danger personnel;
- être à jour;
- ne pas trop mettre l'accent sur le danger pour ne pas nuire à l'effet de sensibilisation;
- expliquer quoi faire pour réduire le risque; si les gens ne savent pas quoi faire, leur réponse peut être inadéquate ou ils peuvent refuser le risque;
- expliquer ce que le gouvernement compte faire pour donner une perspective d'ensemble, collective, de l'action;
- être exprimé en langage clair.

À quoi on peut ajouter, avec Unsworth (1994), que le message devrait :

- être personnalisé, pas trop formel;
- être aussi bref que possible, sans toutefois négliger l'information nécessaire;
- expliquer pourquoi il y a risque.

On constate que la personnalisation est importante (les deux auteurs précédents la mentionnent). Des recherches ont en effet montré que plus un message s'adresse à un groupe en particulier, plus il est cru (Quarantelli, 1990). C'est sans doute la raison pour laquelle tout l'art des spécialistes de la communication consiste, en premier lieu, à trouver qui sont les publics, pour ensuite ajuster leurs messages en fonction de chacun d'entre eux, de leurs préoccupations, de leurs intérêts, de leurs croyances, etc.

Un autre élément important, lorsqu'il est question de contenu qualitatif du message, est la symbolique du risque. Celle-ci suppose une forte connotation affective attachée aux conséquences, incluant une dimension anxiogène. Comme nous l'avons vu plus haut, les connotations les plus senties se rapportent au nucléaire, à cause des conséquences sur les générations à venir. Les produits contenant des BPC appartiennent à la même catégorie, puisqu'on les accuse d'être cancérigènes. Même si des scientifiques ont souligné le caractère non rationnel de ce type de perceptions, en démontrant par exemple que de nombreux produits sont plus dangereux que les BPC, ces contre-messages sont le plus souvent inutiles. Tout au plus peuvent-ils servir à augmenter la liste des risques mythiques. Le combat contre un mythe est en effet une tâche de titan.

9.4.3.3 Analogies

On a souvent tendance, dans la communication du risque, à établir des comparaisons entre des risques sous forme d'analogies. À titre d'exemple, Sandman (1987) a proposé les analogies suivantes pour illustrer des quantités infinitésimales :

- partie par million : une goutte d'essence dans un réservoir d'automobile plein;
- partie par milliard : un hamburger de 10 cm de long dans une chaîne de hamburgers faisant deux fois et demie le tour de la Terre;
- partie par trillion : une goutte de détergent dans suffisamment d'eau pour remplir un train de wagons-citernes de 16 km de long;
- partie par quatrillion : un cheveu humain parmi tous les cheveux de tous les habitants de la Terre.

Covello (1994), quant à lui, mentionne une analogie fréquemment utilisée, à savoir la comparaison entre le risque posé par l'usine (risque a) et celui de venir à la réunion d'information en voiture (risque b). On met ainsi en parallèle un risque particulier, plus ou moins connu, et un risque connu, quotidien. Parfois, c'est par rapport aux risques naturels que la comparaison est établie. Mais dans tous les cas, de telles analogies présentent, selon l'auteur, un certain nombre de limites, dont les suivantes :

- La comparaison implique que, parce qu'on a accepté le risque b, on aura tendance à accepter le risque a. Rien n'est moins certain.
- La comparaison ne fait pas de différence entre le risque imposé et le risque volontaire. Ce que le public attend, ce n'est pas de savoir ce qui est acceptable, mais de connaître le degré de risque auquel il sera exposé et ce que l'entreprise fera pour y remédier.
- La comparaison ne tient pas compte du contexte du risque. Les risques ont par exemple une dimension qualitative tels les bénéfices perçus, le degré de contrôle, les conséquences,

la familiarisation, etc. Ils reposent, en fait, sur différents critères qu'il y a lieu d'exposer en détail, et ce pour les deux termes de la comparaison.

- La comparaison passe sous silence le fait que les risques présentent de l'incertitude.
- La comparaison passe rapidement sur les conséquences quantitatives des risques, présentant celles-ci de façon unidimensionnelle (p. ex. nombre de morts), alors que d'autres conséquences quantitatives sont aussi présentes (coûts des dommages à l'environnement, dégâts causés par des doses de produits toxiques, etc.).
- La comparaison ne tient pas compte du fait que le risque est perçu en fonction d'absolus. Ainsi, une exposition involontaire au risque de cancer est perçue comme une insulte morale, qui ne se discute pas, même si le risque est moindre que d'autres. À ce moment, toute comparaison devient inutile.

Il y a donc lieu d'être prudent dans l'utilisation des analogies lorsqu'on veut transmettre un message sur le risque. De nombreux aspects, tels que ceux qui sont mentionnés ci-dessus, doivent être soigneusement considérés avant de passer à ce qui peut sembler, pour le spécialiste technique, une simple et évidente comparaison que tout le monde devrait accepter.

9.4.3.4 Incertitude liée au contexte du message

En règle générale, selon De Marchi (1995), les messages contiennent de nombreuses incertitudes liées au contexte. Ces incertitudes peuvent être :

- situationnelles : insuffisance ou inaccessibilité de l'information nécessaire à la décision;
- légales, morales : danger de poursuites judiciaires ou de culpabilité;
- sociétales : s'il y a faible intégration sociale des publics et des institutions (c'est-à-dire refus de la crédibilité de l'émetteur de la part du récepteur);
- institutionnelles : information tenue volontairement secrète pour des raisons bureaucratiques;
- liées à la propriété : lorsque le droit à l'information (droit de savoir, d'avertir, de cacher) est contesté;
- scientifiques : difficultés à prédire ou à évaluer un risque.

Pour l'auteur, l'incertitude situationnelle est fondamentale, toutes les autres s'y rattachant. Par ailleurs, les incertitudes légales et sociétales sont en relation directe. Les incertitudes sociétales peuvent aussi se manifester par une faible confiance dans les agences gouvernementales ou par une individualisation à outrance, ce qui n'est pas sans lien avec l'incertitude institutionnelle. Quant à l'incertitude liée à la propriété, elle touche les sonneurs d'alarme et leur protection, mais aussi les clauses de confidentialité signées, dans certains cas, au moment de l'embauche.

9.4.3.5 Incertitude liée au contenu

Un message doit être congruent, c'est-à-dire qu'il doit comporter le moins d'ambiguïtés possible. Il y a donc lieu d'éviter les messages qui sous-entendent des doubles contraintes et ceux qui se contredisent soit formellement, soit par la différence de sens entre le verbal ou l'écrit et le non-verbal.

a) Double contrainte

Un aspect important de la congruence – ou de l'incongruence – d'un message, lorsqu'il est question de contenu, est la double contrainte. Face à un tel message, le récepteur se trouve coincé dans un étau dont il ne peut s'extirper. On pense au parent demandant à son enfant «Ne sois pas si obéissant!» ou encore «Je voudrais que tu sois spontané». La CR véhicule parfois des équivalents de ces exemples de double contrainte.

b) Messages contradictoires ou ambigus

Dans la forme verbale ou écrite. Au sujet du nucléaire mais aussi de l'accident de Challenger, Perrow (1986 : 347) mentionne l'un des plus grands problèmes de la communication du risque, celui des contenus contradictoires qui deviennent, en fait, un paradoxe parce que :

> D'une part, les responsables des systèmes reconnaissent le danger en discutant de tout ce qui est fait pour rendre ce système sécuritaire. D'autre part, ils nient constamment que le danger existe.[134]

On retrouve aussi des messages contradictoires dans les querelles entre experts sur le degré de risque ou sur les conséquences de celui-ci. C'est d'ailleurs pour éviter ces situations que la coordination des messages, en gestion des catastrophes, est importante, tout en étant une arme à double tranchant puisqu'elle peut être perçue comme une manipulation de l'information.

Par ailleurs, la CR produit souvent des messages ambigus, soit volontairement, soit involontairement. Le second cas – du moins c'est à espérer – est plus fréquent que le premier. Mais combien de fois ne retrouve-t-on pas des demi-vérités, des choix de mots qui laissent des zones d'ombre? Comme nous l'avons vu précédemment, tout cela mine la confiance envers les communicateurs du risque.

Entre les formes verbale ou écrite et non verbale. Des contradictions de même nature peuvent séparer ce qui est dit ou écrit et ce qui est exprimé de façon non verbale. On pense, au moment d'une catastrophe, aux messages non verbaux démontrant qu'il y a danger ou que l'événement est important (visites de dignitaires, vols d'hélicoptères, port de vêtements de protection, etc.), alors que les messages formels se veulent rassurants. Cet aspect est d'autant plus important à considérer quand on sait que le non-verbal est, le plus souvent, inconscient.

---

134. Notre traduction.

Ainsi, au sujet d'un cas de contamination de l'eau potable par des produits chimiques, des auteurs diront :

> Dans plusieurs cas, nous avons découvert que les responsables disaient à une communauté de ne pas avoir peur, mais envoyaient des techniciens habillés en «combinaisons lunaires» recueillir des échantillons de sol là où jouaient habituellement des enfants. Le port de ce type de combinaisons, une exigence de l'Occupational Safety and Health Administration, n'a pas été expliqué aux résidants [...] (Fessenden-Raden *et al.*, 1987 : 100.)[135]

9.4.4 Canal de communication

Une fois le message choisi, il y a lieu de trouver le canal par lequel ce message atteindra le récepteur ou reviendra ensuite, en rétroaction. Différents types de canaux, dans la CR, relient en effet l'émetteur au récepteur : contacts personnels, médias, sondages d'opinion, audiences publiques, etc. Deux éléments sont à considérer à part lorsqu'il est question de ces canaux de communication, à savoir la formalisation de ces canaux et leur accessibilité.

9.4.4.1 Formalisation du canal

La liste des canaux qui précède montre qu'ils peuvent être plus ou moins formels :

- Canaux formels, tels les audiences publiques, les réunions d'information destinées au public et les médias. Le rôle des organisations entre aussi dans cette catégorie, par exemple celui des policiers et des services d'incendies.
- Canaux informels, tels les contacts personnels entre voisins, parents ou amis.

Entre le formel et l'informel se situe une gradation. Il y a par exemple ces contacts personnels entre les sinistrés et les services spécialisés d'une municipalité au moment d'une évacuation, ces contacts eux-mêmes pouvant être plus ou moins formels selon, entre autres, la taille de la municipalité en question.

Par ailleurs, les canaux peuvent être utilisés de façon unidirectionnelle (par exemple les étiquettes sur des produits dangereux ou encore les sondages d'opinion) ou bidirectionnelle, avec rétroaction. Il est évident que les contacts personnels favorisent davantage l'échange bidirectionnel que des mécanismes plus formels comme la radio. Il se peut aussi qu'un canal à l'origine unidirectionnel se transforme : on pense, dans ce même exemple de la radio, aux tribunes téléphoniques. De la même façon, les sondages peuvent communiquer le risque puisque le simple fait de parler d'un risque sensibilise à ce risque, comme vu précédemment.

---

135. Notre traduction. Nous avions, en 1988, retrouvé le même comportement à Saint-Basile-le-Grand (Denis, 1990a).

La formalisation du canal aura une influence sur la communication, en particulier en situation de crise. On sait en effet que la communication face à face permet mieux de saisir le langage non verbal que, par exemple, une communication téléphonique. Cela a fait dire à Weick (1987) que, avant le lancement de Challenger, on aurait dû remplacer la conférence téléphonique par une rencontre ou, à défaut, par une vidéoconférence.

De la même façon, le choix d'un canal informel peut aussi s'avérer plus approprié à certaines phases d'un projet d'implantation d'une installation à risque. Ainsi, au début de ce type de projet, des rencontres informelles avec les propriétaires, les groupes d'intérêt ou toute autre personne dans un lieu neutre, tel un café, aideront à établir une communication et faciliteront la rétroaction (Unsworth, 1994). Ce caractère officieux de la communication peut au surplus éviter les confrontations de part et d'autre. Dans une situation de ce genre on constate, selon l'auteur, que les réunions formelles en soirée ne sont souvent pas productives.

9.4.4.2 Accessibilité au canal et redondances

Le choix du canal dépend également de son accessibilité. Il est évident que si les tours de transmission radio s'écroulent au cours d'un ouragan, ce canal ne peut plus être utilisé. D'où l'importance, à ce moment, des redondances techniques. Par ailleurs, la redondance peut aussi être sociale : ainsi, de nombreux canaux qui répètent le même message renforcent généralement ce dernier. En revanche, cette multiplicité des canaux, si le message n'est pas identique, risque de le diluer ou de le brouiller.

En fait, la redondance des canaux revêt deux aspects : un aspect synchronique, suivant lequel des canaux différents (radio, télévision, réunions publiques d'information, discussion face à face) proposent simultanément un message, et un aspect diachronique, suivant lequel le message passe par plusieurs canaux, en cascade, avant de parvenir au récepteur. Dans ce dernier cas, le message sur le risque passe par exemple de l'expert sur les lieux d'un sinistre au maire, à la sécurité civile, aux médias et à la population. Avec des possibilités, tout comme dans les messages simultanés, que le message soit renforcé ou complexifié, ou encore modifié, à moins qu'il ne soit totalement dilué (on n'est pas loin, ici, du jeu du téléphone arabe).

La communication de l'information des scientifiques, en situation d'alerte, constitue un exemple illustrant les difficultés de choix de canaux qui peuvent se présenter. Au départ, on suppose que le message passe des scientifiques aux organismes gouvernementaux, qui le transmettent à leur tour à la population, dans des réunions d'information. Mais qu'arrive-t-il si aucun ministère n'a cette responsabilité, dans le plan d'urgence? Par quel canal et à qui les scientifiques doivent-ils transmettre directement leur message? Aux organismes de sécurité civile, à ceux qui sont responsables des communications, à d'autres? Par ailleurs, si le risque met en cause plus d'un pays, la transmission doit-elle se faire entre scientifiques ou par l'intermédiaire des instances politiques? Autant de questions relatives aux canaux de la CR.

9.4.5 Récepteur et décodage

Un message doit être compris. Le but ultime de l'émetteur, en ce sens, est un message clair, parfaitement saisi. D'où l'importance, pour le récepteur, de décoder le message correctement. Et d'envoyer une rétroaction à l'émetteur, lui confirmant que la communication s'est bien déroulée.

Le décodage du récepteur fait appel lui aussi aux mécanismes de la perception du risque. Nous ne reprenons pas ce qui a été mentionné au sujet de l'émetteur ou encore le contenu du chapitre sur la perception. Mais il importe de souligner, relativement au récepteur, certains points précis touchant sa perception, ses particularités professionnelles, ainsi que le mécanisme de rétroaction.

9.4.5.1 Éléments influençant la perception du récepteur

a) Éléments tenant à la personne

La perception du risque, chez le récepteur, est influencée par des éléments qui concernent la personne, tel que nous l'avons vu au chapitre 3. Rappelons que, selon Slovic *et al.* (1985), le public – récepteur de la CR – tient compte d'un plus grand nombre de facteurs que les experts – émetteurs – dans l'évaluation d'un risque. Les motivations jouent aussi un rôle important. Ainsi, certains ne veulent pas entendre parler de risque : ils sont apathiques ou même nient carrément qu'il y ait problème. Ce refus, le plus souvent inconscient, vient du fait que le danger paraît intolérable (notamment quand il s'agit du nucléaire ou de l'écrasement d'astéroïdes) et qu'il provoque un mécanisme de défense perceptuelle, le déni.

Les intérêts influencent aussi les perceptions. Certains groupes sont-ils plus exposés que d'autres? Qui va bénéficier le plus de l'activité qui est la source du risque? Les bénéficiaires sont-ils les mêmes que ceux qui supportent les risques (voir le chapitre sur le risque acceptable)? Le récepteur, comme celui qui doit accueillir les déchets nucléaires au Nevada, peut être fortement opposé à un projet parce que ce dernier ne correspond pas à ses intérêts et non parce qu'il ne comprend pas.

Enfin, les communicateurs du risque ont eux-mêmes aussi des intérêts, ce qui va influencer la perception du récepteur. C'est ce qu'a montré un cas de CR étudié en Hollande, où il était question de risques pour la santé causés par des sols pollués. Les chercheurs (Weterings et Van Eijndhoven, 1989) ont montré non seulement les intérêts des récepteurs de la communication mais, au surplus, que la perception que ces récepteurs avaient du problème était teintée par le fait qu'ils percevaient simultanément que les communicateurs du risque avaient, eux aussi, des intérêts dans le projet.

b) Éléments tenant à la société

La perception du risque par le récepteur peut être influencée par son milieu, par la société qui l'entoure. Bien qu'il soit difficile de séparer de façon étanche les deux pôles que constituent la personne et la société, nous le faisons ici dans la mesure où ce sont des disciplines scientifiques différentes qui se penchent sur les deux problématiques.

En ce qui a trait aux éléments de société, des études ont par exemple constaté que, même si le risque est semblable et si les messages le concernant sont eux aussi semblables, la perception est susceptible de varier entre les communautés, à l'intérieur d'une communauté ainsi que dans le temps (Fessenden-Raden *et al.*, 1987). De telles variations s'expliqueraient, selon les auteurs, par la manière dont le risque est découvert, par la réponse des autorités et par le contexte.

Tout d'abord, la façon dont un risque est mis au jour peut influencer la perception de celui-ci. Par exemple, dans le cas où les résidants découvrent eux-mêmes le problème, l'information qui est par la suite transmise par les autorités tend à être moins crédible et à donner lieu à plus de résistance que dans les situations où le risque est révélé par des examens de routine. Puis, une fois le risque découvert, la façon dont il est traité par les autorités modifie aussi la perception :

> Si les résidants sont obligés de plaider et d'argumenter pour obtenir de l'information, s'ils doivent insister pour que soient effectués des tests (il s'agit de cas où des contaminants chimiques ont été trouvés dans l'eau potable) et s'ils doivent continuellement demander les résultats, si des mois de pressions publiques sont nécessaires pour obtenir des réponses aux questions, alors les citoyens deviennent prédisposés à douter de l'information qui leur est éventuellement donnée. (Fessenden-Raden *et al.*, 1987 : 95.)[136]

Enfin, le contexte est également une source de variation de la perception. Il est composé, selon les mêmes auteurs, de :

- l'attitude de confiance ou de méfiance envers le gouvernement local;
- l'attitude envers les organismes d'État et fédéraux par rapport au pouvoir local de contrôle du risque;
- l'image de soi de la communauté, l'identité locale qui existait avant la contamination;
- l'attitude envers les pollueurs présumés.

Ces différents éléments du contexte constituent des filtres par lesquels la réalité est perçue. Ils ne tiennent pas au contenu des messages, mais plutôt aux éléments de société qui entourent la réception de ce contenu.

---

136. Notre traduction.

Par ailleurs, les perceptions ne sont pas immuables. L'un des facteurs qui explique leur changement, dans le temps, est la façon dont le risque a été géré. Ainsi, dans certains des cas de contamination de l'eau potable dont il était question ci-haut, une période allant jusqu'à cinq ans s'est écoulée entre la découverte d'une situation à risque et la résolution du problème. Pendant cette période, les revendications des citoyens ont été influencées par la confiance dans les actions prises pour corriger la situation ou par la méfiance envers ces actions.

> Lorsque les gens pensent que le problème est géré de façon responsable et rapide [...] ils ne cherchent pas davantage d'information, ne vont pas à d'autres sources pour confirmer [celle-ci] ou l'infirmer. Mais lorsque les gens croient que les agences impliquées ne répondent pas adéquatement pour protéger leur santé et assurer leur protection, ceux qui n'étaient pas très concernés par le risque, à l'origine, peuvent le devenir davantage avec le temps, souvent devenant absolument certains qu'on leur a donné une information inadéquate ou trompeuse au sujet du risque. (Fessenden-Raden *et al.*, 1987 : 98.)

9.4.5.2 Médias en tant que récepteurs

Le récepteur peut présenter certaines particularités sur le plan professionnel. Nous avons largement traité du cas des scientifiques agissant comme émetteurs, aussi convient-il cette fois d'aborder les médias en tant que récepteurs de la CR. Bien entendu, les médias sont aussi, et peut-être surtout, des émetteurs dans ce domaine en regard du grand public. Mais ce rôle particulier de récepteurs de messages relatifs aux risques, provenant de scientifiques ou de représentants gouvernementaux, exige quelques précisions.

D'abord, les médias ont comme caractéristiques, dans ce rôle précis de récepteurs (Covello, 1994) :

- d'avoir des heures de tombée fixes, donc peu de temps pour rechercher et valider l'information;
- de disposer de peu d'espace pour expliquer en détails la complexité des risques;
- de devoir mettre en valeur différents points de vue;
- d'être dépendants de sources accessibles et disposées à parler;
- d'avoir généralement peu de connaissances scientifiques, à quelques exceptions près.

Ensuite, on peut se demander comment ces médias deviennent intéressés par un thème quelconque, en matière de risque. Qu'est-ce qui suscite leur intérêt? Nous nous trouvons ici au point de jonction entre la réception et la transmission du message relatif au risque puisque, si le journaliste est intéressé, il transmettra de l'information. Quelles sont donc ces conditions? Ces «bons ingrédients» qui font en sorte que les médias vont définir un risque comme valant la peine qu'on s'y attarde sont, selon Duclos (1989), les suivants :

- Un moment favorable. Lorsqu'un sujet relatif à la CR surgit dans une période creuse, sur le plan journalistique, il est assuré de faire la une.

- Un sujet préféré. Les médias ont parfois tendance à surveiller étroitement certains secteurs, tel le nucléaire, mais à oublier par exemple les biotechnologies ou la bactériologie.

- Un test progressif de l'intérêt du public. Ainsi, les médias ont porté leur attention sur Three Mile Island plutôt que sur d'autres cas de contamination parce que :
  - la presse d'Harrisburg avait eu du succès en traitant ces questions;
  - un réseau de relations régulières s'était formé entre les organes de presse nationaux et certains journaux locaux;
  - une scène d'enjeux dramatiques avait été aménagée à partir de faits personnalisés, telle cette employée de la firme nucléaire Kerr-McGee qui fut assassinée en cherchant à prévenir la presse d'irrégularités techniques (et dont l'histoire a inspiré le film *Le syndrome chinois*);
  - Three Mile Island se trouvait à la portée de déplacements physiques rapides des journalistes new-yorkais.

- Une série de circonstances particulières. Ainsi, à l'origine de la directive Seveso en Europe, on était en présence :
  - d'un mouvement d'opinion nationaliste des Italiens du Nord contre les implantations de l'industrie suisse;
  - d'une forte mobilisation européenne des écologistes;
  - du problème plus général de la forte pollution industrielle en banlieue milanaise;
  - d'une période de rapprochement entre le syndicalisme autogestionnaire et l'écologisme.

- Un renforcement des valeurs de la société, telles les valeurs de technicité. Pour devenir médiatisé, l'événement doit avoir les attributs, selon Duclos toujours, d'une «fable édifiante».

Vus sous cet angle, les médias, tout comme les scientifiques ou les publics, perçoivent les événements à travers leurs propres grilles de référence, lorsqu'ils sont récepteurs dans la communication du risque.

9.4.5.3 Rétroaction du récepteur

On reproche parfois aux chercheurs qui étudient la CR en tant que processus d'adopter une perspective unidimensionnelle. Toutefois, nous ne souscrivons pas à cette critique : rien n'empêche en effet le récepteur de devenir à son tour émetteur, dans un processus de rétroaction. La participation du récepteur peut cependant varier. Verba et Nie (1972) ont, pour illustrer ce point, défini une typologie des participants publics qui comprend les :

- inactifs, détachés de la politique;
- spécialistes du vote, attachés à un parti politique mais limitant leur contribution à la période électorale;
- partisans de l'esprit de clocher, concentrés sur leurs problèmes personnels;
- communalistes, engagés dans des activités non conflictuelles destinées à atteindre les buts généraux d'une communauté;
- activistes de campagne : à l'opposé des précédents, ils ont des affiliations partisanes fortes, prennent parti facilement dans les conflits de la communauté et défendent des positions relativement extrémistes;
- activistes complets, à l'opposé des inactifs, qui participent à tout, sont engagés dans les conflits et, ce faisant, ont le sentiment de contribuer au bien-être de la communauté.

On trouve donc de nombreux types de rétroaction, en fonction des intérêts et des motivations des protagonistes. Il reste néanmoins qu'un public récepteur peut éprouver des difficultés à participer à la communication, ne serait-ce que parce qu'il lui est difficile de comprendre le risque. Ainsi, selon Covello (1989) :

- Le public a souvent des perceptions simplificatrices de la réalité. Par exemple, il peut avoir de la difficulté à comprendre la relation entre une certaine émission de contaminant et son cheminement dans l'environnement. Ou encore il peut croire qu'une centrale nucléaire peut exploser comme une bombe nucléaire.
- Le public a souvent de la difficulté à comprendre et à évaluer les probabilités relatives aux risques. Par exemple, quand les scientifiques disent que leurs évaluations du risque sont prudentes, le public comprend qu'ils sous-estiment le risque plutôt que le contraire (Fisher, 1991).
- Le public répond souvent émotivement à l'information sur le risque, surtout si des effets importants sont craints.
- Le public fait souvent preuve d'intolérance à l'égard de l'incertitude dans l'information sur le risque.
- Le public a tendance à ignorer l'information qui contredit ses croyances courantes sur les risques.
- Face à des croyances plus faibles, les opinions peuvent être manipulées facilement selon la façon dont l'information sur les risques est présentée.
- Le public se considère lui-même invulnérable quant à plusieurs risques.
- Le public ignore souvent l'information sur le risque parce que ce dernier est jugé improbable.
- Le public voit les catastrophes comme symboliques.
- Le public se sert du débat sur le risque pour faire entendre ses valeurs, ses choix, etc.

On pourrait penser qu'il s'agit ici de stéréotypes, mais l'auteur propose cette énumération surtout pour montrer à quel point la rétroaction du public peut être difficile, du moins dans certains cas. C'est tout le problème de la participation de ce public à la CR qui est soulevé ici, puisque la participation véritable est dépendante de l'information reçue, certes, mais aussi des connaissances globales dans un domaine.

Par ailleurs, il ne faut pas confondre non-participation et acceptation d'un risque. Otway et Wynne (1989) citent à ce sujet le cas de l'industrie anglaise qui craignait, à l'origine, d'appliquer la directive Seveso. Cette industrie s'est ensuite enorgueillie du manque de réaction du public à la suite de sa CR et a interprété cette passivité comme une preuve du succès de sa communication et de l'acceptation publique. Cependant, cette relative apathie du public, selon les auteurs, s'accompagnait d'irruptions périodiques de périodes hostiles et de revendications, qui exigeaient alors tant d'information que les autorités étaient à ce moment incapables de la fournir. En ce sens :

> La vraie signification d'un public tranquille reste une question ouverte. Un manque de protestations ne veut pas nécessairement dire que le public n'est pas préoccupé par une installation ou est satisfait de l'information donnée. Au contraire, il peut donner peu de crédibilité à cette information, mais se sent dépendant et sans pouvoir, jusqu'à ce qu'un quelconque événement d'alerte, insignifiant, ou une accumulation de preuves cristallisent son aliénation latente en une expression plus active d'hostilité. (Otway et Wynne, 1989 : 143.).

Ces points terminent la discussion de la communication du risque considérée en tant que processus. Bien entendu, il était impossible, dans le cadre de ce travail, de traiter de façon exhaustive le sujet. Tout au plus avons-nous souligné les éléments qui nous paraissaient mériter l'attention du lecteur. Par ailleurs, puisque la CR est un sujet d'importance stratégique pour les organisations, tant privées que publiques, il convient, avant de passer au chapitre suivant, d'offrir deux exemples de cette communication du risque.

9.5 DEUX EXEMPLES DE COMMUNICATION DU RISQUE

Nous avons vu dans ce qui précède que, lorsqu'il est question de CR, il y a lieu de distinguer entre la communication au moment de l'urgence – ou après – et la communication avant la catastrophe, associée à la gestion du risque. Pour illustrer ces deux types de CR, nous proposons deux exemples : celui des retombées de Tchernobyl en Europe et celui d'une petite entreprise qui a décidé de communiquer avec la population qui l'entoure. À noter que nous préférons l'emploi du mot *exemple* plutôt que celui de *cas*, dans la mesure où les données qui suivent ne sont pas extrêmement détaillées.

9.5.1 Retombées de Tchernobyl en Europe

L'exemple des retombées de Tchernobyl est intéressant en ce que la situation de CR qu'il illustre peut s'appliquer non seulement à l'Europe mais aussi à de nombreux pays, dont le Canada ou les États-Unis. À ce sujet, bien que certains gouvernements aient prétendu, après coup, qu'ils possédaient une politique de CR, il ne s'agissait de rien d'autre, la plupart du temps, que d'une politique du silence.

En fait, on peut dire que la CR en ce qui touche les retombées de Tchernobyl a été laissée aux médias, notamment pour ce qui est de l'information scientifique et des conséquences sur la santé. C'est ce qu'a d'ailleurs démontré un sondage d'opinion effectué après Tchernobyl (Schneider, 1986), où 80 % des répondants européens affirmaient avoir reçu des médias l'information touchant les mesures protectrices pour la santé. Seulement 3 % des répondants à ce sondage ont reçu l'information directement des autorités de santé publique.

Si la CR, dans ce cas, a été paticulièrement difficile, c'est parce qu'elle reflétait toute l'incertitude qui a caractérisé la catastrophe elle-même. Une recherche de Otway *et al.* (1988), à partir des résultats du sondage précédent, a analysé la couverture médiatique de l'événement dans sept pays européens (Autriche, Danemark, Allemagne, France, Grèce, Italie et Royaume-Uni). Nous avons repris les résultats de ces auteurs pour les présenter en mettant l'accent sur l'incertitude. On trouve en fait plusieurs types d'incertitudes dans cette CR : une incertitude organisationnelle et une incertitude scientifique, tout d'abord, mais aussi des incertitudes terminologique et scientifico-géographique.

9.5.1.1 Incertitude organisationnelle

L'action gouvernementale, dans les pays de l'échantillon, a mis à contribution de nombreux ministères et organismes aux buts parfois différents. Les auteurs ont noté, par exemple, des conflits entre les intérêts économiques et la sécurité publique dans les décisions liées aux produits alimentaires. Dans certains cas, les agriculteurs et les petites communautés favorisaient davantage l'intervention de l'État – pour les dédommager –, alors que les responsables de la santé publique préféraient voir jouer un rôle plus important aux autorités locales. On peut en déduire, bien que les auteurs ne le mentionnent pas explicitement, qu'une telle situation est susceptible de causer de la confusion au regard de la CR.

9.5.1.2 Incertitude scientifique

Ce type d'incertitude a pris des formes variées. On a ainsi trouvé :

• une incertitude relative à la source de danger : par exemple, on a déploré l'absence d'information provenant de la source – l'URSS – au Danemark, en Finlande, en Pologne et en Suède;

- une incertitude relative à la trajectoire du nuage radioactif;
- une incertitude relative aux doses de radiations à l'intérieur des pays touchés;
- une incertitude relative aux mesures de mitigation, en fonction de la trajectoire et des doses de radiations, dans des régions spécifiques : ainsi, les premières mesures de mitigation recommandées étaient centrées sur le danger posé par l'iodine 131 mais, une fois levées les précautions initiales, le danger posé par le césium a obligé plusieurs pays à réinstaurer ces mesures de protection.

De tels tâtonnements se sont reflétés dans la CR et ont créé, en conséquence, de la confusion, sans compter qu'ils ont aussi soulevé des doutes sur la compétence des gestionnaires de catastrophes.

9.5.1.3   Incertitude terminologique

Selon les mêmes auteurs, les médias ont rapporté assez fidèlement les données provenant de sources officielles, mais ils ont parfois eu des difficultés avec les termes techniques :

- de radiations : roentgen, curie, becquerel, par kilogramme, par litre, par mètre cube, etc.;
- d'exposition : rad, gray;
- de temps : seconde, heure, jour, durée de vie.

Par ailleurs – probablement par l'influence des scientifiques, mais les auteurs ne le précisent pas –, on comparait les conséquences de la catastrophe à des activités familières ou encore aux causes «naturelles» de morts par cancer, en exigeant du public qu'il accepte ces comparaisons. En fait, tout cela a été perçu par le public comme une tentative de camouflage ou une façon de minimiser les conséquences de l'événement.

9.5.1.4   Incertitude scientifico-géographique

On a observé enfin des différences dans l'évaluation des expositions et des conséquences pour la santé entre la Suisse et l'Italie par exemple, en particulier aux frontières. Le problème en était un de méthodologie scientifique, mais des questions se posaient néanmoins à la CR, face à des résultats dissemblables touchant des régions voisines.

Il est arrivé aussi qu'on présente les résultats en agrégats différents selon les régions, ce qui cette fois empêchait les comparaisons (de même que l'emploi d'unités différentes, en terminologie, rend difficiles les comparaisons). À noter que les auteurs ne disent pas si ces écarts dans la présentation des résultats étaient voulus par certaines autorités, en particulier lorsque les risques étaient élevés.

9.5.1.5 Incertitude et communication du risque

Toute cette confusion provenant des différentes incertitudes a miné la crédibilité des émetteurs dans la CR, notamment celle des représentants gouvernementaux et de certains experts (Otway *et al.*,1988). Les chercheurs concluent en disant que les médias, en tant qu'émetteurs d'information quant au risque, ont en fait davantage reflété la confusion des responsables et des scientifiques qu'ils ne l'ont eux-mêmes créée.

Il va sans dire que la situation était particulièrement complexe, mais une préparation à ce type d'événement, et en particulier une politique de communication du risque, auraient sans aucun doute résolu un certain nombre des incertitudes qu'on a observées, ne serait-ce que celle relative à la terminologie scientifique. Cependant, pour être utile, cette politique de CR aurait dû s'appliquer à l'ensemble de la Communauté européenne, tout d'abord, et également accompagner un protocole commun de méthodologie scientifique, pour l'Europe, de façon à pallier les incohérences qui sont apparues entre régions voisines. Somme toute, on peut tirer comme conclusion de cette expérience qu'une politique de CR ne reflète en fin de compte, lorsqu'il est question de données scientifiques, que les forces et les faiblesses des protocoles de recherche.

9.5.2 Une PME du New Jersey

Le deuxième exemple que nous avons choisi est, contrairement au premier, tout simple en ce qu'il ne concerne qu'une petite entreprise indépendante (c'est-à-dire que les managers en sont aussi les propriétaires). L'entreprise fabrique des produits chimiques au New Jersey, dans une localité semi-rurale.

La direction de l'organisation, à la suite de deux accidents survenus en 1988, a établi une politique formelle de CR (Chess *et al.*, 1992). Cet exemple est intéressant à plus d'un titre. Tout d'abord, il permet de suivre la mise en place d'une politique de CR. Il montre également comment communication du risque et gestion du risque sont liées. Enfin, il met en lumière les liens entre CR et organisation du travail.

9.5.2.1 Mise en place de la politique de CR

C'est parce que deux accidents chimiques ont suscité la méfiance des résidants à proximité de l'usine que l'entreprise décide de s'ouvrir sur la communauté plutôt que d'adopter une stratégie réactive. Le changement est réalisé par un groupe interne constitué du vice-président Production, des cadres de cette unité et du vice-président Ressources humaines, avec l'aide d'un consultant externe en relations publiques.

L'orientation retenue pour la CR est de ne pas donner à un spécialiste ou à une unité organisationnelle la tâche d'entretenir des relations avec la communauté, mais au contraire de décentraliser cette responsabilité vers l'ensemble du personnel cadre et des opérateurs. Chacun, en fait, devient responsable de diffuser ce qui se fait, au quotidien, dans l'entreprise pour contrer les risques.

La justification d'un tel choix est que cette tâche de communicateur ne peut occuper une personne à plein temps. Mais on s'aperçoit vite qu'en définitive la somme totale de temps consacré par le personnel à la CR équivaut au travail d'une personne à plein temps. Cependant, même après cette constatation, on ne modifie pas l'orientation première, ce qui démontre qu'il s'agit bien d'un choix très ferme de l'entreprise. Au surplus, l'organisation :

- mène des sondages dans la communauté sur la perception de l'entreprise;
- constitue un comité de résidants, qui se réunissent mensuellement;
- met sur pied un bulletin d'information;
- met sur pied un programme de visites de l'usine et de journées portes ouvertes.

Outre les accidents déclencheurs, un certain nombre de facteurs ont favorisé une telle stratégie proactive de CR. Selon les auteurs, la mesure est avant tout un mécanisme de survie, les accidents de 1988 ayant laissé entrevoir aux dirigeants que les citoyens avaient le pouvoir de faire fermer l'usine. Par ailleurs, les considérations suivantes jouent aussi dans la décision :

- La peur des groupes de militants. Ceux-ci voudraient convaincre les résidants d'exiger la fermeture de l'usine. En fait, le coussin protecteur que l'entreprise cherchait à maintenir entre elle et les résidants s'est déplacé, avec la nouvelle politique de CR, entre elle et les groupes de militants.
- Le fait que le voisinage n'est pas fondamentalement hostile à l'entreprise. Il s'agit d'une communauté semi-rurale qui ne s'intéresse pas de trop près au fonctionnement de l'usine, laquelle apporte un gagne-pain à plusieurs.
- L'éloignement suffisant des médias de Philadelphie. Cet éloignement empêche la réalisation d'enquêtes que les auteurs qualifient de «sophistiquées» (l'entreprise a malgré tout établi des relations avec les médias locaux).
- Le fait que l'entreprise est la propriété de ses dirigeants. Ceux-ci ont donc toute latitude pour décider des actions à entreprendre.
- Le fonctionnement de l'entreprise. Celui-ci permet au personnel de se libérer pour entretenir des liens avec la communauté.
- Le fait que le vice-président Production a la confiance du président-directeur général et celle du personnel, et qu'il voit l'importance de ce projet pour l'entreprise.
- Un consultant en relations publiques qui favorise une telle démarche.

9.5.2.2 Communication du risque et gestion du risque

Le changement ne touche pas que la CR : il concerne aussi, plus profondément, la gestion du risque. Par exemple, l'entreprise met en place un système téléphonique complexe qui doit avertir automatiquement les résidants en cas d'urgence. Ce système est bidirectionnel, puisqu'il permet aussi à l'entreprise de recevoir de l'information de la part des résidants, à la manière d'un répondeur téléphonique qui enregistre des messages. De cette façon le système permet de détecter les problèmes à la source dès qu'ils se présentent, après quoi l'entreprise prend les mesures nécessaires pour y remédier. La CR, en ce sens, fait partie de la gestion du risque.

Concrètement, le processus se déroule de la façon suivante. À la suite de la réception d'un appel d'un résidant au sujet d'une odeur suspecte – qui peut provenir d'un rejet de produit toxique –, le superviseur responsable du quart de travail retrace la source de l'odeur. Il résout le problème et met un message dans le système téléphonique pour informer les résidants de l'action qui a été posée. En parallèle, il remplit un rapport interne qui est transmis au directeur de l'usine et au directeur de la sécurité. Ce rapport fait ensuite automatiquement partie du rapport mensuel qui est envoyé au vice-président Production.

Pour compléter le tout, les procédures régulières d'exploitation de l'usine stipulent que cette information doit être transmise aux opérateurs, de façon que ces derniers puissent, informellement ou formellement, informer la communauté des problèmes et des solutions retenues. Au besoin, l'entreprise apporte des modifications techniques au processus de production. Il s'agit donc d'un cas où communication et gestion du risque sont étroitement liées, la communication portant non plus sur le risque seul, mais sur les mesures de gestion de celui-ci.

9.5.2.3 Communication du risque et modifications à l'organisation du travail

La politique de CR, pour être efficiente, exige cependant un certain nombre de changements dans l'organisation du travail, c'est-à-dire dans les partages de responsabilités. Ainsi, le vice-président Production a désormais un rôle à jouer dans le suivi de ce qui a été fait pour répondre aux préoccupations des résidants. Pour leur part, le directeur de l'usine et celui de la sécurité sont maintenant embauchés sur la base non seulement de leur compétence et de leur expérience, mais aussi de leur engagement dans la communauté.

La description de fonctions du superviseur de quart est modifiée à la suite de l'introduction du nouveau système téléphonique destiné à recevoir l'information sur les sources de risques possibles. Le superviseur de quart devient responsable des problèmes signalés par les citoyens (un parallèle peut être ici établi avec les organisations à haute fiabilité). Il doit, en conséquence, recevoir une formation spéciale, dans la mesure où la façon de traiter l'information provenant du système téléphonique devient un important critère de performance. Enfin, sa fonction étant plus complexe, on lui donne un assistant afin de le décharger de certaines tâches. Un point intéressant, dans tout ceci, est que le superviseur demeure seul responsable du système de communication avec les résidants, lequel constitue sa priorité : l'importance de la nouvelle politique de CR est ainsi établie clairement.

La dernière modification à l'organisation du travail touche le rôle de chaque opérateur, qui devient désormais un communicateur du risque. Un changement de cette nature a cependant pour effet de créer de multiples émetteurs de l'information, qui peuvent être sources de messages contradictoires. Les auteurs n'abordent pas cette éventualité, peut-être en raison de la petite taille de l'entreprise.

9.5.2.4 Modification de la communication du risque

Il est donc possible de modifier complètement le comportement formel d'une entreprise en matière de communication du risque auprès de la communauté qui l'entoure. Il ne s'agit pas ici de maquillage, de manipulation de l'opinion publique par des mécanismes de relations publiques, mais bien plutôt de changements profonds aux fonctionnements organisationnels, de façon à refléter l'importance de la communication d'une entreprise dans son environnement.

Ce dernier exemple indique également qu'une politique de communication du risque fait partie intégrante de la gestion du risque. Et que cette dernière à son tour fait partie intégrante de la gestion de la catastrophe. En fait la CR, si elle semble constituer le dernier maillon de la gestion du risque, représente par le fait même la première étape de la gestion de la catastrophe lorsque celle-ci survient.

Un dernier maillon, mais un maillon important puisque la réponse au désastre sera teintée par le fait qu'il y a eu – ou non – communication du risque dans sa phase prodromique. Voilà pourquoi, en terminant, le chapitre suivant traitera de la seule chose qui reste à faire lorsqu'on n'a ni compris ni géré le risque sociotechnologique majeur, en l'occurrence la gestion de la réponse à la catastrophe.

SYNTHÈSE

Ce chapitre traite d'un aspect important de la gestion du risque: la communication du risque (CR). Une première partie se penche sur la définition et sur les caractéristiques de cette communication, suivie d'un bref historique des études sur le sujet. Les moments de la CR sont aussi abordés, soit avant, pendant et après la catastrophe. C'est le plus souvent de la première situation, l'avant-catastrophe, qu'il est question lorsqu'on parle de CR. Le concept de CR est ensuite considéré en tant que processus d'échange. L'analyse porte alors sur ses différentes composantes et sur les éléments susceptibles de les influencer.

L'accent est mis sur les scientifiques, sur les représentants gouvernementaux et sur les médias, agissant à titre d'émetteurs de message concernant le risque. Une grande place est faite à la crédibilité de l'émetteur. L'encodage, pour sa part, révèle l'importance des comportements non verbaux, du choix des termes et des statistiques ainsi que des problèmes de langue. Le message est analysé dans ses aspects quantitatifs et qualitatifs. Nous avons également considéré l'incertitude liée à son contexte et à son contenu. Le canal de communication est vu sous l'angle de sa formalisation et de son accessibilité.

Le rôle du récepteur, enfin, est particulièrement crucial dans la mesure où, s'il n'est pas bien rempli, la CR échoue. Certains éléments tenant à la personne ou à la société influent sur la perception du message. Une attention particulière est accordée aux médias en tant que récepteurs de messages de type scientifique, qu'ils doivent à leur tour transmettre. Quant à la rétroaction du récepteur, certains des problèmes qu'elle soulève sont abordés.

En dernier lieu, deux exemples de communication du risque sont présentés : celui des retombées de Tchernobyl, qui concerne le risque en situation de catastrophe, et celui d'une petite entreprise américaine, qui touche plutôt à la communication du risque avant la catastrophe, c'est-à-dire dans la gestion du risque. Ce chapitre, en définitive, a pour objectif de montrer comment la communication du risque, en particulier lorsqu'il s'agit du risque sociotechnologique majeur, est partie intégrante de la gestion de ce dernier.

10

GESTION DE CATASTROPHES[121]

Le risque sociotechnologique majeur a comme aboutissement éventuel la catastrophe. Qu'arrive-t-il au moment où celle-ci survient? La réponse à cette question est importante dans la mesure où, risque majeur et catastrophe étant liés, le fait de savoir ce qui est susceptible de se produire si le risque est mal géré peut amener à prendre conscience que cette gestion est chose sérieuse (bien que des catastrophes puissent aussi survenir sans que la qualité de la gestion du risque soit en cause).

Ce chapitre est largement inspiré d'un ouvrage précédent (Denis, 1993a). Il en reprend les principaux sujets, de manière à offrir une vue d'ensemble de ce qui se passe au moment de l'urgence, avec toutefois quelques ajouts. Si le traitement de certains thèmes semble inégal, c'est, d'une part, pour éviter des redites et, d'autre part, pour mettre l'accent sur les aspects qui touchent particulièrement la gestion du risque.

10.1 DÉFINITION

Qu'est-ce qu'une catastrophe? De nombreuses définitions existent, mais nous proposons la suivante, à savoir qu'une catastrophe est :

> [...] un événement soudain, à faible probabilité qui, s'il survient, a des conséquences si importantes en termes de pertes (humaines, matérielles, financières, etc.) pour une collectivité donnée, qu'il provoque des tensions dans le tissu social de cette collectivité. (Denis, 1993a : 13.)

La catastrophe, en fait, c'est l'impossible, l'impensable, l'inouï qui survient. À côté de la définition proposée, il existe également différentes façons de définir une catastrophe par l'accent mis sur certains de ses aspects. On peut ainsi la définir selon son origine (d'ordre naturel ou technologique) ou selon son déroulement (ses phases). Enfin, il y a lieu de la poser par rapport à la notion de crise.

---

121. Les recherches de l'auteure dont il est question dans ce chapitre ont été effectuées en partie grâce à une subvention du CRSH (n° 1333).

10.1.1   Origine de l'événement

Lorsqu'il est question de l'origine d'une catastrophe, on pense d'abord à la distinction courante entre catastrophes naturelles et catastrophes technologiques. Mais il y a aussi des catastrophes d'origine humaine, qui tiennent à un individu considéré isolément (massacres, tueries, etc.), et des catastrophes d'origine sociale, liées davantage au groupe (terrorisme, émeutes, pillages, etc.). Cette catégorisation, qui met l'accent sur la source de l'événement, sert le plus souvent, indirectement, à attribuer des responsabilités, à trouver un bouc émissaire.

Cependant, de telles distinctions en fonction de l'origine d'une catastrophe sont de plus en plus ténues. Par exemple, l'attentat du World Trade Center a été, selon cette classification, une catastrophe sociale, le terrorisme relevant du groupe davantage que de la personne. Mais l'évacuation d'une centaine d'étages, dans l'obscurité, est comparable à ce qui serait survenu si le même immeuble avait été secoué par un tremblement de terre. De même, bien que l'écrasement d'avion à Lockerbie, en Écosse, en décembre 1988, soit aussi attribuable à un attentat terroriste, la réponse à l'événement avait presque tous les traits d'un accident résultant d'une défaillance technologique.

Ceci explique la raison pour laquelle nous préférons parler d'élément déclencheur plutôt que d'origine. Ainsi, lorsqu'une tornade provoque des dommages à des installations pétrochimiques (comme à Edmonton en 1979), la catastrophe, au départ naturelle, devient technologique parce qu'elle touche des systèmes techniques d'exploitation. Ce concept d'élément déclencheur a néanmoins lui aussi ses propres limites. Par exemple, au Saguenay en 1996, de soudaines pluies diluviennes font céder des digues, et les deux phénomènes réunis provoquent à leur tour de graves inondations. Mais quel est réellement l'élément déclencheur : la pluie ou la faiblesse technique? Pour les gestionnaires de barrages, la catastrophe est qualifiée de naturelle, l'élément déclencheur étant la pluie. Au contraire, pour les résidants touchés, la catastrophe est perçue comme technologique puisque si les ouvrages n'avaient pas eu, selon eux, de faiblesses préalables et si le risque avait été mieux géré, l'inondation ne se serait pas transformée en catastrophe.

Cela signifie que, bien qu'elle puisse éclairer une situation, la notion d'élément déclencheur ne résout pas elle non plus les controverses autour des causes d'un événement ni, en dernier ressort, celles qui entourent les responsabilités dans la gestion du risque. Car la controverse comporte toujours des intérêts précis, stratégiques. Par exemple, dans les cas où la catastrophe est attribuée à une source non humaine (*Act of God*), il devient difficile d'intenter un procès en dommages et intérêts. Dans cette perspective, la gestion du risque est étroitement liée à la définition d'une catastrophe selon son origine.

10.1.2 Déroulement de l'événement

Une catastrophe peut être aussi définie en fonction de ses phases. Celles-ci sont :

- l'avant-catastrophe ou phase prodromique : c'est celle où est géré le risque sociotechnologique majeur;

- l'alerte et la mise en œuvre de la réponse, au moment où survient l'élément déclencheur;

- la réponse, les secours, que ceux-ci soient spontanés (amis, parents, voisins, passants) ou organisés;

- le rétablissement ou retour à la normale, par exemple au moment où les évacués réintègrent leur domicile;

- la normalisation à long terme dans laquelle, bien qu'il y ait eu retour à la normale à la phase précédente, l'événement n'est pas complètement terminé : c'est la période des règlements de l'assurance, des procès, des promotions et démotions, etc.

- l'après-catastrophe, phase vécue généralement plus tard et qui correspond à la période des souvenirs, ravivés par les anniversaires. (Il est à noter que cette phase, pour certaines catastrophes de moins longue durée, peut être fusionnée avec la phase précédente.)

Il importe de préciser à quelle phase de la catastrophe on se trouve de façon à mieux gérer la réponse. Nous avons volontairement employé le mot *phase*, dans la mesure où il ne s'agit pas d'étapes clairement délimitées mais plutôt d'une série d'actions qui peuvent se chevaucher. Par ailleurs, même dans le cas où l'événement se produit soudainement, les phases de rétablissement et d'après-catastrophe peuvent être très longues. Cependant toutes dépendent, en définitive, de la première phase, celle de la gestion du risque.

10.1.3 Crise et catastrophe

Les termes *crise* et *catastrophe*, bien que souvent employés comme synonymes dans le langage courant — et même parfois dans la littérature spécialisée —, ne sont pas, selon nous, équivalents. Une crise est essentiellement un blocage de l'action, blocage qui contraint les protagonistes à trouver des issues, ce qu'exprime d'ailleurs l'expression «sortir» de crise. Bien entendu, ce blocage doit être sérieux : il ne s'agit pas de confrontations mineures entre spécialistes au sujet de l'action à entreprendre.

Comme la catastrophe, la crise :

- surgit en général soudainement,
- peut être de durée variable,
- a toujours des conséquences extrêmement graves, tout au moins potentiellement.

Mais là s'arrêtent les points communs, car crise et catastrophe ne sont pas synonymes. Il y a en effet des catastrophes qui sont aussi des crises et d'autres qui ne le sont pas. À partir de cette distinction, on obtient la typologie suivante :

- Catastrophes seules : l'événement est grave, défini comme catastrophique, mais il n'y a pas de blocage sérieux de l'action (tornades d'Edmonton, d'Aylmer ou de Maskinongé; incendie dans un dépôt de pneus usés à Saint-Amable, etc.).

- Catastrophes qui dégénèrent en crise : un certain nombre d'éléments font en sorte que l'action de réponse à l'événement est bloquée, ajoutant la crise à la catastrophe (incendie dans un entrepôt de BPC à Saint-Basile-le-Grand et incendie dans un dépôt de pneus usés à Hagersville).

- Crises qui dégénèrent en catastrophes : la crise des missiles de Cuba a bien failli dégénérer en guerre, et la crise amérindienne au Québec en 1991 a aussi failli se transformer en violence armée.

- Crises seules : entrent dans cette catégorie la plupart des crises politiques lorsqu'elles sont résolues à temps. La crise de Cuba et la crise amérindienne, en fait, sont restées des crises, de même que la crise du pétrole.

Dans cette perspective le défi, lorsque survient une catastrophe, est de gérer celle-ci de façon qu'elle ne se transforme pas en crise (Denis, 1993b). Et comme, pour «sortir» de la crise, il faut un consensus, la gestion de catastrophes implique des aspects non seulement techniques ou organisationnels mais aussi sociaux et politiques.

10.2 CARACTÉRISTIQUES

Une catastrophe comporte un certain nombre de caractéristiques qui aident à mieux comprendre les problèmes qui se posent au moment de la réponse. Nous avons retenu, entre autres, les conséquences de l'événement, le stress et les contingences situationnelles.

10.2.1 Conséquences

Les conséquences d'une catastrophe sont toujours étendues, mais elles peuvent être plus ou moins spécifiques à un secteur donné. Ainsi, dans certains cas, elles touchent le milieu naturel, par exemple l'océan, sans concerner les populations riveraines (p. ex. échouement du pétrolier Braer au large des côtes de l'Écosse). Toutefois, dans le cadre de nos recherches, nous n'avons pas défini de tels événements comme des catastrophes, bien qu'ils puissent être qualifiés de catastrophiques dans un autre contexte. Selon nous en effet, les conséquences d'une catastrophe concernent toujours une communauté donnée, c'est-à-dire des personnes.

Les catastrophes, eu égard à leurs conséquences, ont toujours un impact majeur : elles bouleversent les habitudes, les modes de vie; elles peuvent toucher la santé, la vie même. Et leurs effets peuvent être autant physiques ou financiers que psychologiques. Ces derniers ont ceci de particulier qu'ils sont moins visibles que les autres types d'impacts. Ils sont aussi souvent plus difficiles à admettre, à la fois pour les sinistrés (qui craignent de passer pour des «malades mentaux» [Denis, 1993a]), pour les intervenants (qui redoutent la perte de leur image de contrôle) et pour les responsables d'un événement, particulièrement s'il s'agit d'une catastrophe technologique (ces types d'impacts ne sont d'ailleurs pas pris en compte dans les compensations, à la suite des procès postcatastrophes). C'est donc l'ensemble de toutes ces conséquences d'un désastre sur une collectivité qui rend la gestion du risque si importante, avant l'événement.

En contrepartie, relativement aux conséquences, il faut aussi dire que les catastrophes n'ont pas que des effets négatifs, même si le prix à payer est le plus souvent très lourd. Par exemple, l'incendie gigantesque qui a rasé Halifax en 1918, à la suite de la collision de deux navires dans le port, a permis de reconstruire la ville selon un modèle novateur d'urbanisme (Ruffman et Howell, 1994). Les citoyens se sont retrouvés dans des résidences toutes neuves, parfois améliorées par rapport au passé, sans compter que l'industrie de la construction a bénéficié de cette manne. Bien entendu, cela ne compense pas les pertes irremplaçables.

10.2.2 Stress

Le stress, défini sommairement comme une tension chez l'être humain, fait intrinsèquement partie de la catastrophe. II va toucher, dans ce genre de situation, un grand nombre de personnes à la fois. Il va aussi créer de l'anxiété, puisque les conséquences de l'événement sont graves. Comme la catastrophe, le stress a des phases (Selye, 1962) : une phase d'alarme, à la suite du choc initial, suivie de la phase de résistance, de combat, et enfin une phase de guérison-récupération. Le stress peut aussi varier en fonction d'un grand nombre de facteurs, notamment les suivants :

- Les personnes, les caractéristiques de leur personnalité, mais aussi leurs caractéristiques socioéconomiques ou physiques (groupe d'âge, état de handicap, etc.).

- Le genre de catastrophe : les catastrophes à long terme ou dont les dangers sont invisibles (nucléaires, bactériologiques) sont plus stressantes que les autres.

- Les phases de la catastrophe : au moment de l'alerte et de la première réponse, l'adrénaline est au plus fort et l'on ne perçoit pas le stress, bien qu'il soit présent, au sens positif; mais lorsque le temps passe, que la fatigue et l'incertitude se font davantage sentir, puisque le problème n'est pas résolu, le stress – négatif, au sens où on l'entend généralement – apparaît; il y a aussi un stress après l'événement, lorsque reprend le train-train quotidien.

- Les rôles joués :

  - Le stress des sinistrés varie selon la reconnaissance ou la non-reconnaissance du statut de victime; ce statut n'est pas toujours facile à établir, particulièrement dans les catastrophes à long terme ou celles qui sont invisibles, puisqu'il est difficile, dans de tels cas, de déterminer si les conséquences sur la santé proviennent de l'événement lui-même ou d'un état antérieur.

  - Le stress des intervenants : bien que des stéréotypes mettent surtout l'accent sur le stress des sinistrés, celui des intervenants n'en est pas moins présent; on pense au stress des scientifiques, à celui lié au port d'équipements protecteurs (surtout pour les intervenants qui n'en ont pas l'habitude), au stress provoqué par un manque de ressources, etc.

Comme c'était le cas pour les conséquences, le stress peut revêtir un aspect positif ou négatif. Dans le premier cas, il donne à la personne la force de passer à travers des situations pénibles, parfois pendant de longues durées. Toutefois, le stress est généralement entendu au sens négatif, et c'est pour évacuer ce dernier qu'ont été instaurés les premiers *debriefings*, appelés aussi «retours d'expérience».

10.2.3 Contingences situationnelles

Lorsqu'il est question des caractéristiques d'une catastrophe, les contingences situationnelles contribuent elles aussi à caractériser l'événement. Comme leur nom l'indique, ce sont des éléments, dus au hasard des circonstances, qui font dire, après coup, soit qu'«on a eu de la chance parce que [...]», soit le contraire. Les contingences situationnelles font partie de chaque événement et viennent parfois aider – ou nuire – à la réponse. C'est pourquoi nous les avons qualifiées de positives ou de négatives. Elles sont notamment relatives :

- au lieu de l'événement (p. ex. type de sol lors d'un tremblement de terre);
- au moment où celui-ci survient (p. ex. heure d'affluence);
- à la proximité – ou non – de spécialistes;
- aux conditions météorologiques;
- à la clarté – ou non – des signes de danger;
- à la durée de l'événement (p. ex. tremblement de terre);
- à l'accessibilité – ou non – des supports techniques (p. ex. proximité d'une base militaire lors des inondations du Saguenay en 1996).

L'analyse de ces contingences situationnelles, dans une catastrophe, ne se fait généralement qu'*a posteriori*, mais elle permet néanmoins de mieux comprendre la réponse et les problèmes qu'elle a posés.

10.3　PROBLÈMES ET INCERTITUDES LIÉS À LA CATASTROPHE : UNE TYPOLOGIE

La complexité de la réponse à la catastrophe de Saint-Basile-le-Grand nous a fait élaborer une typologie des problèmes liés à une catastrophe. Nous distinguons trois grands types de ces problèmes : techniques, sociopolitiques et scientifiques (Denis, 1991a), illustrés au tableau 10.1. Un problème est une question à résoudre par des activités qui ont pour objet de répondre à la catastrophe.

Les problèmes techniques ont trait aux actions à poser face aux particularités de l'événement, à la source de danger. Les problèmes sociopolitiques sont ceux qu'on doit résoudre dans la mesure où une catastrophe, par définition, met en cause des personnes et que celles-ci ont des besoins particuliers, à la fois personnels et collectifs. Enfin, les problèmes scientifiques concernent les questions relatives à la science : ils ne caractérisent pas toutes les catastrophes, contrairement aux deux premiers types de problèmes.

Tableau 10.1　Problèmes de gestion de catastrophes

Techniques	Sociopolitiques	Scientifiques
• Connaissances météorologiques	• Évacuation	• Échantillonnage
• Blocage des voies d'accès et sécurité du lieu du sinistre	• Hébergement	• Analyse
• Lutte contre un incendie	• Assistance financière	• Interprétation des résultats – santé humaine – santé animale – nourriture, récoltes – eau, air, terre
• Dégagement des décombres	• Sécurité	
• Problèmes afférents	• Santé/stress	
	• Information	
	• Travail	
	• Rôle des élus politiques	
	• Prise en charge des citoyens	

Source : Denis, H. 1993a. *Gérer les catastrophes : l'incertitude à apprivoiser.* Montréal, Presses de l'Université de Montréal : 222.

Deux points sont à préciser relativement à cette typologie. Le permier est la différence entre les problèmes techniques et les supports techniques. Ces derniers sont plus concrets que les premiers. Ils sont constitués par les outils, équipements, programmes et autres technologies qui appuient les diverses activités rattachées à toutes les catégories de problèmes dont, entre autres, les problèmes technique (fig. 10.1). Le deuxième point est que les activités qui font partie d'un problème peuvent présenter plus ou moins d'incertitude; en conséquence, la gestion de catastrophes peut être plus ou moins facile.

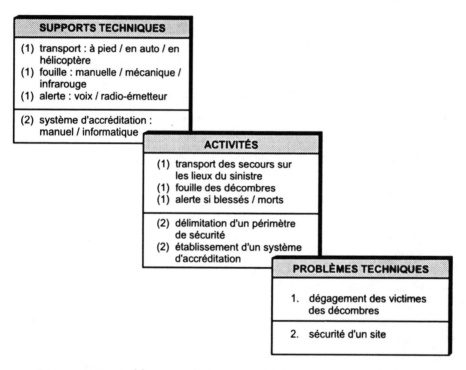

Figure 10.1   Problèmes techniques, activités et supports techniques.

Source : Denis, H. 1993a. *Gérer les catastrophes : l'incertitude à apprivoiser.* Montréal, Presses de l'Université de Montréal : 219.

10.3.1   Problèmes techniques et incertitudes

Les problèmes techniques sont relatifs aux modalités de lutte ou de rétablissement qui s'exercent sur la source de danger. Dans le cas du tremblement de terre de Loma Prieta, survenu en Californie en 1989, il fallait secourir les personnes coincées sous le viaduc de la voie rapide qui s'était effondrée. Dans le cas d'une inondation, les problèmes techniques toucheront le besoin de retenir les crues et de secourir les victimes. Le tableau 10.1 présente quelques-uns de ces problèmes techniques.

On constate tout d'abord que la plupart des situations requièrent des connaissances météorologiques et demandent des efforts pour établir la sécurité du site. Dans le cas d'un incendie, les problèmes tiennent à la connaissance de la source de danger, au choix des moyens de lutte et à la résolution de problèmes afférents, tel le recouvrement d'une installation s'il y a risque de dispersion de cendres polluées dans l'atmosphère. Enfin, le dégagement des décombres fait partie de la plupart des catastrophes, qu'il y ait ou non des victimes.

Ces problèmes peuvent être caractérisés en fonction de l'incertitude qu'ils posent. Ainsi, la lutte contre un incendie de produits chimiques peut présenter de l'incertitude si les pompiers ne connaissent pas les produits en question, ou encore le comportement de ces derniers au regard d'autres produits. Par exemple, à Mississauga (Ontario), en 1979, on n'était pas sûr du contenu des wagons qui ont déraillé : au début, les documents de transport du train ne sont pas disponibles, et il est impossible de vérifier sur place ce contenu à cause de la chaleur du brasier.

Outre ces incertitudes de premier niveau, il existe également une incertitude de second niveau (Denis, 1995a), vue au chapitre 1. Celle-ci résulte du choc entre plusieurs certitudes opposées, choc qui provoque en retour une incertitude d'ensemble si personne ne peut ou ne veut trancher une question. Par exemple, lors de l'incendie de pneus usés à Saint-Amable, les pompiers – premiers arrivés sur les lieux – arrosent le brasier. Les toxicologues, arrivés peu après, préconisent plutôt l'emploi de mousse, utilisée pour étouffer certains incendies chimiques. Les deux groupes tentent de convaincre le coordonnateur de la supériorité de leurs techniques respectives, sans trop de succès. On étudie ensuite la possibilité de recouvrir le brasier de terre et de sable et, finalement, la quatrième solution consiste à simplement laisser brûler les pneus jusqu'à extinction. Le coordonnateur gouvernemental tranchera en faveur de l'enfouissement, à partir d'un certain nombre de critères, et l'incertitude technique sera ainsi maîtrisée (en dépit de controverses subséquentes au sujet des effets à long terme sur l'environnement que présenterait la solution retenue).

Dans la mesure où les problèmes techniques sont toujours présents dans une catastrophe, et qu'ils s'accompagnent parfois de graves incertitudes, il est d'autant plus nécessaire de communiquer le risque avant la catastrophe, afin que les résidants et les spécialistes connaissent les produits dangereux et qu'ils soient capables de réagir de manière appropriée au moment de l'urgence. Ici, communication du risque, gestion du risque et gestion de la catastrophe sont liées.

10.3.2 Problèmes sociopolitiques et incertitudes

Les problèmes sociopolitiques sont relatifs aux besoins de la population suscités par la catastrophe. Ces besoins sont définis au sens large et recouvrent les soins de santé, physiques et psychologiques, ainsi que l'information (y compris celle qui est diffusée par les médias). D'autres besoins sont l'évacuation, l'hébergement, l'assistance financière et les dédommagements, la sécurité des domiciles et enfin la réintégration de ces derniers – qui exige, ne l'oublions pas, une attention spéciale.

Ces activités constituent l'aspect social de la réponse à la catastrophe, alors que l'aspect politique a trait à la relation qui se développe nécessairement entre la population et les élus ainsi qu'aux mécanismes de prise en charge des sinistrés. Parmi ces mécanismes, on trouve notamment les «organisations émergentes» (Dynes, 1970) que sont les comités de citoyens.

Comme les problèmes techniques, les problèmes sociopolitiques présentent des dynamiques variables selon les événements et selon les collectivités. Ainsi, la plupart des catastrophes posent des problèmes de communication avec les sinistrés et avec le public. Mais les modes d'évacuation (spontanée, volontaire ou dirigée), les modes d'hébergement ou la relation avec le politique peuvent grandement varier. Au surplus, les activités peuvent présenter différents degrés d'incertitude.

Un exemple d'incertitude est le fait que, dans l'évacuation, les autorités ne savent généralement pas à l'avance quelle sera la durée d'hébergement : celle-ci peut être de quelques jours, de plusieurs semaines ou même définitive (p. ex. après un important glissement de terrain au Saguenay, en 1971, les résidants ont dû être relocalisés de façon permanente). L'incertitude, dans l'évacuation, peut aussi concerner le processus : ainsi, à Three Mile Island, on a spontanément évacué un périmètre beaucoup plus large que celui qui était proposé par les autorités. Par ailleurs, la population peut refuser d'être évacuée si aucune loi ne l'y oblige, ce qui constitue une autre incertitude. Quant aux communications, elles soulèvent parfois beaucoup d'incertitude, bien qu'elles aient pour mission de la pallier.

10.3.3 Problèmes scientifiques et incertitudes

Les problèmes scientifiques sont liés aux activités de recherche scientifique nécessaires pour répondre à la catastrophe. La distinction est faite ici entre ces activités et, par exemple, les soins médicaux qui n'exigent pas de soutien particulier de recherche. Les activités scientifiques incluent les sciences pures ou naturelles, mais s'étendent aussi aux sciences humaines et sociales. C'est toutefois de toxicologie qu'il est le plus souvent question en gestion de catastrophes. On trouve alors les activités d'échantillonnage, d'analyse et d'interprétation des résultats.

L'incertitude scientifique résulte d'une situation où il n'existe pas de réponse définitive au danger que présente la catastrophe, tel le danger pour la santé de la population. Cette incapacité de répondre peut provenir notamment de la faiblesse d'avancement des connaissances scientifiques – qu'il s'agisse de contenus ou de méthodes –, d'un refus de la crédibilité des experts ou de plusieurs «certitudes» qui s'affrontent chez ces experts.

Par exemple, au moment de l'incendie de BPC de 1988, les scientifiques n'avaient pas défini de seuils de danger relatifs à ce genre d'événement. D'où la mise sur pied d'un important mécanisme de consultation entre experts qui a permis, au cœur même de la catastrophe, de définir ce seuil. On a aussi vu certains incendies de forêt ou des éruptions volcaniques provoquer une fumée telle qu'on ne pouvait évaluer sa toxicité pour les secouristes. Et il reste encore de l'incertitude quant aux impacts sur la santé des retombées de Tchernobyl, comme vu au chapitre précédent.

10.3.4 Interrelations entre les problèmes

Ce qui fait la complexité de la gestion de catastrophes, et ce qui provoque fréquemment une incertitude supplémentaire qui vient s'ajouter aux précédentes, ce sont non seulement les problèmes que doit résoudre cette gestion ainsi que les incertitudes qui s'y rattachent, mais également les interrelations entre les problèmes soit à l'intérieur d'une catégorie, soit entre les catégories (fig. 10.2).

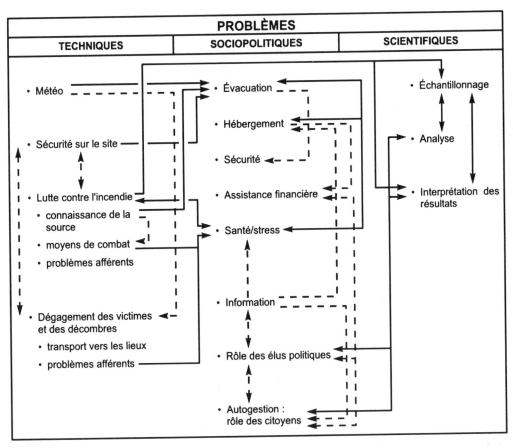

Figure 10.2 Quelques relations entre les problèmes techniques, sociopolitiques et scientifiques.

Source : Denis, H. 1993a. *Gérer les catastrophes : l'incertitude à apprivoiser*. Montréal, Presses de l'Université de Montréal : 220.

10.3.4.1   Interrelations au sein des catégories

Pour ce qui est des problèmes sociopolitiques, l'hébergement, par exemple, est dépendant de la qualité des communications, mais il est aussi influencé par la relation qui s'établit avec les instances politiques (comme les pressions des comités de citoyens pour un meilleur hébergement). Une dimension diachronique apparaît ici en ce que les relations avec le politique sont dépendantes, dans une certaine mesure, de la phase prodromique : on a observé que les sinistrés sont d'autant plus agressifs contre les responsables qu'ils ont, à l'avance, été des sonneurs d'alarme. La gestion du risque a donc un impact direct sur la réponse à la catastrophe. Enfin, pour ce qui est des problèmes scientifiques, l'échantillonnage influence, il va sans dire, le type d'analyse (et inversement), le tout jouant ensuite sur l'interprétation des résultats.

10.3.4.2   Interrelations entre les catégories

Si les relations à l'intérieur des catégories posent des problèmes de coordination, les relations entre les catégories posent, pour leur part, ces problèmes de manière encore plus complexe, en particulier s'il y a incertitude scientifique. Ainsi, lors de l'incendie de BPC de 1988, les décisions relatives à la santé et à la durée d'évacuation dépendent des analyses de dioxines faites en laboratoire, mais les coûts très élevés de ces dernières exigent à leur tour une décision des autorités politiques au plus haut niveau (sans compter le coût pour faire venir des spécialistes mondiaux pour statuer sur le seuil de dangerosité du produit).

À Tchernobyl, l'incertitude scientifique quant à l'évaluation du degré de contamination est en relation avec la décision d'évacuer ou non la population. Alors qu'une agence internationale établit la dose maximale de radioactivité, pour une vie totale, à 5 rems, les experts soviétiques affirment qu'il n'y aurait pas de danger pour la population à moins de 35 rems. C'est que l'adoption de la norme internationale aurait en effet obligé les autorités à déplacer 750 000 personnes en Biélorussie seulement et 2 millions à l'échelle du pays (Czada, 1991).

Par ailleurs, l'interprétation des résultats scientifiques peut être en relation avec les dimensions politique et médiatique, de même qu'avec la durée de l'évacuation. En élargissant le rôle de l'expert, en le rendant en partie responsable de la définition du danger, on pousse ce dernier à plus de prudence, augmentant de ce fait la durée de l'évacuation. Pour sa part, l'éruption du Nevado del Ruiz (Voight, 1990) a aussi montré que l'interprétation des données scientifiques peut varier selon les personnes et que cette interprétation influence à son tour la décision d'évacuer ou non de façon préventive. La catastrophe, en ce sens, constitue un enchevêtrement de problèmes sur les plans à la fois diachronique et synchronique.

10.3.5 Déroulement des problèmes dans le temps

Les trois catégories de problèmes peuvent se dérouler simultanément ou au contraire à des phases différentes, comme le montre l'analyse d'un déversement de produit contaminant à Pittsburgh (Comfort *et al.*, 1989). Les interrelations entre les intervenants ne se font donc pas nécessairement en parallèle. Par contre, certaines d'entre elles, parce que correspondant à toute la durée d'un événement, seront de ce fait particulièrement significatives, comme l'illustre Saint-Basile-le-Grand (fig. 10.3).

Les inondations de l'été de 1996 au Saguenay mettent en lumière comment des problèmes peuvent se poser sur une longue période de temps. Dans ce cas, l'incertitude scientifique en ce qui a trait au comportement des sols fait en sorte qu'il faudra attendre le gel et le dégel,

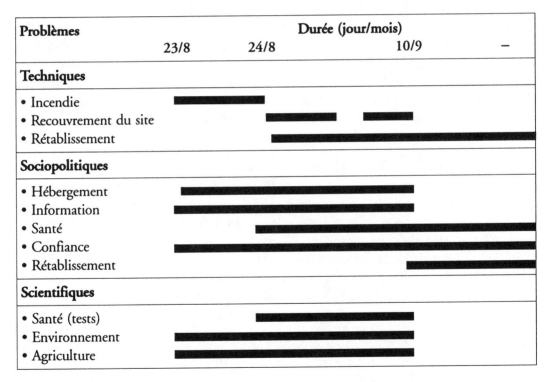

Figure 10.3 Les problèmes posés par le cas de Saint-Basile-le-Grand (Québec) eu égard à la durée dans le temps.

Source : Denis, H. 1990a. *La gestion de catastrophe : le cas d'un incendie dans un entrepôt de BPC.* Québec, Les Publications du Québec : 29.

c'est-à-dire presque un an, afin de déterminer les zones inondables et donc passer à la phase de normalisation à long terme. En ce sens, il est des catastrophes plus ou moins étendues dans le temps en ce qui concerne les problèmes qu'elles soulèvent, et ce en dépit de la soudaineté de leur apparition.

10.4 STRUCTURATION, TECHNOLOGIE ET CULTURE

10.4.1 Structuration

La question la plus importante, dans la réponse aux catastrophes, a trait aux partages de responsabilités et, surtout, à la coordination d'ensemble. Qui fait quoi mais aussi, et surtout, qui coordonne?

10.4.1.1 Multiplicité des intervenants

La multiplicité des intervenants accroît la complexité des interrelations dans et entre les catégories de problèmes. Multiplicité des experts ou des intervenants professionnels, bien sûr, mais aussi multiplicité des intervenants profanes : au moment d'un tremblement de terre par exemple, la population n'attendra pas les secours officiels pour intervenir et sauver des vies en dégageant les victimes des décombres. La tendance générale est même plutôt de se précipiter sur les lieux d'un désastre, qu'on soit motivé par l'envie de «voir» ou par le désir, plus altruiste, d'aider.

En effet, les catastrophes se caractérisent le plus souvent par une trop grande affluence de différents types de secours. Ceci entraîne une dépense de temps et d'énergie pour coordonner cette affluence : recevoir les personnes ou organismes, les orienter, les loger, assurer l'intendance, etc. Souvent, les gestionnaires de catastrophes voient cette tâche s'ajouter à celle, déjà lourde, qu'ils doivent assumer. Par exemple, lors des inondations du Saguenay en 1996, l'abondance des dons en biens de toutes sortes, sans tri préalable, a causé un problème logistique de taille (résolu d'ailleurs grâce au travail constant d'organismes bénévoles). Une solution, dans un tel cas, consiste à refuser de l'aide, mais cela est difficile à comprendre pour les personnes pleines de bonne volonté qui offrent des biens ou des services.

Car l'affluence, dans les offres de secours, ne vient pas que du public : elle vient aussi des spécialistes de l'urgence eux-mêmes, tel que le montre une analyse de plusieurs catastrophes naturelles (Dynes et Quarantelli, 1986). Cette multiplicité des intervenants est un élément susceptible de favoriser les incertitudes organisationnelles relatives aux partages des responsabilités et à la coordination. Elle renvoie en effet aux interrelations entre les personnes rattachées aux différentes catégories de problèmes.

On remarque ainsi, à l'intérieur des catégories, des zones grises de responsabilités ou des communications privilégiées (qu'elles soient positives ou négatives) entre :

- pompiers et spécialistes de l'environnement (au sens large), dans la catégorie des problèmes techniques, auxquels peuvent ou non s'ajouter des représentants de la protection civile, dans le cas de désastres naturels notamment;
- représentants de la protection civile, de la santé et des services sociaux, des municipalités, des communications, etc., dans la catégorie des problèmes sociopolitiques;
- experts de l'environnement, de l'agriculture, de la santé dans la catégorie des problèmes scientifiques; également, dans cette même catégorie, entre experts nationaux, entre experts internationaux ou entre experts nationaux et internationaux (cas du Nevado del Ruiz).

Entre les catégories de problèmes, on observe également certains liens entre les responsabilités respectives tels que (comme dans ce qui précède, la liste n'est pas exhaustive) :

- les pompiers et les experts scientifiques relativement aux effets toxiques de la source de l'incendie;
- les médecins appelés à donner les premiers soins et ces experts;
- les responsables de l'hébergement et ces experts;
- les responsables de l'hébergement et les pompiers (ceux-ci, selon les techniques privilégiées pour éteindre l'incendie, déterminant en partie la durée de l'évacuation).

Les catégories de problèmes sont donc liées entre elles par des personnes, représentant fréquemment des organisations. En ce sens, toute catastrophe apporte une série de problèmes à résoudre ainsi qu'un degré plus ou moins élevé d'incertitude dans chacune des catégories, auquel s'ajoute une incertitude organisationnelle relative aux interrelations, puisque ce sont des êtres humains qui, en définitive, font face à ces problèmes. Cette constatation est importante dans la mesure où elle montre qu'une personne ne peut agir seule, dans le contexte d'une catastrophe. D'où la possibilité d'une incertitude organisationnelle – et le besoin d'une coordination.

10.4.1.2 Coordination

Face à la multiplicité des intervenants, qui coordonne? Qui est responsable d'intégrer harmonieusement les différentes actions que comporte la réponse à l'événement? Au départ, puisque la catastrophe, par définition, implique une collectivité, il est clair que la coordination des secours aura toujours une dimension sociopolitique. Cela signifie que, même si la source du danger provient d'une entreprise privée, le débordement des conséquences vers les résidants fait en sorte que la municipalité doit nécessairement participer aux secours, tout au moins au Canada[122].

---

122. Nous avons choisi de parler de la coordination d'urgence au Canada non seulement parce que nous la connaissons mieux, mais aussi parce qu'elle est fort complexe, contrairement par exemple à certains pays où elle est fortement centralisée, sans participation de l'échelon local.

Dans ce pays, la responsabilité première en matière d'urgence est attribuée à ce niveau municipal, sauf s'il s'agit d'un territoire de propriété provinciale ou fédérale. Le plus souvent, le directeur général de la municipalité sinistrée agit comme coordonnateur de l'urgence, aidé de son équipe habituelle de gestion dont les rôles sont spécifiés dans les plans d'urgence. Si une entreprise privée est impliquée, elle doit s'arrimer à ces intervenants locaux (d'où le besoin réciproque d'avoir prévu cette collaboration dans les plans d'urgence, c'est-à-dire dans la gestion du risque).

La municipalité assure deux niveaux de coordination, administratif et politique, tous deux devant s'intégrer pour que tout se passe bien. Deux cas, survenus au Québec en 1995, ont montré que la chose est possible : un déraillement ferroviaire qui impliquait des produits chimiques à Lennoxville et une tornade à Aylmer. Dans ces deux situations, la répartition des rôles et la coordination se sont faites en douceur. Les représentants politiques se sont chargés des relations avec la population et avec la presse, les responsables administratifs voyant à la réponse à la catastrophe, en relation étroite avec le politique. Dans le premier cas, l'entreprise privée a également joué un rôle fondamental dans la gestion de l'événement.

Lorsqu'une municipalité a besoin d'aide pour répondre à la catastrophe, elle s'adresse au gouvernement provincial. Très souvent, les contacts se font avec le ministère de l'Environnement ou avec les forces policières provinciales. Le gouvernement du Québec a son propre modèle de coordination des mesures d'urgence, dont la responsabilité revient à la Direction générale de la sécurité civile (DGSC[123]). Celle-ci voit à ce que l'action de tous les autres ministères provinciaux soit coordonnée : Agriculture, Environnement, Communications, Travaux publics, etc. Le ministère des Communications a la responsabilité d'une politique de communication, dont une partie, dans certains cas, est une politique de communication du risque mais au moment de l'urgence.

Un gouvernement provincial, tel le Québec, assure en fait quatre paliers de coordination latérale. Il y a d'abord la dimension politique, qui se scinde entre le palier des ministres ayant un rôle à jouer dans l'urgence et celui des députés des municipalités sinistrées (dans le cas où elles sont multiples). Il y a ensuite, pour chaque ministère, une dimension administrative qui se divise à son tour entre le palier des sous-ministres et celui des bureaux régionaux. C'est de plus en plus ce niveau régional qui est engagé dans la réponse à la catastrophe, aux côtés de la municipalité. Par ailleurs, outre cette coordination par palier, la coordination doit se faire entre le politique et l'administratif et, verticalement, à l'intérieur de chacun des ministères.

Pour sa part, le gouvernement fédéral canadien confie la responsabilité de la coordination des secours à un organisme directeur, lequel est défini comme le principal intervenant dans la

---

123. La désignation de cet organisme changeant relativement fréquemment, nous nous en tenons au sigle DGSC. Pour la même raison, nous omettons les regroupements conjoncturels et ne donnons que les noms des ministères qui nous intéressent ici.

catastrophe. Au cours des dernières années, Environnement Canada a surtout joué ce rôle, sauf lors de l'écrasement d'un satellite muni d'équipements nucléaires dans le Nord canadien, où Santé Canada a été responsable de la santé publique. Le gouvernement fédéral agit de concert avec les responsables provinciaux de même qu'avec la municipalité sinistrée. Protection civile Canada, qui relève du ministère de la Défense nationale, sert de courroie de transmission entre les différents intervenants fédéraux et les provinces.

Ce modèle est si complexe que nous l'avons appelé la «méga-organisation» de l'urgence (Denis, 1995c). Il comporte au surplus, s'ajoutant à ces intervenants gouvernementaux, des représentants d'entreprises privées ou publiques dont il faut aussi coordonner l'action. Dans ce domaine, on pense spontanément aux services d'utilité publique (électricité, gaz, téléphone), mais il y a également ce qu'on peut appeler les sous-traitants de l'urgence, telles par exemple ces entreprises spécialisées dans la récupération des eaux usées. Il y a encore, dans cette dernière catégorie, certains contractuels, qu'ils soient scientifiques ou camionneurs (ces derniers ayant par exemple servi à transporter de la terre pour éteindre l'incendie de pneus usés). Enfin, on ne peut négliger l'action des nombreux bénévoles agissant ou spontanément (voisins, amis qui participent aux secours), ou de façon plus formelle (Croix-Rouge, société Saint-Vincent-de-Paul, églises, etc.), mais qui, dans tous les cas, doivent être intégrés à la méga-organisation de l'urgence.

La coordination constitue en définitive le cœur de la gestion de la catastrophe. Sans elle, c'est le fouillis, parfois la crise. Elle a la particularité de mettre à contribution de nombreuses personnes et de nombreux organismes, certains spécialisés dans la réponse aux urgences, d'autres moins. Par ailleurs, comme les désastres – heureusement – ne sont pas fréquents, une organisation peu manquer de pratique et être privée de sa mémoire. Les rotations ou les roulements de personnel, en ce sens, peuvent affaiblir les capacités organisationnelles de répondre à une catastrophe, à moins que l'on compense cette fragilité par des exercices de simulation dans la planification d'urgence.

10.4.2 Technologie

Comme pour ce qui précède, nous ne donnons qu'un aperçu des différents supports techniques nécessaires à la réponse à une catastrophe. Ces supports sont toutefois mobilisés par des organisations et, à ce titre, ils sont en relation étroite avec la méga-organisation.

Les principaux supports techniques sont les suivants :
- Pour les problèmes techniques :
  - la cartographie (cartes géographiques mais aussi cartes des infrastructures municipales);
  - les prévisions météorologiques;
  - les équipements pour le dégagement des décombres et le sauvetage, tels des équipements protecteurs;
  - les équipements pour la lutte contre l'incendie;

– les équipements pour la sécurité du site;
– les équipements de communication entre les intervenants, d'une part, et entre les intervenants et les victimes, d'autre part, par exemple pour le sauvetage.

- Pour les problèmes sociopolitiques :
  – les moyens relatifs à l'alerte;
  – les véhicules d'évacuation;
  – les systèmes d'hébergement;
  – les systèmes de recension des évacués;
  – les systèmes de communication entre les intervenants de même qu'entre les intervenants
    et les sinistrés;
  – les régimes d'assistance financière;
  – les systèmes dans les régimes d'assurance-chômage;
  – les soins de santé et les technologies qui s'y rattachent;
  – tous les équipements de communication entre les intervenants et la population, incluant
    ceux qui concernent les médias.
- Pour les problèmes scientifiques :
  – les permis de travail des scientifiques venant de l'étranger, s'il y a lieu;
  – les équipement d'échantillonnage;
  – les laboratoires;
  – les équipements de communication pour transmettre les données.

D'autres supports techniques ont trait à la vie quotidienne. Ce sont les problèmes d'intendance tels :

- la nourriture et l'eau potable;
- les moyens de transport;
- les locaux;
- les services de secrétariat et les fournitures de bureau (ordinateurs, logiciels, télécopieurs,
  téléphones, etc.);
- la tenue d'un journal de bord;
- les sources d'énergie.

Enfin, il est important de prévoir des redondances pour tous ces équipements ainsi que la
compatibilité des interrelations entre les différents systèmes.

10.4.3 Culture

La culture joue un rôle important dans les catastrophes. Culture des sinistrés, tout d'abord,
selon le lieu de l'événement, mais aussi culture des intervenants : modes de pensée, façons de
faire, types d'organisation privilégiés (coordination centralisée ou non), grilles de référence,
etc. La plupart de ces points ont été traités au chapitre sur la culture, mais certains méritent
toutefois d'être repris et précisés quelque peu.

Tout d'abord, un élément de la culture parmi les plus importants de la gestion de catastrophes est, il faut le répéter, la connotation mythique de cette dernière, qui fera percevoir différemment non seulement l'événement mais aussi la réponse qu'on lui apporte. En ce sens, il est plus difficile de gérer une catastrophe qui met en cause le nucléaire ou les BPC, puisque ces produits ont acquis une signification de conséquences effroyables sur la santé, aujourd'hui et pour les générations à venir.

L'attribution des responsabilités fait également partie de la dimension culturelle et influe sur la gestion de la réponse. À cet égard, il vaut mieux faire face à une catastrophe naturelle plutôt que technologique, les accusations de négligence étant plus faciles dans ce dernier cas. Cependant, il ne faut pas oublier que certaines catastrophes naturelles révèlent parfois des faiblesses dans la technologie – par exemple dans les méthodes de construction – qui relèvent de la phase de gestion du risque. Lorsque les sinistrés estiment que cette gestion a présenté des lacunes, l'attribution des responsabilités se fera plus durement et on sera plus exigeant quant à la qualité de la réponse, à celle des secours et au montant des compensations.

La culture étant un construit, une culture de l'urgence peut se développer. Nous avons même établi qu'elle est essentielle dans la méga-organisation. En ce sens, les exercices, simulations ou rencontres ont pour but, informellement, de favoriser des façons de voir communes à un groupe, de développer un sens du «nous». Par contre, il faut éviter que cette homogénéité culturelle des gestionnaires de l'urgence devienne une forme de *groupthink*, les sinistrés pouvant alors ressentir cette homogénéité comme une non-empathie, comme une sorte de front commun dirigé contre eux, avec les conséquences vues précédemment au chapitre sur la communication.

10.5 COMMUNICATION

La communication est, comme la coordination, un des aspects les plus importants de la réponse à une catastrophe. À l'instar de l'ensemble de la gestion de catastrophes dont elle fait d'ailleurs partie, cette communication est plus difficile si l'événement est mythique ou si la population croit que le risque a été mal géré. On distingue en fait deux grands types de communication au moment de l'urgence : celle qui concerne les intervenants et celle qui se fait entre ces derniers et les sinistrés (Denis, 1990c).

10.5.1 Communication entre intervenants

10.5.1.1 Communication et action de secours

Chacun s'accorde à dire que la communication est importante, sinon vitale, en situation de catastrophe. Mais il faut rappeler que, considérée en tant qu'échange, la communication est essentiellement un service, demandé et reçu, phénomène qui apparaît avec d'autant plus d'acuité lorsqu'il y a urgence. On a en effet tendance à oublier que le seul fait de demander une information à quelqu'un suppose que la personne interrogée doive faire un effort ou une certaine recherche pour répondre. En ce sens, la communication est davantage un support de l'action qu'une fin en soi. Dans cette perspective, elle devient une action indirecte (à l'exception de l'action des spécialistes des communications), par rapport à l'action directe qui consiste à gérer la catastrophe et à apporter des secours.

Ce qui vient à la fois équilibrer – mais également alourdir – l'action indirecte, c'est que les besoins ne sont généralement pas à sens unique. Par exemple, ceux qui luttent contre la source du danger sont assaillis par des demandes de renseignements et sont simultanément noyés sous le volume d'information qui leur parvient soit des intervenants, soit de la population. On a également observé une tendance, chez ceux qui fournissent de l'information, à en réclamer en même temps, ce qui complique davantage la situation : une illustration en est donnée par le bureau d'un shérif lors d'une tornade (Drabek, 1985).

Dans une telle situation s'offrent alors plusieurs possibilités. S'il ne possède pas l'information demandée, le récepteur peut choisir de la chercher ou de diriger l'émetteur de la demande vers quelqu'un d'autre, ou il peut simplement refuser de répondre. Si l'information est accessible, dans le meilleur des cas elle est transmise correctement, sinon il y a blocages. Mais elle peut aussi être accessible et ne pas être transmise. C'est là tout le drame et toute la difficulté de la communication en situation de catastrophe.

10.5.1.2 Réseaux de communication

La discussion qui précède sur les échanges entre intervenants multiples laisse entrevoir que la communication, en gestion de catastrophes, prend parfois la forme de ce type de réseau qui a été appelé «toutes directions». Il arrive cependant que les rôles orientent les communications, par exemple en fonction des échelons hiérarchiques ou encore lorsqu'il existe un coordonnateur central, qu'il s'agisse d'une personne ou d'un organisme (Therrien, 1993).

D'autres études indiquent que le contenu de la communication est susceptible de varier en fonction de sa direction : la communication ascendante, par exemple, aurait surtout trait à des demandes d'information, d'assistance et de ressources, alors que la communication descendante répondrait à ces demandes sous forme d'ordres ou de descriptions de situations (Tuler, 1988). Nos recherches, cependant, indiquent généralement que ces descriptions de situations proviennent autant, sinon davantage, de la base que du sommet de la hiérarchie.

Carley (1991) a montré pour sa part que des structures décentralisées peuvent répondre plus rapidement aux urgences, mais qu'elles sont sujettes à plus d'erreurs. On a également analysé comment les organisations appelées «émergentes» (Dynes, 1970), telles celles qui sont mises sur pied spontanément pour répondre à un besoin au moment de l'urgence, peuvent parfois mettre plus de temps à prendre une décision quant à une action appropriée que des organisations plus structurées, parce que les participants n'ont pas l'habitude de travailler ensemble.

Le concept de réseau pose également la question de la coordination des communications et, si celle-ci n'est pas présente, de la surcharge constituée par le fouillis des messages. Selon Drabek (1985), ce fouillis vient en grande partie des nombreuses contre-vérifications qui alourdissent le fonctionnement des réseaux. Voilà pourquoi, selon l'auteur, les organisations auraient tendance, à l'interne, à préférer une coordination plus souple de l'information, alors que, pour ce qui a trait à l'externe, leur préférence irait à la centralisation. Une partie (non publiée) de la recherche sur Saint-Basile-le-Grand, qui ne constitue cependant qu'un cas, a plutôt révélé des communications centralisées à la fois à l'interne, dans un certain nombre d'organisations (mais non toutes), et à la fois à l'externe, dans la méga-organisation de l'urgence.

La centralisation de l'information peut être favorisée par les préférences individuelles, motivées dans certains cas par un besoin de protection (Crozier, 1963), ou elle peut être imposée par les autorités responsables (motivées elles aussi, parfois, par ce même besoin de protection). Dans les deux cas, la centralisation a des répercussions importantes. En effet, contrairement à la décentralisation, souvent perçue comme un fouillis, la centralisation de l'information, si elle nourrit d'une part une image de maîtrise peut, d'autre part, créer chez les intervenants un sentiment de marginalisation. Les problèmes de communication – interne et externe – qui peuvent en résulter sont particulièrement graves lorsqu'ils touchent des personnes qui, sur le terrain, sont dans le feu de l'action.

Bien entendu, les communications ne suivront pas que les canaux formels, et des échanges informels vont se développer. Ces derniers, tout comme les échanges formels, peuvent se constituer en réseaux – informels –, lesquels lubrifient les rouages des structures formelles.

Enfin, la méfiance exerce parfois une grande pression sur les intervenants dans les réseaux. Comme ces intervenants n'ont pas tous le même degré de préparation, cela signifie concrètement qu'ils ne sont pas tous au courant de ce que leur organisation ou les autres organisations sont en mesure d'offrir comme services, au moment de l'urgence. Dans une telle situation, des jeux de pouvoir peuvent se cacher derrière les problèmes de communication : il peut s'avérer commode en effet de ne pas «savoir» qu'un collègue d'une autre organisation, dont on ne désire pas l'intervention, peut fournir des services... La communication lors d'une catastrophe offre, en ce sens, un terrain privilégié pour faire éclater au grand jour des luttes de pouvoir qui, dans le quotidien, passeraient relativement inaperçues.

10.5.2 Communication avec les sinistrés et avec le public

La communication entre les gestionnaires de l'urgence et les sinistrés constitue fréquemment, en gestion de catastrophes, le maillon le plus faible, particulièrement au début, alors que l'information est fragmentaire, contradictoire, parfois même inexistante[124]. L'information, dans ce type de communication, doit répondre en fait à trois questions fondamentales, dont les deux premières sont presque indissociables : «Que se passe-t-il?», «Que faut-il faire?», et «Les miens sont-ils en danger?» On trouve ici encore de l'information relative aux trois types de problèmes de la typologie : les problèmes techniques, les problèmes sociopolitiques et les problèmes scientifiques.

10.5.2.1 Information et problèmes techniques

L'information technique renseigne la population quant à ce qui se passe à la source de danger, aux mesures à prendre pour y faire face, à l'étendue des dégâts, etc. Pourquoi a-t-on établi tel périmètre de sécurité? Pourquoi le sauvetage se fait-il de cette façon plutôt que d'une autre? Autant de questions que se pose le public et, encore davantage, les évacués. En règle générale, l'information relative aux problèmes techniques est transmise sans intermédiaire des intervenants aux sinistrés ou par le biais des médias.

10.5.2.2 Information et problèmes sociopolitiques

L'information touchant l'évacuation, les modalités d'hébergement, les soins de santé et les autres aspects des problèmes sociopolitiques est fournie par les gestionnaires de l'urgence – notamment les policiers, les autorités municipales, les services sociaux ou la protection civile – directement aux sinistrés, aux centres d'information ou aux médias.

La troisième question, «Les miens sont-ils en danger?», fait partie de cette catégorie dans la mesure où, ici, c'est le public qui veut savoir s'il y a danger pour sa famille ou ses amis demeurant dans la zone à risque. Parfois, le public désire également connaître les risques pour sa propre santé, en particulier si le danger est invisible. Avec, comme conséquence, l'engorgement des circuits téléphoniques, le téléphone – s'il fonctionne, bien entendu – étant souvent le principal moyen de communication pour ces personnes. Le phénomène s'explique également par le désir de ceux qui sont à risque de vérifier et contre-vérifier l'information reçue avec les voisins, parents et amis, surtout si l'enjeu est grave et le danger incertain (p. ex. relativement à une évacuation).

---

124. Ici s'applique également la remarque du point précédent sur l'information en tant qu'action indirecte.

10.5.2.3 Information et problèmes scientifiques

L'information scientifique est communiquée par les experts aux médias, aux gestionnaires de catastrophes ou aux responsables politiques. Dans le cas d'accidents touchant des produits chimiques (Sorensen et Rogers, 1988), les besoins d'information répertoriés par 3 300 intervenants en urgence à l'échelon local portaient sur les sujets suivants :

- le type de produits chimiques (79 % des réponses);
- la quantité de produits dangereux rejetée (57 %);
- le risque pour la santé humaine (42 %);
- l'emplacement du panache de fumée (37 %);
- la vitesse de dispersion de la fumée (24 %);
- le chemin poursuivi par la fumée (24 %);
- les recommandations de protection (20 %).

L'information scientifique, en cas de catastrophe, est en fait une communication du risque, et ce qui a été dit précédemment à ce sujet s'applique également ici.

10.5.3 Rôle des médias

10.5.3.1 Définition de l'événement

Catastrophe et médias sont indissolublement liés. La catastrophe est sensationnelle et attire les médias. Le danger, dans l'information du public, c'est que les médias font un tri dans ce qui compose l'événement, au détriment de certains aspects. Les médias peuvent par exemple définir l'événement en attribuant des responsabilités : ils cherchent alors un coupable. À cet égard, il semblerait que, dans le cas de défaillances technologiques, les médias soient plus tolérants pour l'erreur humaine que pour les causes techniques proprement dites. C'est ce qu'affirmait, après l'accident d'Ermenonville, le chef du bureau des certifications de la Direction générale de l'aviation civile du ministère des Transports français (Lagadec, 1981).

Mais l'introduction de biais dans la définition d'un événement est un phénomène ancien. Par exemple, lors du tremblement de terre de 1907 à San Francisco, les médias ont attribué les dégâts au tremblement de terre plutôt qu'aux incendies qu'il a provoqués (Thomas et Witts, 1971). Si la cause première restait le séisme, les techniques de construction et les modalités de gestion de la catastrophe avaient largement contribué à aggraver les dégâts : pourtant, elles ont en général été passées sous silence, l'accent étant mis sur l'élément déclencheur.

Enfin, si les médias définissent l'événement, ils définissent aussi ce qui est un non-événement. Par exemple, contrairement à la couverture de l'explosion de la navette Challenger, les médias n'ont pas relevé outre mesure la tragédie de cet astronaute laissé en errance autour de la Terre, en 1991-1992, en raison des bouleversements politiques qui secouaient l'URSS. S'il n'y a pas de coupable en vue ou de confrontation possible, notamment dans le cas de désastres de longue durée, les médias peuvent avoir tendance à se désintéresser de l'événement. Cela a été le cas du radon aux États-Unis, ce gaz radioactif d'origine naturelle dont la présence dans les maisons posait des questions de santé :

> [...] la question [...] a assez rapidement quitté les rubriques des périls de l'environnement, pour être reprise de façon moins dramatique dans le thème «santé et vie pratique» (comment aérer son sous-sol). (Duclos, 1989 : 203.)

Ce désintéressement sera particulièrement critique pour les victimes, lesquelles n'ont parfois que ces médias pour les appuyer (comme vu au chapitre précédent) : par exemple, les comités de citoyens de Saint-Basile-le-Grand ont bénéficié de la publicité médiatique, contrairement à ceux de Binghampton, où s'est produit un autre incendie de BPC. L'appui des médias peut donc mettre en lumière un risque, ce qui fera dire à Clarke (1989 : 155), relativement à ce dernier cas :

> [...] la couverture des médias nationaux est nécessaire, sinon suffisante, avant que les associations de la base puissent prendre suffisamment de pouvoir pour devenir des forces réelles.[125]

10.5.3.2 Médias et scientifiques

En situation de catastrophe, la diffusion de l'information scientifique et technique est assurée en grande partie par les médias. Il faut comprendre que le rôle de ces derniers, lors de désastres soulevant des problèmes scientifiques, est de traduire en langage clair des notions parfois complexes, rendues plus complexes encore par le nombre d'experts en présence. Les journalistes veulent aussi vérifier l'information officielle en la recoupant avec des sources informelles, universitaires par exemple; d'ailleurs, ils disposent à cette fin de leurs propres réseaux. Les contradictions officielles vont alors se refléter dans leur information (Otway *et al.*, 1988).

Lorsque les experts ne sont pas disponibles pour informer la population, le danger est que les médias aient recours à des pseudo-experts, définis comme des scientifiques «non directement engagés dans le champ scientifique relatif à l'événement» (Lamontagne *et al.*, 1992) et qui agissent à titre d'interlocuteurs pour les médias locaux. Ces pseudo-experts peuvent involontairement, en diffusant des notions non fondées, attiser l'anxiété des gens et nourrir indirectement des rumeurs (Scanlon *et al.*, 1985). Dans le groupe des pseudo-experts, on trouve aussi ce que le gouverneur de Pennsylvanie (Thornburgh, 1987), à Three Mile Island, a appelé les «experts autoproclamés», qui exagèrent ou bien le danger ou bien la sécurité d'une installation.

---

125. Notre traduction.

Il reste cependant que les experts, par exemple le toxicologue ou le géologue, ont fort à faire dans leur domaine propre au moment d'une catastrophe et qu'ils doivent choisir entre l'action et la diffusion de l'information qu'ils recueillent, c'est-à-dire entre l'action directe et l'action indirecte. Par ailleurs, ces experts sont aussi responsables sur le plan professionnel, d'où leurs craintes quant à l'interprétation de leurs résultats par les journalistes. Il faut rappeler que ces derniers sont liés aux grands réseaux nationaux et internationaux, ce qui peut signifier des répercussions importantes pour un expert (Lamontagne *et al.*, 1991), dont celles de subir des poursuites judiciaires.

En fait, en situation de catastrophe, il arrive fréquemment que ce soit les médias, et non le gouvernement, l'industrie ou les experts, qui transmettent un message sur les risques (Sachsman *et al.*, 1988). Dans ce contexte, on observe deux tendances chez les journalistes locaux. D'une part, ils peuvent hésiter à présenter les risques de technologies qu'ils jugent importantes pour l'économie d'une région. D'autre part, ce sont eux qui sont les plus intéressés à obtenir et à diffuser toute l'information relative à une catastrophe, car ils font partie des personnes directement touchées par l'événement. Cela fait d'eux des acteurs privilégiés, à cause d'intérêts plus directs non seulement au moment de l'événement, mais également après, une fois que les médias nationaux ont quitté le terrain (Lamontagne *et al.*, 1992).

10.5.3.3 Besoins des médias et désir d'oubli des victimes

Un aspect généralement occulté de la gestion de catastrophes est le refus des sinistrés, après un certain temps, d'entendre parler de l'événement. Ce phénomène s'explique par le besoin de reprendre la vie normale en tentant d'oublier la situation qui a été source de bouleversements. Ainsi, un sondage effectué deux semaines après le tremblement de terre de Mexico a montré que presque un tiers des répondants auraient préféré entendre moins parler du séisme (Dynes *et al.*, 1990). En ce sens, les besoins des journalistes ne sont peut-être pas toujours compatibles avec ceux des victimes.

L'exemple le plus frappant, à cet égard, est donné par la tuerie de Polytechnique en 1989 (où 14 jeunes femmes ont été abattues à bout portant par un tireur fou). Un an plus tard, la communauté polytechnicienne et les familles des victimes ne voulaient pas entendre parler des événements douloureux qui les avaient marquées mais, en règle générale, les médias n'ont pas tenu compte de ce besoin. C'est qu'en effet l'information à ce sujet touchait au surplus (Denis, 1991b) : les experts en sciences du comportement (qui appuyaient le premier groupe), les féministes (qui tenaient à ce qu'on parle de la violence faite aux femmes) et le grand public (que les journalistes voulaient informer). Autant de catégories de personnes, d'attitudes différentes fondées sur des valeurs différentes, auxquelles les médias vont s'adresser en fonction de leurs propres valeurs et de leurs intérêts.

On observe donc que communication du risque et communication en cas de catastrophe sont parfois en lien étroit, en particulier dans ce qu'il est convenu d'appeler les «catastrophes technologiques». La communication du risque avant un désastre, si elle ne résout pas tous les problèmes, assure au moins que les résidants sont au courant non seulement des dangers mais aussi des mesures pour répondre à l'événement. Cette communication a également un aspect de prévention en ce qu'elle peut diminuer l'agressivité envers les autorités au moment de l'urgence, puisque des actions ont été posées, à la phase prodromique.

En conclusion de ce chapitre, force est de constater que la gestion de catastrophes est plus spectaculaire que la relativement invisible gestion du risque. Elle peut aussi davantage porter préjudice à une entreprise : la société Exxon a dû payer lourdement pour le naufrage de l'Exxon-Valdez, de même qu'Union Carbide après Bhopâl. Voilà sans doute pourquoi nous avons terminé cette réflexion en montrant ce qui se pose comme problèmes lorsque l'analyse et la gestion des risques n'ont pas fonctionné. Évidemment, comme il a été énoncé en début de chapitre, il est possible que des catastrophes affectent des entreprises qui ont consciencieusement géré leurs risques puisque la fatalité, en dépit de ce que prétendent nos sociétés industrialisées à caractère volontariste et rationnel, demeure toujours une possibilité.

SYNTHÈSE

Ce chapitre porte sur le terme ultime du risque sociotechnologique majeur, la catastrophe. Celle-ci est définie selon l'origine ou le déroulement de l'événement. Il importe par ailleurs de la distinguer d'un concept voisin, celui de crise. Sont aussi abordées ses principales caractéristiques. Après quoi, pour comprendre la réponse à une catastrophe, une typologie des problèmes liés à sa gestion est proposée: problèmes techniques, problèmes sociopolitiques et problèmes scientifiques. Ces problèmes sont parfois accompagnés d'incertitude, ce qui rend alors la gestion de l'événement encore plus difficile. Ils peuvent être en relation les uns avec les autres soit à l'intérieur d'une catégorie, soit entre différentes catégories.

La grille d'analyse qui repose sur les dimensions de la technologie, de la structuration et de la culture s'applique également à la gestion de catastrophes. La structuration est considérée sous ses aspects de la multiplicité des intervenants et de la coordination. La technologie fournit quant à elle des supports aux différentes activités. Enfin, la culture est celle de l'urgence.

La communication au moment d'une catastrophe présente des particularités. En premier lieu sont traitées les questions relatives à la communication entre les intervenants. Dans un deuxième temps, l'accent est mis sur la communication avec les sinistrés et avec le public, en lien avec la typologie des problèmes techniques, sociopolitiques et scientifiques. Le rôle des médias dans une telle situation est abordé.

L'examen des modalités de réponse à la catastrophe montre que cette dernière déborde du cadre d'une entreprise pour s'étendre à la collectivité qui l'entoure. À ce moment, l'anxiété inhérente à ce type d'événement fait en sorte que chaque action est posée sur la place publique, particulièrement lorsqu'il s'agit de désastres ayant des conséquences potentielles graves pour la santé humaine. Ceci, en définitive, indique qu'il vaut sans doute mieux comprendre et gérer le risque sociotechnologique majeur que gérer la catatrophe, qui en est le terme ultime.

Conclusion

Nous avons dit en introduction que la notion de risque est inhérente à l'existence humaine et à la technologie. En ce sens :

> Les défaillances, les erreurs et les dangers induits ou laissés en suspens par la science semblent beaucoup plus compréhensibles si on les relie au fonctionnement normal de la modernité que lorsqu'on cherche à les interpréter d'après l'idée d'une rupture ou d'une dégénérescence du tissu social. (Duclos, 1989 : 37.)

Loin de nous l'idée de banaliser la défaillance ou de l'excuser, quelle qu'en soit la source. Mais, il faut le répéter, le risque zéro n'existe pas ou, alors, il ne s'agit plus de vivre mais de se murer dans une cellule capitonnée. Par ailleurs, ce livre ne se veut pas un réquisitoire contre la technologie et ses développements. Nous avons au contraire voulu montrer combien nous sommes tous, à un moment ou l'autre, par nos choix de vie, créateurs de risques.

En ce sens, l'être humain vivant en société est présent à toutes les étapes du risque, avant que la catastrophe survienne. Il est présent par le rôle qu'il assume dans les systèmes dont il s'entoure. Il est présent dans la gestion des technologies, dont la complexité de plus en plus grande suppose presque intrinsèquement des possibilités de défaillance. Il est présent dans la structuration des organisations, où les modifications dues aux pressions de la technologie et de la rentabilité économique sont aussi créatrices de risques. Enfin, il est présent dans la culture, la multiplicité des idéologies suscitant des controverses, des affrontements et, ultimement, la difficulté de définir un risque «acceptable».

Cette présence de l'humain, dans un tel contexte de multiplicités et de complexités, fait croître le danger que le clivage actuel s'accentue entre les adeptes du progrès technologique à tout prix et ceux qui désirent en maîtriser les risques. Cela pourrait bien conduire à un schisme entre les premiers, qui croient que les développements technologiques peuvent permettre, par exemple, de développer ou de relancer la croissance de l'économie, et les autres, qui estiment que les coûts de mitigation sont un investissement rentable.

Mais qui, alors, doit décider de la gestion et de la maîtrise du risque sociotechnologique majeur? Selon nous, cette action est une tâche trop importante pour être laissée aux spécialistes techniques ou même aux gestionnaires, bien que ces groupes aient un rôle de premier plan à jouer pour assurer, en définitive, la sécurité. Nous avions donné, en introduction, l'exemple de l'impatience des passagers au décollage d'un avion qui doit d'abord être dégivré : l'être humain est aussi présent, dans la gestion du risque, à titre d'usager. Voilà pourquoi cette gestion est aussi la responsabilité du client, par la vigilance qu'il observe face aux différentes facettes du risque sociotechnologique majeur.

Vigilance également de ces autres catégories souvent oubliées lorsqu'il est question de risque, les bailleurs de fonds de projets technologiques et les assureurs. Les membres d'une institution financière, notamment, peuvent ainsi en venir à adopter une perspective plus large quant au rôle qu'il leur est possible de jouer dans la gestion du risque. Par exemple, cela signifie, concrètement, que les conditions de financement ou d'assurance d'un projet ou d'un équipement technique pourraient inclure un volet gestion du risque non seulement, comme c'est le cas actuellement, pour l'institution financière, mais aussi pour le projet ou l'équipement approuvé.

Car en fait, et c'est le *leitmotiv* de ce livre, la défaillance peut se situer à divers endroits dans un système, depuis la conception des technologies et leur financement jusqu'à leur mise au rancart, en passant par leur exploitation. Cette défaillance n'est presque jamais le fait d'un seul élément particulier : elle s'inscrit plutôt dans un ensemble de facteurs, à travers une relation systémique. Résoudre cette complexité qui entoure le risque constitue donc un défi que la société entière est appelée à relever, particulièrement dans les années à venir où se pose avec acuité, entre autres, la question de la vétusté de certaines installations nucléaires et des déchets de cette industrie.

C'est donc parce que le risque est sociotechnologique que nous avons cherché à établir un pont entre ces deux solitudes que sont les experts et les profanes. Pour ce faire, nous avons présenté aux ingénieurs les données des sciences humaines et sociales sur le risque technologique et tenté de démontrer que ce risque, en définitive, a une importante composante sociologique. Nous avons également offert aux non-experts de la technologie une réflexion sur ce qu'est ce type de risque. En ce sens, si ce livre amène le lecteur à poser des questions et à s'intéresser aux décisions relatives à la sécurité avant que survienne une catastrophe, alors son objectif sera atteint.

Bien entendu, nous ne prétendons pas résoudre tous les problèmes dans ce domaine. Nous avons simplement voulu montrer qu'il est possible de comprendre le risque sociotechnologique majeur, de saisir les enjeux que posent son évaluation, sa perception et la définition de ce qui est acceptable. Nous avons aussi voulu montrer qu'il est possible de gérer ce risque de façon sécuritaire, d'une part en tenant compte des différentes facettes de l'entreprise que sont sa technologie, sa structuration et sa culture et, d'autre part, en s'ouvrant sur la collectivité par la communication du risque.

Reste enfin la catastrophe. C'est d'elle au fond qu'il a été question, implicitement, tout au long de cet ouvrage. C'est elle que nous voulons éviter en tentant de convaincre le lecteur de mener des actions orientées vers la sécurité. Non pas que ce lecteur fasse preuve de laxisme en la matière : il y a au contraire de fortes chances que ceux qui auraient le plus besoin de lire ces lignes ne s'y intéressent pas. Mais nous souhaitons au moins que les autres, ceux qui ont pris la peine de nous accompagner tout au long de ces pages, puissent travailler, comme nous tentons bien humblement de le faire, à conserver une planète où il fait bon vivre.

Références

Addis, K.K. 1990. The night the lights went out in San Francisco. *Security Management*, février : 27-30.

Ahearne, W.R. 1980. California meets the LNG Terminal. *Coastal Zone Management Journal*, 7 : 185-221.

Aktouf, O. 1990. Le symbolisme et la «culture d'entreprise», dans Chanlat (ed.) : 553-588

Allègre, C. 1990. *Économiser la planète*. Paris : Fayard.

Andrew, R. 1988. The Whittier Narrows California Earthquake of October 1, 1987 – Emergency response. *Earthquake Spectra*, 4, 1.

Ashby, W.R. 1956. *An Introduction to Cybernetics*. New York : Wiley.

Atlan, H. 1979. *Entre le cristal et la fumée*. Paris : Seuil.

Barber, B. 1983. *The Logic and Limits of Trust*. New Brunswick, NJ : Rutgers University Press.

Barke, R.P. et H.C. Jenkins-Smith. 1993. Politics and scientific expertise : Scientists, risk perception, and nuclear waste policy. *Risk Analysis*, 13, 4 : 425-439.

Barny, M.-H., J. Brenot et S. Bonnefous. 1991. Les avis des Français sur l'énergie nucléaire et la gestion des risques. *Préventique*, 42, novembre-décembre : 16-20.

Bastide, S. et A. Moreau. 1986. Enquête sur la perception de la sécurité par le personnel du Centre d'Études nucléaires de Saclay. *RGN*, 6 : 536-542.

Bastide, S., C. Carde et J.P. Pages. 1987. *Perception des risques*. I.P.S.N., Département de Protection sanitaire, Service d'études générales de protection, Laboratoire de statistiques et d'études économiques et sociales.

Bastide, S., J.-P. Moatti, J.-P. Pages et F. Fagnani. 1989. Risk perception and social acceptability of technologies : The French case. *Risk Analysis*, 9, 2 : 215-221.

Beauchamp, A. 1996a. *Gérer le risque : vaincre la peur*. Montréal : Bellarmin.

Beauchamp, A. 1996b. *L'électricité est-elle à risque? Les champs électromagnétiques et la santé humaine*. Montréal : Bellarmin.

Beck, U. 1992. *Risk Society : Towards a New Modernity*. Londres : Sage.

Bell, T.E. 1987. Managing Murphy's law : Engineering a minimum-risk system. *IEEE Spectrum Special Report : Designing and Operating a Minimum-Risk System*, 26, 6 : 24-27.

Bell, T.E. et K.E. Elkridge. 1987. The Fatal Flaw in Flight 51-L. *IEEE Spectrum*, 24, 2, février : 36-52.

Bell, T.E. et K. Esch. 1989. The space shuttle : A case of subjective engineering. *IEEE Spectrum Special Report : Designing and Operating a Minimum-Risk System*, 26, 6 : 42-46.

Bernoux, P., D. Motte et J. Saglio. 1973. *Trois ateliers d'O.S.* Paris : Les Éditions ouvrières.

Bernoux, P. 1981. *Un travail à soi.* Paris : Privat.

Bernstein, P.L. 1996. The new religion of risk management. *Harvard Business Review*, mars-avril : 47-51.

Bérubé, G. 1992. *La gestion des risques majeurs au Québec-Canada : aperçu de la législation.* Symposium Gérer les risques industriels.

Bierly III, P.E. et J.-C. Spender. 1995. Culture and high reliability organizations : The case of the nuclear submarine. *Journal of Management*, 21, 4 : 639-656.

Bissett, D.W. 1995. National accident prevention strategy : Challenges for the future, dans Robinson et Wilson (eds.) : 37-55.

Blockley, D.I. 1980. *The Nature of Structural Design and Safety.* Chichester : Ellis Horwood.

Blockley, D. (ed.). 1992. *Engineering Safety.* Londres : McGraw Hill Books Company.

Brickman, R., S. Jasanoff et T. Ilgen. 1985. *Controlling Chemicals : The Politics of Regulation in Europe and the United States.* Ithaca : Cornell University Press.

Britton, N.R. 1991. Hazardous industries and risky technologies : A new role for insurance? Cité par Britton et Oliver (eds.) : 201-218.

Britton, N.R. et J. Oliver (eds.). 1991. *Natural and Technological Hazards : Implications for the Insurance Industry.* Proceedings of a Seminar sponsored by Sterling offices (Australia) Ltd.

Browning, L.D. 1988. Interpreting the Challenger disaster : Communication under conditions of risk and liability. *Industrial Crisis Quarterly*, 2, 3-4 : 211-227.

Brunn, S., J.H. Johnson et D.J. Zeigler. 1979. *Final Report on a Social Survey of Three Mile Island Residents.* Lansing, Mi : Department of Geography, Michigan State University.

Bucher, R. 1957. Blame and hostility in disaster. *American Journal of Sociology*, 62 : 467-475.

Burns, T. et G.M. Stalker. 1961. *The Management of Innovation.* Londres : Tavistock.

Burton, I., R.W. Kates et G.F. White. 1978. *The Environment as Hazard.* New York : Oxford University Press.

Cahiers du Collège des ingénieurs. 1988. Le risque lié à l'activité humaine. Entrevue avec J.L. Nicolet. *Gérer le risque.* Paris : Presses de l'École nationale des ponts et chaussées.

Carley, K.M. 1991. Designing organizational structures to cope with communication breakdowns : A simulation model. *Industrial Crisis Quarterly*, 5, 1 : 19-57.

Chanlat, J.-F. (ed.). 1990. *L'individu dans l'organisation : les dimensions oubliées.* Québec : Presses de l'Université Laval et Paris : Eska.

Chatam, R.E. 1978. Leadeship and nuclear power. *US Naval Institute Proceedings*, juillet. Cité dans Bierly et Spender : 78-82.

Chess, C., M. Tamuz, A. Saville et M. Greenberg. 1992. Reducing uncertainty and increasing credibility : The case of Sybron Chemicals Inc. *Industrial Crisis Quarterly*, 6 : 55-70.

Clark, W.C. 1980. Witches, goods and wonder drugs : Historical perspectives on risk management, dans Schwing et Albers : 287-313.

Clarke, L. 1988. Explaining choices among technological risks. *Social Problems*, 35, 1 : 22-35.

Clarke, L. 1989. *Acceptable Risk? Making Decisions in a Toxic Environment*. Berkeley : University of California Press.

Clarke, L. 1992a. The wreck of the Exxon Valdez, dans Nelkin (ed.) : 80-96.

Clarke, L. 1992b. Context dependency and risk decision making, dans Short et Clarke : 27-38.

Clarke, L. 1993. Organizational foresight and the Exxon oil spill. Document non publié. New Brunswick, NJ : Department of Sociology, Rutgers University.

Cohen, A.V. 1981. The nature of decisions in risk management, dans Griffith : 21-35.

Cohen, R.M. 1988. Blaming men, not machines : «Human error» will take the rap for the Iran Air shootdown. *Time Magazine*, 15 août.

Comfort, L., J. Abrams, J. Camillus et E. Ricci. 1989. From crisis to community : The Pittsburgh oil spill. *Industrial Crisis Quarterly*, 3, 1 : 17-39.

Conway, D. (ed.). 1977. *Human Response to Tall Building*. Stroudsburg, PA : Dowden, Hutchinson and Ross.

Cooke, R.A. et J.C. Lafferty. 1986. *Level V : Organizational Culture Inventory-Form III*. Plymouth, MI : Human Synergistics.

Cooke, R.A. et D.M. Rousseau. 1988. Behavioral norms and expectations : A quantitative approach to the assessment of organizational culture. *Group and Organization Studies*, 13 : 245-273.

Cooper, C. et D.M. Rousseau (eds.). 1994. *Trends in Organizational Behavior*. Vol. 1. Sussex : John Wiley & Sons Ltd.

Council for Science and Society. 1977. *The Acceptability of Risks : The Logic and Social Dynamics of Fair Decisions and Effective Controls*. London : Barry Rose.

Covello, V.T. 1983. The perception of technological risks : A literature review. *Technological Forecasting and Social Change*, 23 : 285-297.

Covello, V.T. 1989. Informing people about risks from chemicals, radiation, and other toxic substances : A review of obstacles to public understanding and effective risk communication, dans Leiss : 1-49.

Covello, V.T. 1994. Communicating risk information : A guide to environmental communication in crisis and noncrisis situations, dans Kolluru : 497-537.

Covello, V.T. et J. Mumpower. 1985. Risk analysis and risk management : An historical perspective. *Risk Analysis*, 5, 2 : 103-120.

Covello, V., D. von Winterfeldt et P. Slovic. 1986. Risk communication : A review of the literature. *Risk Abstracts*, 3, 4 : 171-182.

Crossland, Professor Sir Bernard. 1994. The consequence of neglect. The Institution of Civil Engineers, in conjunction with the Hazards Forum. *Blowing the Whistle for Safety*, Safety Panel, 28 avril.

Crozier, M. 1963. *Le phénomène bureaucratique*. Paris : Seuil.

Crozier, M. et E. Friedberg. 1977. *L'acteur et le système*. Paris : Seuil.

Cutter, S.L. 1993. *Living with Risk : The Geography of Technological Hazards*. Londres, Edward Arnold.

Cyert, R.M. et J.G. March. 1963. *A Behavioral Theory of the Firm*. Englewood Cliffs, NJ : Prentice-Hall.

Czada, R.M. 1991. Muddling through a «nuclear-political» emergency : Multi-level crisis management after radioactive fallout from Chernobyl. *Industrial Crisis Quarterly*, 5, 4 : 293-322.

Dawson, S., P. Poynter et D. Stevens. 1982. Strategies for controlling hazards at work. *Journal of Safety Research*, 13 : 95-112.

Deal, T. et A. Kennedy. 1982. *Corporate Cultures : the Rites and Rituals of Corporate Life*. Reading, Mass. : Addison-Wesley.

De Keyser, V. 1989. L'erreur humaine. *La Recherche*, 216 : 1444-1455.

Delisle, A. 1994. *La perception du risque : un phénomène mal connu mais essentiel à la prise de décision*. Montréal : Atelier d'information de l'Association québécoise pour l'évaluation d'impacts, dans Beauchamp, 1996a.

Delisle, A. 1997. *L'acceptabilité sociale des risques : la participation en gestion*. Communication présentée au colloque AMEUS sur le thème Gestion des risques, mars.

De Marchi, B. 1991a. Effective communication between the scientific community and the media. *Disasters*, 15, 3 : 237-243.

De Marchi, B. 1991b. The Seveso directive : An Italian pilot study in enabling communication. *Risk Analysis*, 11, 2 : 207-215.

De Marchi, B. 1995. Risk communication to reduce vulnerability, dans Horlick-Jones *et al.* : 383-395.

Denis, H. 1987. *Technologie et société.* Montréal : Éditions de l'École Polytechnique de Montréal.

Denis, H. 1988. *Le risque technologique majeur.* Montréal : École Polytechnique. Document EPM/RT-88-29.

Denis, H. 1990a. *La gestion de catastrophe : le cas d'un incendie dans un entrepôt de BPC.* Québec : Les Publications du Québec.

Denis, H. 1990b. *Stratégie d'entreprise et incertitude environnementale.* Montréal : Agence d'Arc et Paris : Économica.

Denis, H. 1990c. Gestion de crise : les faiblesses de la communication. *Préventique,* 36 : 29-40.

Denis, H. 1991a. The complexity of technological disaster management : Technical, sociopolitical, and scientific issues. *Industrial Crisis Quarterly,* 5, 1 : 1-18.

Denis, H. 1991b. Les médias et les événements du 6 décembre. *L'Ingénieur,* 3, 6 : 11.

Denis, H. 1991c. Gestion de crise : les faiblesses de la communication. *Revue de préventique,* 36 : 29-40.

Denis, H. 1993a. *Gérer les catastrophes : l'incertitude à apprivoiser.* Montréal : Presses de l'Université de Montréal.

Denis, H. 1993b. Apprendre à gérer la catastrophe pour éviter la crise. *Sécurité : Revue de préventique,* 1, 3 : 57-60.

Denis, H. 1995a. Scientists and disaster management. *Disaster Prevention and Management : An International Journal,* 4, 2 : 20-37.

Denis, H. 1995b. How disasters uncover previous risk management practices in organizations. *Process Safety and Loss Management.* Pre-Print Document. Waterloo, University of Waterloo, Institute for Risk Research : 47-55.

Denis, H. 1995c. Coordination in a governmental disaster mega-organization. *International Journal of Mass Emergencies and Disasters,* 13, 1 : 25-43.

Department of Transport. 1987. *mv Herald of Free Enterprise Formal Investigation.* Report of Court # 8074. Londres : HMSO.

Donaldson, T. 1986. The ethics of global risk. *IEEE Technology and Society Magazine,* juin : 17-21.

Douglas, M. 1978. *Cultural Bias.* Royal Anthropological Institute Occasional Paper 35. Londres : Royal Anthropological Institute.

Douglas, M. 1982. *In the Active Voice.* Londres : Routledge and Keagan Paul.

Douglas, M. et A. Wildavsky. 1982. *Risk and Culture : An Essay on the Selection of Technological and Environmental Dangers.* Berkeley : University of California Press.

Douglas, M. 1985. *Risk Acceptability According to the Social Sciences.* New York : Russell Sage Foundation.

Douglas, M. 1992. *Risk and Blame : Essays in Cultural Theory.* Londres : Routledge.

Dowie, M. 1977. How Ford put two million firetraps on wheels. *Business and Society Review*, 23 : 46-55.

Drabek, T.E. 1985. Managing the emergency response. *Public Administration Review* : Special Issue.

Drabek, T.E. et E.L. Quarantelli. 1967. Scapegoats, villains, and disasters. *Transaction*, 4 : 12-17.

Duclos, D. 1989. *La peur et le savoir : la société face à la science, la technique et leurs dangers.* Paris : Éditions de la Découverte.

Duclos, D. 1991a. *L'homme face au risque technique.* Paris : L'Harmattan.

Duclos, D. 1991b. *Les industriels et les risques pour l'environnement.* Paris : L'Harmattan.

Durkheim, E. 1937. Les règles de la méthode sociologique. Paris : Presses universitaires de France.

Durkin, M.E. 1991. Social impacts and emergency response. *Earthquake Spectra : Philippines Earthquake Reconnaissance Report*, 7 : 115-130.

Dynes, R.R. 1970. *Organized Behavior in Disaster.* Lexington, MA : D.C. Heath.

Dynes, R., A. Purcell, D. Wenger, P. Stern, R. Stallings et Q. Johnson. 1980. *The Accident at Three Mile Island : Report of the Emergency Preparedness and Response Task Force.* University of Delaware, Disaster Research Center.

Dynes, R.R. et E.L. Quarantelli. 1986. Role simplification in disaster. Dans *Role Stressors and Support for Emergency Workers.* Washington, DC : National Institute of Mental Health and the Federal Emergency Management Agency, U.S. Government Printing Office : 23-37.

Eddy, P., E. Potter et B. Page. 1976. *Destination désastre.* Paris : Grasset.

Egan, T. 1989. Elements of tanker disaster : Drinking, fatigue, complacency. *New York Times*, 22-5. Cité dans Clarke, 1992a.

Eisner, H. 1991. Safety : The perils of self-regulation. *New Scientist*, janvier : 4.

Edwards, W. et D. von Winterfeldt. 1987. Public values in risk debates. *Risk Analysis*, 7, 2 : 141-158.

Ellison, T.D. 1994. Pourquoi avons-nous des paliers de législation qui se chevauchent? *CCAIM Nouvelles*, septembre : 1-2 (*Conseil canadien des accidents industriels majeurs*).

Fabiani, J.-L. et J. Theys (eds.). 1987. *La société vulnérable. Évaluer et maîtriser les risques.* Paris : Presses de l'École normale supérieure.

Fennell, D. 1988. *Investigation Into the King's Cross Underground Fire.* Londres : HMSO, Department of Transport.

Ferguson, E.S. 1987. Risk and the American engineering profession : The ASME Boiler code and American industrial safety standards, dans Johnson et Covello.

Fessenden-Raden, J., J.M. Fitchen et J.S. Heath. 1992. Providing risk information in communities : Factors influencing what is heard and accepted. *Science, Technology, & Human Values*, 12, 3-4 : 94-101.

Fink, S. 1986. *Crisis Management : Planning for the Inevitable*. New York : American Management Association (AMACOM).

Fiorino, D.J. 1990. Citizen participation and environmental risk : A survey of institutional mechanisms. *Science, Technology, & Human Values*, 15, 2 : 226-243.

Fischer, G.W., M. Granger Morgan, B. Fischhoff, I. Nair et L.B. Lave. 1991. What risks are people concerned about? *Risk Analysis*, 11, 2 : 303-314.

Fischhoff, B. 1985. Managing risk perceptions. *Issues in Science and Technology*, 2 : 83-96.

Fischhoff, B. 1995. Risk perception and communication unplugged : Twenty years of process. *Risk Analysis*, 15 : 137-145.

Fischhoff, B. 1996. Public values in risk research, dans Kunreuther et Slovic, 1996b : 75-84.

Fischhoff, B., P. Slovic, S. Lichtenstein, S. Read et B. Combs. 1978. How safe is safe enough? A psychometric study of attitudes towards technological risks and benefits. *Policy Science*, 9 : 127-152.

Fischhoff, B., S. Lichtenstein, P. Slovic, S.L. Derby et R.L. Keeney. 1981. *Acceptable Risk*. Cambridge : Cambridge University Press.

Fisher, A. 1991. Risk communication challenges. *Risk Analysis*, 11, 2 : 173-179.

Fitzpatrick, J.S. 1980. Adapting to danger. *Sociology of Work and Occupation*, 7, 2 : 131-158.

Flynn, C.B. et J.A. Chalmers. 1980. *The Social and Economic Effects of the Accident at Three Mile Island*. Rapport préparé par Mountain West Research Inc. et Social Impact Research Inc., pour l'Office of Nuclear Regulatory Research, U.S. Nuclear Regulatory Commission. Washington.

Flynn, J., P. Slovic et C.K. Mertz. 1993a. Decidedly different : Expert and public views of risks from a radioactive waste repository. *Risk Analysis*, 13, 6 : 643-648.

Flynn, J., P. Slovic et C.K. Mertz. 1993b. The Nevada initiative : A risk communication fiasco. *Risk Analysis*, 13, 5 : 497-502.

Flynn, J., P. Slovic et C.K. Mertz. 1994. Gender, race, and perception of environmental health risks. *Risk Analysis*, 14, 6 : 1101-1108.

Fournier, A., G.-Y. Kervern, C. Guitton et M. Monroy. 1997. *Le risque psychologique majeur*. Paris : Eska.

Frank, B. 1981. *Great Disasters of the World*. Londres. Roydon Publishing Co. Ltd.

Friedman, M. 1970. The social responsibility of business is to increase its profits, dans Snoeyenbos : 73-79.

Galbraith, J.R. 1977. *Organization Design.* Reading, Mass. : Addison-Wesley.

Gardner, G.T. et L.C. Gould. 1989. Public perceptions of the risks and benefits of technology. *Risk Analysis*, 9, 2 : 225-242.

Gephart, R.P. 1984. Making sense of organizationally based environmental disasters. *Journal of Management*, 10, 2 : 205-225.

Gephart, R.P. 1987. Organization design for hazardous chemical accidents. *The Columbia Journal of World Business*, 22, 1 : 51-58.

Gephart, R.P., L. Steier et T. Lawrence. 1990. Cultural rationalities in crisis sensemaking : A study of a public inquiry into a major industrial accident. *Industrial Crisis Quarterly*, 4, 1 : 27-28.

Gherardi, S. et B. Turner. 1987. *Real Men Don't Collect Soft Data.* Cahier 13. Trente : Universita di Trento.

Godson, R. 1975. *The Rise and Fall of the DC-10.* New York : David McKay.

Goguelin, P. 1991. Hasard et accident. *Préventique*, 38, mars-avril : 13-15.

Gomez-Mehia, L.R. et M.W. Lawless (eds.). 1992. *Top Management and Executive Leadership in High Technology : Advances in Global High-Technology Management.* Vol. 2. Greenwich, CT : JAI Press.

Gould, L.C., G.T. Gardner, D.R. DeLuca, A.R. Tiemann, L.W. Doob et A.J.A. Stolwijk. 1988. *Perceptions of Technological Risks and Benefits.* New York : Russell Sage Foundation.

Green, H.P. 1980. The role of law in determining acceptability of risk, dans Schwing et Albers : 255-269.

Green, C.H. et S.M. Tunstall. 1991. Is the economic evaluation of environmental resources possible? *Journal of Environmental Management*, 33 : 123-141.

Green, C.H., S.M. Tunstall et M. Fordham. 1991. *The Risks from Flooding : Which Risk an Whose Perception?* Flood Hazard Research Centre, Middlesex University.

Gregory, R. 1989. Improving risk communication : Questions of content and intent, dans Leiss : 71-79.

Gregory, R. et R. Mendelsohn. 1993. Perceived risk, dread, and benefits. *Risk Analysis*, 13, 3 : 259-264.

Griffith, R.F. 1981. Introduction : The nature of risk assessment, dans Griffith : 1-20.

Griffith, R.F. (ed.). 1981. *Dealing with Risk : The Planning, Management and Acceptability of Technological Risk.* New York : Wiley.

Gross, J.L. et S. Rayner. 1985. *Measuring Culture.* New York : Columbia University Press.

Halpern, J.J. 1989. Cognitive factors influencing decision making in a highly reliable organization. *Industrial Crisis Quarterly*, 3, 2 : 143-158.

Harrison, K. 1991. Between science and politics : Assessing the risks of dioxins in Canada and the United States. *Policy Sciences*, 24, 4 : 367-388.

Health and Safety Executive. 1988. *The Tolerability of Risk from Nuclear Power Stations*. Londres : HMSO. Cité dans Pidgeon *et al.*, 1992.

Herkert, J.R. 1994. Ethical risk assessment : Valuing public perceptions. *IEEE Technology and Society Magazine*, 13, 1 : 4-10.

Hoffman, W.M. et H. Mills Moore (eds.). 1985. *Business Ethics : Reading and Cases in Corporate Morality*. New York : McGraw-Hill Books Company.

Hood, C.C., D.K.C. Jones, N.F. Pidgeon, B.A. Turner, R. Gibson, C. Bevan-Davies, S.O. Funtowicz, T. Horlick-Jones, J.A. McDermid, E.C. Penning-Rowsell, J.R. Ravetz, J.D. Sime et C. Wells. 1992. Risk management, dans The Royal Society : 135-201.

Hoos, I. 1980. Risk assessment in social perspective, dans National Council on Radiation Protection and Measurements : 57-84.

Horlick-Jones, T., A. Amendola et R. Casale (eds.). 1995. *Natural Risk and Civil Protection*. Londres : E & FN Spon.

Hrudey, S.E. et C.G. Jardine. 1995. *Employees and Their Families as Primary Risk Communicators*. Edmonton : University of Alberta Eco-Research Chair, Environmental Risk Management Working Paper no. ERC 95-6.

Hrudey, S.E. 1996. *A Critical Review of Current Issues in Risk Assessment and Risk Management*. Edmonton : University of Alberta Eco-Research Chair, Environmental Risk Management Working Paper no. ERC96-8.

Hrudey, S.E. et A. Light. 1996. *Real versus Perceived Risk : What is the Reality for Environmental Scientists?* Edmonton : University of Alberta Eco-Research Chair, Environmental Risk Management Working Paper no. ERC 96-6.

Hubert, P. et P. Pagès. 1989. Risk management for hazardous materials transportation : A local study in Lyons. *Risk Analysis*, 9, 4 : 445-451.

Hunt, J.G. et J.D. Blair (eds.). 1985. *Leadership on the Future Battlefield*. Washington, DC : Pergamon.

Hurst, R. 1982. Portents and challenges, dans Hurst et Hurst : 175.

Hurst, R. et L.R. Hurst (eds.). 1982. *Pilot Error : The Human Factor*. New York : Aronson.

Iannone, A.P. (ed.). 1987. *Contemporary Moral Controversies in Technology*. New York : Oxford University Press.

Jamieson, D. 1996. Scientific uncertainty and the political process, dans Kunreuther et Slovic, 1996b : 35-43.

Janis, I.L. 1972. *Victims of Groupthink : A Psychological Study of Foreign-Policy Decisions and Fiascoes.* New York : Houghton Mifflin.

Jasanoff, S. 1986. *Risk Management and Political Culture.* New York : Russell Sage Foundation.

Jasanoff. 1991. Acceptable evidence in a pluralistic society, dans Mayo et Hollander : 29-47.

Jasanoff, S. 1993. Bridging the two cultures of risk analysis. *Risk Analysis,* 13, 2 : 123-129.

Johnson, B.B. et V.T. Covello (eds.). 1987. *The Social and Cultural Construction of Risk.* Boston : D. Reidel.

Kanter, R.M. et B.A. Stein (eds.). 1979. *Life in Organizations : Workplaces as People Experience Them.* New York : Basic Books.

Kasperson, R.E. 1986. Six propositions on public participation and their relevance for risk communication. *Risk Analysis,* 6, 3 : 275-281.

Kasperson, R.E. 1992. The social amplification of risk : Progress in developing an integrative framework, dans Krimsky et Golding : 153-178.

Kasperson, R.E. et J.X. Kasperson. 1983. Determining the acceptability of risk : Ethical and policy issues, dans Rogers et Bates : 135-155.

Kasperson, R.E., O. Renn, P. Slovic, H.S. Brown, J. Emel, R. Goble, J.X. Kasperson et S. Ratick. 1988. The social amplification of risk : A conceptual framework. *Risk Analysis,* 8, 2 : 177-191.

Kasperson, R.E. et K.M. Down. 1991. Developmental and geographical equity in global environmental change. A framework for analysis. *Evaluation Review,* 15 : 149-171.

Kasperson, R.E. et P.J. Stallen (eds.). 1991. *Communicating Risk to the Public.* Dordrecht : Kluwer Academic.

Kasperson, R.E. et J.X. Kasperson. 1996. The social amplification and attenuation of risk, dans Kunreuther et Slovic, 1996b : 95-105.

Kates, R., C. Hohenemser et J. Kasperson (eds.). 1985. *Perilous Progress : Managing the Hazards of Technology.* Boulder, CO : Westview Press.

Kaufman, J.N. 1995. *À quelles conditions morales est-il permis d'imposer des risques?* Conférence présentée au Centre de droit public, Université de Montréal. L'auteur cite Snoeyenbos, 1983 (chap. 2), et Hoffman et Moore, 1985 (chap. 14).

Keating, M. 1989. Response to Grima, dans Leiss : 139-141.

Kelly, B.D. et W.J. Weckman. 1995. Practical risk assessment in the process industries, dans Robinson et Wilson : 183-200.

Kervern, G.-Y. et P. Rubise. 1991. *L'archipel du danger : introduction aux cindyniques.* Paris : Économica.

Kervern, G.-Y. 1993. *La culture réseau.* Paris : Eska.

Kervern, G.-Y. 1995. *Éléments fondamentaux de cindyniques.* Paris : Économica.

Kivimäki, M. et R. Kalimo. 1993. Risk perception among nuclear power plant personnel : A survey. *Risk Analysis,* 13, 4 : 421-424.

Klein, R.L., G.A. Bigley et K.H. Roberts. 1995. Organizational culture in high-reliability organizations : An extension. *Human Relations,* 48, 7 : 771-793.

Kletz, T. 1994a. *What Went Wrong? Case Histories of Process Plant Disasters.* Houston : Gulf Publishing Company.

Kletz, T.A. 1994b. Why are we publishing fewer accident reports? The Institution of Civil Engineers, in conjunction with the Hazards Forum. Dans *Blowing the Whistle for Safety,* Safety Panel, 28 avril.

Knowlton, R.E. Non daté. *Une introduction aux études sur les risques et l'exploitabilité.* Chemetics International Company.

Kolluru, R.K. (ed.). 1994. *Environmental Strategies Handbook.* New York : McGraw-Hill Books Compagny.

Koren, G. et N. Klein. 1991. Bias against negative studies in newspaper reports of medical research. *Journal of the American Medical Association,* 266 : 1824-1826.

Kraus, N., T. Malmfors et P. Slovic. 1992. Intuitive toxicology : Expert and lay judgments of chemical risks. *Risk Analysis,* 12 : 215-232.

Krimsky, S. et D. Golding (eds.). 1992. *Social Theories of Risk.* Westport, CT : Praeger.

Kunreuther, H., D. Easterling, W. Desvousges et P. Slovic. 1990. Public attitude towards siting a high-level nuclear waste repository in Nevada. *Risk Analysis,* 10, 4 : 469-484.

Kunreuther, H. et P. Slovic. 1996a. Science, values, and risk, dans Kunreuther et Slovic, 1996b : 116-125.

Kunreuther, H. et P. Slovic (eds.). 1996b. *Challenges in Risk Assessment and Risk Management.* The Annals of the American Academy of Political and Social Sciences, 545. Londres : Sage Publication.

Lagadec, P. 1979. Le défi du risque technologique majeur. *Futuribles,* 28 : 11-34.

Lagadec, P. 1981. *La civilisation du risque : catastrophes technologiques et responsabilité sociale.* Paris : Seuil.

Lagadec, P. 1988. *États d'urgence.* Paris : Seuil.

Lagadec, P. 1991. *La gestion des crises : outils de réflexion à l'usage des décideurs.* Paris : McGraw-Hill.

Lalo, A. 1988. Perception du risque technologique majeur. *Préventique,* 21 : 19-41.

Lalo, A. 1992. Dire le risque : élaboration d'une stratégie d'information. Dans *Actes du colloque sur les aspects socio-économiques de la gestion des risques naturels.* Études du CEMAGREF, Montagne, 2 : 117-134.

Lamontagne, M., R. Du Berger et A.E. Stevens. 1991. Secousses sismiques et chocs psychologiques : une double tâche pour les sismologues. *Revue de la Protection civile Canada,* octobre-décembre : 17-20.

Lamontagne, M., R. Du Berger et A.E. Stevens. 1992. Seismologists can help attenuate post-earthquake public vibrations. *Earthquake Spectra,* 8, 4 : 573-594.

La Porte, T.R. (ed.) 1975. *Organized Social Complexity.* Princeton, NJ : Princeton University Press.

La Porte, T.R. 1987. *High Reliability Organizations : The Research Challenge.* Working Paper. Berkeley : University of California Press, Department of Political Science.

Lave, T.R. et L.B. Lave. 1991. Public perceptions of the risks of floods : Implications for risk communication. *Risk Analysis,* 11, 2 : 255-267.

Layfield, Sir F. 1987. *Sizewell B Public Inquiry : Summary of Conclusions and Recommandations.* Londres : HMSO. Cité dans Pidgeon *et al.,* 1992.

Legendre, C. et J. Dofny. 1982. *Catastrophe dans une mine d'or.* Québec : Commission d'enquête sur la tragédie de la mine Balmoral et les conditions de sécurité dans les mines souterraines (Gouvernement du Québec, Conseil exécutif).

Leiss, W. (ed.). 1989. *Prospects and Problems in Risk Communication.* Waterloo, Ont. : University of Waterloo, Institute for Risk Research.

Leiss, W. 1996. Three phases in the évolution of risk communication practice, dans Kunreuther et Slovic, 1996b : 85-94.

Lichtenstein, S., P. Slovic, B. Fischhoff, M. Layman et B. Combs. 1978. Judged frequency of lethal events. *Journal of Experimental Psychology : Human Learning and Memory,* 4 : 551-578.

Lighthall, F.F. 1988. Space shuttle risk analysis is ill defined, NRC charges. *IEEE Institute* (supplément à *IEEE Spectrum*), 12, 5.

Lighthall, F.F. 1991. Launching the space shuttle Challenger : Disciplinary deficiencies in the analysis of engineering data. *IEEE Transactions on Engineering Management,* 38, 1 : 63-74.

Limoges, C., A. Cambrosio, E. Hoffman, D. Pronovost, D. Charron, S. Castonguay et E. Francoeur. 1990. Controversies over risks in biotechnology (1973-89) : A framework of analysis. Dans Air & Waste Management Association. *Managing Environmental Risks.*

Lind, N.C. 1989. Measures for risk and efficiency of risk control, dans Leiss : 175-187.

Lindell, M.K. et T.C. Earle. 1983. How close is close enough : Public perceptions of the risks of industrial facilities. *Risk Analysis,* 3, 4 : 245-253.

Lindell, M.K. et V.E. Barnes. 1986. Protective response to technological emergency : Risk perception and behavioral intention. *Nuclear Safety*, 27, 4 : 457-467.

Lowrance, W. 1976. *Of Acceptable Risk : Science and the Determination of Safety.* Los Altos, CA : William Kaufmann Co.

MacCrimmon, K.R. et D.A. Wehrung. 1986. *Taking Risks : The Management of Uncertainty.* New York : The Free Press.

Maslow, A. 1966. *The Psychology of Science : A Reconnaissance.* New York : Harper & Row, dans Hoos, 1980.

Mayo, D.G. et R.D. Hollander (eds.). 1991. *Acceptable Evidence.* Oxford : Oxford University Press.

Mazur, A. 1973. Disputes between experts. *Minerva*, 11, 2 : 243-262.

Mazur, A. 1981. *The Dynamics of Technical Controversy.* Washington, DC : Communications Press.

Mazur, A. 1987. Putting radon on the public's risk agenda. *Sci. Technol. Human Values*, 12, 3-4 : 86-93.

McDaniels, T.L. 1988. Chernobyl's effects on the perceived risks of nuclear power : A small sample test. *Risk Analysis*, 8, 3 : 457-461.

McNeil, B.J. *et al.* 1982. On the elicitation of preferences for alternative therapies. *New England Journal of Medicine*, 306 : 1259-1262. Cité dans Kunreuther et Slovic, 1996.

Ministère délégué auprès du premier ministre chargé de l'environnement et de la prévention des risques technologiques majeurs. Non daté. *Échelle de gravité des accidents industriels.*

Mintzberg, H. 1979. *The Structuring of Organizations : A Synthesis of Research.* Englewood Cliffs, NJ : Prentice-Hall.

Mitroff, I.I., T.C. Pauchant, M. Finney et C. Pearson. 1989. Do (some) organizations cause their own crises? The cultural profiles of crisis-prone vs. crisis-prepared organisations. *Industrial Crisis Quarterly*, 3, 4 : 269-283.

Moatti, J.-P. et J. Lochard. 1987. L'évaluation formalisée et la gestion des risques technologiques : Entre connaissance et légitimation, dans Fabiani et Theys : 61-79.

Moghissi, A.A. 1985. Risk management : Practice and prospects. *Mechanical Engineering*, 106, 11 : 21-23.

Moreau, A. 1987. Votre mesure du risque est-elle crédible? *Revue de la Protection civile Canada*, janvier-mars : 9-13.

Morell, D. et C. Magorian. 1982. *Siting Hazardous Waste Facilities : Local Opposition and the Myth of Preemption.* Cambridge, Mass. : Ballinger.

Morgan, G.M. 1989. *Electric and Magnetic Fields from 60 Hertz Electric Power : What Do We Know about Possible Health Risks?* Pittsburgh : Carnegie Mellon University.

Morgan, G.M. 1992. Prudent avoidance. *Public Utilities Fortnightly*, 15 : 26-29.

Morgan, M.G., P. Slovic, I. Nair, D. Geisler, D. McGregor, B. Gischhoff, D. Lincoln et K. Florig. 1985. Powerline frequency and magnetic fields : A pilot study of risk perception. *Risk Analysis*, 5 : 139-149.

Morone, J.G. et E.J. Woodhouse. 1986. *Averting Catastrophe : Strategies for Regulating Risky Technologies*. Berkeley : University of California Press.

National Council on Radiation Protection and Measurements (NCRP). 1980. *Perceptions of Risk*. Proceedings of the Fifteenth Annual Meeting of the National Council on Radiation Protection and Measurements. Washington, DC : 14-15 mars 1979.

Neal, D.M. 1984. Blame assignment in a diffuse disaster situation : A case example of the role of an emergent citizen group. *International Journal of Mass Emergencies and Disasters*, 2 : 251-266.

Nelkin, D. 1992. *Controversy : Politics of Technical Decision*. Newbury Park : Sage Publications.

Nelkin, D. et M. Pollak. 1980. Problems and procedures in the regulation of technological risk, dans Schwing et Albers : 233-253.

Nicolet, J.-L. 1988. Le risque lié à l'activité humaine. *Gérer le risque*. Paris : Presses de l'École nationale des ponts et chaussées : 89-103.

Nicolet, J.-L., A. Carnino et J.-C. Wanner. 1989. *Catastrophes? Non merci! La prévention des risques technologiques et humains*. Paris : Masson.

Nicolet, R., L. Roy, R. Arès, J. Dufour, G. Marinier et G. Morin. 1996. Commission scientifique et technique sur la gestion des barrages. Québec : Les Publications du Québec.

Nigg, J.M. 1989. The issuance of earthquake «predictions» : Information, diffusion and public response. Cité dans Quarantelli et Pelanda.

Otway, H.J. et J.J. Cohen. 1975. *Revealed Preferences : Comments on the Starr Benefit-Risk Relationships*. Laxenburg, Autriche : International Institute for Applied Systems Analysis.

Otway H. et M. Peltu (eds.). 1985. *Regulating Industrial Risks : Science, Hazards and Public Protection*. Londres : Butterworth.

Otway, H., P. Haastrup, W. Cannell, G. Gianitsopoulos et M. Paruccini. 1988. Risk communication in Europe after Chernobyl : A media analysis of seven countries. *Industrial Crisis Quarterly*, 2 : 3-15.

Otway, H. et B. Wynne. 1989. Risk communication : Paradigm and paradox. *Risk Analysis*, 9, 2 : 141-145.

Parker, D. et J. Handmer (eds.). 1991. *Hazard Management and Emergency Planning : Perspectives on Britain*. Londres : James & James Science Publ.

Paté-Cornell, É. 1989. Entrevue. Citée dans Bell et Esch, 1989.

Paté-Cornell, É. et P.S. Fischbeck. 1993. PRA as a management tool : Organizational factors and risk-based priorities for the maintenance of the tiles of the space shuttle orbiter. *Reliability Engineering and System Safety*, 40, 3 : 239-257.

Paulos, J.A. 1995. *A Mathematician Reads the Newspaper*. New York : Anchor Books, dans Hrudey, 1996.

Pauchant, T.C. et I.I. Mitroff. 1988. Crisis-prone vs crisis avoiding organizations : Is your company's culture its own worst enemy in creating crisis? *Industrial Crisis Quarterly*, 2 : 53-63.

Peck, M.S. 1987. *A Different Drum : Community and Peace Making*. New York : Simon & Schuster.

Perrow, C. 1984. *Normal Accidents : Living with High-Risk Technologies*. New York : Basic Books Inc.

Perrow, C. 1986. The habit of courting disaster. *The Nation*, 11 octobre : 345-350.

Petrovski, H. 1994. Broken bridges. *American Scientist*, 82, juillet-août : 318-321.

Phillips, B. 1992. *Living in the Aftermath : Blaming Processes in the Loma Prieta Earthquake*. Boulder : University of Colorado, Natural Hazards Research and Applications Information Center.

Pidgeon, N.F. 1991. Safety culture and risk management in organizations. *Journal of Cross-Cultural Psychology*, 22, 1 : 129-140.

Pidgeon, N.F., D.I. Blockley et B.A. Turner. 1986. Design practice and snow loading lessons from a roof collapse. *The Structural Engineer*, 62A, 3, mars : 67-71.

Pidgeon, N.F., B.A. Turner, D.I. Blockley et B. Toft. 1991a. *Corporate Safety Culture : Improving the Management Contribution to System Reliability*. Proceedings of European Reliability.

Pidgeon, N.F., B. Turner, B. Toft et D. Blockley. 1991b. Hazard management and safety culture, dans Parker et Handmer : 243-254.

Pidgeon, N.F., C. Hood, D. Jones, B. Turner et R. Gibson. 1992. Risk Perception, dans The Royal Society : 89-134.

Pilisuk, M., S. Hillier Parks et G. Hawkes. 1987. Public perception of technological risk. *The Social Science Journal*, 24, 4 : 403-413.

Pilisuk, M. et C. Acredolo. 1988. Fear of technological hazards : One concern or many? *Social Behaviour*, 3 : 17-24.

Pollak, R.A. 1995. Regulating risks. *Journal of Economic Literature*, 33 : 179-191.

Pollak, R.A. 1996. Government risk regulation, dans Kunreuther et Slovic, 1996b : 25-34.

Prabhu, M. 1988. The role of criminal law in preventing and reducing chemical hazards. *Industrial Crisis Quarterly*, 2, 3-4 : 327-338.

Quarantelli, E.L. et R. Dynes. 1977. Response to social crisis and disaster. *Annual Review of Sociology*, 3 : 23-49.

Quarantelli, E.L. 1990. *The Warning Process and Evacuation Behavior : The Research Evidence.* Preliminary Paper # 48. Newark, DE : Disaster Research Center, University of Delaware.

Quarantelli, E.L. et C. Pelanda (eds.). 1989. *Preparations for, Responses to, and Recovery from Major Community Disasters.* Newark, DE : Disaster Research Center, University of Delaware.

Rayner, S. 1992. Cultural theory and risk analysis, dans Krimsky et Golding : 83-115.

Rayner, S. et R. Cantor. 1987. How fair is safe enough? The cultural approach to societal technology choice. *Risk Analysis*, 7, 1 : 3-9.

Renn, O. 1985. Risk analysis : Scope and limitations, dans Otway et Peltu : 111-127.

Renn, O. 1991. Risk communication and the social amplification of risk, dans Kasperson et Stallen : 287-324.

Renn, O. 1992a. The social arena concept of risk debates, dans Krimsky et Golding : 179-196.

Renn, O. 1992b. Risk communication : Towards a rational discourse with the public. *Journal of Hazardous Materials*, 29 : 465-519.

Roberts, K.H. 1989a. New challenges in organizational research : High reliability organizations. *Industrial Crisis Quarterly*, 3, 2 : 111-125.

Roberts, K.H. 1989b. The significance of Perrow's normal accidents : Living with high-risk technologies. *Academy of Management Review*, 14 : 285-289.

Roberts, K.A. 1990a. Managing high reliability organizations. *California Management Review*, 32 : 101-113.

Robert, K.H. 1990b. Some characteristics of one type of high reliability organization. *Organization Science*, 1, 2 : 160-177.

Roberts, K.H. 1992. Structuring to facilitate migrating decisions in reliability enhancing organizations, dans Gomez-Mehia et Lawless : 171-191.

Roberts, K.H. (ed.). 1993a. *New Challenges to Understanding Organizations.* New York : Macmillan.

Roberts, K.H. 1993b. Cultural characteristics fo reliability enhancing organizations. *Journal of Management Issues*, 2, été : 165-181.

Roberts, K.H. 1994. Functional and dysfunctional organizational linkages, dans Cooper et Rousseau : 1-11.

Roberts, K.H. et D.M. Rousseau. 1989. Research in nearly failure-free, high-reliability organizations : Having the bubble. *IEEE Transactions on Engineering Management*, 36, 2 : 132-139.

Roberts, K.H. et G. Gargano. 1990. Managing a high-reliability organization : A case for interdependence, dans Von Glinow et Mohrman : 146-159.

Roberts, K.H., S.K. Stout et J. Halpern. 1994a. Decision dynamics in two high reliability military organizations. *Management Science*, 40, 5 : 614-624.

Roberts, K.H., D.M. Rousseau et T.R. LaPorte. 1994b. The culture of high reliability : Quantitative and qualitative assessment aboard nuclear-powered aircraft carriers. *The Journal of High Technology Management Research*, 5, 1 : 141-161.

Robins, J. 1990. *The World's Greatest Disasters*. Secaucus, NJ : Chartwell Books Inc.

Robinson, C. et L. Wilson (eds.). 1995. *Process Safety and Loss Management in Canada. Proceedings of the First Biennial Conference 1993*. Waterloo, Ont. : University of Waterloo, Institute for Risk Research.

Rocher, G. 1969. *Introduction à la sociologie générale*. T. I. Montréal : HMH.

Rochlin, G.I. 1989. Informal organizational networking as a crisis-avoidance strategy : US naval flight operations as a case study. *Industrial Crisis Quarterly*, 3, 2 : 159-176.

Rochlin, G.I., T.R. LaPorte et K.H. Roberts. 1987. The self-designing high-reliability organization : Aircraft carrier flight operations at sea. *Naval War College Review*, 40, 4 : 76-90.

Rogers, J.T. et D.V. Bates (eds.). 1983. *Assessment and Perception of Risk to Human Health*. Ottawa : Royal Society of Canada.

Roqueplo, P. 1991. Faut-il que les accidents technologiques soient imputables? *Préventique*, 40 : 5-9.

Rossman, E.J. 1994. The social organization of risk : Public involvement in federal environmental planning. *Industrial & Environmental Crisis Quarterly*, 8, 3 : 191-204.

Rousseau, D.M. 1989. The price of success? Security-oriented cultures and high reliability organizations. *Industrial Crisis Quarterly*, 3, 4 : 282-302.

Royal Society. 1983. *Risk Assessment : Report of a Royal Society Study Group*. Londres : The Royal Society.

Royal Society. 1992. *Risk : Analysis, Perception, Management*. Londres : The Royal Society.

Ruffman, A. et C.D. Howell. 1994. *Ground Zero : A Reassessment of the 1917 Halifax Explosion in Halifax Harbour*. Halifax : Nimbus Publishing Ltd et Gorsebrook Research Institute.

Sachsman, D.B., P.M. Sandman, M.R. Greenbert et K.L. Salomone. 1988. Improving press coverage of environmental risk. *Industrial Crisis Quarterly*, 2, 3-4 : 283-296.

Sainsaulieu, R. 1985. *L'identité au travail : les effets culturels de l'organisation.* Paris : Presses de la Fondation nationale des sciences politiques.

Sandman, P.M. 1986. *Explaining Risks to Non-Experts.* Conference on Global Disasters and International Information Flow, 8-10 octobre. Washington, DC : The Annenberg School of Communications.

Sandman, P.M. 1987. Comment expliquer le risque à des profanes. *Revue de la Protection civile Canada,* octobre-décembre : 25-29.

Sandman, P.M., P.M. Miller, B.B. Johnson et N.D. Weinstein. 1993. Agency Communication, Community Outrage, and Perception of Risk : Three Simulation Experiments. *Risk Analysis,* 13, 6 : 585-598.

Savage, I. 1993. Demographic influences on risk perceptions. *Risk Analysis,* 13, 4 : 413-420.

Scanlon, J., S. Alldred, A. Farrell et A. Prawzick. 1985. Coping with medias in disasters : Some predictable concerns. *Public Administration Review* : 123-133.

Schiavo, M. et S. Chartrand. 1997. *Flying Blind, Flying Safe.* New York : Avon Books.

Schlager, N. (ed.). 1994. *When Technology Fails.* Détroit : Glen Research Inc.

Schneider, E. 1986. Tschernobyl : Psychische Folgen schwerwiegender als Strahenschaeden. *Medical Tribune : Oesterreichische Ausgabe,* 44, 31 octobre : 20. Cité dans Otway *et al.,* 1988.

Schulman, P.R. 1993. The analysis of high reliability organizations : A comparative framework, dans Roberts : 33-54.

Schwartz, H.S. 1989. Organizational disaster and organizational decay : The case of the National Aeronautics and Space Administration. *Industrial Crisis Quarterly,* 3, 4 : 319-334.

Schwing, R.C. et W.A. Albers Jr. (eds.). 1980. *Societal Risk Assessment : How Safe is Safe Enough,* New York : Plenum Press.

Seilan, H. 1991. L'identification du responsable pénal et la délégation de pouvoirs. *Préventique,* 42 : 61-64.

Selye, H. 1962. *Le stress de la vie.* Traduction de P. Verdun. Paris : Gallimard.

Short, J.-F. Jr. et L. Clarke (eds.). 1992. *Organizations, Uncertainties, and Risk.* Boulder : Westview Press.

Shortreed, J., K. Dinnie et D. Belgue. 1993. Risk criteria for public policy, dans Robinson et Wilson : 131-158.

Shrader-Frechette, K.S. 1985. *Risk Analysis and Scientific Method : Methodological and Ethical Problems with Evaluating Societal Risks.* Boston : D. Reidel.

Shrader-Frechette, K.S. 1991. *Risk and Rationality.* Berkeley : University of California Press.

Shrivastava, P. 1987. *Bhopal : Anatomy of a Crisis.* Cambridge, Mass. : Ballinger.

Signoret, J.-P. et A. Leroy. 1986. La prévision du risque technologique. *La Recherche*, 17, 183 : 1596-1607.

Simon, H.A. 1957. *Administrative Behavior*. New York : MacMillan.

Sjöberg, L. et B.-M. Sjöberg. 1991. Knowledge and risk perception among nuclear power plant employees. *Risk Analysis*, 11, 4 : 607-618.

Slovic, P. 1980. Images of disaster : Perception and acceptance of risks from nuclear power, dans National Council on Radiation Protection and Measurements : 34-55.

Slovic, P. 1986. Informing and educating the public about risk. *Risk Analysis*, 6, 4 : 403-415.

Slovic, P. 1987. Ripples in a pond : Forecasting industrial crises. *Industrial Crisis Quarterly*, 1, 4, hiver : 34-43.

Slovic, P. 1992. Perceptions of risk : Reflections on the psychometric paradigm, dans Krimsky et Golding : 117-152.

Slovic, P. 1993. Perceived rrisk, trust, and democracy. *Risk Analysis*, 13, 6 : 675-682.

Slovic, P., B. Fischhoff et S. Lichtenstein. 1979. Rating the risks (perceived risks). *Environment*, 21, 3 : 14.

Slovic, P., B. Fischhoff et S. Lichtenstein. 1980. Facts and fears : Understanding perceived risk, dans Schwing et Albers : 181-217.

Slovic, P., B. Fischhoff et S. Lichtenstein. 1985. Characterizing perceived risk, dans Kates : 91-125.

Slovic, P., N. Kraus et V.T. Covello. 1990. Comment : What should we know about making risk comparisons. *Risk Analysis*, 10, 3 : 389-392.

Slovic, P., M. Layman, N. Kraus, J. Flynn, J. Chalmers et G. Gesell. 1991. Perceived risk, stigma, and potential economic impacts of a high-level nuclear waste repository in Nevada. *Risk Analysis*, 11, 4 : 683-696.

Slovic, P., J. Flynn, S. Johnson et C.K. Mertz. 1993. *The Dynamics of Trust in Situations of Risk*. Eugene, OR : Decision Research. Rapport 93-2.

Smith, D. 1990. Corporate power and the politics of uncertainty : Conflicts surrounding major hazard plants at Canvey Island. *Industrial Crisis Quarterly*, 4, 1 : 1-26.

Snoeyenbos, M. 1983. *Business Ethics : Corporate Values and Society*. New York : Prometheus Books.

Solomon, K.A. 1987. Comparing risk management practices at the local levels of government with those at the state and federal levels. *Journal of Hazardous Materials*, 15 : 265-296.

Sorensen, J.H., J.R. Hutton et D.S. Mileti. 1984. Institutional management of risk informatin following earthquake predictions. Dans *Earthquake Prediction, Proceedings of the International Symposium on Earthquake Prediciton*. Paris : Unesco et Tokyo : Terra Scientific Publishing Company : 913-924.

Sorensen, J.H. et G.O. Rogers. 1988. Local preparedness for chemical accidents : A survey of U.S. communities. *Industrial Crisis Quarterly*, 2, 2 : 89-108.

Stallings, R. 1990. Media discourse and the social construction of risk. *Social Problems*, 39 : 80-95.

Starr, C. 1969. Social benefit versus technological risk : What is our society willing to pay for safety? *Science*, 165 : 1232-1238.

Starr, C. 1985. Risk management, assessment, and acceptablity. *Risk Analysis*, 5 : 97-102.

Stix, G. 1989. Bhopal : A tragedy in waiting. *IEEE Spectrum Special Report : Designing and Operating a Minimum-Risk System*, 26, 6 : 47-50.

Tazieff, H. 1989. *La Terre va-t-elle cesser de tourner : pollutions réelles, pollutions imaginaires.* Paris, Seghers : 69-70.

Therrien, M.-C. 1993. La notion de réseaux interorganisationnels dans la gestion de deux catastrophes technologiques québécoises. Montréal : Département de génie industriel, École Polytechnique (mémoire de maîtrise en sciences appliquées).

Thomas, G. et M.M. Witts. 1971. *The San Francisco Earthquake.* New York : Stein & Day.

Thompson, J.D. 1967. *Organizations in Action.* New York : McGraw-Hill Books Compagny.

Thompson, M. 1980. *An Outline of the Cultural Theory of Risk.* Laxenburg, Autriche : International Institute for Applied Systems Analysis. Working Paper WP-80-177.

Thompson, M., R. Ellis et A. Wildavsky. 1990. *Cultural Theory.* Boulder : Westview Press.

Thornburgh, R. 1987. The Three Mile Island experience : Ten lessons in emergency management. *Industrial Crisis Quarterly*, 1, 1 : 5-14.

Thorne, S. 1995. *Risk Communications : The Stakeholder Components.* Présentation au Process Safety & Loss Management Conference, Toronto, 15 juin.

Toft, B. et B.A. Turner. 1987. The schematic report analysis diagram : A simple aid to learning from large-scale failures. *International CIS Journal*, 1, 2 : 12-23.

Toft, B. 1992. The Failure of Hindsight. *Disaster Prevention and Management*, 1, 3 : 48-60.

Toft, B. 1993. *New Horizons for Risk Management & Insurance : Behavioural Aspects of Risk Management.* AIRMIC Conference 1993. Collected papers produced in association with Lloyd's of London.

Toft, B. et S. Reynolds. 1994. *Learning from Disasters : A Management Approach.* Oxford : Butterworth-Heinemann.

Tuler, S. 1988. Individual, group, and organizational decision making in technological emergencies : A review of research. *Industrial Crisis Quarterly*, 2, 2 : 109-138.

Turner, B.A. 1978. *Man-Made Disasters.* Londres : Wykeham Publications.

Turner, B.A. 1989a. *How Can We Design a Safe Organisation?* Paper for the Second International Conference on Industrial and Organizational Crisis Management. New York : New York University.

Turner, B.A. 1989b. Accidents and nonrandom error propagation. *Risk Analysis*, 9, 4 : 437-444.

Turner, B.A. 1991. The development of a safety culture. *Chemistry and Industry*, avril : 241-243.

Turner, B.A. 1992. The sociology of safety, dans Blockley : 186-201.

Turner, R.H., J.M. Nigg et D.H. Paz. 1986. *Waiting for Disaster*. Los Angeles : University of California Press.

Turner, B.A., N. Pidgeon, D. Blockley et B. Toft. 1989. *Safety Culture : Its Importance in Future Risk Management*. Second World Bank Workshop on Safety Control and Risk Management, Karlstad, Suède.

Turnstall, S., C.H. Green et M. Fordham. 1992. *Perception of Flood Risk and Attitudes to the Local Environment*. River Management Schemes and Public Consultation Procedures. Flood Hazard Research Centre, Middlesex University.

Tversky, A. et D. Kahneman. 1974. Judgment under uncertainty : Heuristic and biases. *Science*, 185 : 1124-1131.

Unsworth, D.J. 1994. Redifining public involvement. *Journal of Management in Engineering*, juillet-août : 13-15.

U.S. Nuclear Regulatory Commission. 1975. *Reactor Safety Study*. Washington, DC : NUREG-75/014.

U.S. Nuclear Regulatory Commission. 1987. *Reactor Risk Reference Document*. Washington, DC : NUREG-1150, 1.

Vaillancourt, J.G. et B. Perron. 1996. La perception des changements climatiques : objet de recherche. *L'Enjeu*, hiver : 17-18.

Vaughan, D. 1990. Autonomy, interdependence, and social control : NASA and the space shuttle Challenger. *Administrative Science Quarterly*, 35 : 225-257.

Verba, S. et N.H. Nie. 1972. *Participation in America : Political Democracy and Social Equality*. New York : Harper and Row.

Voight, B. 1990. The 1985 Nevado del Ruiz volcano catastrophe : Anatomy and retrospection. *Journal of Volcanology and Geothermal Research*, 42 : 151-188.

Von Glinow, M.A. et S. Mohrman (eds.). 1990. *Managing Complexity in Hgh-Technology Organizations*. New York : Oxford University Press.

Weick, K.E. 1985. A stress analysis of future battlefields, dans Hunt et Blair : 32-46.

Weick, K.E. 1987. Organizational culture as a source of high reliability. *California Management Review*, 29, 2 : 112-127.

Weick, K.E. 1988. Enacted sensemaking in crisis situations. *Journal of Management Studies*, 25 : 305-317.

Weick, K.E. et K.H. Roberts. 1993. Collective mind in organizations : Heedful interrelating on flight decks. *Administrative Science Quarterly*, 38 : 357-381.

Westrum, R. 1987. Management strategies and information failure, dans Wise et Debons : 109-127.

Weterings, R.A.P.M. et J.C.M. Van Eijndhoven. 1989. Informing the public about uncertain risks. *Risk Analysis*, 9, 4 : 473-482.

Wiener, E.L. Mid-air collisions : The accidents, the systems, and the realpolitik, dans Hurst et Hurst : 101-117.

Wilson, G.T. 1986. Lessons of Bhopal for production managers. *IEEE Engineering Management Review*, 14, 3, septembre : 33-44.

Wilson, Cpt Paul. 1994. The purpose of a confidential human factor incident reporting programme for aviation (CHIRP). Dans The Institution of Civil Engineers, in conjunction with the Hazards Forum, *Blowing the Whistle for Safety*, Safety Panel, 28 avril.

Wise, J.A et A. Debons (eds.). 1987. *Information Systems Failure Analysis*. NATO ASI Serie F. Computer and Systems Science. Vol. 3. Berlin : Springer-Verlag.

Wynne, B. 1989. Sheepfarming after Chernobyl. *Environment*, 31 : 11-15, 33-39.

Zimmerman, R. 1988. Understanding industrial accidents associated with new technologies. *Industrial Crisis Quarterly*, 2, 3-4 : 229-256.

Zimmerman, R. 1988. Understanding industrial accidents associated with new technologies : A human resources management approach. *Industrial Crisis Quarterly*, 2, 3-4 : 229-256.

Zimmerman, R. 1993. Social equity and environmental risk. *Risk Analysis*, 13, 6 : 649-666.

Il y a dix ans, une tempête emportait l'Ocean Ranger, faisant 84 noyés. *La Presse*, 15-2-92.

Le Monde, 13 mai 1987.

Pravda rips drunkeness sloppy repairs at Chernobyl. *The Gazette*, 25-4-1988.